D1220372

# *La SOLEDAD de la REINA*

A LA MEJOR HERMANA
DEL MUNDO DE SU
HERMANA LA PEQUEÑA
CON TODO EL CARIÑO

[illegible]

JULIO - DEL 2015

*Pilar Eyre*

# *La SOLEDAD de la REINA*

Sofía: una vida

la esfera de los libros

Primera edición: enero de 2013


Avenida de Alfonso XIII, 1, bajos
28002 Madrid
Tel.: 91 296 02 00 • Fax: 91 296 02 06
www.esferalibros.com

ISBN: 978-84-9970-452-4
Depósito legal: M. 36.239-2012
Impresión: Huertas
Encuadernación: Huertas
Impreso en España-*Printed in Spain*

# *Índice*

# *Capítulo 1*

—Majestad, ¡cuidado! ¡La cabeza!

Sofía se agacha llevándose instintivamente la mano al cuello, donde flamea el largo fular que intenta proteger su frágil garganta del frío que la penetra como un punzón de hielo. Las peligrosas aspas del helicóptero emiten un zumbido ensordecedor y levantan ráfagas de nieve que le golpean la espalda; la luz inmisericorde de los focos delimita un triste perímetro espectral como de decorado de teatro. La reina rechaza toda ayuda con un gesto imperioso:

—Gracias, estoy bien, no se preocupen.

Las erres suenan más germánicas que nunca; el miedo a lo desconocido nos empuja, inmisericorde, a la infancia más profunda. Bajan la escalerilla y una voz, en la que se mezcla el respeto y la piedad, le indica:

—Señora, ponga el pie aquí.

Lleva unos mocasines de piel fina que ya están completamente empapados. Todo lo que se ha puesto es inadecuado, porque se ha vestido deprisa y corriendo. El pantalón no combina con el jersey, y lleva encima una vieja pelliza que la doncella, Maribel, ha sacado de algún armario remoto y huele ligeramente a naftalina. Del brazo le cuelga un bolso como un lenguado mustio.

Dos horas antes, cuando ha sonado el teléfono en la casa de la Pleta de Baqueira, adonde han llegado por la mañana, Sofía se estaba arreglando para ir a cenar a Casa Irene, en Arties, con el general Armada, que había sido secretario de la Casa y ahora es gobernador de Lérida. Es un ritual; la primera noche que pasan en el Valle tienen que ir a probar la olla aranesa que Irene les prepara con tanta ilusión, aunque la receta, según les dice siempre, «es fácil, se la podrían preparar en casa; es como un cocido pero con butifarras y "pilota"». Y Juanito se ríe siempre:

—Sí, eso, que la «pilota» no falte nunca, ¡y si son varias, mejor!

A Juanito le gusta tanto que siempre se despide con un beso de la cocinera. Sofía se ve obligada entonces a repartir también besos, cuando ella es de natural distante y la verdad es que no le gustan las demostraciones afectuosas ni el contacto físico con nadie que tenga más de cuatro años o menos de cuatro patas.

Ha oído el teléfono, pero, naturalmente, no se ha puesto. Además, nunca es para ella. Está abstraída escogiendo las joyas que Maribel le presenta sobre una bandeja:

—No, las perlas en la montaña no pegan.

Desecha el collar que le regaló su suegra, herencia de la reina Victoria Eugenia, un hilo de perlas muy gruesas que había formado parte de un collar largo, y escoge una cadena de plata, que va muy bien con la camisa de seda con lazo anudado al cuello de color salmón y amplias hombreras que piensa ponerse. Se mira en el espejo. 6 de febrero de 1981. Cuarenta y dos años, ojeras, el rostro algo cansado, ¡ha sido tan dura esta semana! Hace tres días han viajado al País Vasco y en la sala de juntas de Guernica los han insultado y los diputados han cantado el *Eusko Gudiarak,* puño en alto. Aguantaron estoicamente, pero sudando por dentro. El rey incluso había tenido la humorada de ponerse la mano detrás de la oreja y decir:

—No se oye muy bien.

Hay ruido de sables en el ejército. El convulso gobierno de un desfondado Adolfo Suárez está dando los últimos y agónicos coletazos y nadie sabe lo que puede pasar.

Y Juanito, ay, Juanito.

Las infantas, tan Borbón, están en plena adolescencia, su única ilusión ahora es arreglarse para ir a bailar a Tiffanys esta noche. Empiezan a pasar por sus primeras penas de amor, aunque a ella no le cuentan nada. Aquí, en el Valle de Arán, apenas las ve, aunque se las oye mucho: las botas de esquiar sobre el parqué, el timbre de la puerta, música en su habitación, ¡la prima Alexia, que habla tan alto! Pero la sonrisa solo le surge a Sofía, como brota el agua de la fuente, al pensar en Felipe. Se enrojecen sus mejillas, sus ojos brillan, sus pómulos se alzan, ¡así sonreía cuando se enamoró de Juanito, cuando bailaban juntos en la pista pequeña del Dorchester y sus alientos se mezclaban, se enredaban sus dedos y sentía el turbador roce de sus pestañas en la mejilla mientras la vida estaba todavía por estrenar!

Pero Felipe no ha venido, no es buen estudiante. Cuando le preguntan qué asignatura le gusta más,[1] siempre contesta:

—¡La siesta y la hora del recreo!

Y esta respuesta, que en sus hijas le hubiera enfadado, le hace reír a carcajadas aunque esté sola. A veces, cuando va en el coche, que Gaudencio conduce con tanta prudencia que parece que fueran andando, y se ve reflejada en el cristal mientras piensa en su hijo, tan formal en su uniforme gris y azul marino, intenta borrar el reflejo con la mano porque no le gusta esa mezcla de debilidad e indulgencia que denota su expresión. Por dentro se dice:

—Soy una imbécil.

Felipe tiene un examen pendiente, y se ha tenido que quedar en Madrid bajo la tutela de su abuela, Federica, la que fue reina de Grecia durante veinte años, el periodo más convulso de la historia de este país. Se ha quedado protestando, claro, porque por algo tiene solo trece años:

—Jo, mami, siempre tengo que fastidiarme.

Y se acercaba a ella, mimoso, y le enseñaba el aparato de los dientes:

—Mami, me duele mucho… yo creo que el fin de semana en el Valle me iría muy bien.

La abuela lo miraba desdeñosamente mientras, para que el príncipe no la entendiera, le comentaba en alemán a Sofía con un tono que nadie se atrevía a emplear con la reina de España:

—Qué blanda eres con este niño, Sofía, qué maleducado está, qué diferencia de los chicos Wurtenberg. ¡Eberhard me dijo el verano pasado que quería dedicar su vida a su país y que para entrenarse duerme sobre una tabla! ¡Si hubieras enviado a Felipe a educarse a Alemania en vez de a ese Rosales o Rosalos!

—Mamá, ¡te recuerdo que Wurtenberg no es un país y que Eberhart duerme encima de una tabla porque tiene la espalda torcida! Y que estamos muy contentos con el colegio Los Rosales.

Y luego se permitía esta pequeña pulla, de la que enseguida se arrepentía:

—Tú también educaste muy mal a Tino.

Pero ya Federica agitaba la mano por encima de su cabeza con tintineo de abalorios y pulseras, se envolvía en su chal multicolor, daba media vuelta y se alejaba rumbo a su habitación hablando sola por el pasillo, sin posibilidad de réplica:

—Bueno, bueno, yo solo digo que unos se sacrifican mucho y otros muy poco. Haced lo que queráis…

Y se ponía a cantar la única canción española que conocía y que le había enseñado la reina Victoria Eugenia:

—Se va el caimán, se va el caimán, se va para Baggganquilla…

Sofía debía apretar los puños y echar mano de toda la disciplina que había aprendido en su internado alemán para no estrangular a su madre allí mismo, pero lo cierto es que había estado a punto de ceder y llevarse al chico a esquiar, pero se sintió obligada a frenarse por miedo a los vitriólicos comentarios de la que fue reina de Grecia pero podría haber sido tranquilamente sargento de las SS en Buchenwald. Sofía sabe que el resto de la familia llama a Federica «la sargento prusiana» y que su nombre aún se utiliza en Grecia para asustar a los niños, y en el fondo lo comprende. Sus visitas, aunque deseadas, le dan siempre un poco de miedo. Federica, limitada ahora por fuerza al ámbito doméstico, escudriña a la familia y al palacio de La Zarzuela como si llevara incorporada mira telescópica en sus pupilas color acero:

—Este tono amarillo de los sofás no me convence, ¡no hace palacio!

—Este niño está muy mimado.

—Cristina es mona, pero ¡muy chicazo!

—Y para Elena, ¿qué buenos partidos tenemos en el horizonte? Ojalá se ennoviara con Eberhart, pero como la dejáis ir con jinetes y gente así, terminará maleándose. ¡Yo, a su edad, ya estaba casada!

Sofía intentaba protestar débilmente: «Mamá, no mientas, ¡tú te casaste a los veinte años!», pero Federica ya no la escuchaba, estaba tomando posesión de la casa, ¡con ella siempre hay por medio una maleta abierta, telas indias llenas de colores extendidas por los sofás, un collar de ojos de tigre colgando de una lámpara, velas aromáticas, estampas de santones que pone de pie en las estanterías, risas y conversaciones interesantes!

Ahora había venido para hacerse cargo de los principitos mientras los reyes viajaban al País Vasco. Esta era la excusa oficial, pero la verdad es que quería someterse a una pequeña operación de estética:

—Mira, ¿ves —se acercaba a su hija para enseñarle unos quistes insignificantes— estos bultitos? ¿A que son horrendos? Pues me los quito y después de paso me eliminan un poco de piel de los párpados para hacerme la mirada más joven.

Para qué quería estar más joven su madre, que vivía en un ashram en Madrás con la única compañía de Irene y de un gurú indio llamado Mahadevin, era un misterio para Sofía, pero ¡prefería no preguntar!

Se pone los pendientes, estos sí, de perlas y se da un golpe de cepillo, levanta una mecha con el peine y se echa laca, así, una y otra vez, hasta que el pelo le queda impecable, ¡es una de sus manías! Distraídamente, oye como cuelgan el teléfono. Prefiere pensar que era para Elena o Cristina antes que plantearse otra dolorosa posibilidad en forma de rubia de largas piernas. Apoya los codos en la mesa del tocador, se mira de cerca en el espejo, se estira la piel del rostro y se pregunta si ella necesitaría también algún retoque. Carlos Zurita le ha dicho con la autoridad que le da ser médico que lo de mamá es insignificante, pero aun así le ha prometido quedarse a su lado durante toda la intervención, ¡es tan buena persona y tan digno de confianza! La clínica es la Paloma y el médico de cirugía plástica, el doctor Vilar Sancho; se lo había recomendado Carmen Franco a la reina de Grecia:

—Nos ha hecho la nariz a todos y ya ve vuestra majestad el resultado, hasta Jaime ha quedado bien.

Es verdad. Las nuevas narices de la familia Franco se han convertido en el canon de belleza de los españoles, y además «Carmen madre», como la llaman en Zarzuela para distinguirla de la odiada duquesa de Cádiz, también se ha «hecho» los párpados:

—Nada, es una tontería, te sacan una tirita de piel; a mí me lo hicieron con anestesia local.

Pero Federica quería que la durmieran por completo; como es hiperactiva temía moverse o alterarse si oía como cortaba el bisturí. Le detectan la tensión alta, pero aun así nadie se alarma.[2] La anestesia correrá a cargo del doctor Aguado.

Sofía había pensado quedarse para hacerle compañía, pero su madre le había advertido, con esa sabiduría que solo tienen las mujeres de largo recorrido:

—Vete con Juanito, Sofía, no seas tonta... —Y después le había preguntado distraídamente—. ¿Quién es ahora? ¿Sigue con la *vedette*?

Sofía, que no quería hablar de este tema con nadie, ni siquiera con su madre, había enrojecido y mirado hacia otro lado. Federica, meneando la cabeza, le había dado con el abanico en el brazo, tan fuerte que le hizo daño:

—No lo dejes solo; tienes un marido muy atractivo y ¡Borbón! Acuérdate de los horrores que nos contaba Victoria

Eugenia de Alfonso XIII, por no hablar de tu suegro. ¡Hija mía, llevan la infidelidad en los genes!

Y las dos se habían mirado suspirando al unísono pensando también ambas lo mismo, ¡por desgracia, no todos los hombres pueden ser santos como el pobre papá!

En ese momento, el marido atractivo y con su problemática carga genética a cuestas entra en el cuarto y con él una ráfaga de aire frío y rubio, olor a tabaco y a colonia inglesa, el jersey anudado descuidadamente sobre los hombros, la camisa arremangada hasta el codo; ¡cómo duele estar tan enamorada! Pero el desconcierto pronto sustituye a ese sentimiento de insatisfacción cotidiano. ¡Qué raro! Él nunca viene a su cuarto. El rey tiene sus propias habitaciones en el otro extremo de la casa.

La doncella, que está arreglando la ropa encima de la cama, cuando entra don Juan Carlos, hace una reverencia y sale. Sofía lo mira a través del espejo, de codos todavía sobre la mesa. Su marido tiene esa expresión que ella conoce bien; parece estar furioso, porque se le unen las cejas y frunce los labios, pero por las líneas horizontales de su frente su mujer advierte que en realidad está preocupado. La reina se pone en pie.

—¿Qué pasa? —Y enseguida, ante su silencio, el boquete en el estómago, el pánico—. ¡Felipe! ¡Un atentado!

Con un gesto de mano impaciente, el rey corta:

—¡No, no, coño, qué dices! Felipe está bien, es tu madre.

Sofía se extraña primero, balbucea después:

—¿Mamá? ¿Qué ha pasado?

Juanito se encoge de hombros, no la mira a los ojos:

—Una complicación, ¡la puta manía de las mujeres de haceros cosas! Algo ha fallado... el corazón...

Sofía retrocede, tropieza con el tocador, caen las cosas al suelo, laca, joyas, el cepillo, masculla:

—Pero… cómo… —No se atreve a preguntar si ha muerto. Lo intenta de nuevo:

—Pero cómo ha sido… si estaba bien… si no era nada…

—Me ha llamado Sabino, le había avisado Carlos, es un follón, la estaban operando en la Paloma y le ha dado un ataque al corazón… La están llevando a casa. Laura está intentado localizar a tus hermanos...

Sofía no reacciona. Federica de Brunswick-Lüneburg de Schleswig-Holstein, la invulnerable, ¡nada le puede pasar a su madre! Federica, que no se ha doblegado nunca, ni ante los comunistas, ni ante las bombas; ¡si los generales curtidos en mil batallas temblaban delante de ella y el sudor traspasaba sus guerreras! ¿Muerta? ¿Vencida por la muerte? ¡No! ¡Imposible! ¡Su madre es fuerte, es joven, será joven siempre!

—Mamá.

Lo pronuncia con voz normal, sin gritar. Su marido la coge del brazo y le dice:

—Sofi, es una cabronada, pero es así, es la vida. ¿Qué quieres hacer?

Sofía lo mira con asombro; ¿qué quiere hacer? Ir, ¡ir, por supuesto!, cruzar ríos, montañas, valles, caminar con la nieve por las rodillas, coger las manos de su madre, ¡besarlas! ¡Cubrir su rostro de besos! ¡Tapar sus pies desnudos! ¿Por qué le pregunta qué quiere hacer?

—Ir, irnos, ¡claro!, ¡qué esperabas!

Incómodo, Juan Carlos aparta la vista de ella y con gesto severo, para evitar recriminaciones, le dice:

—Puedes ir en helicóptero a Zaragoza y allí te recoge un avión militar… Yo tengo que quedarme aquí… Armada… la cena… la situación del país… Sabino te ayudará en todo. Y Laura y Domínguez…

Sofía lo mira con ojos desorbitados, ella, con tanto dominio de sí misma, está pálida como la vieja máscara de las ceremonias que se interpretaban en los anfiteatros atenienses en honor de los dioses antiguos de los cuales desciende su linaje.

—No vienes… me dejas sola…

Juan Carlos le dice con prisa:

—Mujer, no seas exagerada, ¡si voy mañana! ¡Qué más te da! Llévate a las niñas si quieres, voy a decir que lo preparen todo.

Sale dando voces. Como una autómata, Sofía se deja vestir, el traje que no combina, la pelliza que huele vagamente a naftalina, el fular. Las infantas, que tienen dieciocho y dieciséis años, llevan sus gruesos anoraks, han estado todo el día esquiando y se van quemadas por el sol, con la cara brillante de Nivea y la cabeza cubierta por gorros de lana; parecen nórdicas. No se atreven a mirarla. Observan con curiosidad el helicóptero girando como un abejorro gigante en la pequeña explanada cerca de casa donde ha tomado tierra. Un grupo de gente de la casa golpea el suelo con las botas como caballos impacientes, el comandante Pepe Sintes, ayudante de jornada del rey, y miembros de los servicios de seguridad, también un general Armada jadeante que ha llegado corriendo y que se ofrece «para lo que sea, para acompañar a su majestad al fin del mundo si fuera preciso».

El hombre que la traicionará, a ella y a la patria, dos semanas más tarde. Sí, también está.

Como los coreutas de una tragedia de Sófocles, todos la contemplan con piedad, porque todos saben que Federica ya ha muerto. La única que no lo sabe es la reina.

Don Juan Carlos les da un beso a sus hijas y una palmada en las mejillas lustrosas, y después se dirige pensativamente a su mujer. Lleva un chaquetón militar, con el cuello subido. Se detiene y la mira en silencio, se inclina hacia ella, intenta una caricia, pero el gesto torpe e infrecuente se pierde en el aire. Se da media vuelta y se va renqueando ligeramente antes de que el helicóptero despegue. De espaldas a ella, levanta la mano con los dedos abiertos y muy separados, despidiéndose, y se mete en el coche.

—Majestad, cuidado con la cabeza.

En el exiguo espacio, la reina se acurruca en un rincón, y permanece en silencio mientras las infantas miran a través del cristal y señalan:

—¡La Pleta! ¡El hotel Montarto! ¡El telesilla! Eso de ahí debe ser Arties.

Desde Arties los invitados van subiendo en el Land Rover hasta la casa. Irene ha puesto la olla aranesa en *tupperwares* y se arregla una cena en la Pleta, en un comedorcito que apenas se usa. Hasta algún escolta tiene que hacer de improvisado camarero. En la sobremesa se sacan licores y puros. La conversación, urgente y apasionante, dura hasta la madrugada. A las tres, el rey acompañará a Armada hasta el Parador de Viella, treinta kilómetros de carretera endemoniada, conduciendo él mismo. Se despedirán con un abrazo.

Nadie sabe lo que se habló esa noche, 6 de febrero de 1981, diecisiete días antes del intento de golpe de Estado que pasaría a la historia con el nombre de 23-F, liderado precisamente por el general Armada, que pondría en peligro la democracia, pero, paradójicamente, consolidaría la monarquía de Juan Carlos I hasta nuestros días y más allá. Durante el juicio, en su defensa, Armada pidió a su majestad el permiso para revelar el contenido de su conversación, aquella noche de luto y frío en el Valle de Arán. El rey se lo negó.[3] Armada acató las órdenes de su jefe supremo y fue condenado a treinta años de cárcel.

La reina, hundida en su asiento, debe sentirse a partes iguales apenada y furiosa. El golpeteo alocado de las aspas del helicóptero rivaliza con los latidos de su corazón. De vez en cuando se inclina hacia el piloto para preguntar:

—¿Se sabe algo?

El piloto, sin mirarla, niega con la cabeza. Él también está al tanto de que Federica de Grecia ha muerto.

Descienden en el aeropuerto de Zaragoza. Son las 11 de la noche. Un grupo de militares, sujetándose las gorras con la mano, inclinados por la fuerza centrípeta de las hélices, se acercan al aparato y abren la puerta.

El comandante al mando se cuadra y dice:

—Mi más sentido pésame, majestad.

Sofía tiene que agarrarse a él para no caer. O sea que era cierto lo que le decía su corazón, mamá ha muerto.

El piloto le hace un gesto furioso al militar, pero ya es demasiado tarde.

Cruzan los apenas cincuenta metros que los separan del DC 9 de las fuerzas aéreas que los está esperando. Sofía va demudada, pero camina como un soldado valiente, uno dos, uno dos, mamá se ha muerto, uno dos. Sube la escalerilla, se sienta como si no fuera ella, uno dos, uno dos, cinturón. En el asiento de al lado no hay nadie. Sola.

Las luces de la cabina son muy tenues, pero demasiado brillantes. Mamá se ha muerto. «*Mutti*», susurra Sofía, volviendo al tierno apelativo de la infancia. «*Auf wiedersehen, mutti*». *Γειά σας μητέρα*.

Tino está en Londres. Irene, en la India.

Mamá está sola como lo está ella. Muerta y sola. Sola en este avión inmenso, en este país inmenso. Extranjeras y solas. ¡Nadie nos quiere, mamá!

Cuánta luz.

Levanta una mano y se le acerca un ayudante:

—¿Sí, señora?

Tiene que agacharse para oír lo que le pide Sofía:

—¿Pueden apagar las luces, por favor?

Se apagan las luces, y entonces sí que se oye llorar a la reina de España.

El avión surca la noche y los recuerdos.

# *Capítulo 2*

Centenares de velas doraban con su luz trémula el techo y las paredes del pequeño comedor de Psychico donde estaba naciendo un niño. También permanecían encendidas las feas lámparas eléctricas de vulgar latón, pero en esta zona residencial de Atenas eran frecuentes los apagones y el príncipe heredero de Grecia, el diádoco, no quería arriesgarse a que la vida de su adorada mujer corriera peligro. Era necesario que la habitación estuviera bien iluminada.

—¡Dios mío, no permitas que le pase algo a mi Freddy!

Pablo, que se había casado mayor, a los treinta y siete años, ahora no podía concebir la existencia sin Federica. «¡Doy gracias al cielo por cada minuto que paso contigo!», le escribía emocionado, congregando los dos motores de su vida: el misticismo y el amor fulgurante y avasallador por la diminuta princesita alemana.

El 2 de noviembre de 1938, día de difuntos, ocho y media de la tarde, todavía podía verse en el horizonte una raya de luz color sepia como la pincelada rauda y certera de un pintor impresionista. Las polvorientas acacias del jardín parecían inclinarse por el peso de los siglos para contemplar a través de los ventanales cómo venía al mundo una reina de España. Claro que entonces nadie sabía el augusto destino que esperaba a esta criatura, hija de príncipes, sí, pero de un país que transcurría por las carreteras secundarias de la historia.

Federica, tumbada en la mesa de comedor acolchada por una manta doble, cubierta por una sábana bajo la que se afanaba la comadrona, se agarraba a la mano de su marido, que le iba susurrando palabras de cariño y de ánimo:

—Pequeña mía, aguanta un poco más, ya viene…

La princesa no apartaba los ojos de Pablo, y de vez en cuando, sin poder contenerse, le soltaba un arrobado:

—¡Qué guapo eres!

El diádoco le ponía un dedo sobre los labios para que callara, pero su mujer, en la más dolorosa de las contracciones, se lo mordía inconscientemente para arrepentirse de inmediato:

—Perdóname, amor, lo siento. Dame tu pobre dedito.

Intentaba coger la mano de su marido y cubrirla de besos. Había tanto amor en ambos que, por instantes, Federica olvidaba el sufrimiento que le producía el hijo que le surgía de las entrañas para decirle[1] a su marido, que reía y lloraba a la vez:

—Te quiero tanto, Palo, te quiero tanto.

—Yo también te quiero mucho, ángel mío, pequeña mía.

Y Pablo tenía que apartarse un momento para que Federica no le viera enjugarse las lágrimas, ¡le parecía que su frágil mujercita, hace un año tan solo una colegiala, iba a desgarrarse como un cojín de seda delicado! ¡La misma comadrona había dicho, con todo el respeto del mundo, que las caderas de su alteza eran demasiado estrechas!

Pero ella, de un tirón, con la fuerza telúrica de sus veinte años, lo hacía inclinarse sobre la mesa. Se miraban jadeantes a los ojos. Se embebían el uno en el otro, como les pasaba siempre desde que se habían conocido. Se hundían en los ojos del otro, se mezclaban los iris y hasta parecía que respiraban con los mismos pulmones, que les latía un único corazón.

¡El llanto de la criatura incluso les sobresaltó! La comadrona, con gesto profesional, cortó el cordón umbilical y retiró un bebé congestionado que pataleaba y exhibía sin pudor sus encías desdentadas; sus pequeños dedos engarfiados parecían querer subir por las paredes de aire de su nuevo y definitivo mundo. Sin apartar los ojos de su marido, Federica le preguntó:

—¿Es un niño, Palo?

Riendo y secándose las lágrimas, el diádoco dijo:

—No, es una niña, ¡se lo tengo que decir a Mataxas, el primer ministro! A tus padres también, ya sabes que están esperando abajo. Y el alcalde, Mercatis, el jefe de la Casa, el ministro de Justicia, Tabacopoulos, y hasta mi hermano el rey se han acercado para brindar con champán sobre todo por ti, *agapi mou*.

Federica hizo un amago de puchero con su carita arrugada de mono sabio al pensar en sus padres y la pequeña multitud que aguardaba en el piso bajo, ¡todo lo que le apartaba de su Palo le resultaba molesto!, y cogió a su marido por la chaqueta pidiéndole con voz desamparada:

—Espera, no te vayas todavía. Tú querías un chico.

La comadrona secó a la niña y se la entregó a su padre ya fajada y adornada de encajes, no sin hacer una inclinación reverencial con la cabeza, la primera que iba a recibir la recién nacida:

—La basilisa [princesa], alteza.

Palo la subió en alto para ver cómo manoteaba un cachorrillo de ser humano intentando quitarse aquellos perifollos innecesarios que tan molestos le resultaban:

—¿Que yo quería un chico? Freddy, estoy muy contento con esta niña, ¡ojalá se parezca a ti y su vida sea tan venturosa como la nuestra!

Por un momento la carita de Freddy perdió su aire de chicuelo, dudó, carraspeó y al final, con encantadora dignidad y un vibrato cristalino, pronunció sus primeras palabras en griego:

—Θεού θέλοντος [Dios te oiga].

Solemnemente, Palo depositó a su hija sobre el pecho de su mujer, que la acogió susurrando entre sueños y suspiros:

—Vete, vete, si tú estás contento, amor mío, yo también.

Y todavía más bajo, ya dormida:

—*Agapi mou.*

Pablo y Federica llevaban tan solo diez meses casados, aunque se conocían de toda la vida, incluso son parientes, ya que ambos descienden del tronco común de los Hohenzollern y además Pablo es primo hermano de la madre de Federica, Victoria Luisa de Prusia, lo que le acompleja bastante:

—¡Me hace mayor! —decía mientras escrutaba su precoz calvicie utilizando dos espejos estratégicamente colocados.

Federica, a la que en familia llamaban Freddy, nació el 18 de abril de 1917 como princesa de Hannover, era nieta del todopoderoso emperador alemán, el káiser Guillermo, e hija del duque de Brunswick. Vivió con sus padres y sus cuatro hermanos varones entre una hermosa villa en Austria y el imponente castillo de Marienburg que la reina Sofía,[2] mucho más tarde, definió crudamente como «tétrico y medieval, oscuro, con armaduras, escaleras empinadas», para rematar:

—¡Fatal! ¡No me gustó nada!

En el jardín no hay árbol al que no se haya subido la traviesa prinzessin Freddy, ni flor que no haya arrancado «¡para hacer experimentos!»; también ha visto nacer terneros y aparearse perros; ¡en una ocasión vio matar a unos cochinillos y se negó a comer carne una buena temporada! De hecho, cuando fue mayor, se convirtió en vegetariana y lo razonaba así:

—A mí de pequeña me enseñaron a encariñarme con perros, gatos y todo tipo de animales, ¡nunca he podido entender por qué hay que asesinarlos y comérselos!

Su madre, la princesa Victoria Luisa, que por algo es hija del káiser y también la única mujer entre seis hermanos e incluso luce un ligero bigote del que se muestra muy orgullosa, va siempre con una fusta que a menudo tiene que emplear contra su hija.

—¡Freddy!

Cada vez que ve una catástrofe doméstica, se la atribuye sin dudar a Federica, y en la mayoría de las ocasiones tiene razón, pero aquella madre severa y rígida, que nunca ha besado a sus hijos y que los hace desfilar espadón de madera al hombro casi desde que son bebés, sucumbe ante el encanto de su hija menor y acaba por perdonarla. Vivaz como un ratoncillo, lista y traviesa, espontánea y algo impertinente, el habitualmente venenoso escritor Roger Peyrefitte[3] dijo de ella cuando la vio por primera vez:

—¡La prinzessin es la encarnación de la gracia!

Y lord Dunsany, el gran poeta irlandés, que también la conoció, quizás pensaba en Freddy cuando escribía las aventuras de su Criatura Silvestre: «Era tan diminuta que el ojo humano no podía verla, y se pasaba el día volando sobre las alas de las mariposas y brincando sobre los pétalos de las flores del jardín de los príncipes».

Una Freddy que metía su naricilla respingona en todos los rincones, quería aspirar todos los aromas y ansiaba probarlo todo, ¡incluso durante algunos meses se enfundó enardecida el uniforme de camisa y falda negra de las Juventudes Hitlerianas! La rama femenina se llamaba Bund Deutscher Mädel y solo admitían a ciudadanas alemanas, arias y libres de enfermedades hereditarias. Al contrario de lo que se nos ha querido hacer creer siempre, el ingreso en las BDM no fue obligatorio hasta el año 1936. Freddy ingresó voluntaria y entusiásticamente, y frente al retrato del Führer cantaba más fuerte que nadie el *Horst Wessel Lied*, ardiendo de amor patriótico.

Tenía catorce años, y al cabo de dos semanas, según ella, algunos meses, según otras fuentes, se cansó.

—Lo dejé porque me aburría en las reuniones, ¡no me gusta estar encerrada tantas horas! —declararía más tarde.

Lo más probable es que no le gustaran las tareas que le habían asignado en granjas remotas y sin comodidades con familias numerosas: cocinar, cuidar niños, coser, convertirse gracias a las «tres k» (*kinder, küche, kirche,* niños, cocina e iglesia) en una buena alemana. El lema de las BDM era «el trabajo efectivo al servicio del pueblo».

La foto del carné de las Juventudes Hitlerianas, con la camisa de color beis, el corbatín marrón con su peculiar nudo, la cruz gamada en la bocamanga, perfectamente peinada y en actitud modosa, muy lejos de las estampas más bohemias de su niñez, debió de ser una imagen ingrata tanto para Federica como para su hija Sofía, un recordatorio constante de que la afinidad con Hitler forma parte del ADN de muchas familias aristocráticas alemanas, incluida la de la reina de España.

La mayoría de las muchachas de la BDM murieron en la batalla de Berlín defendiendo palmo a palmo la ciudad sin apenas armas, y muchas de ellas emplearon la última bala de sus pistolas para quitarse la vida; claro está que todo esto ocurrió catorce años después de que Freddy abandonara la organización.

Los padres de Freddy, aun idolatrándola, estaban deseando quitársela de encima. No resultaba guapa en una época en la que gustaban las mujeres rubias y de curvas voluptuosas, ya que era muy menuda, de pecho casi plano, y tenía las cejas muy gruesas y oscuras y el pelo negrísimo, crespo y tan rizado como los abrigos de astracán que llevaba su madre cuando iba a la Ópera de Viena. Sus hermanos le gritaban para hacerla rabiar:

—Freddy, gitana, ¿dónde has dejado el oso?

Pero tenía unos raros ojos claros, con el contorno de las pupilas muy marcado y las pestañas oscuras, lo que le daba el aspecto mágico de un elfo de los bosques. Sus labios, muy rojos, estaban siempre abiertos y húmedos, reclamando inconscientemente el regalo de un beso. Para los chicos de su edad era demasiado incitante, sensual, lista y desenvuelta.

—Tiene que ser más dulce, prinzessin, no hace falta que mire con tanto descaro —le decía su dama de compañía, Frau Swartz, de la pequeña nobleza austriaca venida a menos, un poco apabullada por aquella alumna tan díscola que sabía de la vida muchas más cosas que ella y que a los nueve años ya robaba de la biblioteca de su padre los libros de Spinoza.

Al fin la enviaron primero a Inglaterra, al colegio North Foreland Lodge, en Hampshire, y después a Florencia, como parte de la educación que entonces se creía imprescindible para una princesa de sangre real. Aprender idiomas, copiar la estatua de Fidias y lograr que no pareciera un *vol au vent*, trazar unas piruetas que podían pasar por ballet y aporrear en un piano *El vals de las olas* para conseguir al final el Gran Premio: casarse «bien».

Claro que Pablo entraba dentro de la categoría de «bien», pero tampoco era un príncipe azul, aunque era el heredero, el diádoco, del empobrecido trono de los griegos al ser el único hermano varón del rey Jorge II, que no tenía hijos.

Era un hombre ya maduro, que a los doce años había visto como mataban de un tiro a su abuelo, Jorge I, el fundador de la dinastía, y después había conocido a tres reyes, su padre Constantino I, y sus hermanos Alejandro y Jorge. Había vivido en dos ocasiones la angustia de un exilio nada dorado, la renuncia de su padre y después su abdicación, también la muerte trágica de su hermano Alejandro a consecuencia de la mordedura de un mono doméstico y el divorcio de su otro hermano, Jorge.

Y todo esto sin el apoyo ni el amor de una madre. Pablo había crecido prácticamente sin ella, ya que los griegos odiaban a la reina Sofía, nacida en Potsdam, «la prusiana», «la extranjera» que tenía dominado a su apocado marido hasta el punto de empujarlo a ponerse al lado de sus parientes alemanes durante la Primera Guerra Mundial.

—¡Es alemana! ¡Qué puede esperarse de ella!

Y también:

—Tiene amantes, y la más pequeña de sus hijos, la basilisa Catalina, no es hija de su marido.

La reina Sofía, en lugar de tratar de defenderse, se había refugiado en un silencio orgulloso que la había aislado no solamente de su pueblo, sino también de sus propios hijos, y se había retirado a vivir a Florencia mientras su marido se consolaba en brazos de una bellísima noble italiana llamada Paola, aunque a él nadie lo criticó, por supuesto. Con el corazón frágil, como todos los varones de la dinastía, murió a los cuarenta y cinco años; su mujer le sobrevivió diez. La reina falleció tan sigilosamente como había vivido, en 1932, sin que su muerte representase una gran pérdida para nadie.

Introvertido, flemático, amante de la música, de los libros iniciáticos y de los rituales misteriosos, ¡creía que los espíritus convivían con nosotros y nos hablaban!, quedaba claro que Pablo estaba muy lejos de ser un príncipe azul.

—¡Soy una persona corriente! —solía describirse a sí mismo.

Al ser el tercero de los hermanos, nunca pensó que iba a ocupar el trono, así que estudió para marino en la academia naval de Atenas y sirvió como suboficial a bordo del crucero *Elli* en la guerra contra Turquía, pero su carrera se vio truncada al tener que exiliarse, ya que aunque el lema de la dinastía era «mi fortaleza es el amor de mi pueblo», según decían sus hermanos, debería cambiarse por otro más sencillo y oportuno:

—«Tened siempre la maleta preparada».

Y Pablo añadía en una muestra de su humor algo melancólico:

—¡Y pon un gabán dentro!

Porque el exilio solía ser en países de temperatura más extrema que la del soleado y siempre vivificante clima griego.

A diferencia de otras familias reales europeas más curtidas o más codiciosas, los reyes de Grecia no se encontraban al exiliarse con ninguna fortunita puesta a buen recaudo en los bancos extranjeros, como hizo el precavido Alfonso XIII cuando tuvo que irse de España. De hecho, Pablo llegó a estar tan escaso de recursos que durante los once años que residió en Inglaterra, de 1923 a 1935, acosado por la pobreza más absoluta, tuvo que ponerse a trabajar ¡de mecánico!, con el nombre falso de Paul Beck, en la fábrica de motores de aviación Armstrong Whitworth, en Coventry, hasta donde se desplazaba en su pequeño Morris.

Ciertos autores[4] han achacado a Pablo de Grecia algunas relaciones homosexuales durante esta época, concretamente una bastante duradera con el gigoló norteamericano Denham

Fouts, quien tuvo gran amistad con el escritor Truman Capote, que novela esta relación en su libro *Plegarias atendidas*. Personalmente puedo aportar que el historiador español Juan Balansó estaba preparando un libro sobre este tema cuando lo sorprendió la muerte. Me lo comentó en el último Día del Libro que firmamos juntos:

—¡Me están llegando hasta testimonios directos de compañeros suyos en el ejército y cartas manuscritas!

Qué se ha hecho con este interesante material que estaba recopilando Balansó nadie puede decirlo, salvo sus herederos.

Aunque también es cierto que se le conoce al menos una relación femenina: su prima hermana Nina, hija del gran duque Jorge de Rusia y de la duquesa María, hermana de su madre.

Lady Margaret Greville describe a Nina como:

—¡Dulce y exótica a la vez, como una flor de las nieves!

El gran duque Jorge murió fusilado en Rusia por los bolcheviques, su fabulosa fortuna fue incautada, y Nina, su hermana Xenia y su madre se refugiaron también en Inglaterra, donde vivieron de las joyas que habían ocultado en los dobladillos de sus vestidos y en las alas de sus sombreros, que iban malvendiendo a los nuevos ricos norteamericanos. Los dos primos, Pablo y Nina, se visitaban a menudo; la pobreza y las dificultades, así como la añoranza de sus patrias respectivas, hicieron que se anudara entre ellos una complicidad romántica que resultaba fácil confundir con el amor.

La duquesa María, alarmada por este noviazgo que no le convenía, se lo preguntó directamente a su hija:

—¿Palo te ha hecho proposiciones?

Nina bajó la mirada pudorosamente, y la gran duquesa alejó con diplomacia al sobrino pobre como una rata y obligó a su hija a casarse con el millonario norteamericano William Leeds.

Curiosamente, no consta en las crónicas que Pablo sufriese por este rechazo, de lo que se deduce que su corazón estaba esperando todavía al gran amor de su vida.

Un golpe de Estado de cariz monárquico sentó en el trono en 1935 a su hermano Jorge, quien tuvo la precaución de advertir al personal del hotel Claridge, donde se alojaba en Londres:

—Guárdenme la habitación, por favor, la seguiré pagando porque sé que volveré.

Tan poca fe tenía en la llamada de sus compatriotas, un pueblo agitado, frenético, voluble, en una palabra, ¡balcánico! Pablo, por su parte, y con idéntico escepticismo, abandonó Inglaterra para convertirse en su consejero, aunque todo tenía el aire provisional de una época que se acababa. ¡Nadie, ni el rey ni su familia, se hacía ilusiones respecto a su futuro! A Pablo le disgustaba su cometido y se ahogaba en la mezquina y atrasada corte griega, y en cuanto podía se escapaba a visitar a sus amigos y parientes diseminados por toda Europa. ¡Medía 1,93, tenía unos bondadosos ojos gris azulado y la voz grave, y podía hablar de música y de la trasmigración de las almas en tono algo pedante y doctrinal en cinco idiomas!

Se convirtió en un visitante habitual de la fabulosa Villa Esparta en Florencia, donde vivía su hermana Helena, divorciada del rey de los rumanos, que le decía con desenvoltura mientras, tras insertar un cigarrillo en su larga boquilla de ámbar, el humo le hacía entrecerrar los párpados cargados de *khol*:

—Carol sigue con la Lupescu, ¡prefiero eso a las palizas que me daba!

Su vida matrimonial había sido un infierno, pero Helena no era una mujer amargada, al contrario, se había rodeado de una alegre corte de poetas y pintores, siempre con sus dos perros grifones a los pies, y ella misma escribía también, pintaba y cantaba con deliciosa voz de soprano:

> *Viens, Mallika,*
> *les lianes en fleur*
> *jettent déjà leur ombre.*

Helena vibraba con el difícil *Dúo de las flores,* de Delibes, cumbre de la ópera romántica, que entonaba junto a la princesa Mafalda de Saboya, hija del rey de Italia e íntima amiga suya. Se ponían quimonos y dalias negras en el pelo y exhibían más sensibilidad que técnica, pero, aun así, se llevaban aplausos enfervorecidos. En las veladas musicales en el jardín adornado con mariposas de papel y manzanas de cera colgando de los árboles, se repartían sorbetes de limón, abanicos y trozos de hielo para refrescarse; ¡algún descarado los intentaba meter en los escotes de las señoras! Los criados iban vestidos con trajes típicos regionales con mallas apretadas de color blanco que escandalizaban un poco, había un laberinto de boj del que surgían suspiros apagados y la noche se alargaba, equívoca y refinada, hasta que el amanecer desvelaba un zapato de mujer con restos de champán sobre el césped y sillas caídas.

Allí, en ese ambiente ligero y sofisticado, tan diferente del agreste país en el que había nacido Pablo, o de la simpleza pastoril de la corte de Hannover, Federica Brunswick-Lüneburg, Freddy, y Pablo Schleswig-Holstein, Palo, se enamoraron de manera fulminante, ¡como si les hubiera atravesado un rayo! Federica lo recordó más tarde, soñadora:

—Fue instantáneo, era tan guapo.

Lo que dijo Pablo no ha llegado hasta nosotros, pero podemos aplicarle las palabras de un poeta también súbitamente enamorado:

*Y fui como un herido por las calles*
*hasta que comprendí que había encontrado,*
*amor, mi territorio de besos y volcanes.*

Dos años después, en diciembre de 1937, Federica se enfundó un vestido azul de Molyneux, se puso un sombrerito de cuero blanco, ¡los colores nacionales de Grecia!, la valiosa pulsera de zafiros que le había regalado Palo el día que se habían prometido como talismán y se dirigió con el paso alegre de los pioneros que descubrían territorios y cambiaban los mapas a un país desconocido y difícil, en la frontera de Oriente y Occidente, cuyo único patrimonio era un glorioso pasado. La acompañaban sus padres y sus hermanos Ernesto Augusto, Jorge, Óscar Christian y Enrique.

Su nueva familia la recibió con curiosidad en el enorme y destartalado Palacio Real abigarrado de muebles cubiertos de polvo, lleno de corrientes de aire y de criados negligentes. Los oficiales de guardia se apoyaban en sus bayonetas mirando con curiosidad muy poco marcial a la que iba a ser su reina.

A Federica y a su familia les asombró ver que los soldados charlaban entre ellos y se reían a carcajadas, ¡y también se dieron cuenta de que alguno fumaba escondido entre los cortinones de terciopelo raído y lleno de lamparones! Al fondo se oían gritos, risas, pasos, puertas que se cerraban y entrechocar de platos, y todo tenía el aire improvisado, descuidado y muy poco confortable de un bazar oriental. Freddy oyó mucho la palabra:

—*Omorfi.*

Y cuando se enteró de que quería decir «guapa», se sintió un poco escandalizada, pero también muy complacida.

Pablo, a pesar de que era invierno, se secaba el sudor con un pañuelo y, en este hogar sin anfitriona, le tuvo que pegar un grito a un criado:

—¡Trae una bandeja con bebidas!

Todos estaban sedientos después del largo camino recorrido desde la estación, interrumpido a menudo por la multitud que invadía tranquilamente las calles para acercarse a los coches donde iban su futura reina y su familia. Algunos pilluelos se subían a los estribos de los coches y escrutaban el interior haciendo muecas y sacando la lengua.

Los familiares de Pablo, que a Federica le parecieron mayores, mal vestidos y bastante tristes, se mantenían agrupados en el centro del salón, ¡como defendiéndose los unos a los otros! Aunque Pablo le había hablado de todos ellos y le había explicado a grandes rasgos sus complicadas peripecias vitales, Freddy había olvidado quiénes eran, porque no prestaba atención y se ponía a bostezar ostensiblemente para hacer callar a su novio quejándose:

—¡Son todo tragedias griegas y me ponen muy triste!

Pero como veía que él fruncía el ceño, añadía echándole los brazos al cuello, cuando la dama de compañía se hacía la distraída leyendo un libro, y sonriendo para que le aparecieran los irresistibles hoyuelos que volvían loco a Palo:

—Además, mira, sí que te he escuchado, tienes cinco hermanos, bueno, cuatro, porque el pobrecito Alejandro ya se ha muerto, y se llaman… a ver… —Y se ponía a contar con los dedos como una niña pequeña, sacando la puntita rosada de la lengua—. El rey Jorge, la basilisa Helena, la basilisa Irene y la basilisa Catalina, ¡cuando los trate los voy a querer mucho!

Pablo tenía sus dudas, pues no imaginaba a su alegre gorrioncito alternando con sus hermanos, supervivientes de la historia convulsa de su país, ¡el más crispado de toda Europa!, según proclamaba el rey Jorge de Inglaterra, y esclavos de sus pasiones, también desatadas e ingobernables. Y argüía para convencerse a sí mismo:

—Bueno, a Helena ya la conoces, ¡te quiere mucho!

Pero no había nada que temer, porque una impecable prinzessin Freddy, bien adiestrada por su madre, se arrodilló frente al rey Jorge, vestido de militar y con todas sus condecoraciones a cuestas a pesar de ser una reunión familiar, y humillando la frente hasta casi tocar el suelo,[5] le dijo una frase que llevaba meses preparando:

—Solo soy una bárbara del norte que ha venido a Grecia para civilizarse.

Todos esbozaron una sonrisa desconcertada, y el rey, con cierto embarazo, intentó levantarla. Claro que el pobre Jorge estaba muy debilitado por su insuficiencia cardiaca, no pudo con el peso y estuvo a punto de caer con Freddy en brazos, ¡alguna condecoración rodó por el suelo y fue enviada de un certero puntapié bajo un sillón por un criado obsequioso!

Ya recompuestos ambos, el rey le hizo una seña a su chambelán para que le entregara una caja plana:

—Gracias, Federica, bienvenida a Grecia, espero que sea tu país y el de tus hijos. Toma, era de nuestra madre.

En la caja, en un lecho de terciopelo azul con escudo de Garrard, el joyero real inglés, reposaban un broche y un collar de perlas muy gruesas con varios rubíes incrustados. Era una montura anticuada y de muy mal gusto, pero Federica, que nunca había llevado más que unas sencillas perlitas de río, se quedó deslumbrada y solo pudo balbucear:

—Gracias… —Paseó la mirada por el grupo mientras un criado recogía la caja—. Gracias a todos… Ha sido un detalle muy bonito.

Jorge se inclinó mascullando:

—Tenemos más... Ya irán saliendo.

Y por un momento una sonrisa iluminó su rostro macilento de enfermo crónico. Pablo le había contado discretamente a su novia que su hermano mantenía una amistad muy íntima con una dama inglesa a la que en la corte llamaban «señora Brown», pero que nadie lo criticaba, porque el pobre Jorge había hecho un matrimonio desastroso y llevaba quince años divorciado de una extravagante princesa rumana, Elisabeta, tan disoluta que solía explicar con displicencia después de inyectarse una dosis de morfina:

—¡He practicado todos los vicios posibles excepto el asesinato y no descarto matar a alguien antes de morirme!

Elisabeta había tenido, según algunos, incluso relaciones incestuosas con su hermano Carol, rey de Rumanía, divorciado a su vez de Helena, la hermana de Pablo en cuya casa de Florencia se habían conocido los flamantes novios. El rey Carol le había dejado a su exmujer, además de las cicatrices de las palizas que le había propinado, un hijo larguirucho y tristón, Miguel, que entonces tenía dieciocho años. Helena había abandonado por unos días su amada Florencia y sus criados de mallas ajustadas para recibir a su futura cuñada, a la que dio dos besos sonoros y tiernos. Miguel, también en uniforme militar, se inclinó sobre la mano de la que iba a ser su tía, depositó en ella sus gordezuelos labios de mujer y le dijo con voz en la que cantaban todavía algunos gallos adolescentes:

—Hola, tía Freddy.

Un poco apartada del grupo, en un modesto segundo plano, vestida inadecuadamente con un remedo del traje regional griego, estaba la viuda de Alejandro, el hermano muerto. Una señorita llamada Aspasia Manos, que se había casado en secreto con el entonces rey, ¡y cuyo matrimonio, desgraciadamente, solo había sido reconocido a la muerte de aquel! Su hija Alejandra, de la misma edad que Miguel, dieciocho años, se sentía avergonzada delante de su primo vistiendo también el traje regional, que le sentaba bastante mal, y bajaba la cabeza hurtando la visión de su miraba inquietante e impropia de sus pocos años.

El diádoco carraspeó presentándolas a su prometida:

—Freddy, son… la señorita… la princesa… quiero decir mi cuñada Aspasia y mi sobrina Alejandra.

Federica se acercó espontáneamente a ellas, que no se atrevían a moverse de su puesto secundario, y les dio dos besos, mientras le decía a Alejandra:

—¿Sobrina de Palo? ¡Pero si tienes mi edad! ¿Cómo es que no te conocía?

Alejandra, ruborizada, contestaba confusamente que estaba estudiando en Inglaterra, y Federica proclamó:

—¡Vamos a ser muy amigas!

Pablo le dio un empujón casi imperceptible para el ojo humano (pero no para Aspasia y Alejandra, acostumbradas a detectar todos los desplantes y a sufrirlos en silencio), para presentarle a sus dos hermanas solteras:

—Mira, Freddy, esta es Irene.

Federica le dijo alegremente, sin reparar en sus grandes ojos sombríos:

—Ya sé que has tenido que retrasar tu boda por nuestra culpa, ¡perdónanos! Conozco a tu novio, Aimon de Aosta, ¡es guapo, pero no tanto como Palo!

Irene se quedó asombrada, ya que en realidad no se casaba con Aimon porque la madre de su novio no aprobada la boda dada su escasa dote, pero enseñó los dientes en algo que estaba entre sonrisa y relincho, mientras Alejandra soltaba una carcajada, pronto convertida en tos que no engañó a nadie.

—Y esta es la pequeña, Catalina.

Pablo lo dijo con severidad, temiendo quizás que Freddy, ya en vena, hiciera alguna alusión a la sospechosa paternidad de Catalina o a la edad de la «pequeña», veintisiete años, ocho más que ella, pero la novia se limitó a besar a aquella muchacha de larga nariz, ojos acuosos y pinta de solterona.

Sin esperar que Pablo la presentase, una señora imponente, alta, con un brillante del tamaño de una pelota de golf colgando sobre su pecho opulento y con unos impertinentes a la altura de sus ojos miopes, se abalanzó hacia Freddy con la majestuosidad de una escuadra de guerra. Le dio un abrazo que olía a tabaco y a pachulí mientras le informaba con rudeza:

—Yo soy la rara de la familia, ¿este barbián no te ha hablado de mí? Soy tu tía María.

La tía María Bonaparte, que, como era feminista, no había querido renunciar a su ampuloso apellido de soltera que debía a su bisabuelo, hermano de Napoleón, no la soltó sino que empezó a manosearle la cintura y el vientre, se puso a pellizcarle las mejillas, le hizo abrir la boca y hasta le miró el blanco de los ojos mientras murmuraba juicios inconexos:

—Buen funcionamiento de las glándulas... la esclerótica blanca, en el futuro quizás tendrás hipotiroidismo, buena libido, una muchacha sana y normal. —Y luego, girándose desenfadadamente hacia su sobrino, le había espetado—: Tendrás buen sexo con ella... Por ese lado creo que no habrá problemas...

Federica se puso roja como un tomate, pero nadie se escandalizó con las palabras de María Bonaparte,[6] pues su fabulosa fortuna, la mayor de Francia, que provenía de los casinos más importantes de Europa, de los cuales era única propietaria, sostenía prácticamente a la familia, tanto cuando estaba en el exilio, como cuando debía vivir de la precaria asignación del gobierno heleno.

—Y si no alcanzas la *volupté*, ven a verme... Ya sabes que me hice psicoanalista para curarme mi propia frigidez; ¡mi maestro, Freud, dijo que nunca había visto un caso como el mío! —aunque luego la ilustre matrona añadió con autoridad—. Claro que para dar un diagnóstico más correcto habría que medirte la distancia entre la vagina y el clítoris...

Porque la tía María, además de ser sufragista y millonaria, era psicoanalista con consulta abierta en París ¡y había medido a doscientas cuarenta y tres mujeres la distancia entre clítoris y vagina, llegando a la conclusión de que cuanto más corta era, más facilidad se tenía para alcanzar el orgasmo!

—No asustes a Freddy, María. Hola, querida, yo soy tu tío Jacob.

Pablo, con alivio, le señaló a un militar tan lleno de medallas como todos. A Freddy le había comentado su novio que el tío Jacob era «afeminado», pero el anciano que se inclinaba ante ella tenía el aspecto bondadoso y triste de un payaso jubilado. María, sin hacerle caso, prosiguió:

—Sí, Freddy, este es mi marido; ni Freud consiguió curarme, ni el doctor Halban, que me practicó la operación de Narjani, que consiste en acercar...

—¡Por favor, María, no hace falta que entres en detalles!

El reproche, dicho con una sonrisa, de su marido surtió efecto porque la terrible María carraspeó y siguió, más comedida:

—Bien, ya te lo contaré otro día. Pues a pesar de no haber alcanzado nunca la *volupté*, ¡ni saber siquiera en qué consiste!, hemos tenido dos hijos, primero a Pedro, que es antropólogo, y si quieres saber qué demonios es eso, no preguntes porque nadie tiene ni idea. Y después a Eugenia, que se acaba de casar con el príncipe Radziwill, ¡en el futuro podréis criar a vuestros hijos juntos!

Federica se volvió a poner colorada al acordarse no solo de lo que se debía hacer para tener estos hijos, sino de las mediciones a las que se debía someter para alcanzar la *volupté*, pero ya Dominic Radziwill, un polaco de mirada aterciopelada y bigotito a lo Clark Gable, le estaba besando con delectación la punta de los dedos. Mientras, su mujer, Eugenia, que era la única señora elegante de la reunión, con un chaquetón de *renard argenté* que dejaba entrever un soberbio collar de esmeraldas y brillantes, le sonrió sin reticencias, ¡es tan fácil ser simpática cuando sabes que nadie puede hacerte sombra!

—Freddy, hemos oído hablar mucho de ti, ¡y todo ha sido bueno!

Su hermano Pedro, el primer antropólogo que Federica iba a conocer en su vida, se acercó sigilosamente a su madre con el contoneo de un gato satisfecho, la cogió por la cintura componiendo un retablo medieval Madre e Hijo, y le dijo a su nueva prima:

—Tú no me conoces a mí... Pero yo te vi una vez en Florencia, en Villa Esparta. Naturalmente, no me hiciste ni caso, porque solo tenías ojos para el grandullón de mi primo...

Las palabras eran ligeras, pero el tono amenazante, y Freddy sintió una punzada en el corazón.

Tuvo un escalofrío. Nadie se dio cuenta.

El diádoco se acercó y le pasó el brazo por el hombro a su prometida. Se dirigió a Pedro:

—Qué raro, tú por aquí, vagabundo. Esperamos verte en nuestra boda.

El otro le contestó:

—Lo siento, Palo, pero mañana me voy a la India y al Tíbet. —Y girándose a continuación hacia Federica, le dijo con la desenvoltura del hombre de mundo—: Primita, creo que eres demasiado joven para casarte. ¡Palo está cometiendo un infanticidio! Nosotros, mi madre y yo, estamos intentando que este tipo de comportamientos esté penado por la ley.

Su madre le dio un golpe con el estuche de sus gafas, pero no pudo evitar una sonrisa de complacencia:

—Míralo él, como tiene treinta años y está soltero. —Y con volubilidad se soltó de su hijo para acercar por el pescuezo como una res a un muchacho quinceañero rubio de aspecto altivo que, como un caballo de raza, se encabritaba y pretendía soltarse—. Este es nuestro sobrino Felipe; lo tenemos prohijado y le estamos pagando la educación en un colegio inglés muy caro, ¡queremos que se case con la reina de Inglaterra por lo menos!

Todos se echaron a reír, y Federica pensó que con esta familia tan peculiar quizás tendría problemas, pero desde luego no se aburriría en absoluto.

Entretanto, sus cuatro hermanos permanecían en posición de firmes; tan solo habían abierto la boca para saludar con la vieja fórmula de la nobleza antigua:

—¡*Servus*!

Embutidos en sus uniformes militares que parecían cosidos a la piel, con sus botas altas tan brillantes que podrían servir de espejo, con el sello prusiano impreso hasta en la rigidez de su nuca, eran puros representantes de la raza aria por la que tanta admiración manifestaba Hitler, ¡que en el fondo lleva razón! ¡Han tenido que sufrir tantas humillaciones! ¡Hitler les ha devuelto el orgullo de ser alemanes!

Los soldados griegos, desastrados y con los correajes rotos, incluso comían a escondidas, provocando un gesto de desprecio en los hermanos de Freddy. El padre, el duque de Brunswick, que llevaba monóculo, parecía estar al borde de un ataque de apoplejía. Las aletas de su nariz se movían con repugnancia: en un momento dado incluso le ha parecido percibir un olor lejano a col y berenjenas fritas.

Era el sur contra el norte.

Su madre, Victoria Luisa de Prusia, que era una mujer inteligente e ilustrada, quizás se estremecía al pensar en la amalgama de sangres que tendrían los hijos de Pablo y Federica, que entonces, este día de diciembre de 1937, empezaban a caminar aunque ni siquiera hubieran sido concebidos.

Pablo y Federica se casaron dos semanas después, el 9 de enero de 1938. Peyrefitte, en su diario, escribió: «La princesita alemana parecía una colegiala disfrazada de novia, pero su rostro brillaba más que las piedras de su corona». Una corona muy aparatosa de la que no he podido encontrar ningún dato, dándose hoy por desaparecida: algunos autores opinan que la vendió la propia Federica en los últimos años de su vida.

Pero el mundo se estaba cayendo a pedazos, y nadie estaba para bodas ni para coronas; no he encontrado ninguna referencia a este enlace en la prensa europea. Hitler ya se había anexionado Austria. Italia, que también quería tener su propio imperio, puso los ojos en la fatigada Grecia, desangrada por guerras y atentados, con una monarquía débil y un ejército que daría risa si no diera pena. ¡Parecía una presa tan fácil! ¡Empezaron a afilarse los cuchillos!

Pero Federica estaba viviendo su cuento de hadas particular y no quería que nadie viniera a estropeárselo. Ni siquiera los republicanos, que allí llaman venizelistas, que se burlaban de ella y exigían al gobierno que moderara la dotación que les correspondía.

—Para nosotros son señores particulares, y no tenemos ninguna intención de mantenerlos. Su marido es el diádoco, sí, pero nosotros haremos todo lo posible para que no tenga ningún trono que heredar.

Mataxas, el primer ministro, no se atrevió a darles a los recién casados otra vivienda mejor que una casita en Psychico, entonces un barrio residencial de una ciudad modesta de un millón de habitantes. Hoy Psychico está plenamente integrado en Atenas y es un barrio tranquilo, con amplias zonas verdes, en el que se encuentran embajadas y colegios.

La casa estaba muy mal decorada, como todas en Atenas en aquella época, con pomposos muebles Napoleón III, relojes bajo globo, bronces de bazar, iconos, telas bizantinas y platería balcánica, además una parte estaba en obras, y el estrépito obligaba a pasar todo el día fuera. Pero a Federica le daba igual. ¡No le importaba la casa, la vida doméstica, los venizelistas, ni la guerra europea! ¡Incluso le daba pereza aprender griego! La tía María les pagaba un profesor de griego a ella y a su ahijado Felipe, pero los dos se reían tanto que no se sabía cuál era el más chiquillo, y al final el profesor tiraba la toalla y le confesaba su desaliento a María Bonaparte:

—Esperaré a que su alteza crezca un poco.

A Federica le cuesta darse cuenta de sus responsabilidades, confiesa que por las noches tiene que repetirse «¡Soy una persona mayor!». Sus meteduras de pata se convierten en el chiste de moda. En una embajada saluda al hombre más elegante y bien vestido con una reverencia, creyéndolo un príncipe extranjero. Su marido le susurra en voz baja:

—Es el mayordomo.

Federica cuenta que a partir de entonces cada vez que acude a esa embajada tiene que saludar al mayordomo, «¡si no, lo hubiera tomado como un desprecio!». En otra ocasión se pone sus mejores galas para acudir a una *soirée* con sus cuñadas Irene y Catalina, pero tropieza y la corona se convierte en collar y tiene que aguantar así toda la noche.

Pero la que más se comenta ocurre de nuevo en la embajada inglesa, en una boda de campanillas. La basilisa llega algo tarde, y le pregunta inmediatamente al embajador:

—¿Qué? ¿Los novios ya han consumado con satisfacción?

Freddy se excusa diciendo que no pasa nada, que, total, ha confundido consumación con consagración, pero que por si acaso la próxima vez:

—Me limitaré a guiñar un ojo y a levantar el dedo pulgar al modo americano.

Y la gente, que ya no sabe qué pensar de su basilisa, duda si debe reír o llorar.

Ella misma se ríe de su torpeza y se lo cuenta a su cuñada Helena en las cartas que le escribe a Florencia. Le explica que está embarazada y todavía no sabe por qué, observación que, como es natural, sorprende a Helena. También le habla de una vez que se había mareado en el salón de palacio. Y que entonces se acercó con timidez a su cuñado, sentado majestuosamente en el trono, y le había pedido:

—¿Puedo?

El rey Jorge carraspeó, se corrió un poco y recogió su capa, y Federica se sentó con una sonrisa agradecida y permaneció así, recibiendo los homenajes con golpes de cabeza.

Helena, preocupada por las amenazas de Mussolini sobre Grecia, se asombra de la inconsciencia de la mujer de su hermano, pero bastantes problemas tiene ella. ¡Carol, su exmarido, ha llenado tres Bentleys con joyas, cuadros valiosísimos y maletines repletos de dinero y ha abandonado Rumanía acompañado por su amante, la Lupescu! ¡Y la pobre Helena casi no tiene dinero ni para comer!

También teme que los locos políticos rumanos reclamen a su hijo como rey, ahora que se han quitado de encima al inútil y detestado Carol.

La clase alta griega, solo cincuenta y dos familias —sin tratamiento especial, puesto que los títulos nobiliarios no existen en ese país—, empobrecidas y orgullosas, se horroriza por la ignorancia de esta princesa a la que su marido se lo consiente todo porque está enamorado de ella, no como un chiquillo, sino como un hombre. Le confiesa:

—¡No puedo estar sin ti, pequeña mía!

A Federica incluso hacer de madre le parece una responsabilidad tan inmensa y desproporcionada, ¡cuidar a niños cuando ella es una niña también!, que contrata a una muchacha escocesa, Sheila McNair, para que cuide a tiempo completo de Sofía, como si fuera su propia hija.

Casada en su madurez con un pastor presbiteriano, Sheila, a la que llamaban Nursi, continuó toda su vida vinculada a Sofía. Sorprende que la reina de España, que casi no tiene ningún trato con su familia más cercana, haya cultivado esta relación invitándola incluso a la boda de su hija, la infanta Elena, en Sevilla, en marzo de 1995. Cuando bajó del avión, Sheila se cayó y se rompió una pierna, hubo que operársela y la reina, ¡la madre de la novia con múltiples compromisos!, no se apartó ni un momento de su lado, acompañándola incluso dentro del quirófano.

A los curiosos que preguntaban quién era aquella señora[7] mayor que iba en silla de ruedas y que ocupó un lugar preferente en la ceremonia, en la catedral de Sevilla, la reina, tan poco dada a las confidencias, contestaba:

—¡Es mi segunda madre!

Según entiende esta biógrafa, y dada su desconfianza acerca de los lazos de sangre, puedo certificar que en realidad fue la primera. Hay mujeres que son mejores esposas que madres, ¡y no por ello son monstruos! Federica, a mi parecer, fue una de ellas, focalizó la inmensidad de su afecto en su marido mientras vivió, y para sus hijos solo quedó esa zona de penumbra que otros llaman migajas.

Estaba tan enajenada por Pablo que incluso se lo comentaba al severo primer ministro con ingenuidad desarmante:

—¡El diádoco y yo solo somos felices estando juntos!

A diferencia de otras parejas, en esta no había uno que quería y otro que se dejaba querer, ambos competían en desmesura. En verano, Palo le llevaba a su mujer bloques de hielo a la habitación para que se refrescase, y le compró un yate, con el que recorrían incansablemente las deslumbrantes islas griegas, diseminadas por el Mediterráneo como las cuentas de un collar.

Una noche Pablo coge el pequeño bote de remos del *yacht* para acercarse los dos sigilosamente a la isla de Sunión:

—¡No se veía donde terminaba el mar y donde empezaban el cielo y la tierra!

Solo se advierte el glop glop de los remos contra el agua como el latido de un corazón y la fosforescencia de los peces voladores. En la orilla destaca a la luz de la luna un templo solitario, sostenido sobre dos esbeltas pero firmes columnas que han perdurado a través de los siglos, en las que Federica ve una metáfora de su amor. ¡Ese instante no lo olvidará nunca, y querrá morir con ese recuerdo bajo los párpados!

Recorren el Peloponeso y Salónica, suben a las alturas del Epiro y Macedonia, escalan el monte Athos y visitan sus monasterios a lomos de asnos y en carretas. Los criados llevan cestas de picnic y, debajo de una higuera, con la reverberación implacable del sol sobre las piedras blancas y el olor dulzón de los frutos, extienden sobre un mantel queso, aceitunas, *loukanika*, salchichón ahumado y *retsina*, el áspero vino del país. Después se tienden, la cabeza rizosa de Federica sobre el amplio pecho de su marido, y fuman serenamente un cigarrillo acunados por la música de las chicharras.

Pablo le confiesa que está convencido de que ya se han conocido en otras vidas:

—Hemos vivido juntos a lo largo de los tiempos y siempre nos hemos amado, porque el nuestro no es un amor corriente.

Es una idea atractiva que, muchos años más tarde, Luis María Anson[8] recogerá y resumirá «dice bien el rey Pablo, ¡el amor es anterior a la vida!».

Cuando, de mayor, la biógrafa de la reina, Pilar Urbano, le preguntó si no se sintió nunca excluida por ese amor tan absorbente, doña Sofía contestó, pensativa:

—Mis padres estaban muy enamorados, se querían mucho… y eso no me daba celos, al contrario, ¡me daba seguridad!

Y luego, entornando los ojos, como si la hiriera el sol cegador de aquellos días, puntualizaba:

—Después del regalo de la vida lo mejor que pueden dar unos padres a sus hijos es eso: que los vean felices, enamorados…

¿Lo consiguió a su vez doña Sofía?

Es uno de los temas que trataré de desvelar a lo largo de este libro.

A la basilisa Sofía le siguió el prigkipas Constantino, que nació el 2 de junio de 1940 también en el comedor de Psychico.

Poco sabemos de esa primera infancia de Sofía de Grecia, porque así, Grecia, quiso su tío que se llamaran, sustituyendo los complicados apellidos que la genealogía les adjudicaba. Sí sabemos que la amadrinó la bondadosa reina Elena de Italia, que se le puso Sofía en lugar del Olga que los padres preferían porque así lo pidieron las multitudes por las calles de Atenas al finalizar las veinte salvas de ordenanza lanzadas desde el monte Lycabetos, aunque no pondría una la mano en el fuego por estas multitudes monárquicas en un país que no lo era. El recuerdo proviene de la propia Federica, que a los dos meses llevó a su hija en peregrinación a visitar al emperador de Alemania, su bisabuelo, el día en que cumplía ochenta años. ¡Atravesó una Europa en llamas para ir a rendir culto al todopoderoso káiser, un crepúsculo de los dioses que estaba pidiendo a gritos un Wagner que lo musicase! Porque, después, unos murieron y otros mataron, desaparecieron reyes, se borraron fronteras, se perdieron reinos y países y el mundo nunca volvió a ser el mismo.

Es curioso constatar que tras esta celebración familiar se perdió casi completamente la relación de Federica con sus hermanos y sus padres, ¡y no digamos sus primos alemanes! ¿Quiénes, incluso expertos en casas reales, pueden dar hoy el nombre de algún primo hermano de la reina de España, cuando conocemos de memoria parientes en cuarto grado del rey? Doña Sofía no nos ofrece ninguna explicación de esta curiosa circunstancia, dice sencillamente:

—Dejamos de vernos... no nos peleamos ni nada. No nos tratábamos.

Repito que apenas existen referencias a la infancia de Sofía o de su hermano, cuando, por ejemplo, los cronistas de cámara de los príncipes herederos españoles, don Juan y doña María de Borbón, que encima estaban en el exilio, nos dan puntual seguimiento de los mofletes de la infanta Pilar o de lo rollizo que se criaba don Juanito al sol de Roma, donde había nacido ocho meses antes que Sofía.

En ninguna revista ilustrada de la época, ¡ni una!, sale ni siquiera una foto, ¡ninguna!, de los príncipes de Grecia, un país que muchos creían que ni siquiera estaba en Europa.

Pero sí lo estaba, por desgracia. Y no iba a quedarse al margen del terrible conflicto que más tarde se conocería como Segunda Guerra Mundial.

A Freddy y a Palo se lo dice un cansado rey Jorge, apagado y ojeroso, mientras su asistente le ajusta la capa con la que se abriga porque está tiritando aunque hace calor. Están en el comedor de la casita de Psychico, con las copas de licor encima de la mesa donde han nacido Sofía y Constantino, es el 23 de octubre de 1940. Los niños están durmiendo en sus habitaciones, que dan a la parte trasera, a un patio donde se tiende la ropa.

—Vengo a comunicaros que entramos en guerra; los italianos, que han tomado Albania, han querido que nos rindiéramos sin luchar.

Pablo le preguntó:

—¿Y qué has respondido?

Y aquel soberano de un reino pobre y despreciado se irguió como si fuera el emperador del mundo, y con su mismo empaque y su misma emoción contestó, mientras su sombra se agigantaba en la pared y en la historia de su país:

—Hemos dicho que no, ¡por todos los dioses!, ¡no y mil veces no!

Pablo, transido de emoción, se inclinó ante su rey. Jorge lo cogió por el brazo y le dijo:

—Ven aquí, hermano.

Y se abrazaron, y así estuvieron largo rato, abrazados, aquellos dos hombres, ninguno de los cuales quería ser rey, pero que cumplirían con su destino con el mismo honor con que lo hicieron los reyes de las epopeyas que cantaron Virgilio y Homero. ¡Allí, en ese país donde nacieron las palabras!

¡Que nadie diga que es un país pequeño!

¿Hay algo más hermoso e importante que la lengua en la que nos comunicamos los humanos?

Y después, Jorge se sentó, agotado, mirando al trasluz su copa de licor ambarino, y con voz sin esperanza confesó delante de su hermano y su cuñada:

—Yo hubiera querido ser un rey sin guerras; ¡a nuestro pueblo le queda todavía mucho sufrimiento!

Tímidamente la princesita alemana se atrevió a preguntar, recordando los comentarios burlones de sus hermanos acerca de la eficacia del ejército griego:

—Pero… ¿resistirán los soldados griegos?

Y Jorge se puso en pie y se embozó para irse, pero antes dijo:

—¡Claro que sí! ¡Los griegos no luchan como héroes, son los héroes los que luchan como griegos!

Y después le hizo una carantoña a su cuñada, que arrugaba los ojos y estaba a punto de llorar, y le dijo:

—No lo olvides, *omorfi*.

Y en efecto, entraron las tropas italianas por Albania creyendo que la conquista de Grecia sería un paseo, con sus fantásticos uniformes inventados, entonando las canciones fascistas con las que habían invadido la también depauperada Abisinia:

*Faccetta nera, bell'abissina,*
*aspetta e spera che già l'ora si avvicina!*

*Quando saremo insieme a te,*
*noi ti daremo un'altra legge e un altro Rè.*

Pero, asombrosamente, el pequeño destacamento de soldados griegos, mal pertrechados, incluso algunos descalzos, aprovechando su conocimiento del terreno y su familiaridad con la lucha de guerrilla, se enfrentó con valor a las tropas italianas, cuerpo a cuerpo, defendiendo cada árbol, cada surco de su tierra en una lucha encarnizada que dejó el suelo cubierto de cadáveres. ¡El olor a sangre tardó años en borrarse!

Y no fueron solo los hombres, ¡las mujeres del Epiro arrastraban las cajas de munición hasta los combatientes y subían víveres hasta las líneas de fuego! Cuando un soldado caía, ellas cogían su fusil para continuar disparando.

Federica sintió una profunda admiración:

—¡No hay ni un solo griego que no lleve un héroe en el corazón!

Su cuñado, el rey Jorge, que amaba a los clásicos, repetía con orgullo:

—Mnemosine, la diosa de la Memoria, se lo recordará a las generaciones futuras.

Los italianos emprendieron también una brutal ofensiva por aire, aunque, artistas al fin, evitaron bombardear la Acrópolis y los monumentos de la Antigüedad. A toda prisa, los griegos habilitaron subterráneos para refugiarse. El ulular de las sirenas horadando el silencio se convirtió en la música de fondo en las vidas de Sofía y Constantino, que pronto aprendieron a levantarse de la cama sin protestar para bajar al refugio que se había construido en el sótano de la casa.

Pero Psychico era demasiado peligroso, y Nursi se los llevó a Tatoi, una destartalada casa de campo a quince kilómetros de Atenas que pertenecía al rey, en cuyo jardín había grandes rosas muy abiertas y en el suelo una celosía de hojas que olían a humedad triste. Dentro, encendían la chimenea con maderos y piñas, que crepitaban y soltaban chispas como pequeños fuegos artificiales, y se sentaban absortos mirando el baile de las llamas; pero allí también llegaron las bombas, y al final terminaron viviendo bajo tierra casi constantemente, ponían mantas y un pequeño hornillo para cocinar y se dormían tranquilos y confiados, incluso Sofía insistía en que le leyeran el libro de cuentos que le había enviado la abuela Victoria Luisa desde Alemania.

Pablo se alojaba en el palacio, al lado de su hermano, reunido con la junta de gobierno en sesión permanente. Mataxas había fallecido —probablemente asesinado— y los gobiernos provisionales se sucedían uno tras otro, ¡nadie quería ser primer ministro de un país con vocación de derrota!

Federica vagaba incesantemente por la casa solitaria de Psychico como el abejorro encerrado que se golpea sin cesar contra los cristales sin encontrar la salida. A veces se tapaba los oídos con algodón y se tendía en el diván con una almohada encima de la cabeza para no oír las sirenas, queriendo volver a ser niña, la prinzessin Freddy, la Criatura Silvestre de los poemas irlandeses.

Nadie la visitaba. No dejaba de ser «la alemana».

Nadie olvidaba que Hitler era aliado de los fascistas italianos que querían invadir Grecia a sangre y fuego.

La tía María se había ido a Viena a salvar a su maestro, el judío Sigmund Freud, pagando por él a los nazis un rescate fabuloso. Ni siquiera podía cartearse con su querida cuñada Helena. El hijo de esta, Miguel, era ya rey de los rumanos, y si ahora era un juguete en manos de los partidos comunistas o conservadores, dentro de poco lo sería en manos de Stalin o de Hitler, lo que resultaría mucho más peligroso. Helena, una mujer inteligente, quería estar allí cuando a su hijo lo expulsaran de una patada para recoger lo que quedara de él, sacudirle el polvo, ponerlo en pie y volverlo a convertir en un hombre.

Ella tampoco podía consolar a la pobre Freddy.

Hasta que un día llamaron a la puerta. Abrió ella misma y se encontró a su cuñada, la «pequeña» Catalina. Iba vestida con un uniforme sucio y arrugado de la Cruz Roja, y su expresión denotaba cansancio, pero también determinación.

Fingió no ver el rostro abotargado de su cuñada y sus ojos hinchados, la cogió de las manos y le suplicó:

—Freddy, ¡te necesitamos!

Federica la miró con asombro; ¿a ella? ¿a la prusiana?

—¿Tú me necesitas? ¿Para qué?

Su cuñada la miró como si estuviera loca:

—¿Yo? ¿Que para qué te necesito yo? ¡Te necesita Grecia! ¡Grecia, tu país, te llama!

Con urgencia, su cuñada descolgó un abrigo del perchero, se lo echó encima y, empujándola para salir, le dijo:

—¡Grecia está en los hospitales! ¡Están llenos de heridos que preguntan por su basilisa! ¡Se mueren, Federica, y tú no estás a su lado! ¿No comprendes que eso no lo van a olvidar nunca?

Cuando llegaron al hospital, el espectáculo la sobrecogió. Hombres con miembros amputados, muñones llenos de sangre, otros ciegos, con quemaduras que les causaban un dolor tremendo y les hacían aullar como bestias. Las agotadas enfermeras se afanaban con palanganas, esponjas, jeringuillas; solo se oían ayes y lamentos. Y lo que daba más miedo de todo, voces de sonámbulos repitiendo salmodias sin sentido.

Federica se puso a sollozar de impotencia y a retorcerse las manos:

—Yo no sé hacer nada… me desmayaré si tengo que poner una inyección, no puedo ver sangre, ni heridas…

Pero su cuñada ya no le hacía caso, estaba ayudando a otra enfermera que se esforzaba en sujetar a la cama a un soldado que se agitaba presa de un ataque epiléptico.

De pronto oyó una voz que le decía cortésmente:

—*Kali mera* [buenos días].

Con timidez, Federica se acercó a un joven demacrado, casi un niño, con un vendaje ensangrentado alrededor del pecho. Tenía las puntas de las orejas de lebrel largas y separadas del cráneo.

—Hola.

—¿Cómo te llamas?

—Federica —y a continuación, avergonzada, le confesó—, casi no sé hablar griego.

El chico tenía una mirada alegre, aunque las sombras bajo los pómulos delataban su gravedad extrema.

—¿Quieres que te enseñe?

—Sí.

Y el muchacho la señaló con su dedo largo de premuerto y le dijo:

—*Omorfi.*

Federica se rio, ¡sí, por imposible que parezca, se rio!, y le dijo:

—¡Eso lo entiendo!

Fue una risa juvenil, breve, sofocada casi en el acto, que detuvo el tiempo. Se acallaron los lamentos por un segundo, y fue como si hubiera entrado un rayo de sol de un fulgor insostenible en la sombría sala de hospital.

Las orejas de lebrel del muchacho se agitaron riendo también. Hasta el dolor quedó en suspenso.

Luego todo siguió igual, pero persistió una puntita brillante titilando en el fondo de las pupilas, una luna rielando en agua negra. Freddy estuvo un rato con el herido, pero ya le reclamaba el de la cama de al lado, un muchacho con la cabeza vendada. Y un hombre mayor que aparentemente no tenía ninguna herida pero que se removía inquieto y del que le dijo la enfermera en voz baja:

—Tiene una hemorragia interna... No pasará de esta noche...

Un soldado quiso contarle cómo mató a tres italianos, y otro dijo que él a veinte y otro a cien. El de más allá le explicó que si a él lo hirieron fue porque era de noche y se le ocurrió encender un cigarrillo. Se incorporaban en sus camas, se apoyaban en un codo, la llamaban con las manos o dando golpes en los barrotes del cabezal.

Y se dio cuenta de que ella también tenía un arma poderosa, su sonrisa, su juventud, su compasión sincera, la capacidad de identificarse con los demás... A partir de entonces fue todas las tardes:

—Me di cuenta de lo que quería decir el Padre Nuestro cuando pide «el pan de cada día»... Son nuestras almas las que necesitan un alimento que solo puede proporcionar el amor y la piedad.

Filas y filas de ojos suplicantes. Todos los heridos querían que se acercara y les hablara. Cuando su cuñada le decía que se diera prisa, trataba de explicárselo:

—No puedo, Catalina, tengo que acercarme a todos, si me olvido de alguno le privaría de la única satisfacción de un día lleno de dolores y desconsuelo.

A cada hombre le dio una foto de su hijo Constantino. Los heridos, a su vez, le enseñaban fotos de sus mujeres; con ellos aprendió a hablar griego, ¡y también a escribirlo! ¡Cartas a las novias, a las madres, a los hijos!

Catalina se lo contaba así a Pablo:

—Seguro que, si hay que amputar, Freddy cortaría la pierna equivocada, ¡pero con ella los muchachos se encuentran mejor! ¡Se les ilumina la cara cuando la ven! ¡Están enamorados!

Pablo estaba tan agobiado que no tenía tiempo ni siquiera de sentirse orgulloso de su mujer, lo que da la medida de su estado de tribulación.

La tía María, a su vuelta de Viena, donde había dejado instalado a Freud y a su familia en un confortable compartimento del Orient Express con destino a Londres, se paseaba constantemente con casco en la cabeza, aunque estuviera en su casa y fuera vestida con bata, y llevaba a cuestas siempre su aparatosa cámara de filmar.

Su hijo Pedro se había casado con una aventurera rusa llamada Irina y vivía en Londres, donde se había enrolado en el ejército británico. Le decía:

—Mamá, envíame tus películas y las proyectaremos en los cines.

Es una pena que María Bonaparte no le hiciera caso. Todo el material que filmó, de un valor capital para los historiadores, debe de permanecer en manos privadas, o quizás se ha deteriorado o perdido.

Su otra hija, Eugenia, conseguía bajo mano en el mercado negro y a precios astronómicos jabón, arroz, lentejas, alcohol, que María entregaba a Federica. Para desesperación de esta, la tía María se empeñaba en ir todos los días al hospital, y se acercaba a las camas con su rudeza y su voz de trueno, preguntando:

—¡Qué! ¿Cómo estamos de deseos sexuales? ¡Cuando se termine esta guerra habrá que repoblar Grecia!

Los enfermos se asustaban y llamaban a Freddy quedamente:

—Basilisa, basilisa.

La pobre Irene, la cuñada mayor, no estaba en Grecia, porque, aprovechando la confusión del momento, había conseguido casarse con Aimon, el duque de Aosta, ¡y, para asombro de todo el mundo, ahora ambos incluso eran reyes! De un pequeño país inventado que se llamaba Croacia y que se habían repartido Alemania e Italia, pero no se habían atrevido a decir que no a Mussolini, que incluso había amenazado con internarlos en un campo de concentración si se negaban, ¡y no tenían dinero, ni recursos, ni amigos para oponerse! Vivían atemorizados en Palermo y no habían puesto jamás un pie en el país del que Aimon era rey con el sonoro nombre de Tomislav II.

Y como la flor del amor crece en los terrenos más insospechados, Alejandra, la hija del hermano muerto de Pablo, se había prendado en Londres del veinteañero rey Pedro de Yugoslavia, que había tenido que huir de su país, invadido por los alemanes, a bordo de una avioneta. Aspasia, su madre, no se atrevía a imaginar a su hija, por la que nadie parecía tener mucha consideración, reina de Yugoslavia; pero ¿existiría Yugoslavia cuando terminara la guerra? Mejor dicho, ¿existirán todavía los reyes?

Freddy no tenía tiempo de atender a los avatares de su familia. Uno de los heridos le dejó una tosca cruz en la que ponía: «*In touta Niké*» [Dios está contigo], y le pidió que la llevara hasta que la guerra terminase. Federica, que era protestante sin entusiasmo, se emocionó y se la guardó en el bolsillo. Cuando no podía más, cuando la noche era más negra que nunca, la apretaba para que le diera fuerzas.

Cuando la guerra termine...

Los italianos desertaban o se arrancaban de las guerreras las insignias de su grado para rendirse en masa... Ya no cantaban, sus flamantes uniformes estaban manchados de barro; como niños asustados querían volverse con la *mamma*. El viejo chiste aquí se convertía en realidad. Los oficiales gritaban:

—¡A las bayonetas!

Y ellos entendían «¡a las camionetas!», y todos, oficiales incluidos, intentaban retroceder y desandar el camino que les llevaría a sus hogares en Positano, en Umbría, en el Véneto, en la Campania. ¡Quién les había hecho venir a esta tierra tan desgraciada como ellos! ¿Quién?

Pero nadie se alegró de su retirada; los griegos menos que nadie, Pablo menos que los griegos.

Porque Hitler no podía consentir que su aliado quedara en ridículo y corrió en su ayuda. La apisonadora nazi, esta sí invencible, diez divisiones, cruzó la frontera el 6 de abril de 1941 y puso rumbo a Atenas, adonde llegó veintiún días después dejando una estela de destrucción y fuego. Eran ocho millones de griegos luchando contra ciento ocho millones de italianos y alemanes. ¡Desde la batalla de las Termópilas, David nunca había sido tan pequeño ni Goliat tan grande!

Causaron veinte mil muertes solo en esos días. Y aquí se registra una de las grandes injusticias de la historia: la ocupación de Grecia apenas merece una línea en los tratados sobre la Segunda Guerra Mundial y no puedo entender por qué. Robert St. John, el corresponsal de la agencia Associated Press en Belgrado,[9] escribía que «todo Corinto quedó empapada de carne humana, la carne humana despide al quemarse un olor repugnante y dulzón, un olor que jamás se olvida...». Y contaba que él mismo dio una dosis de morfina, quizás letal, a un hombre que aullaba de sufrimiento con el brazo colgando únicamente de un tendón. ¡Los gritos de los niños! ¿Cómo pueden escucharse los gritos de los niños y seguir viviendo? Y termina su crónica con una amarga reflexión sobre nuestro oficio: «Los periodistas éramos como sanguijuelas, intentado sacar titulares de toda aquella muerte, aquel sufrimiento».

Fue entonces cuando Bertold Brecht compuso su poema:

*En los tiempos sombríos, ¿se cantará también?*
*También se cantará sobre el tiempo sombrío.*

Cuatro días antes de que los alemanes llegaran a Atenas, Pablo hizo ir a su mujer a palacio, de donde no se movía desde hacía semanas. Los niños seguían en Tatoi. Nursi decía que Sofía era muy valiente y no lloraba nunca.

Palo se pasaba la mano por la cara continuamente sobre su barba crecida, como queriendo borrar la preocupación, la incertidumbre de su destino, ¡ellos, él y su hermano, eran hombres corrientes, no los habían educado para interpretar una tragedia! Olía a sudor, a tabaco, a ropa no muy limpia, pero a Federica le inspiró un amor tan violento que tuvo que contenerse para no echarse en sus brazos. Pablo, sin mirarla, le dijo:

—Freddy, estamos perdidos, ¡nadie nos ayuda! Debes irte, nadie debe pensar que te quedas aquí para darle la bienvenida a los alemanes. Coge a los niños y vete.

Y Federica, que estaba creciendo a pasos agigantados, con sus rizos enarenados porque se los tenía que lavar con jabón de la ropa, con el cutis lleno de granos por la mala alimentación, con las uñas mordidas por la lejía, sin ropa interior porque las mujeres griegas la habían entregado para que se hicieran vendas con ellas, se opuso por primera vez a su marido. Angustiada, lo cogió por la manga de la guerrera:

—¡No puedo, Palo, no me obligues! ¡Pensarán que huyo! Todo, Palo, paso por todo, prusiana, mala madre, ¡pero jamás por cobarde! ¡Mis cuatro hermanos están luchando, Enrique solo tiene diecisiete años! ¡Mi padre setenta y espera bayoneta en mano en la puerta de la oficina de reclutamiento a que le permitan ir al frente! ¡Están dispuestos a morir por la idea que tienen ellos de Alemania! ¿Voy yo a defraudarlos? ¡Mi linaje no puede mancharse con una falta tan espantosa!

Cayó al suelo y se cogió a las rodillas de su marido:

—Déjame compartir el destino de las mujeres griegas; ¡soy griega, Palo, soy griega!

Pero era inevitable. El 23 de abril de 1941 un viejo hidroavión Shuterland los recogió en la bahía de Eleusis para llevarlos hasta Creta: se subieron, fugitivos ya y mermados por esta circunstancia.

Pablo se quedó en el aeropuerto escupiendo más que llorando lágrimas fangosas.

Apretando el puño, Federica dirá, ceñuda y vengativa:

—Odio a Hitler porque hace llorar a Palo.

Un instante antes de subir, la tía María los hizo posar para su cámara: guiñan los ojos, el pelo vuela, los niños arrugan la nariz. Están Federica con Sofía y Constantino y la niñera Sheila McNair, además de dos doncellas; la más joven de ellas se llama María y tiene apenas veinte años. El tío Jacob fija la mirada en el suelo y no parece darse cuenta de lo que pasa. En realidad, más que la guerra, lo ha hundido la muerte de su gran amor, su tío el príncipe Valdemar de Dinamarca; nunca se recuperará de esta pérdida. La tía María ha metido en su bolsón un puñado de joyas, diez zafiros sueltos que tenía para montarse un collar, una corona de laurel de brillantes con un diamante inmenso colgando que no le va a servir para nada, un rígido *corsage* de perlas y diamantes que sobresale de la bolsa y molesta a todos durante el viaje y un montón de billetes arrugados. Federica, en cambio, no ha querido sacar nada de su casa; ha dejado a una vieja sirvienta, Yanni, al cuidado de todo, ¡pensaban volver pronto! Únicamente lleva la cruz que el soldado le regaló. ¡Mi fuerza está en ti!, se dice mientras la aprieta tanto que llega a hacerse sangre. Catalina, que también les acompaña, está tan cansada que se queda instantáneamente dormida. Después se lamentará:

—No he podido despedirme de Grecia.

La tía María, que es francesa, lloraba contra el cristal gimiendo:

—Qué tiene esta tierra, ¡es pobre, es dura, es agreste! ¡Los griegos son volubles y locos! —La mujerona se golpeaba el pecho—. Pero se mete aquí dentro.

Después, implacable, se volvió hacia su sobrina y le dijo:

—Pero tú no puedes llorar, Freddy, acuérdate, que nadie te vea llorar, vas a ser reina y las reinas no lloran nunca.

Llegaron a Creta bajo las bombas, todos se tiraron en una zanja. Federica pone sus manos en los oídos de Sofía y le canta desesperadamente:

—*Beee beee, black sheeep.*

Es la canción de un corderito que se pierde y busca su hogar. Sheila, una británica que no tenía necesidad de huir y lo ha hecho únicamente por amor a los niños, abrazaba a Tino.

Y así empezó un exilio de cinco años. Creta, Alejandría, El Cairo, Durban, Ciudad del Cabo. Vivirían en veintidós casas.

En Creta no encontraron pañales para Tino y tuvieron que arreglarlo con harapos; para dormir, juntaban dos sillas.

Se reunían con ellos el rey y Pablo, y se refugiaban en una cabaña de pastores, ¡los chinches y las pulgas se cebaban con sus pobres cuerpos! Como los niños se rascaban, tenían que atarles las manos.

Después fueron a Alejandría, dos días de barco. Al rey Faruk lo llamaban «el ladrón de El Cairo», porque mientras su pueblo se moría de hambre él se hacía traer el lenguado desde Dover, el *vin rosé* de la Provenza y rosas blancas desde Roma para sus banquetes, además de que cada día exigía zumo de frambuesas fresco, recién exprimido, en un país en el que no había frambuesas. La tía María, que por algo era psicoanalista, describía al rey con suficiencia:

—¡Tiene el síndrome de fuera de temporada!

Pablo le pidió ayuda, pero a Faruk le repugnaba el trato con aquella familia real pobre y sin futuro, y le preguntaba a su ayudante, el italiano Antonio Pulli:

—¿Son alemanes? ¿Quiénes son sus aliados? ¿Quién responde por ellos? Si los ayudo, ¿de qué me servirá?

Nadie sabe darle una respuesta, y la cobardía criminal y viscosa de hombre mediocre le dictó a Faruk una sentencia:

—¡No los quiero aquí mucho tiempo!

Nursi se enteró de que lo mejor para los piojos era untarse de alquitrán, y solo después de hacerlo los admitieron en un hotel, donde pudieron ducharse y comer decentemente.

En Alejandría se produjo el primer suceso del que Sofía se acordará de mayor conscientemente: está nadando en la piscina del hotel Mina House, se siente insegura y, desde el otro extremo, su padre le tiende los brazos y le dice:

—Ven.

Y con ciega confianza Sofía nada hasta ese refugio tan sólido.

Permítanme los lectores una observación personal. El primer recuerdo que conservo de mi infancia es muy parecido: yo estaba aprendiendo a caminar, debía tener un año, y mi padre en el extremo de la habitación se agachó hasta mi altura y me dijo:

—Ven.

Mi joven padre, mucho más joven de lo que yo soy ahora, joven como mi hijo. Recuerdo el miedo, cómo se fue el miedo y llegó la seguridad absoluta de que mi padre estaría ahí para recibirme. Avancé, un paso, dos, los siguientes más rápidos para llegar antes a sus brazos. Recuerdo hasta el hueco de su cuello donde hundí mi rostro. Entonces reí, lloro ahora.

Perdónenme por esta insignificante y quizás absurda digresión que me ha permitido rendir aquí mi pequeño y particular homenaje a mi padre que, hoy, mientras escribo estas líneas, hace tres años que ha muerto.

Y que también me ha hermanado por un instante, pasando por encima de todo lo que nos separa, con la mujer que trato de definir en este libro.

Después El Cairo, también en Egipto, donde Sofía sintió por primera vez, también conscientemente, el zarpazo del miedo:

—Miedo a las sirenas, tan estridentes, y al ver cómo los focos antiaéreos barrían el suelo... me metía corriendo en la cama de Nursi. Y también me daba miedo cuando nos poníamos alrededor de la radio para escuchar la BBC.

Hasta que de pronto, por un capricho estúpido, el rey Faruk los invitó a partir, inmediatamente. El único país que accedió a asilarlos fue Sudáfrica. De noche cogieron un barco holandés, el *Nieuw Amsterdam*, un antiguo crucero de lujo que había sido pintado de gris y servía para el transporte de tropas y material desde Suez hasta Durban. Los antiguos lujos, lámparas de Murano, columnas recubiertas de pan de oro y muebles de ébano, habían sido eliminados para permitir llevar mayor número de pasajeros. Los únicos civiles eran la familia real griega.

Conmocionados, como autómatas, vieron alejarse las costas de Egipto y pasaron frente a Somalia, Tanganica, Mozambique; no les permitían bajar. De noche veían las palmeras africanas a lo lejos debajo de una orgía de estrellas. No los querían.

El Índico ya era un mar peligroso, destructores norteamericanos, barcos japoneses, submarinos alemanes se cruzaban como animales a punto de devorarse. El *Nieuw Amsterdam* intentaba esquivarlos a todos, pero era muy difícil que la inmensa mole color acero pasara desapercibida. Había simulacros de alarma, y aquí otra vez el alarido de las sirenas. Faltaban solo dos meses, finales de 1941, para el ataque a Pearl Harbor por parte de los japoneses y la entrada de los norteamericanos en la guerra europea, cuando estas aguas se teñirán de sangre.

Sofía quería saber dónde estaba Sudáfrica. Le enseñaron un mapa; Nursi le señaló el lugar:

—Mira, aquí abajo.

Pobres desterrados, como la familia de Nazaret, proscritos, fuera de la ley. Nadie los quiere.

Tardaron un mes en llegar. En el barco a Sofía y a Tino los tuvieron que llevar sujetos con arneses, como perrillos, para que no cayeran al mar.

En Durban, un puerto caótico, con hidroaviones, barcos inmensos, un tren que pitaba incesantemente y un griterío demencial, a Sofía y a Tino les llamaron la atención los gritos de los niños negros:

—*Cherio, cherio.*

Nursi se informó y les susurró:

—¡Os saludan!

—¿Saben que somos príncipes? —se asombró Sofía.

—¡No! ¡Os saludan porque sois blancos!

Los fueron a recibir un pequeño grupo de funcionarios griegos que llevaban muchos años fuera de su país. Cuando sonrieron, Catalina le comentó a su cuñada:

—Mira, ¡entre todos hacen una dentadura entera!

La tía María, vivificada por el aire marino, con sus ojos juveniles en medio de su rostro ajado, les dijo a sus sobrinas para animarlas:

—¡Estamos viviendo la historia! ¡No nos quejemos! ¡Es mejor vivirla que leerla luego en los libros!

El cada vez más decaído tío Jacob necesitaba cuidados como un niño pequeño. En el puerto los esperaban una Eugenia de expresión tensa y labios muy apretados, ya que su matrimonio está a punto de deshacerse, porque, como dice Dominic Radziwill, ¡no hay peor tiranía que tener una mujer rica!, y su marido. Llevaban con ellos a su hija Tatiana, que tenía la misma edad que Sofía. Tatiana acunaba a una elegante muñeca casi tan grande como ella, la más delicada elaboración de la industria juguetera alemana: porcelana, seda en el vestido, pelo natural. Sofía se abrazaba a un atado de trapos que le había confeccionado Nursi, pero que ella no cambiaría por nada. Hasta le había puesto nombre: Helena. Se enfrentaron las dos primas, los ojos obstinados, cada una con su «hijita» en brazos. Pero, mecachis, Tatiana tenía carricoche para su muñeca y Sofía no. Debió ser bastante importante este detalle para Sofía, porque lo recordaba[10] años después:

—Solo teníamos un carricoche para pasear a nuestras muñecas... nos peleábamos, tirando una para cada lado.

En ese viaje delirante, que durará cinco años, se anudarán indisolublemente los lazos de la familia: Irene, que nacerá en mayo, Tino, Tatiana y Sofía serán más que primos, más que hermanos, ¡el dolor, las desventuras compartidas, añaden un lazo más a los de sangre! En el pequeño núcleo que se forma en esos días, indestructible, solo se causa baja con la muerte: Federica ya se ha ido. Sobreviven Irene, Tatiana, Tino, Sofía.

Veintidós casas en cinco años.

Ya sin Pablo, que debía reunirse con su hermano, el rey Jorge, que había ido a Londres, se había acercado al hotel Claridge y, después de seis años, había pedido tranquilamente:

—¿Me da la llave de mi habitación?

—Sí, señor.

En su cuarto lo esperaba «la señora Brown».

En otro piso del hotel se alojaban Aspasia y Alejandra.

Su primo Pedro, el hijo de María Bonaparte, fue a verlo con su uniforme de la RAF. Jugueteando con sus guantes, le dijo con insolencia:

—Aquí en Inglaterra no tenemos muy claro si sois fascistas o no.

La primera casa en la que vivió Sofía estaba en Ciudad del Cabo. Eran invitados del general Smuts, el primer ministro. Pero una noche, mientras dormían, alguien le prendió fuego y tuvieron que salir corriendo al jardín. Todas sus cosas, las pocas que tenían, se quemaron. Ni Sofía ni Tino se inmutaron.

¡Ya han visto tanto!

De ahí fueron a una vivienda que había sido cuadra y todavía olía a boñiga, y después a cabañas de pastores, a chozas, a modestas viviendas de trabajadores extranjeros. A hotelitos, a pensiones con olor a perro mojado.

El general Smuts le regaló a Federica una pistola advirtiéndole que la llevara siempre encima. Alguna vez sintió pasos en medio de la noche, y en pijama y descalza, la empuñó dispuesta a dispararla.

Incluso estando embarazada.

Federica dio a luz a Irene en Ciudad del Cabo, el 11 de mayo de 1942. Sofía quiso cogerla enseguida, y la manejaba con tanta ligereza que su madre tuvo que advertirle:

—No es un muñeco, Sofía, ¡es un niño de verdad!

Federica se admiraba del gran instinto materno de Sofía, ¡seguro que se preguntaba de quién lo había heredado!

Las ratas se paseaban por encima de sus rostros mientras dormían, oían sus patitas en el techo, y Federica tenía que apartar a las más gordas, que se encaramaban a su tocador olisqueando sus potes de crema. Los murciélagos cruzaban los cielos de noche, y de día se colgaban de las vigas como trapos viejos. Al principio todo era:

—Nursi, tengo miedo.

A Sofía la abrazaba Nursi, a Tino, Sofía. Después Nursi aprendió que hay que encender fuego para ahuyentar a los murciélagos, que las cucarachas eran inofensivas y que no había que dejar comida para que no vinieran las ratas, pero ¿qué comida? Los fondos no llegaban, la tía María tenía las cuentas embargadas. A veces, de noche, cuando no podían dormir por el hambre, los mayores comían carne en conserva, con una cucharita cada uno, sin sacarla de la lata.

Las señoras de la sociedad sudafricana iban a visitarlos por curiosidad y trataban a Federica con altanería. Ella se quejaba a su marido:

—No me dieron la preferencia, me tuteaban, ¡cruzaban la puerta antes que yo!

Aunque Federica estaba pero no estaba. «¿Quién dormirá en nuestra cama?», «Corazón, te amo», y también «No puedo vivir sin ti... si no te veo, me moriré...», le escribía a su marido en cartas interminables y melancólicas a las que él contestaba cuando podía: «Freddy, si supieras lo que me entristece que hayas tenido que pasar todo eso, pensar que cuando me casé contigo mi mayor deseo había sido hacerte feliz». La tinta azul con la que Pablo escribía las cartas intrigaba a Sofía, que le preguntaba incesantemente a Nursi siguiendo las letras con el dedo:

—¿Qué es, Nursi?

—¿Pues qué va a ser? ¡Tinta!

Pablo viajaba incesantemente buscando voluntarios, fondos, el apoyo de sus parientes europeos a su pobre pueblo despedazado. Y Federica cogía aviones, barcos, helicópteros, en viajes interminables para ir a reunirse con él. ¿Cuántas veces hizo la ruta desde Ciudad del Cabo a Jartum en el pequeño Dakota del general Smuts, tan ligero que a través de las tablas del suelo podía verse la tierra? ¿Cuántos kilómetros hizo en esos cinco años para ver a su marido un día? ¿Cuántas horas, de las 43.800 que tienen esos cinco años, las pasó viajando?

Ella misma se contestaba: «¡Qué más da! ¡Era joven y estaba enamorada!».

Pablo había desplazado de la vida de ella sus otros afectos. Se olvidó completamente de sus cuñadas. Irene había dejado de ser la efímera reina de Croacia, al retirarse los italianos de la guerra, e incluso había llegado a tener un hijo, Amadeo, pero la tragedia se había cernido sobre ella. ¡Inesperadamente los nazis la detuvieron y la internaron en un campo de concentración, en Sartirana, y su rastro se había perdido y sus hermanos temían que fuera a parar a un campo alemán o a las cámaras de gas! ¿No habían ingresado en el terrible campo de concentración de Buchenwald a la princesa Mafalda de Italia, que cantaba el *Dúo de las flores* con Helena en los lejanos días de Florencia?

En su correspondencia, Federica no le dedicó ningún recuerdo, ni a Mafalda ni a su cuñada Irene.

Tampoco Alejandra mereció su atención. Una Alejandra que dijo que si no la dejaban casarse con Pedro de Yugoslavia se suicidaría. No le hicieron caso y la desgraciada princesa intentó cortarse las venas con el cristal roto de un vaso.

A su boda fueron media docena de personas, y de estas personas no había ni una sola, incluida su madre, que pensara que aquel podía ser un matrimonio feliz.

Pedro, el hijo de la tía María, el antropólogo, se empeñó en llevar a la boda a su mujer, Irina; y cuando el rey Jorge le dijo que era mejor que no lo hiciera, levantó el puño en dirección a Pablo y profirió:

—Mi mujer no es peor que las vuestras.

Aspasia intentaba disculpar en voz baja durante la ceremonia el difícil carácter de su hija:

—El sufrimiento la ha convertido en una anciana amargada.

Cuando el rey Jorge arguyó que Alejandra solo tenía veintitrés años, Aspasia contestó:

—¿Y?

Tampoco Federica tuvo para ellas un recuerdo ni en su correspondencia ni en sus *Memorias.* Pero todavía es más grave que Federica olvidara a sus propios padres o hermanos, que sobrevivían en el centro más duro del conflicto. Se lo confiesa a su marido sin ambages: «Como siempre estoy pensando en ti y echándote de menos, no tengo tiempo de preocuparme de ellos». Acerca de sus hijos, sin embargo, sí sentía a veces la vaga necesidad de justificarse: «No sufro por los niños… sé que están bien… en Sudáfrica no corren peligro…».

Y es cierto; están con Catalina, con Eugenia y Dominic, con la tía María y el tío Jacob, ¡sobre todo con Nursi!, pero alguna añoranza sentiría el corazoncito de Sofía, porque un día su madre, antes de irse al Congo Belga a hacerle una visita a su marido, le ofreció dos fotos suyas, y la princesita escogió una en la que Federica miraba de frente. Cuando su madre le preguntó:

—¿Por qué has escogido esta y no esta otra en la que estoy mirando a lo alto?

La niña, algo ceñuda, rechazó la foto contestando:

—¡No, esa no la quiero! ¡Porque estás mirando a papá!

Sofía, que había crecido con bombas, sirenas, llantos y miseria, ya no le temía a nada. Seguramente incluso se había acostumbrado a que sus padres no estuvieran, ¡otra cosa sería que le faltase su Nursi del alma! Los cuatro niños, Tatiana, Tino, Irene, Sofía, picados por los mosquitos, mal alimentados, sin saber qué iba a ser de sus vidas, hacían casitas debajo de las camas, cogían una silla y construían una carretilla, con piedras y maderas trazaban caminos, cocinaban con yerbajos y con barro reseco hacían chocolate, ¡incluso se untaban la cara con él para parecerse a los nativos!

Sofía hacía el payaso para sus hermanos; ¡hasta que no se reían no quedaba contenta! ¡De pronto parecía la mamá severa y regañona que su madre no era, y un instante después deslumbraba con una risa loca de chiquilla! Se bañaban en pozas, no tenían horarios ni disciplina, se criaban de forma salvaje, rodeados de animales. Así la reina doña Sofía pudo rememorar con pasión aquel tiempo luminoso:

—¡Cinco años de absoluta felicidad! ¡De juegos constantes! ¡De libertad!

¿Es posible que dijera eso? ¿Que lo pensara?

¿Por qué no? ¿No tituló el director Jaime Camino *Las largas vacaciones del 36* la película en la que contaba su infancia en la terrible guerra civil española? No queda bien decirlo, pero en las guerras ¡los niños se divierten!

En 1944 regresaron a Egipto. A Alejandría. A una casa tan pequeña que la llamaban Caja de Cerillas Palace y que se caía a trozos, literalmente: un día estaban en el comedor y empezó a resquebrajarse el techo, salieron corriendo al jardín y así evitaron que cayera sobre sus cabezas. ¡Se salvaron de milagro! ¡Federica apretó su cruz con más fuerza que nunca!

Los niños enfermaron de varicela, sarampión, y se tuvieron que vacunar de peste bubónica. Claro que no había que preocuparse, ¡su madre no lo hacía! El recuento de las enfermedades de sus hijos apenas ocupa un par de líneas en las *Memorias* de Federica, sin embargo dedica varias páginas a hablar de una indisposición de riñón de su Palo adorado.

En Alejandría también había bombardeos. Los niños escuchaban las sirenas tranquilamente acostados. Solo Tino lloraba, y Sofía se pasaba a su cama para consolarlo. Federica le reñía:

—Tino, cuando se tienen cinco años no se llora por una cosa tan boba como las sirenas.

Y el pobre Tino contestaba dignamente desasiéndose de su hermana:

—Yo no tengo miedo, ¡el que está asustado es mi estómago!

Allí también había ratas, y un burro asomaba la cabeza por la ventana, y había cucarachas que se subían por las paredes y mosquitos que se achicharraban en las bujías y que producían un crepitar que Sofía no olvidará nunca.

Un día pasaron delante de una casa vecina y oyeron llorar a unas mujeres a gritos. A través de la ventana vieron a un hombre tendido en una cama, muerto. ¿Se asustaron? La verdad es que no. Miraron con curiosidad y después preguntaron por qué lloraban tanto las mujeres. Les contestaron:

—Son plañideras profesionales.

Las últimas Navidades que pasaron en el exilio, de nuevo en el hotel Mina House de El Cairo, Tino y Sofía se metieron en un armario y vieron disfrazarse a Catalina de Papá Noel, ¡y también vieron los juguetes escondidos debajo de la escalera! Pero, como todos los niños del mundo, fingieron que no lo sabían para no desilusionar a sus padres, lo que nos reafirma en la vieja creencia de que son los padres los que creen en Papá Noel y no al revés.

Y es que se podía celebrar la Navidad y hasta acudir a una escuelita inglesa, donde Sofía era muy mala estudiante, ¡no estaba acostumbrada a la disciplina! Porque la guerra mundial se iba terminando, Hitler y Mussolini eran los grandes derrotados y la familia real griega estaba perdiendo el sello de maldita, incluso Inglaterra se había puesto, con tibieza, eso sí, a su lado. Pero con tanta tibieza que la pobre Irene, liberada del campo de concentración de Hirschegg por los aliados, cuando intentó regresar a Italia se encontró con todos sus bienes requisados. Ninguno de sus parientes pudo ayudarla, y su marido, Aimon, tuvo que emigrar a Buenos Aires para intentar salir del agujero. ¡No tenían ni para comer! Los ingleses tampoco quisieron ayudar a su hermana Helena y a su hijo Miguel, al que los soviéticos amenazaban con pegar un tiro o sacarlo a patadas del trono de Rumanía, dependiendo del humor del militar ruso que ese día estuviera al mando.

Pablo y Federica jugaron trabajosamente sus escasos triunfos. ¡Parecía que a Faruk ahora le caían bien! El rey de Egipto, magnánimamente, los recibió en palacio y les enseñó su garaje con los treinta y cinco Rolls Royce Phanton IV y Silver Shadow que había comprado de golpe, especialmente diseñados para él, con salpicaderos en plaqué de oro, alfombras de piel y botiquines empotrados. Las garrafas de cristal tallado y los estuches de maquillaje iban de serie.

Sofía se hizo muy amiga de sus hijas Ferial, Fawzia y Fadia, y juntas volaban cometas y se metían en los establos para admirar el centenar de caballos árabes con orejeras ribeteadas de brillantes, bocados de oro y mantas de *cashmere* que se alojaban en ellos, cada uno con su nombre escrito sobre una placa de porcelana. Mientras, las madres, Federica y Farida, tomaban té helado y hablaban debajo de los árboles de cosas de mujeres.

Quizás Federica contara que Alejandra y Pedro habían tenido un hijo que se llamaría Alejandro y que había nacido en el hotel Claridge de Londres, al que Winston Churchill había convertido por un día en territorio yugoslavo para conservar los derechos dinásticos del recién nacido al trono de Yugoslavia. Tal vez Federica profiriera una de sus carcajadas características y dijera lo que todos pensaban:

—¡Como si alguien imaginara que Yugoslavia va a volver a tener un rey algún día!

Viendo el desconcierto de sus interlocutores, quizás se había apresurado a aclarar que:

—El tema de Grecia es completamente distinto.

—Claro, claro —contestarían sus nuevas amigas.

Si estaba la tía María, comentaría entre risas que su ahijado Felipe ya había sido invitado varias veces en Windsor:

—Pica alto, el muchacho; ¡al final pescará a Isabel, que ya sabéis que va a ser reina pronto, porque su padre está enfermo! ¡Espero que nos agradezca la educación que le hemos dado!

Y aquí Freddy replicaría cerrando el puño:

—Sí, pero ni aun así los ingleses están dispuestos del todo a ayudarnos.

En este punto quizás la reina Farida aprovecharía para explicar con tristeza el último capricho de su marido, cuyas debilidades conocía muy bien: Faruk quiso encargarle a su amante una botella gigante de Chanel número 5. Cuando su chambelán, Antonio Pulli, le argumentó que faltaban siete horas para que abrieran las tiendas en Egipto, Faruk le dijo:

—¡Vete a París a buscarlo!

Las reuniones bajo las espigas rosadas de los tamarindos y con el aroma turbio de la flor de heliotropo se prolongaban hasta muy tarde; cuando la noche iba cayendo clavaban antorchas en el suelo y ponían música de Cole Porter en la radiogramola. A veces se reunía con ellas la hermana de Faruk, Fawzia, que se hizo muy amiga de la tía María, porque Fawzia, a pesar de su aspecto indolentemente oriental, era feminista y luchaba por el voto femenino en los países árabes.

—¡Pero si aquí no pueden votar ni los hombres ni las mujeres! —objetaba Federica, y la tía María y Fawzia la miraban con hostilidad, porque en realidad ellas consideraban que este era un pequeño detalle a punto de solventarse cuando se terminara la maldita guerra.

Sofía no se cansaba de mirar a Fawzia, que solía vestir lánguidos vestidos de gasa color rosa albaricoque y era tan bella que la llamaban «la Venus de Asia», y hasta había sido portada de la revista *Life*, cosa que le daba bastante envidia a Federica, que nunca había conseguido que la revista norteamericana publicara ni una foto suya. La princesa egipcia estaba casada con el sah de Persia y tampoco era feliz. ¡Su marido le pegaba y la tenía encerrada en palacio! Es de figurar que Federica, que no brillaba por su tacto, hablaría sin cesar de las virtudes que lucía Pablo, del que solía decir:

—¡Es el más perfecto de los maridos y el más dulce de los hombres! ¡Si una bomba cayera sobre él, yo me pondría debajo para salvarle! ¡Su existencia es necesaria y la mía no!

En esos momentos estoy segura de que tanto Farida como Fawzia hubieran recibido alegremente cualquier proyectil que estuviera dirigido a borrar de la faz de la tierra a su simpática amiga.

Se terminó la guerra mundial, pero en Grecia estalló otra guerra peor, porque era entre hermanos. Una guerra civil. Un año y medio, cuatrocientas mil vidas de griegos; muchos de ellos no pudieron ser enterrados y fueron devorados por las alimañas.

Un año y medio más que Federica, Pablo y sus hijos debieron esperar angustiados por la falta de dinero y la incertidumbre de su destino. ¡Quién sabe si alguien necesitará un rey en Grecia!

Me gustaría introducir en este punto un tema de reflexión que creo viene bien a esta altura del relato: cuando durante tantos años se nos ha hablado tanto y tan largo sobre los sufrimientos de la familia real española en el exilio en París, Roma, las neutrales Suiza y Portugal, ¡siempre viviendo en buenos hoteles y elegantes residencias, utilizando coches de lujo, jugando al golf, con una cuadra de caballos digna de un rey, navegando y degustando cócteles! Cuando tantos libros se han dedicado a su sacrificio por la patria, cuyas miserias únicamente han compartido a través de los periódicos. ¿Qué deberíamos decir entonces de la infancia de doña Sofía? ¿De esa época en que se forja la personalidad y se templa el carácter?

Ruido, furia, el fragor de la guerra, muerte, bombas, violencia. Hambre, chinches, ratas, pulgas, hambre, desprecios. Hambre. No, ¡a mí que no me hablen más de la dura infancia de don Juanito!

Finalmente, en 1946, los griegos votaron la restauración de la monarquía. De repente, aquel pequeño grupo familiar al que nadie daba mucha importancia iba a ponerse a la cabeza de un país que formaba parte de la nueva Europa que estaba saliendo de sus ruinas. El gobierno de Atenas envió un destructor al puerto de Alejandría, aviones británicos trazaban tirabuzones en el aire para despedirlos y oficiales de la armada egipcia esperaban, en perfecta formación, al pie del barco. Nursi vistió a los niños con sus mejores ropas, aun así Sofía llevaba un abrigo que le quedaba corto y Tino se movía con incomodidad en sus zapatones nuevos. Irene, en brazos de María, la doncella, se chupaba el dedo. Federica trataba de caminar con aire majestuoso y paso seguro, no quería que nadie advirtiera las heridas que habían infligido a su orgullo estos largos años de exilio y desprecios, ni sus tacones torcidos.

Dos filas de soldados presentaron armas, y Tino se llevó la mano a la frente, como había visto hacer a papá en tantas ocasiones. Tiraron salvas y palomas, les ofrecieron flores. Un pequeño grupo de griegos residentes en Egipto aplaudió, algunos voltearon las gorras al aire. Una orquestina compuesta por tres miembros empezó a tocar una tonada irreconocible, y Federica exclamó, asombrada:

—¡Es el himno griego!

Lo escucharon inmóviles, con los mustios ramos de flores entre las manos, los ojos lívidos de miedo y el corazón encogido.

Todos se creían que iban a ir directamente a Atenas, pero Federica se empeñó en pasar por París. Su marido se echaba las manos a la cabeza:

—Estás loca, corderito, París, ¿para qué? ¡Grecia está esperando a su diádoco y a su basilisa! ¿No tienes ganas de llegar después de tantas desventuras?

Pero la princesa ya no era aquel ratoncito asustado que a todo decía que sí. Con una mirada de acero que su marido no le conocía y toda su sangre prusiana puesta en pie como un solo hombre, fue terminante:

—No pienso presentarme delante de mi pueblo como una desharrapada, quiero que estén orgullosos de su princesa heredera. ¿Quieres que salga en las fotos con este cutis quemado por el sol y estos vestidos a la moda de hace diez años?

Pablo masculló algo así como que él la encontraba muy guapa y muy elegante, pero después se calló y empezó a parlotear sobre *Isis sin velo*, un libro de *madame* Blavatsky, la fundadora de la Teosofía, que le había impresionado muchísimo, descubriendo con cierta alarma que cuando a su Freddy adorada se le ponía la boca de cierta manera, era mejor no llevarle la contraria.

Pero aún intentó una tímida objeción:

—Pero el dinero… el gobierno todavía no nos ha asignado ninguna partida…

A lo que Federica repuso majestuosamente:

—La tía María me ha abierto una cuenta en la banca Rothschild, ¡pero es un adelanto! ¡Si el pueblo quiere y necesita a su diádoco, nos tienen que recompensar generosamente por todos estos años!

Federica se hizo un *trousseau* completo como si fuera a casarse, ¡cómo un *trousseau*!, ¡veinte o treinta! La mujer del rey

Faruk, Farida, le había recomendado un modisto que, aunque nacido en El Cairo, era hijo de griegos: Jean Dessès, que se había formado en la prestigiosa Maison Jane. Freddy entró con cierto temor en los elegantes salones del Faubourg de Saint Honoré de color malva y beis, pero pronto se sintió cautivada por el carácter meridional del modisto. Nada más verla había juntado las manos con arrobo y se había postrado prácticamente de hinojos:

—¡Vuestra alteza parece una maniquí!

Le diseñó decenas de vestidos, de cóctel muy cortos, enseñando las rodillas:

—¡Vuestra alteza no puede esconder sus piernas!

Para los trajes de noche, y ya más segura de sí misma, Federica sacó una foto arrugada de su bolso y le expuso una idea que había maquinado en las largas veladas del destierro:

—¡Mira, es una cariátide del Erecteion de la Acrópolis! ¡Hazme algo que recuerde las túnicas griegas!

Como a todos los artistas, a Dessès no le gustaba que a otros se les ocurrieran ideas nuevas, y arrugó la nariz con desprecio:

—Bueno, es lo que hace *madame* Grès desde hace años... no es original... pero intentaré adaptarlo a su estilo.

Cuando Federica salió del taller, el modisto se puso a dibujar febrilmente unos patrones nuevos. A partir de ese día se pusieron de moda las túnicas de un solo hombro, con telas que caían hasta el suelo, de seda de gasa y de chifón, imitando los vestidos de las vestales de los templos. También Dessès se permitió la licencia de resaltar la estrechez de la cintura de Federica con un drapeado o un simple cordón de seda con borlas en los extremos.

Pero de día, la nueva mujer surgida de la guerra tenía un aire masculino, con hombreras y falda ajustadas —¡todavía faltaba un año para que Christian Dior deslumbrara con su New Look!—, y cuando Federica reclamó sombreros, Dessès accedió a hacerle un casquete con un velito que ocultaba los ojos, pero arrugó la nariz y decretó:

—Los sombreros están pasados de moda.

Y también:

—Mañana viene Alexandre, que tiene salón en Cannes, únicamente para peinar a la Begum. La va a atender en la peluquería Gervais. Yo, si estuviera en el lugar de su alteza, me pondría en sus manos.

Alexandre observó el peinado descuidado de Federica con disgusto y empuñó con ferocidad sus famosas tijeras de plata.

Federica le suplicó:

—Por favor, Alexandre, no me corte usted mi melena.

A lo que le contestó fríamente el peluquero:

—*Madame*, usted no puede decir a un cirujano qué debe amputar.

Sus bucles fueron cayendo al suelo. Los rizos cortos formaban ahora una aureola alrededor de un rostro que se había llenado de aristas y huecos que antes no existían, ¡había perdido su redondez y su encanto adolescente, pero resultaba más profundo e interesante! La mujer nueva es deportista, conduce su propio coche y no quiere estar pendiente de moños y horquillas.

Rosi «Dedos de Oro» Carita le depiló las cejas, le hizo la manicura y la pedicura y le aplicó la afamada Mascarilla de la Eterna Juventud, a base de crema montada y rosas cuyo componente secreto se guardaba en una caja fuerte de la Banque de France. Para terminar, le dio un masaje con aceites orientales que devolvió a su piel ese brillo lujurioso que su marido gustaba de acariciar interminablemente.

Una nube de Shalimar la inundó de la cabeza a los pies de un aroma a bergamota, rosa, jazmín, vainilla, naranja y lima. La indiscreta perfumista le dijo:

—Parece un perfume diseñado para usted: nació en el Taj Mahal y es para mujeres de un solo hombre.

Únicamente entonces Federica estuvo dispuesta a volver a su patria.

Mandó poner las decenas de piezas de Vuitton que había comprado en la cubierta del *Nauvarinon*, los baúles de la ropa, había una maleta solo para la lencería, y otra para los guantes largos bordados de Hermès, un enorme *necessaire* para las cremas de Helena Rubinstein que le habían traído desde Estados Unidos a precio de oro. ¡Sombrereras! ¡Incluso dos enormes maletones para sus abrigos de pieles!

La casa Vuitton agradeció de una manera tan especial este importante encargo en una época en que Europa estaba en ruinas, que años más tarde diseñó en honor a Federica una bolsa de viaje que bautizó con el nombre del dios griego del viento, Eolo.

Federica contemplaba orgullosa su equipaje; hasta Sofía se acercaba de vez en cuando a pasar la mano sobre la suave lona con su sutil anagrama de forma romboidal que brillaba tenuemente al sol de otoño. Cuando de pronto se desató una tormenta en el habitualmente tranquilo Mediterráneo y un golpe del oleaje empezó a arrastrar las maletas hacia el mar. ¡Federica y los niños intentaron detenerlas con sus propios cuerpos y estuvieron a punto de caerse también!

Maletas, baúles, *necessaires*, maletines, sombrereras. Los vieron precipitarse al mar uno a uno. Algunos se abrían y dejaban ir las filigranas que habían salido de las manos de Jean Dessès, el guardarropa más completo que había preparado nunca. Los camisones flotaban largo rato como medusas gigantescas y los guantes parecían manos de ahogados.

Federica, que llevaba cinco años de duro destierro sin que el destino le hubiera ahorrado ninguna penalidad y sin que nadie la hubiera visto llorar, se puso a gemir:

—Mira, el vestido de seda color champán con cola… los zapatos, el sombrero de Reboux, ¡el traje de montar!

Su marido la consoló:

—Las diosas se presentaban desnudas, Nausícaa cautivaba únicamente con sus canciones.

Consiguió hacerla reír, porque Freddy graznaba como una rana cuando quería cantar, pero ante la idea de presentarse desnuda delante de sus compatriotas no tenía la conciencia muy tranquila, ¡la verdad es que, sin decirle nada a su marido, se había comprado una prenda de baño de dos piezas que se llamaba biquini!

En septiembre de 1946 entraron en Grecia por el puerto de El Pireo. Una Federica que no había cumplido aún treinta años se abrazaba emocionada a su marido, que le susurraba al oído:

—Te quitaré tus arrugas a besos, una a una, *agapi mou.*

Con lo que Freddy se quedaba algo turbada, pues creía que con la Mascarilla de la Eterna Juventud se le habían borrado las odiosas huellas del tiempo. Sofía, que iba a cumplir ocho años, agarrada a la barandilla, contemplaba con asombro los colores de esta patria que se le había olvidado.

Y después, excitada, gritando, se giraba a Nursi para contarle su gran descubrimiento:

—¡Nursi! ¡Ya sé la tinta que usaba papá para escribirnos!

Distraída, Sheila, que estaba abrochando el abriguito de Tino, le preguntaba:

—Cuál, Sofía.

Y la niña señalaba con el dedo abajo, al agua azul tinta por la que navegaba Ulises, donde las sirenas cantaban:

—¡El mar! ¡El mar de Grecia!

## *Capítulo 3*

Sofía se sentaba siempre muy derecha. Nursi la peinaba con raya al lado, recogiéndole el flequillo con un pasador de carey sobre la sien, y alrededor del rostro le bailaban unos cabellos color maíz, tan ligeros como el plumón de un ave.

—¡Sóplatelo! —le pedía su hermana Irene, su más fiel y humilde servidora.

Con aire de suficiencia, Sofía avanzaba el labio inferior, soplaba y los rizos se agitaban como la hierba por el viento.

Irene intentaba copiar el gesto, pero para mover su pelo áspero y grueso, tan rizado como el de Federica, hubiera necesitado un huracán tropical por lo menos y siempre terminaba llorando mientras su hermana la contemplaba con gesto hastiado:

—Pesada.

Sofía era una niña de ocho años y medio con un atractivo rostro de forma triangular, mirada adulta, labios finos que no sonreían demasiado, barbilla pequeña, pómulos altos, cuello esbelto y unos hombros muy rectos. Mantenía las manos sobre la mesa, a ambos lados del plato; Nursi le había enseñado poniéndole un libro debajo de la axila que los brazos debían ajustarse al cuerpo lo máximo posible.

Ese día, 1 de abril de 1947, estaban comiendo los cinco juntos en el comedor de la casa de Psychico, donde había nacido Sofía. Una casa que, por mucho esfuerzo que se hubiera hecho, continuaba sin quedar como antes de la guerra, lo que es natural, ya que durante su exilio había sido ocupada por italianos, alemanes e ingleses que no solamente habían hecho fuego con los mejores muebles, sino que incluso habían defecado en las habitaciones. Claro que como no se sabía si habían sido los italianos, los alemanes o los ingleses los que habían hecho una cosa tan repugnante, era mejor hacerle caso a Nursi, que repetía:

—¡No hay que hablar de esos temas!

Pero Tino se atrevía a desafiar la autoridad de Nursi para preguntarle en voz baja a Blasi, el cocinero griego, que era su amigo y su cómplice:

—¿Pero cómo se sabe que es caca humana?

Para ser sinceros, Federica tampoco se había preocupado demasiado por la decoración de la casa, ¡era la última de sus prioridades! Desde que habían vuelto del exilio ella y el diádoco apenas habían dormido un par de semanas en Psychico, puesto que viajaban incansablemente por todo el territorio devastado por la guerra, agobiados por el sofocante olor de la sangre derramada. Pero en Macedonia la guerra civil no se había terminado, ¡los enfrentamientos entre la guerrilla comunista y el ejército causaban cada semana decenas de muertos! Federica afirmaba que cientos de niños habían sido secuestrados y transportados a Yugoslavia y Albania, y los que quedaban se morían de hambre.

Y cuando Freddy llegaba a Psychico después de estos interminables viajes, sucia de polvo porque iban en Jeep, cansada pero al mismo tiempo llena de planes, apenas podía ver a sus hijos, ¡tenía tantas reuniones, tanto trabajo que hacer! ¡Estuvo a punto de olvidar el cumpleaños de Sofía, que la niña esperaba ansiosamente porque por fin lo celebrarían en su patria! Acuciada por los remordimientos, a última hora se le ocurrió llamar a un pintor joven amigo de su cuñada Catalina[1] y le dijo:

—Tienes que pintar todos los personajes de Walt Disney en una sola noche en los cuartos infantiles. Techo y paredes.

Mientras dormían apaciblemente, el pintor llevó a cabo su tarea, y cuando los niños se despertaron creyeron que soñaban todavía: Dumbo, Blancanieves, con su rostro de parafina y su pelo negrísimo que encantaba a Sofía, Cenicienta y sus atroces hermanastras, Bambi, Mickey Mouse y su novia Minnie de zapatos enormes, Popeye el Marino y Olivia, todos los miraban en la silenciosa luz de la mañana desde las paredes, como queriendo jugar con ellos. Tino se frotaba los ojos y decía:

—Es que estamos soñando.

Solo Sofía se levantó y, pasando el dedo por la pared, todavía húmeda, decretó:

—¡Es pintura!

Con el mismo tono en que la niña María Sanz de Sautuola debió exclamar en 1879 al descubrir las cuevas de Altamira:

—¡Son bueyes pintados!

También se conservaba la sólida mesa de comedor donde habían nacido la basilisa Sofía y Tino. Esa mesa sobre la que ahora comían. Primero *keftedes* con salsa de yogur, porque Federica quería que la familia del diádoco comiese al estilo griego, y luego carne de ternera a la parrilla que podía ser griega o alemana, porque Federica había dado orden a Blasi de que evitase el picante y las fuertes especias. Dos criados ingleses perfectamente uniformados, uno de librea y el otro con chaqueta negra y camisa de rayas, que habían estado al servicio de una gran casa ducal londinense destruida por los bombardeos alemanes, servían los platos y luego se retiraban junto a la pared para no oír las conversaciones.

Sofía se movía en la intrincada geometría de los cubiertos con exacta desenvoltura, vigilando de reojo a sus hermanos: Tino, un chico de expresión ingenua y rostro redondo en el que quedaban muchos rasgos de bebé, se sentaba también con perfecta compostura, pero Irene, con sus gafas de pasta y sus dientes separados, estaba distraída observando los gestos de los otros dos, ¡no quería perderse ni un parpadeo! Si Tino se apartaba el pelo de la cara, ella hacía lo mismo. Si Sofía se subía las mangas de la chaqueta, ella también. A veces los dos mayores hacían gestos absurdos, se ponían bizcos, se tocaban las rodillas con la frente, para comprobar si la pequeña Irene los imitaba.

En voz baja, sin apenas mover los labios, Tino se burlaba:

—Imitamonas.

Pero nada pasaba desapercibido a mamá:

—¡Tino!

El niño se sobresaltaba y se le caía el tenedor al suelo. El criado se apresuraba a recogerlo y a llevarle otro. Federica no decía nada, pero cuando el servidor ya se había retirado junto a la pared, reñía a su hijo con dureza:

—Si te portas como un niño, no te podrás sentar con nosotros.

—Sí, mamá.

Y proseguía comiendo y hablando con su marido. Desde que habían llegado, ocho meses atrás, se habían pasado siete meses viajando. Los alemanes habían convertido el país en una pura ruina, pero ruina y todo continuaba desangrándose en una insidiosa y desesperante lucha de guerrillas. Los comunistas, que habían luchado contra los nazis con un arrojo suicida, ahora no aceptaban la restauración monárquica por mucho que lo hubieran decidido las urnas, ¡ellos no se habían enfrentado a los alemanes para después bajar la cabeza, hacer reverencias y rendir pleitesía a un rey! Con la ayuda de la Unión Soviética y la Yugoslavia de Tito, confiaban en vencer a un ejército agotado y sin recursos y establecer una república democrática. ¿No nació la república en Atenas y la palabra democracia no está formada por dos vocablos griegos, *demos*, que quiere decir «pueblo», y *kratos*, que quiere decir «soberano»? ¡Los griegos tienen la república en su código genético, corriendo tumultuosamente por su sangre torrencial! ¡O tatuada en la piel, como llevaban los guerreros de Esparta escrito en el pecho el nombre de su pueblo, por si morían en combate y debían repatriar sus restos!

Nada más llegar a Grecia, Federica se había puesto al frente de la Cruz Roja, reclamando ayuda humanitaria internacional. Con voluntarios, médicos y enfermeras, recorrió Macedonia junto a su cuñada Catalina y su dama de honor, María Carolo, y el diagnóstico fue descorazonador:

—¡En los pueblos solo hay mujeres vestidas de negro! Van descalzas y harapientas. Han matado a sus maridos y se han llevado a sus hijos.

Pablo suspiró:

—Sí, ya lo he comentado con Jorge… se habla de veintitrés mil niños…

—Y los que se quedan se mueren de hambre… El otro día se murió uno delante de mí, ¡es una muerte dulce! Con las caritas transfiguradas, no lloran, sonríen y sus ojos parecen mirar más allá…

Pablo le informó mientras se servía puré de manzana:

—Sí, Freddy, está comprobado que sus seres queridos ya fallecidos vienen a buscarlos, hay un túnel y una luz…

Federica rechazó el puré, ¡estaba a dieta!, e interrumpió a su marido:

—Sí, sí, ya lo sé, es tremendo, pero como todo está arrasado, los padres no tiene tierras que cultivar y se van a las ciudades a pedir limosna abandonando casa y familia o, peor todavía, se unen a la guerrilla. ¡Irene! ¿Quieres hacer el favor de explicarme por qué lloras?

Irene, entre pucheros y suspiros tan hondos que apenas la dejaban hablar, contestó:

—Es que me dan pena los niños muertos…

—Las princesas no lloran, Irene.

Pablo trató de interceder:

—Pero, Freddy… ¡Son tan pequeños!

—Es ahora cuando se forman sus personalidades y cuando tienen que enterarse de lo dura que es la vida.

—Claro, claro, siempre tienes razón, Freddy.

—Cuando sean un poco más mayorcitos, me los llevaré conmigo.

—Sí, querida.

Federica lo miró de soslayo e insinuó:

—Quizás preferirías que me quedara en casa a construir casitas de madera y a pintar cuadritos.

—No, no, ¡por la Virgen del Icono! ¿Qué haríamos Grecia y yo sin ti?

Y con ademán galante cogió la mano de su enfurruñada esposa y le besó el dorso con los ojos cerrados. A veces Pablo prefería no mirar a esta mujer dura, tenaz, tan segura de sí misma que daba miedo, para no tener que preguntarse dónde diablos había ido a parar la dulce Freddy, la prinzessin, su gorrioncito.

Pero Federica ya no le atendía, estaba fumando un cigarrillo y tomando un café tan fuerte que, si se volcaba la taza, probablemente el líquido quedaría de pie.

—Por cierto, Palo, tengo que hablar con Jorge del asunto de nuestra asignación, ¡necesitamos más si queremos arreglar esta casa y Tatoi! Y me gustaría reponer mi vestuario, te recuerdo que todo se cayó al mar cuando veníamos. ¿Y las joyas de la corona? ¡El tesoro de los Romanov todavía no ha aparecido, si es que existe! Las esmeraldas, los zafiros… Catalina me ha hablado de una tiara que llevaba siempre tu madre, un *bandeau* de diamantes… Mamá me ha enviado la corona helena y tengo la prusiana de la boda, ¡pero no puedo ir siempre con las mismas!

—Pero, Freddy, ¡no te las vas a poner para ir en Jeep!

Una sonrisa fugaz hizo asomar por un momento un hoyuelo en la mejilla de Freddy, pero volvió a esconderse rápidamente:

—¡Daremos fiestas! ¡Nos abriremos a Europa! Tenemos que ofrecer una imagen unida a los Estados Unidos para que a nosotros también nos llegue la ayuda del general Marshall y su famoso plan de recuperación. ¡Nosotros también hemos sufrido y necesitamos su dinero! Hay que poner esta monarquía en pie, solo así nuestro pueblo confiará en nosotros.

Agitada, Freddy se puso en pie ella sola para ir dando ejemplo y recorrió el comedor a grandes zancadas mientras la falda de seda de Jean Dessès se le arremolinaba en las pantorrillas. Los niños y los sirvientes la miraban fascinados:

—Hemos conseguido volver. ¡Nadie daba ni un dracma por nosotros! ¡Mira lo que pasa en España! Los Borbones están esperando en Estoril a que Franco los llame, y ¿sabes lo que te digo, Palo? ¿Sabéis lo que os digo, niños míos?

Sofía, interesada aunque no sabía por qué, preguntó:

—¿Qué, mamá?

—¡Que Juan y María nunca serán reyes!

Sofía volvía a preguntar:

—¿Quiénes son Juan y María?

—Los herederos en el exilio de la Corona española ¡pueden esperarse sentados! ¡Franco no va a dejar el poder nunca! —Con el puño de una mano se golpeaba la palma de la otra—. Tenemos que establecer en Grecia una monarquía tan fuerte como la inglesa, ¡pero si el marido de la reina de Inglaterra será un griego!

Pablo sonrió con amargura:

—Sí, querida, Felipe es griego, ¡pero está empeñado en que se olvide! Su origen ha sido borrado de las biografías oficiales. ¡Nadie se acuerda de que es primo nuestro! Por cierto, ya hemos recibido la invitación, la boda será en noviembre.

—Ah, ¿sí? —dijo su mujer momentáneamente sorprendida—. Bueno, claro que iremos. Pero Felipe es griego, aunque él no quiera.

Federica se sentó y dio otro golpe, esta vez en la mesa, que derramó una copa de vino y casi hizo caer a Sofía:

—¡Necesitamos la ayuda del presidente Truman como sea! ¡Voy a escribir yo personalmente al general Marshall! No sé cuál será la forma protocolaria de dirigirme a él…

Pablo le dedicó una sonrisa en la que solo Sofía advirtió el sarcasmo:

—Muy fácil, querida. De hombre a hombre.

—Sí, sí, tal vez —respondió Federica algo desconcertada, reponiéndose en el acto—. Lo importante es convencerle de que la única manera de evitar que la Unión Soviética domine Europa es mantenerte a ti en el trono. ¡Seremos el muro de contención de Stalin y compañía!

Y apuraba el café y vaciaba de golpe una copita de *ouzo*, rezongando:

—A esos comunistas les iba yo a… Claro que los reyes poco podemos hacer… no tenemos ningún poder efectivo.

Su marido le recordó con suavidad mientras le apartaba un rizo que le caía sobre los ojos:

—Todavía no somos reyes, Freddy.

Federica[2] tuvo a bien ruborizarse un poco:

—Bueno, claro… no quería decir eso… Me refería a que el rey de Grecia no tiene poder, todo se ha de consultar, consultar aquí, consultar allí…

Y hacía gestos exagerados con la mano, a un lado y al otro, como en un baile versallesco, y los niños reían a carcajadas, pero Pablo se apresuraba a detenerla, porque aunque los criados fingían no escuchar no había que fiarse de nadie:

—Y está muy bien así, Freddy querida. Vivimos en una monarquía constitucional, así lo aceptamos cuando volvimos del exilio.

Silencio. Del exilio no se hablaba. Las ratas. El hambre. Los desprecios.

Sin que nadie se diera cuenta, Federica apretó la cruz, «contigo resistiré», que continuaba llevando en el bolsillo.

Se oyó el timbre del teléfono. Entró un criado con el aparato en la mano:

—Señor, de palacio.

Pablo arrugó el ceño, ¿quién podría ser? ¿Su hermano? Habían cenado juntos anoche y después habían ido a un estreno benéfico, se proyectaba la película *Enrique V*, de Laurence Olivier. Cuando salían Freddy le había dicho cogiéndose de su brazo y reclinando la cabeza en su hombro con un gran despliegue de hoyuelos y miradas tiernas que ahora solo reservaba para la intimidad:

—Tú eres más guapo.

Y el diádoco, que estaba perdiendo pelo a pasos agigantados, y que, a pesar del deporte que practicaba, estaba engordando, metió barriga, abombó pecho y dio un suspiro, preguntando:

—¿Tú crees?

Esa misma mañana, hacía unas horas, había ido a palacio y había visto un momento a su hermano. Estaba como siempre, con aspecto fatigadísimo, ¡pero es que los tiempos eran tan duros! ¡Se necesitaba ser de hierro, como Freddy, para aguantarlos!

Se puso al teléfono y echó una mirada maquinal al reloj, la una. Creyendo que era su ayudante, Babis Potamianos, le informó mecánicamente:

—Ahora voy.

Y ya se levantaba para marcharse, cuando Federica lo detuvo:

—No, pregúntale para qué es, por si tengo que ir yo también.

Pero no era su ayudante el que estaba al otro lado del teléfono, sino el ministro del interior, Georgios Papandreu, que le dijo:

—El rey está muy mal.

Se levantaron los dos; era el momento que llevaban esperando desde hacía años y para el que se preparaban Palo desde que se había convertido en diádoco y Freddy desde que se había casado con él.

Los niños continuaron comiendo. Cuando se fueron sus padres, Irene preguntó:

—¿Qué pasa?

Y Sofía contestó con suficiencia, por algo era la mayor:

—Les han gastado una broma... Hoy es primero de abril, el día de los Inocentes.

Cuando Pablo y Federica llegaron a palacio, quien había reinado con el nombre de Jorge II ya estaba muerto, se había tumbado tranquilamente en un diván después de una audiencia y su corazón había dejado de latir. Las penalidades del exilio, el ingente trabajo al que se enfrentaba cada día desde su regreso, el sufrimiento de ver su tierra desgarrada, rota y pobre, habían acabado por agotar la batería de aquella cansada maquinaria que a duras penas podía llamarse vida humana.

A su lado lo velaba su hermana Helena, que acababa de ser expulsada de Rumanía y había venido con su hijo Miguel a refugiarse al Palacio Real. Lloraba. Pero cuando entró Pablo en la habitación se dirigió hacia él, se puso de rodillas y le besó la mano. Su hermano le trazó una cruz en la frente y lo mismo hizo con los sirvientes que se fueron postrando de hinojos a su paso.

Federica, detrás de él, avanzaba con la cabeza alta, como si le aplaudieran multitudes.

Las basilisas Sofía e Irene y el prigkipas Constantino se fueron al Lawn Tennis Club de Atenas, las niñas tenían clase de ballet,[3] su hermano de tenis. Nursi los recogió, un poco más silenciosa que de costumbre. Sorprendentemente, el chófer abrió la puerta e hizo pasar a Tino en primer lugar.

También Nursi le ofreció en primer lugar la merienda.

Sofía le preguntó:

—¿Por qué le das al prigkipas la merienda antes que a nosotras?

—Porque ya no es prigkipas —contestó Nursi, pero no les explicó lo que ya todos sabían en Atenas.

Después, cuando estaban en el cuarto de jugar, el de los dibujos de Walt Disney, entró Federica, elegantemente vestida de negro, poniéndose los guantes.

Les dijo:

—El tío Jorge se ha muerto y ahora vuestro padre es el rey. No me beséis que me acaba de peinar la peluquera.

Y se acercó a aquel muchachito de siete años, posó la mano en su hombro y con más compasión que orgullo le dijo:

—Tino, ahora tú eres el diádoco.

Antes de salir les informó en tono frío:

—A partir de ahora todo va a cambiar. Vuestro padre tiene muchas responsabilidades, mucho trabajo, tendrá que viajar, lo vais a ver muy poco. ¡Pobre papá!

Sofía, alarmada, preguntó:

—Pero, nosotros, ¿qué va a pasar con nosotros?

Federica, secamente, con una ceja más alta que la otra, le contestó:

—Tendremos que irnos de aquí, por supuesto, al palacio de Atenas… Os va a costar, ¡pero más le va a costar a vuestro padre! ¡Esperemos que su salud no se resienta! Ya no es un niño, tiene cuarenta y siete años.

Irene se puso a llorar y a frotarse los ojos y señaló los dibujos de las paredes:

—Pero, mamá, tendremos que dejarlos ¡a ellos! A Cenicienta, y a Dumbo, y a Pluto… yo no quiero que papá sea rey…

Federica, ya en la puerta, contestó con voz exasperada:

—Irene, no seas cría, ¡cómo no va a ser rey vuestro padre! Eso no se escoge, se acepta y punto… ¡a quién se le ocurre pensar ahora en unos tontos dibujos!

Salió, y por una vez Sofía se apiadó de su hermana y le rodeó los hombros con el brazo. ¡También le daba mucha pena no volver a ver a Blancanieves! Hasta Tino, que era hombre y además el diádoco, se acercó a sus hermanas y las abrazó a ellas porque no podía abrazar a Pinocho, que, con su nariz roja y sus piernas rígidas, parecía suplicarle «no me abandones».

Podemos ver en filmaciones de entonces el entierro impresionante del rey Jorge. Un sobrio armón del ejército cubierto de banderas griegas y unas coronas de laurel. Detrás, su caballo con las espuelas puestas del revés y arneses de color negro. A ambos lados, marinos de la armada griega y los altos *tsoliades*, la guardia real con la *fustanella*, la vistosa falda que identifica a los soldados griegos en todo el mundo, y sus zuecos de cuero negro. Detrás, en primer lugar, el gigantesco Pablo dando la mano a un niño, Tino, el diádoco, vestido de forma inadecuada, con camisa blanca, pantalón corto de color beis y calcetines altos. Con sus piernecitas de siete años intenta acoplar sus pasos a la larga zancada de su padre.

El error de la indumentaria del diádoco ya ha sido corregido para la coronación de Pablo en el Parlamento. Tino lleva un traje completo con corbata, sus hermanas Sofía e Irene van con abrigos de color claro —la filmación, por supuesto, es en blanco y negro— y calcetines blancos. Sorprende ver el gesto autoritario del nuevo diádoco y cómo señala a sus hermanas la forma de subir las escaleras, primero Sofía y después Irene, ¡pobre Irene, siempre la última, se olvidaban de ella y quedaba engullida por la multitud hasta que iban a rescatarla! A la pregunta de los periodistas acerca de cómo se sintió al ver a su hermano convertido en diádoco, Sofía contestó: «Hombre, los típicos celillos al ver que tu hermano pequeño se lleva los mejores regalos». Algo más le importaría, pues, cómplice por una vez de Irene, inventó un juego refinadamente cruel,[4] como solo pueden concebirlo los niños. Le dijo a su hermano:

—Tú, mucho diádoco, pero en la misa ni te mencionan, y a Irene y a mí sí, ¡muchas veces!

Tino se puso a llorar y a protestar:

—Sí hablan de mí; yo voy a ser rey y vosotras no.

Y escuchaba la misa con tal atención que parecía que las orejas se le aguzaban como a un perro de caza. Pero terminaba llorando decepcionado, pues era cierto que a Constantino el oficiante no lo mencionaba, aunque sí aludía continuamente a Sofía e Irene. Como Tino apenas hablaba griego, ignoraba que «Sofía» quiere decir sabiduría e «Irene» paz, por lo que es natural que se pronuncien estas palabras varias veces en una liturgia religiosa.

Se justifica la broma, ya que debe fastidiar bastante ver cómo tu hermano menor se convierte en el centro de la familia; vean si no lo que contestó Pilar de Borbón, la hermana mayor de don Juanito, ante la misma pregunta:

—La verdad es que es una lata tener un hermano que, por el simple hecho de que vaya a ser rey, siempre se lleva las mejores atenciones.

En Grecia no existe ceremonia de coronación. Palo advirtió que tomaría el nombre de Pablo I e hizo el juramento preceptivo, prometiendo defender la constitución, conservar las libertades individuales y mantener la independencia de Grecia frente a cualquier enemigo externo o interno.

Entre las autoridades, en lugar preferente, se sentaban las hermanas del rey. Helena, apoyada en el brazo de su taciturno hijo Miguel, estaba deseando volver a Villa Esparta, en Florencia, que habían mantenido cerrada mientras intentaban la loca aventura rumana. Miguel había sido rey durante siete espantosos años y ni un solo día dejó de temer por su vida o por la de su madre. Cuando Helena recordaba las glicinas de su jardín florentino, el murmullo del manantial, las carreras de sus perros sobre el césped tan tupido como terciopelo y el breve destello de los insectos luminosos, se ponía a llorar, incluso más que con la muerte de Jorge. A su lado, su hermana Irene sollozaba ruidosamente; lloraba por Jorge, por Pablo, pero también por su pobre vida desperdiciada: su marido, Aimon, estaba en Buenos Aires, enfermo y solo, se había gastado ya el dinero que había llevado y se veía incapaz de conseguir más. Tosía mucho, tal vez padecía tuberculosis. Su hijo Amadeo, de tan solo cuatro escuálidos años y con una boca débil, como su padre, se coge a sus piernas. ¡Solo les queda vivir en las casas de sus parientes ricos, que les racionan la comida y la luz, y que se quejan con educación si se quedan un día más de lo convenido!

—Niños, mirad en vuestros armarios para ver si tenéis ropa vieja para el primo Amadeo.

¡Y si Amadeo se ponía enfermo, cosa que sucedía con frecuencia, lo relegaban a los cuartos del servicio, como pasó en el palacio de los Ferrara, por miedo a que contagiara a algún miembro de la familia! Helena se inclinaba hacia ella con ternura y le apretaba el brazo:

—No llores, Irene, hermana... Mientras la república no te devuelva el palacio de Nápoles compartiremos lo poco que tengo... Miguel se va a casar con Ana de Borbón Parma y yo me quedaré sola. Te lo suplico, ven a vivir conmigo a Florencia, me serás de gran ayuda, ¡al menos hasta que Aimon pueda enviaros dinero y te reclame!

Irene lloraba todavía más fuerte, porque sabía que el incapaz de Aimon, un niño bonito que solo sabía bailar y jugar al polo, se iría hundiendo y dejando morir. Lo peor era que ella tampoco podría ayudarlo. ¡Tomislaw II! Aimon decía en uno de sus escasos rasgos de triste humor:

—Mira, soy el segundo. Antes que yo hubo otro infeliz.

Aspasia Manos, su cuñada, la viuda de su hermano Constantino, estaba con su hija Alejandra y con Pedro de Yugoslavia.[5] En la familia se contaban horrores de este matrimonio, ¡en voz baja y cuando no había ni niños, ni criados, ni parientes indiscretos cerca! Habían tenido un hijo, pero, al parecer, los iban a declarar incapacitados para criarlo, ella por su depresión y sus intentos de suicidio, él por su alcoholismo. Nadie podía ver la expresión de sus rostros; iban, como Helena, como Irene, totalmente cubiertas con velos negros. La única que llevaba el rostro descubierto era Catalina, ya que era soltera, pero por poco tiempo, de ahí que su semblante, aunque triste, exhibiera ojos alegres y alguna sonrisa furtiva. Dentro de tres semanas se casará aquí, en este mismo lugar. A pesar de que quería mucho a su hermano y le había apenado su muerte, no pensaba aplazar la boda y recurrió al consabido:

—A él le habría gustado que nos casáramos.

¡Bastante le había costado a la pobre pescar, a los treinta y cuatro años, un marido! Tampoco es que fuera un príncipe azul, ni siquiera era príncipe, ni aristócrata, aunque sí muy guapo; se trataba de un militar inglés, el mayor Richard Brandon, sin títulos nobiliarios. Catalina, de vez en cuando, giraba la cabeza para mirarlo y sonreírle tranquilizadoramente. Dentro de tres semanas podría pronunciar en voz alta las palabras mágicas, «mi marido», con las que muchas mujeres sueñan desde que nacen, y se irán a Bagdad, donde el mayor está destinado.

En un lugar especial se sentaba María Bonaparte. ¡Quizás, si no hubiera sido por su fabulosa fortuna puesta al servicio de Pablo, este momento no hubiera llegado nunca! Su hijo Pedro se había negado a ir. Había dicho con arrogancia:

—La guerra me ha hecho antimonárquico, mamá.

Su hija Eugenia también iba cubierta de negro de la cabeza a los pies; parecía una viuda, en realidad casi lo era, aun cuando Dominic Radziwill estuviera bastante vivo y coleando mucho. Se habían separado y Eugenia y la pequeña Tatiana vivían en París en casa de María, que era la que le había aconsejado a su hija:

—Divórciate, no se puede vivir toda la vida amargada.

Ella no lo hacía del tío Jacob, pues eran perfectamente felices: él se mantenía fiel a la memoria de Valdemar y convivía con María como un hermano cariñoso. María había vuelto a reanudar sus estudios psicoanalíticos y a reabrir su consulta en París, ¡después de su malhadada operación, que se empeñaba en explicar con todo detalle, no había vuelto a fijarse en ningún hombre!

Claro que era lógico que los pretendientes hicieran cola en la puerta de Eugenia, una de las herederas más ricas de Europa. Entre el público que asistía a la coronación estaba sentado quien pasaba por ser su novio, el príncipe italiano de rimbombante nombre Raymondo de la Torre e Tasso, dispuesto al sacrificio, ya que Eugenia aunaba una combinación explosiva e inaguantable: un carácter muy fuerte y muchísimo dinero.

No lejos de él, una pelirroja elegante vestida de marrón se llevaba la punta del pañuelo a los ojos, pero de forma tan circunspecta que casi nadie se daba cuenta de que era «la señora Brown». Mañana se retiraría tan discretamente como había venido a su pisito londinense de Eaton Square, donde pasaba por viuda de un rico rentista.Y a partir de mañana casi lo sería.

En el centro, Pablo, con traje militar y el pecho recubierto de medallas y condecoraciones, escuchaba el largo exordio del sacerdote.A su lado estaban su mujer, con vestido largo de brocado blanco y un abrigo hasta la rodilla de visón rasé de color marrón, y sus tres hijos. Es difícil para nosotros, que conocemos el futuro, evitar la comparación de ese momento crucial en la vida de una familia y de un país con otro exactamente igual que tendría lugar en España veintiocho años después, en el que una de las protagonistas será la misma: Sofía. En el primero es su padre el que es coronado rey y jura la constitución, en el segundo es su marido.

En ambos se pronunció el mismo grito ritual:

—¡Viva el rey!

¡Que nadie me diga que la vida de Sofía no es extraordinaria! Por una increíble pirueta del destino que algunos llaman casualidad, tres son los niños que están al lado de sus padres en esa hora histórica, y también, otra coincidencia, dos chicas y un niño.Y también en ambos casos el niño es el príncipe heredero, aunque no sea el mayor de los hermanos.

Me gustaría saber lo que diría Pablo, que creía en la influencia de las constelaciones sobre nuestras vidas, lo que pensó Federica, que creía que eran las hadas las que gobernaban el destino, lo que piensa Sofía, la impenetrable Sofía, de esos dos instantes que vivió como protagonista, pero desde distintas responsabilidades.

Cuando la historia que intento explicar en estas páginas haya sido desterrada de la memoria de los hombres, cuando lleven marchitas mucho tiempo las flores sobre las sepulturas de todos nosotros, alguien recordará este cúmulo de coincidencias y quizás desentrañará el secreto.

Después de la coronación fue el caos. Porque caótica era la situación en Grecia; había que poner un país en pie y conducirlo desde la Edad Media hasta la modernidad. Sofía, Tino e Irene necesitaban una madre, pero los griegos también, y puestos a escoger, Federica optó por su patria, ¡la tarea era demasiado ingente para un hombre solo! ¡Pablo amenazaba con quebrarse, y eso sí que Federica no podía consentirlo!

Y Federica, que no hacía nada a medias, se entregó a su trabajo con la exaltación, la entrega y el exceso de los iluminados, los locos o los santos.

Cuando las multitudes alzaban sus brazos hacia ella llamándola madre:

—*Mitera, mitera.*

Sofía, indignada, se enfrentaba a aquellos impostores:

—¡Es mi mamá y no la vuestra!

Federica se convirtió a la religión ortodoxa y se golpeaba el pecho ante La Panagia, la Virgen Madre de Dios, con más vehemencia que nadie. Y si había que ser griega, ella también quería serlo más que nadie, ¿quién se acordaba ya de que había nacido alemana? ¡Ni siquiera ella, que se alejó de su familia, no viajó nunca a su país natal y casi olvidó hablar alemán! Mandó a su modista que estudiara minuciosamente el traje típico griego según dibujos del siglo XIX y que después lo cosiera para ella y para sus hijos. También para Pablo, que declinó el honor con un comedido:

—Ya soy muy mayor para disfrazarme.

Aprendió griego como los nativos. Y era capaz de recitar las obras clásicas y de hablar las tres lenguas griegas: el idioma común o *koiné*, la lengua vulgar o *demotiki* y el griego clásico, la *kazarevusa*, hazaña que muy pocas personas alcanzaban.

Sofía se lamentaba de mayor:[6]

—A mi madre nunca se la ha entendido, no se ha entendido el amor que le tenía a mi país y a mi padre, ni su enorme potencial y coraje.

Un día Federica, a la hora de comer, dijo:

—A partir de ahora se ha acabado utilizar el inglés en familia, ¡se hablará únicamente griego!

Y fundó una especie de colegio particular en la parte trasera de la casa de Psychico en el que solo había tres clases: una de niños mayores, a la que iba Sofía, otra para niños medianos, Tino, y otra para niños pequeños, con Irene. Lo dirigía un pedagogo inglés, Jocelyn Winthrop-Young, quien cuando le preguntaron en su ancianidad por la cualidad más destacada de Sofía, contestó, quizás recordando que su alumna había vivido un exilio duro e inhumano:

—Su enorme capacidad de adaptación.

Si quería ser sincero, no podía resaltar su afición a los estudios. Con una comicidad que no acaba de entender esta biógrafa, la reina Sofía le cuenta entre carcajadas a Pilar Urbano que era muy mala estudiante.

—Redacción, mal, sintaxis peor, matemáticas, cero.

También confiesa divertida —misma observación del párrafo anterior— que llevaba sus chuletas y que en los exámenes, si podía, copiaba.

Bueno, vale, todos los estudiantes lo hemos hecho, pero ¿hay que vanagloriarse de ello?

La vida de los hijos de los reyes de Grecia no se diferenciaba demasiado de la de otros niños de clase alta de un país sin aristócratas:

—Éramos unos reyes bastante pobres de una monarquía bastante pobre… llevábamos la vida de un oficial de marina, que es lo que mi padre hubiera sido de no haber tenido que hacer de rey —confesaba años más tarde la reina doña Sofía.

Es decir, estudios, sí, pero sin demasiado entusiasmo, aunque una buena profesora, Teofanos Arvanitopoulos, despertó en Sofía la afición por la arqueología. También recibió clases de ballet, pero la basilisa era demasiado alta y carecía de ese aire espiritual que se exige a las bailarinas. Ingresó en los Boy Scout, movimiento que la familia real contribuyó a fomentar en Grecia, y se dedicó al deporte.

Fue el rey quien inculcó en sus hijos la pasión por la navegación a vela y, en cuanto tuvieron uso de razón, los hizo socios del Club Náutico de El Pireo y les regaló un balandro que cada hermano pintaba de un color distinto. El de Sofía era rojo oscuro y tenía dos tripulantes: ella y su gato, porque sentía tal cariño por el animalito que le había regalado el almirante Stavridis, que le apenaba dejarlo en tierra. Lo justificaba diciendo:

—Es el más marinero de la familia.

Es curioso, porque en otro país mediterráneo, Portugal, a don Juanito también se le regaló en las mismas fechas su primer balandro, el *Sirimiri*, y los dos, sin saberlo, sin conocerse, compartieron el mismo mar. ¡Quién sabe si en esas noches a la luz de la luna, cargadas de ilusiones juveniles, no contemplaron ambos las mismas estrellas y pidieron que se cumplieran los mismos sueños!

A los padres los veían muy poco; tener que reconstruir un país desde cero no dejaba tiempo para minucias tales como la vida familiar.

Si se les recibía en Rodas, por ejemplo, con los inmortales versos de Sófocles:

*¡Por fin has venido, oh, rey!*
*Retoño de otros reyes.*
*Te hemos esperado durante cuatrocientos años.*
*Escuchad, griegos de las islas.*
*Podéis decirles a vuestros padres muertos*
*que descansen en paz*
*porque el rey ha vuelto.*

... ¿Cómo descender luego a organizar el horario de los hijos o escoger unas cretonas para tapizar los sofás?

Ante la magnitud de tareas que tenían por delante, Pablo se refugiaba en su vida espiritual y delegaba en su mujer, que ponía al servicio de los griegos su desbordante energía y también su ambición: no había nada en lo que no interviniera; gracias a ella los americanos derramaron sobre la depauperada Grecia sus bendiciones en forma de dólares, lo que ayudó a la recuperación del país. Y también, quizás por su influencia, las guerrillas perdieron el apoyo de la Unión Soviética y se autodisolvieron. En 1949 Grecia estaba, por fin, en paz. Pobre, pero en paz.

Pero ni siquiera Grecia le impidió dedicar su amorosa atención a su marido. Pablo se puso enfermo; el tifus, que según se ha comprobado en la actualidad puede tener su origen en situaciones de estrés insuperable, lo recluyó en la cama largos meses. Es una enfermedad grave, y Pablo parece que se regodeaba con la idea de morir, estaba melancólico, no tenía fuerzas. A Federica, desesperada, se le ocurrió una idea:

—Vamos a habilitar el cuarto contiguo y le voy a decir a la pianista Gina Bachauer que venga a tocar para ti.

Así lo hicieron, y el rey mejoró escuchando Bach, Beethoven y Chopin. Cuando Gina debió irse, la sustituyó el gran violinista Yehudi Menuhin, quien sería amigo de la familia toda su vida.

Tiene mérito la entrega de Federica, ya que tanta responsabilidad también a ella le pasó factura: enfermó de depresión, dolencia que llevaba en secreto, ya que no quería que la tía María pretendiera psicoanalizarla. «Los lazos que me unían a mi pueblo llegaron a ser demasiado fuertes… me había identificado tanto con sus sufrimientos que, ahora que habíamos terminado la guerra civil, mi guerra civil particular me estaba destrozando a mí», cuenta en sus *Memorias*, para a continuación decir resignada:

—Pero ¿qué iba a hacer? Tenía que seguir adelante, era la reina. La mano de mi marido me daba fuerzas, ¡y la física nuclear!

Sí, aunque suene extraño, la reina Federica abandonó su fe en las hadas para interpretar el mundo según los principios de la física nuclear ¡con todo el fanatismo de los recién conversos! Llegó a ser tan experta en esta materia que pudo discutir de tú a tú con grandes científicos mundiales como Heisenberg, del que admiraba su formulación del «principio de incertidumbre»: Federica dedujo que el Mundo, Dios y lo Invisible estaban dentro del alma humana. También que tu mente da «forma» al mundo que te rodea. Esta teoría acerca del insondable poder de la mente para crear está viviendo en la actualidad un segundo renacer, ya que está en el germen de la New Age y de los libros de Rhonda Byrne basados en la física cuántica, lo que nos demuestra que Federica, como en tantas cosas, también en filosofía fue una adelantada a su tiempo.

Heisenberg, halagado supongo por tener de «fan» a toda una reina, le respondió que la interpretación de Federica se trataba de una adaptación personal a sus teorías tan válida como otra cualquiera.

Es fácil entender la admiración de Sofía adulta por esta mujer universal que le tocó como madre, que incluso llegó a ocupar en solitario la codiciada portada de la revista *Time*, aunque quizás la niña Sofía hubiera preferido una mamá más doméstica.

Como cuando los niños eran pequeños, Federica intentaba justificarse:

—Mis hijos están muy bien, no dan problemas; Nursi es perfecta para ellos. ¡Hay tanto por hacer en Grecia!

De hecho, los príncipes apenas vivieron en el Palacio Real de Atenas; en cuanto se arregló someramente Tatoi, se trasladaron allí con su pequeño ejército de cuidadoras comandado por Nursi, sin recordar por suerte el sonido de las bombas que los recluían en los sótanos cuando eran pequeños. Los padres iban los fines de semana que no estaban de viaje.

Tatoi es una finca grande, que tiene granja, garita para el portero y una puerta de hierro ancha y baja. La fachada de la casa es de piedra, tiene cinco salones de recepción, ocho habitaciones y la única nota real la dan los criados, dieciséis, que llevan corbata blanca y chaqueta escarlata. Pero el lujo de Tatoi es la naturaleza. Las montañas lejanas hunden sus cimas en las nubes, un coro estridente de ranas despide el sol cada día y en el jardín hay retama y espliego, romero y flores silvestres amarillas y violetas, adelfas y laureles:

—¡El olor de Tatoi! —recuerda todavía en la actualidad la reina de España con toda la nostalgia de los sueños perdidos. A los olivos y pinos de la finca antigua, que compró el abuelo de Pablo y que por tanto pertenecen a la familia y no al Estado, se han añadido ahora olmos y altos plátanos bordeando el camino blando y húmedo por las hojas caídas.

En Tatoi pudieron recuperar la libertad de que habían gozado en Sudáfrica. Sofía se lo escribe entusiasmada al general Smuts,[7] quien desde Ciudad del Cabo continúa preocupándose por la familia que albergó en su casa: «Querido general Smuts: ¿Cómo está? Muchas gracias por su cariñosa carta... ¿Sabe usted que aquí, en Tatoi, está nevando y todos los árboles están blancos como si pusieran una sábana blanca en el suelo...? Ayer, cuando estaba montando, vimos quince ciervos o así y me caí del caballo del susto... *Lot of love from Nursey, Tino and Irene and from me...* Sophie». La letra de Sofía es redonda y dibuja las mayúsculas con una meticulosidad que desgraciadamente ya se ha perdido. ¿Quién hace hoy el complicado arabesco de la D mayúscula?

En Tatoi, el auténtico hogar de Sofía, me atrevo a decir que incluso en mayor medida que Zarzuela, los hermanos disfrutaron de la vida en el campo y del contacto con los animales, ¡hasta se llevaron a un cordero a vivir dentro de la casa! Los invitados lo veían entrar tranquilamente en el salón precedido por el sonido argentino de un cascabel al cuello y sus balidos.

—Bee beee —balaba el animal.

Y el visitante, azorado, respondía en ocasiones:

—Buenas tardes.

Y también siguió la unión compacta entre los tres hermanos, a los que a veces se unía Tatiana, ¡su madre se había vuelto a casar, con Raymondo, su príncipe italiano, y vivían en un castillo algo lúgubre a las afueras de París! A Tatiana le gustaba la vida en Tatoi; era la mejor amiga de Sofía y tenía su propio cuarto.

Nadie más formaba parte del círculo íntimo de los príncipes de Grecia; vivían muy aislados, lo que contribuía a convertir a Sofía en una personita algo huraña y retraída, como confiesa ella misma:

—Yo era introvertida y desesperadamente tímida, me daban miedo los extraños, lo inesperado.

He preguntado a la reputada psicóloga María Jesús Álava por la personalidad de la reina, a la que conoce muy bien, y me ha respondido:

—La personalidad se forma antes de los seis años. Un niño necesita seguridad, ¡ver siempre las mismas paredes! ¡Exactamente lo que le faltó a Sofía! Y buscó esta seguridad en sus hermanos y en sus padres, aferrándose de forma desesperada a ellos para salir adelante. Se refugió en el núcleo familiar más estricto, que luego trató de reproducir en su propia familia. Su timidez, ese temor a lo desconocido, hunde sus raíces en los largos años de exilio y desarraigo.

Nursi la miraba muchas veces con cariño, pero también con algo de preocupación. El rostro de Sofía, antes fino y delgado, se había vuelto más rotundo, con una mandíbula fuerte que denotaba voluntad; tenía casi siempre la mirada baja, y cuando sacaba a pasear su sonrisa se iluminaba no solo su rostro, sino la habitación entera.

Pero aun para los ojos abstraídos en grandes cuestiones de Estado, como los de Federica, por no hablar de sus disquisiciones sobre física nuclear, se hizo evidente que la educación de Sofía era muy incompleta. Además vino a añadirse una preocupación suplementaria:

—Señora, Harold Embelton y yo queremos casarnos.

Freddy se echó las manos a la cabeza. ¡Nursi casarse! ¡Pero si era una solterona, peor que eso, era la madre de sus hijos, cómo iba a dejarlos y casarse!

—Pero, Sheila, ¿a estas alturas? ¿Qué van a hacer los príncipes sin ti?

—Señora, llevamos esperando diez años, y mi novio, que, como sabe la señora, es pastor protestante en una iglesia rural, terminará casándose con otra. Y las basilisas y el diádoco también se casarán y se irán, entonces, ¿quién me querrá a mí?

—Claro, claro, lo comprendo, ¡pero figúrate tú qué complicación!

Se lo consultó a Pablo, que, extrañamente, tenía otro punto de vista:

—Esto les conviene a los chicos, Freddy. Sheila es una niñera, y Sofía ya no la necesita, ¡no es la educadora apropiada para unos príncipes reales! Son unos ignorantes, hasta tú estabas mejor preparada que ellos.

Federica, algo amostazada, dijo:

—Bueno, bien, pero ¿qué propones? ¡La enseñanza en Grecia está muy atrasada!

—¿A tu hermano Jorge no lo han hecho director de las escuelas Kurt Hahn en Salem? Allí le enseñarán disciplina alemana. Y a ver si Sofía adquiere un poco de cultura y ve mundo, ¡nuestros hijos son pueblerinos, tanta oveja y tanta Nursi!

—Sí… no es mala idea. Pero entonces no tendremos más remedio que ir a la boda de mi hermano mayor, Ernesto Augusto, con nuestra prima Ortrud de Schleswig-Holstein.

—¿No te apetece ir? —preguntó extrañado su marido.

—No mucho, ya sabes que mamá siempre me critica. ¡A veces me da la impresión de que se burla de mí y no aprecia los esfuerzos que hago por Grecia!

Pablo murmuró algo ininteligible. Federica prosiguió:

—Pero a Sofía le irá bien alternar, y después la llevaremos directamente a Salem.

Tenemos fotos de esa boda, de la que nacerá Ernesto Augusto de Hannover, el último marido de Carolina de Mónaco. Ernesto Augusto es, por tanto, primo hermano de nuestra reina, y es por esta circunstancia por la que él y su mujer fueron invitados al casamiento del príncipe Felipe con Letizia Ortiz.

La boda del hermano mayor de su madre será una de las raras ocasiones en las que Sofía se relacionará con su familia materna. Están incluso sus abuelos, a los que apenas conoce, él muy deteriorado ya, de hecho morirá poco después, y ella, la altiva Victoria Luisa, que saludó con displicencia a su hija:

—*Servus*, Freddy. —Y se puso a contemplar a aquella nieta huraña y taciturna con cierta severidad.

Con su rudo acento prusiano, tan bronceada como un beduino por los deportes de invierno, le preguntó a su nieta:

—¿Te gustó el libro que te regalé?

Dado que el libro de cuentos se lo había enviado cuando Sofía tenía dos años y era para aprender a leer, con las letras del tamaño de rodajas de merluza, se comprende que esta no estuviera muy entusiasmada cuando contestó:

—*Ja, oma*.

Sofía no se soltó del brazo de su rutilante madre, que sonreía en este palacio donde había transcurrido su infancia como una artista de cine. Llevaba plumas en el pelo y lucía el fabuloso tesoro Romanov, que pertenecía a la Casa Real griega, ya que la primera reina, la gran duquesa Olga, era hija del zar de Rusia. Federica se las acababa de remontar en Cartier, convirtiendo el anticuado *bandeau* a la moda de los años veinte en un collar convertible en tiara, con las espléndidas esmeraldas únicas en el mundo resaltando sobre un lecho de centelleantes brillantes, combinando con un *corsage* del que penden otras seis enormes esmeraldas en forma de gota.

Los antiguos criados comentaban con admiración:

—¡Cómo ha cambiado la prinzessin Freddy!

La sonrisa de Sofía, en cambio, era la mueca cohibida de la chica campesina que iba por primera vez a la ciudad y se encontraba fuera de sitio. Enseñaba unos dientes algo estropeados, guiñaba los ojos, y se la notaba encogida y avergonzada dentro de un vestido de niña, de organdí, cuando ella ya no era una niña.

Menos mal que la sacaron a bailar sus tíos más jóvenes, Christian y Enrique, que estaban todavía solteros y tenían fama de *playboys*. Pero aún le dio más vergüenza, porque le parecía que todos se daban cuenta de sus dientes mellados y de cómo le apretaba el vestido su pecho adolescente. En esta boda, Sofía era la única que no tenía apariencia de princesa, pero sería solo ella, entre todos los invitados, la que llegaría a sentarse en un trono, aunque entonces, nadie, ni en sus sueños más locos, podría imaginarlo. ¡Ni siquiera su madre en sus más altos delirios de grandeza!

Después la llevaron a Salem casi a rastras, desesperada por dejar la luz de Grecia y Tatoi, separarse de sus hermanos y, sobre todo, abandonar el manto protector de Nursi y su afecto constante durante doce años. Sus manos siempre dispuestas a dar, sus palabras consoladoras, su mirada de cariño, toda su infancia, sus secretos de niña que solo Nursi conocía se iban con ella, ¡fue desgarrador, el primer dolor adulto de su vida!

Todo el viaje fue llorando.[8] Cuando las puertas del colegio, construido sobre una siniestra abadía germánica, se cerraron tras ella, Sofía tuvo que enfrentarse a varios desafíos: decir adiós a la niñez, vivir en soledad y dejar de ser basilisa para ser simplemente Sofía de Grecia.

—No podía quejarme, ni lloriquear; todo debía hacérmelo yo, desde la cama hasta limpiarme los zapatos. Y cada semana nos tocaba una tarea colectiva, pelar patatas o servir la mesa.

Debían ganarse cualquier ventaja, por pequeña que fuera, con el propio esfuerzo; allí nadie iba a ir en su ayuda. Cada noche los alumnos hacían examen de conciencia, y eran ellos los que decidían sus propios castigos. Fueron cuatro años en los que Sofía no gozó de ningún privilegio, fue una más, en un ambiente duro, de pensionado alemán: colegio mixto, uniforme estricto, frío, comida escasa, disciplina militar. Al principio se quedaba a dormir en casa de su tío Jorge y de su mujer, la princesa Sofía de Hannover, al cuidado de una institutriz austriaca, una condesa a la que no podía soportar porque pretendía sustituir a su amada Nursi y porque siempre recalcaba en tono antipático:

—¡Hay diferencias! ¡Ella era niñera y yo señora de compañía!

Nursi ya se había casado en Inglaterra con su pastor protestante y le enviaba postales con fotos de gatitos y de la reina Isabel dentro de un corazón con las cabecitas de los dos hijos que había tenido con Felipe, el príncipe Carlos y la princesa Ana.

Pero Sofía exigió quedarse a dormir con el resto de los alumnos; le daba envidia ver la complicidad que la convivencia completa había creado entre sus compañeros. A las seis tocaban diana, como en un cuartel, gimnasia en el patio recubierto por una capa de hielo, duchas de agua fría, rezos, clases interminables... Sofía, a pesar de que la pusieron en el nivel más bajo, fallaba estrepitosamente en casi todas las asignaturas, llegaba tarde a recuento, era patosa en los deportes, ¿y es que nunca hacía sol en ese país húmedo e inhóspito?

—Incluso me tuvieron que cambiar de clase, porque yo corregía con impertinencia al profesor de griego —confesó ella misma.

Pero no se quejaba; apretaba los dientes, los puños, y lloraba por las noches contra la almohada, sin que nadie la oyera. Y poco a poco fue dándose cuenta de que esforzarse y ganar, ¡le gustaba! Quizás no era la más brillante de las alumnas, pero sí tenía una gran voluntad y mucho pundonor.

De todas formas, aunque ella hace grandes elogios de este colegio y de la disciplina alemana que aprendió, cuando se trató de la educación de sus propios hijos y se le sugirió que estaría bien que estudiaran en un internado tipo Salem, la reina descartó el tema con dos palabras:

—¡Ni pensarlo!

Cuando se le dijo que al menos fuera Felipe, repitió:

—¡No! ¡Nunca!

También cambió su aspecto. Convenció a su madre de que un dentista del mismo Salem le arreglara los dientes y le pusiera un aparato de ortodoncia.

Su tutora en el colegio era la inflexible Frau Inge Hobart, quien preguntada[9] años después por las cualidades de su alumna, respondió sobriamente:

—Era muy serena… y cuando algo le parecía mal, lo decía, ¡no era de las que se callaban!

También opinó su profesora de música, Atina Spanudi-Guerri:

—*Molto, molto carina*!

Como Sofía llegó a cantar en un coro, el periodista le pregunta si podría ejercer de *prima donna*, a lo que la profesora contesta, divertida:

—*Ma no, per caritá! Aveva un grande amore per la música, ma la voce non l'aveva pure*!

Fue una vida nueva para ella; descubrió la amistad, el compañerismo, los códigos de honor entre camaradas, ¡qué bien sabían los cigarrillos fumados a escondidas! ¿Y por qué nada ha sido más divertido en la vida que las fiestas secretas y las risas locas en el cuarto de una amiga cuando tenías quince años? Los primeros amores también, aunque los que tuvo en Salem no han pasado a la posteridad, porque la reina no ha contado nada, aunque no es difícil comprender que aquella muchacha alta y poco coqueta no sería la más popular entre los chicos.

—Alguna cosa pasó... Los típicos enamoramientos con algún compañero, las cartitas, las fotos intercambiadas... —Pero enseguida juega al despiste—: ¡Pero sobre todo estaba enamorada de James Dean!

Durante las vacaciones, sí que se comentaba que los armadores griegos, «los reyes del mar», la nueva aristocracia del dinero que empezaba a afianzarse en Grecia, intentaban emparentar con la familia real casando a uno de sus vástagos con las hijas de los reyes. Georges Livanos era cuñado de Onassis, economista, y poseía ya su propia línea de barcos, aunque era demasiado mayor para Sofía, ya que tenía doce años más. John Goulandris estudiaba y vivía en Nueva York, en un fabuloso *penthouse* lleno de obras de arte, aunque su familia poseía una isla entera, Andros. Y Petros Nomicos era, además de millonario como los dos anteriores, guapo y deportista. Pero Federica lo tenía muy claro:

—Mis hijas solo se casarán con príncipes.

Freddy estaba tranquila en lo referente a los contactos masculinos en Salem. A pesar de que era un colegio mixto, los chicos estaban separados de las chicas. Cuando un periodista indiscreto preguntó si no se establecían relaciones entre los alumnos, todos con sus hormonas en ebullición, la rigurosa Frau Inge respondió indignada:

—¡Claro que no! ¡En Salem no pasaba nada de esto! ¡Si hubiéramos visto, cosa imposible, a dos alumnos cogidos de la mano, los castigos habrían sido tremendos!

De todas formas, cabe preguntarse una vez más dónde han ido a parar las amistades, masculinas y femeninas, que Sofía hizo en aquellos tiempos. ¿No es normal conservar amigos del periodo escolar y más cuando has convivido con ellos en régimen de internado? Únicamente comentó doña Sofía un día que estaba en el Teatro Real observando en el palco contiguo un rostro familiar:

—Es un condiscípulo de Salem.

Me parece una cosecha pobre para esos importantes años de siembra en los que se viven los afectos de forma tan apasionada que es raro que no intenten conservarse toda la vida.

Lo que sí es cierto es que durante su estancia en Salem, y recurriendo al consabido tópico, el patito feo devino en cisne. Al cabo de cuatro años, cuando su hermana Irene ingresó en el mismo colegio, Sofía decidió regresar a Grecia.

Irrumpió en la biblioteca de Tatoi —sofás de cuero, libros de lomos gastados, un butacón con buena luz para que Palo pudiera estirar las piernas y leer a gusto—, donde la familia solía reunirse y recibir a los amigos íntimos. Sofía llevaba una falda plisada de color blanco, un niqui Fred Perry de manga corta en cuyo ojal había prendido una ramita de romero, una cinta en el pelo. Estaba bronceada por el sol, olía a juventud y a verano. Después de besar a sus padres le hizo una encantadora reverencia a la tía María:

—*Tante Marie, je suis ravie de vous voir, quelle chapeau si beau*!

Dio media vuelta y saludó a la tía Catalina y a su marido, Richard Brandam, quienes, de paso para Inglaterra, donde se iban a establecer definitivamente, habían ido a visitar a la familia y a comunicarles que la reina Isabel les había concedido un título nobiliario:

—*How are you, uncle Richard? Lord Brandam?… It's nice to meet you.*

A su tía le preguntó por su hijo, incluso se acordó de que acababa de cumplir seis años. Al final, le dio media colleja al primo Karl de Hesse, que estaba estudiando con Tino en una escuela de Atenas, una sucursal de la Kurt Hahn de Salem:

—*Wie geht es dir, Karl*?

Derecha, con los pies en ángulo, y dirigiéndose ya a todos, con las mejillas sonrojadas de excitación, explicó que:

—¡Acabo de matricularme en la escuela Mitera! Voy a estudiar puericultura…

Richard Brandam preguntó a su mujer en voz baja, pero no lo suficiente como para que no lo oyera Sofía:

—*What is poricultura*?

—Tío Richard, puericultora, es así como se llama a las enfermeras de niños… Pienso que cada miembro de esta familia debe contribuir al progreso de nuestro país, ¡y el futuro de Grecia son los niños! ¿No creéis?

Nadie pudo contestar a pregunta tan enjundiosa, puesto que es muy difícil hablar con la boca completamente abierta. Pablo, que solía leer la Biblia, al ver el rostro de los contertulios y dicho sea con todos los respetos, seguramente recordó el asombro con que el sabio Balaam oyó hablar a su asno.

En la mesa esperaba un servicio completo de té en una pesada bandeja. Dirigiéndose graciosamente a su madre, Sofía le preguntó:

—¿Sirvo?

Ante su gesto de divertido asentimiento, cogió la panzuda tetera de plata maciza y, con pulso firme, llenó las tazas.

—¿Azúcar? ¿Una cucharada, dos? ¿Leche? ¿Un *brownie*? ¡Blasi pone un ingrediente secreto que dice que solo legará a sus descendientes!

Por encima de su cabeza, Palo le hizo un exagerado gesto de admiración a su mujer. Ella puso una expresión cómica, con las comisuras de la boca hacia abajo, juntando los dedos a la manera italiana, y en un aparte, en voz baja, le comentó a la tía María con esa mirada de visionaria que su marido tanto temía:

—Se me está ocurriendo una idea… Un crucero por el Mediterráneo… Príncipes casaderos… Noches a la luz de la luna… Barcos… Son tan románticos…

Había que mostrar el género.

A no mucha distancia de allí, en la España de Franco, don Juanito, que vivía segregado de su familia desde que tenía ocho años, también acudía al colegio con el fin de prepararse para un trono hipotético, tan improbable que nadie podía imaginarlo, ni siquiera él. ¡El Caudillo todavía no se había pronunciado sobre la sucesión! Aunque en la línea de salida primero estaba su padre y después él, Franco jugaba también con el nombre de otros candidatos: su primo Alfonso de Borbón Dampierre, Carlos Hugo de Borbón Parma ¡e incluso su propio nieto!

Antes de llegar a España llamado por Franco, Juanito también había estado en un internado alemán, el Saint Jean de Friburgo, regido por los marianistas. De mayor le comentó a su biógrafo, José Luis de Vilallonga, que nunca en la vida, ni antes ni después, fue más desgraciado:

—Era muy duro, me sentía muy solo, no tenía ningún calor familiar, ¡no era más que un niño!

Franco se entrevistó con don Juan y le propuso que su hijo se educara en España. Sainz Rodríguez, el consejero de don Juan, se lo dijo muy claro:

—Franquito le lamerá el culo a vuestra majestad tantas veces como haga falta para tener a don Juanito en España.

Al parecer Franco no tuvo que realizar un acto de tal naturaleza, pero lo cierto es que se decidió que Juanito viniera a España. Entre Franco y don Juan le «construyeron» un colegio a la medida, primero en la finca Las Jarillas cerca de Madrid y después en San Sebastián, adonde lo acompañaron su hermano menor, Alfonsito, al que llamaban Senequita por lo listo que era, y un grupo de niños de familias nobles. Era un microcosmos artificial, que no tenía nada que ver con la cruda realidad del país, sumido en una posguerra que no terminaba nunca, porque a la España de Franco no llegaron los dólares con que Truman bendijo a la mayoría de los países europeos, incluida Grecia.

Juanito no sabía cómo era España y España desconocía la existencia de aquel príncipe al que Franco estaba preparando no se sabía muy bien para qué. Lo habitual era que «El Augusto Alumno», según lo llamaban en los boletines internos del colegio, en los exámenes sacara matrícula de honor, lo cual resultaba bastante sospechoso. Su profesor de francés le dijo con humildad:

—Alteza, permítame que cometa una incorrección preguntándole algo en francés, puesto que domina usted esta lengua mejor que yo.

Juanito concedió magnánimamente:

—No tiene importancia, tú tampoco lo hablas mal.

A pesar de las apariencias, Juanito sufría al estar lejos de su familia. Cuenta uno de sus profesores que todos los días al atardecer Juanito desaparecía misteriosamente. Al fin lo siguió y lo vio subir a la azotea. Estaba ahí, sentado y solo, viendo como se ponía el sol. El profesor le tocó el hombro y le preguntó:

—Alteza, ¿qué hacéis?

El niño giró la cabeza y con los ojos arrasados en lágrimas señaló el horizonte en llamas y dijo:

—Es que allí detrás está mami.

Precoz, como buen Borbón, salía con chicas y, a diferencia de lo que ocurre con doña Sofía, conocemos el nombre de todas ellas: Marie Claire Carvajal, dos hijas del conde de París, Diana e Isabel, Chantal de Quay… porque la amistad con casi todas, también a diferencia de doña Sofía, ha perdurado hasta nuestros días. De entre ellas, la princesa María Gabriela de Saboya, a la que llamaban Ella, era la favorita, pero este noviazgo juvenil no contaba con la aprobación ni de su padre ni de Franco.

—Demasiado moderna —dictaminaban ambos, por una vez coincidiendo en su opinión.

Don Juan y su madre, la calculadora reina Victoria Eugenia, que vivía en Lausana, empezaban a estudiar el panorama de princesas reales disponibles y adecuadas para el heredero. No había muchas: en Inglaterra, Liechtenstein y Luxemburgo las princesas eran demasiado jóvenes para Juanito. En Dinamarca y Holanda tanto Margarita como Beatriz serían reinas, y no podían por tanto casarse con un príncipe hipotéticamente heredero de otro país. En Bélgica solo había varones y en Suecia ¡eran tan peligrosamente modernas como María Gabriela!

Solo quedaba la hermana pequeña de Beatriz, Irene de Holanda, que era guapa además de fabulosamente rica, y las dos princesas griegas.

Pero estas dos últimas, ¿cómo se llamaban?, ¿Sofía e Irene?, eran de religión ortodoxa. ¿Y no se decía que el rey Pablo era masón? Dos circunstancias que molestaban a Franco, pero que a don Juan, para emplear sus propias palabras, le importaban:

—Un cojón.

La reina Victoria Eugenia lo decía poniendo los ojos en blanco mientras hacía uno de esos tapetes en *petit point* que sus hijos ya no sabían dónde narices poner:

—Hay que calcular con cuidado la jugada, porque, si no, acabarán reinando los hijos de los porteros.

Lo repetía don Juan a sus[10] amigos:

—Los miembros de las familias reales somos como sementales de buena raza y nuestra primera obligación es perpetuar la especie, procreando una y otra vez, pero sin cambiar de vaca, como los toros bravos…

Y sentenciaba el oráculo de la familia, Alfonso de Orleans, el tío Ali:

—¡Lo mismo da lo que estudie Juanito! ¡Como si quieren hacerlo obispo! ¡La principal obligación de un príncipe es casarse bien y tener un buen lote de hijos!

También Federica estaba haciendo planes matrimoniales para su hija, ¡que no se asombre nadie! Los planes, en los palacios reales, pero también en las familias corrientes, se hacen desde la cuna; recordemos que el instinto primario más fuerte es el de la supervivencia; ¡en medio de la guerra más devastadora, los hombres y las mujeres sienten la misteriosa pulsión de estar juntos por encima de todo! Estos lo hacen para perpetuar la raza humana, los de más arriba para consagrar su linaje.

Ambos, Juanito y Sofía, todavía no se conocían, pero compartían muchas vivencias, y no estoy hablando ni de rangos ni de coronas. Lejos de sus familias, habían recibido la lección más dura: habían comprendido que debían labrarse su destino en soledad y que no podían contar con nadie más que con ellos mismos.

Faltaba muy poco para que sus destinos se cruzaran.

## *Capítulo 4*

El barco inmenso lo llevaba escrito en negro en la proa: *Agamemnon*. En lo más alto del mástil ondeaban majestuosamente la bandera blanquiverde italiana y la azul y blanca de Grecia.

En medio de la barahúnda infernal del puerto de Nápoles y del calor derritiendo el alquitrán del suelo hasta sacarle humo, con olor a gasolina y a pescado podrido, el chillido de las gaviotas y el sonido grave y corto de las bocinas de los buques bajo la luz cenital del sol, se oían las voces roncas y apresuradas de los mozos de cuerda:

—El equipaje de la reina de Holanda y de las princesas Beatriz e Irene.

—Camarotes 16 y 17.

—¡Condes de Barcelona!

—24.

—El equipaje de los condes de París.

—16, 26, 23, 32…

Los condes de París «solo» habían llevado a seis de sus once hijos.

—Los príncipes de Hannover, Ernesto Augusto y... —El oficial acercó los ojos al papel, que se movía entre sus manos a causa de los nervios—... Os... Ortrud...

Miró a la pareja típicamente prusiana que tenía delante y protestó:

—Pero ya han venido otros príncipes de Hannover.

Secamente, el hombre respondió:

—Sí, eran mi hermano Jorge y mi cuñada Sofía.

—Bien, bien, el 108; no, perdone vuestra alteza, el 108 está reservado para los reyes de Italia y sus hijos María Pía, María Gabriela y Víctor Manuel, que tienen la entrada prohibida en territorio italiano y deben embarcar en alta mar. Vuestras altezas irán al 94.

Las grandes carretas llevadas a mano por mozos con delantal de rayadillo con la colilla colgando del labio inferior asemejaban inmensos dromedarios, tan cargadas iban de baúles y maletas. Indiferente al esfuerzo de mozos y marinería por subir y repartir los dos centenares de bultos de equipaje que llevaban los noventa y dos pasajeros, un caballero elegante, aunque vestido de *sport*, con camisa de manga corta blanca, pantalón blanco también, zapatillas de tenis y Rolex de acero en la muñeca, daba la bienvenida a sus invitados al pie de la escalerilla. Era el anfitrión, el rey Pablo de Grecia, que se inclinaba ante las señoras, y daba dos besos o abrazaba a sus invitados saludándoles en cinco idiomas que manejaba con soltura, aunque se había establecido que la *lingua franca* del barco sería el inglés, porque, como decía la condesa de Barcelona:

—Te evitas problemas, porque no tiene ni tú ni usted.

Al lado del rey Pablo, su hija Sofía, vestida con una falda tobillera estampada y una camisa blanca, el pelo muy rubio y mostrando en una amplia sonrisa las simpáticas palas de sus dientes delanteros que el dentista de Salem no había podido corregir del todo, atendía a las señoras mayores, llamaba a alguno de los marineros para que ayudase a la tía María Bonaparte, que iba con bastón, le daba un beso a su tía Helena y le explicaba que tía Catalina y el mayor Brandam, ¡perdón!, lord Brandam, ya estaban a bordo. Y que tía Irene llegaría un poco tarde porque tenía que acomodar en su *palazzo* a los hijos pequeños de los Barcelona, Alfonsito y Margot, para que le hiciesen compañía a su hijo Amadeo.

Con una mirada de complicidad, tía Helena, que acababa de llegar de Florencia y llevaba una chaqueta de punto sobre los hombros porque siempre tenía frío, le preguntó a su sobrina:

—Entonces, tu tía Irene… ¿está contenta?

Sofía contestó alegremente que sí. Y es que después de todas las penalidades, el campo de concentración y, lo peor de todo, tener que depender de la caridad de los demás, al final la república italiana le había devuelto a los Aosta su palacio de Capodimente, a las afueras de Nápoles, pero el pobre Aimon ya no había podido disfrutarlo, porque, como todos preveían, había muerto en Buenos Aires; su mujer se enteró por la radio. ¡Aimon ha tenido el dudoso honor de ser el único rey europeo muerto en Sudamérica! ¡Claro que, como no había dinero, su majestad ha tenido que ser enterrado en una fosa común!

Ya nadie recordaba la fugaz aventura del rey Tomislav II en Croacia.

Los pensamientos de Sofía y de su tía habían seguido el mismo camino, así las dos pudieron suspirar al unísono:

—¡Tenemos que hacer que Irene se lo pase muy bien!

Pablo, que había oído el final de la conversación, se dirigió cariñosamente a su hermana y le dijo:

—Y tú también, Helena querida, ¡te lo mereces! ¡Florencia y tus perros te echarán en falta, pero nosotros también queremos disfrutar de ti! Además, estaremos los cuatro hermanos juntos, Catalina, Irene, tú y yo. Mira, ahí está tu hijo Miguel con Ana.

Miguel y Ana. Los oficiales tenían apuntados en un papel los nombres y tratamientos que correspondían a cada uno de los pasajeros, pero estaban desbordados. El sobrecargo leía cuidadosamente:

—Miquel, rey de Rumanía. Majestad.

En voz baja, dirigiéndose a aquel hombre alto y taciturno que llevaba colgada del brazo a su mujer, Ana de Borbón Parma, le dijo:

—Majestad, por aquí.

Siguió leyendo:

—Pedro y Alejandra, reyes de Yugoslavia.

Y se dirigió a una pareja algo sombría, con gafas oscuras, sombreros calados hasta las cejas y la mirada turbia de los desequilibrados, y les indicó:

—Por aquí, majestades.

Ella, la sobrina de Pablo, la hija póstuma de su difunto hermano Constantino, él, el efímero rey de Yugoslavia, en ese momento en manos de Tito. En la bolsa tintineaba el cristal de las botellas de licor. La pareja no salió de su camarote en todo el viaje.

Iba con ellos el hermano de Pedro, Alejandro, que a Sofía le parecía muy mayor porque era calvo y ya tenía ¡casi treinta años!

Los siguientes en la lista:

—Reyes de Dinamarca.

Eran la delgadísima reina Ingrid y Federico, convertidos en héroes por su pueblo durante la guerra, sencillamente porque en lugar de exiliarse de la Dinamarca ocupada por los nazis habían decidido compartir las penurias de sus súbditos. Iban cogidos de la mano a pesar de que llevaban veinte años casados y tenían tres hijas.

Y el sobrecargo dio el papel a otro oficial para que leyese lo que a él le parecía inverosímil:

—Pedro de Orleans Braganza y Esperanza de Borbón, reyes de Portugal y emperadores de Brasil. *Per la Madonna dell'Orto!*

La última frase la dijo para dentro, porque exteriormente solo manifestó un circunspecto:

—Majestades imperiales, tengan la bondad...

El pobre hombre se quitó la gorra y se secó el sudor con un inmenso pañuelo; ¡nunca hubiera imaginado que quedaran tantos reyes en Europa! ¡Estaba deseando llegar a casa para contárselo a su mujer!

Sofía atendía entonces a una señora con expresión autoritaria y unas amatistas al cuello que habían pertenecido a Josefina Beauharnais. Era Eugenia, la hija de la tía María Bonaparte, que estaba preguntando con voz tensa:

—Sofía, ¿has visto a Raymondo?

Detrás de ella, Tatiana ponía los ojos en blanco en dirección a Sofía, porque su padrastro italiano le había salido a mamá tan tarambana como Dominic Radziwill. «¿Es que nunca podrá encontrar Eugenia hombres normales?», se preguntaba la tía María. Y Eugenia se encogía de hombros resignada y murmuraba:

—De momento no pienso divorciarme, mamá; te recuerdo que Raymondo y yo acabamos de tener un hijo...

Tatiana presentaba el aspecto apacible y simpático de siempre, como si todo aquello no fuera con ella, y Sofía le pidió *sotto voce*:

—No te muevas de mi lado, por favor.

Pero de pronto Federica, que iba con un guardapolvo muy poco apropiado que la asemejaba a un pintor de paredes, y que en vez de una parecía veinte o treinta, tanta era la actividad centrífuga que desplegaba, pegó un grito:

—Sofía, ¡mis hermanos!, ¡el tío Ernesto!

—Mamá, ya ha subido con la tía Ortrud.

—Los Wurtenberg.

—También.

—¡Los Luxemburgo! ¡No he podido saludarlos!

—No te preocupes. Josefina Carlota estaba mareada y se ha metido corriendo en el camarote. —Y en voz baja Sofía le dijo a su prima—: Está embarazada.

—Alfonso de Orleans y Bee.

—Han sido los primeros. Con su hijo Álvaro y Carla Parodi.

—Eduardo de Kent.

Y aquí Sofía se turbó, porque Eduardo, primo de la reina Isabel de Inglaterra y encima duque porque su padre había muerto en accidente de aviación durante la guerra, era uno de los partidos que su madre creía «convenientes» para ella. Se rehízo y contestó con precisión alemana:

—Ha subido con su hermana Alejandra, con tío Christian, con Beatriz e Irene de Holanda, y con Pilar, la hija de los Barcelona.

Porque la gente joven rehuía saludos y besamanos y se había escabullido por la escalera que utilizaban los marineros. Estaban acodados en la barandilla, a un lado los chicos con chaquetas azul marino y pantalón blanco, al otro las chicas, con sus amplias faldas, sus cancanes y sus risitas tontas. Iban muy vestidos y planchados, pero, dado que no habían podido llevar su propio servicio, pronto imperaría el desaliño indumentario, sandalias, alpargatas, pantalones cortos y camisas de algodón bastante arrugadas y no muy limpias. Todavía no habían empezado a mezclarse, y se miraban, se olían y se medían como los animales en la selva. Un fotógrafo tomó una imagen, que más tarde se publicaría en la prensa alemana, en la que apenas se distingue a «la prinzessin Sofia von Griescheland», a «María Mercedes Herzogin von Barcelona y don Juan Graf von Barcelona» y muchos Wurtenberg, Hohenlohe, Turn und Taxis, Hesse, Baden, Schleswig-Holstein y un solitario «Simeon Exkoning von Bulgaria».

¡Porque al final Federica lo había conseguido! Fletar un barco, el *Agamemnon*, para pasear por las islas griegas a todas las familias reales europeas con dos objetivos: abrir Grecia al turismo y estrechar lazos, dicho en román paladino, casar bien a los hijos.

Hay dos versiones para explicar de quién partió la iniciativa de este viaje que aun ahora sirve de modelo para las grandes compañías de cruceros que operan en Grecia: tocan los mismos puertos y en los folletos turísticos se cuenta que el *Agamemnon* es el kilómetro cero de este tipo de viajes recreativos. La reina Federica, en sus *Memorias*, dando ya una muestra incipiente de la megalomanía que en sus últimos años de reinado dominaría su vida, relata que cuando el armador Eugenides le fue a ofrecer otra joya como agradecimiento por haber amadrinado uno de sus trasatlánticos, el *Queen Frederika*, ella le había pedido:

—En lugar de un broche quiero un barco para pasear a reyes y príncipes.

Eugenides le contestó que le parecía muy buena idea y que escogiera ella misma alguno de sus *yacht*. La reina precisó:

—Quiero invitar a cien.

Por lo que Eugenides decidió utilizar un buque normal, que habilitó como barco de recreo, dotándolo de las comodidades necesarias.

Pero existe otra versión. Eugenio Eugenides era un consignatario de buques e importante armador hecho a sí mismo, que también había estado exiliado en Sudáfrica. Los armadores griegos eran los reyes del mar y monopolizaban el transporte de crudo de Oriente a Occidente con sus inmensos petroleros. Operaban con banderas de paraísos fiscales, y Federica se había propuesto recuperarlos para aprovechar la riqueza y la experiencia de los navieros expatriados, lo que contribuiría a engrandecer el país, y, según algunos también, su propia fortuna.

Pero Eugenides se dedicaba solo al pasaje humano. A su regreso a Grecia había establecido una línea Atenas-Nápoles-Nueva York que le había proporcionado ganancias fabulosas llevando emigrantes griegos e italianos a la Tierra Prometida. Pero el negocio ya iba de baja y pensó que su compañía, Home Lines, podía especializarse en cruceros para turistas, por lo que no se le ocurrió nada mejor que utilizar a la emprendedora reina como «imagen» de su proyecto. El primer ministro Papagos dio su aprobación, y la reina se entusiasmó, pero añadió categórica:

—Con el barco no basta.

Eugenides puso diez mil libras de su bolsillo.

Aquella iniciativa convirtió la Home Lines en la mayor flota de cruceros de Europa, actualmente gestionada por los descendientes de Eugenides, cuya mujer, Maxwell, era inglesa.

Federica parecía eternizarse en uno de esos raros momentos en la vida de los seres humanos en que todo está en armonía. Gracias a su constancia, su fuerte personalidad y su innato sentido de las relaciones públicas se había abierto paso a codazos, con poca sutileza pero con efectividad, hasta la primera fila de la escena europea. Su imagen era tan potente que la revista *Life* había enviado a su fotógrafo estrella, Alfred Eisenstaedt, que también había sido el autor del reportaje a Fawzia de Egipto, «la Venus de Asia», que tanta envidia había dado a Federica en aquella época que no se podía nombrar. También era el fotógrafo oficial de la siguiente mujer del sah, Soraya Esfandiary, tan bella como Fawzia.

El periodista presentó a Federica como «el ángel de los pobres», «tan cultivada que podría ser pianista profesional o incluso investigadora» y «valiente como la heroína griega Laskarina Bouboulina», que es la Agustina de Aragón de los griegos, el elogio que más había gustado a Freddy.

Valiente, sí. ¿Que Cannes tenía un festival de cine? ¿Y por qué no Grecia? Dicho y hecho; el invierno anterior había conseguido que Atenas fuera el centro mundial de las estrellas de cine, y hasta el mismo *Paris Match* había publicado una foto a toda página proclamando que «la reina del cine, Martine Carol, hace esperar media hora al rey de Grecia, Pablo, que cubrió a ciento cincuenta kilómetros por hora el trayecto desde su palacio de Tatoi hasta el festival de cine, jugándose la vida». El titular no menciona que al lado de un envejecido Pablo aparece su mujer, compitiendo con Martine Carol en vistosidad y sofisticación; ay, estos periodistas, siempre jugando al equívoco...

Todos tenemos un momento cumbre en nuestras vidas. Federica en esos años fue no solamente reina de su país, sino también reina del mundo.

El caso es que la invitación fue recibida con alborozo por todos los miembros de las familias reales, unos pobres y otros ricos, unos en el exilio y otros en plena actividad, porque, como precisó un periodista años después, «el gremio de los reyes es muy solidario y no distingue si has perdido el empleo. Cuando te has sentado en un trono, por poco tiempo que sea, sigues siendo rey hasta que te mueres». El periodista llamó al *Agamemnon* «el arca de Noé de los reyes».[1]

Los únicos que declinaron el honor fueron la reina de Inglaterra, con sus hijos y su marido Felipe, que estaba enfrentada a Grecia por el conflicto de Chipre, una especie de Gibraltar de la época, que se saldó al cabo de seis años con la independencia de esta pequeña isla. Pero hubo otra ausencia más importante para las princesitas casaderas que habían emprendido este crucero cargadas de ilusiones: la del príncipe Harald de Noruega, de dieciocho años, que tal vez huía de todo tipo de tentaciones sentimentales. Quizás precisamente para caer en ellas, sí fue su padre, Olav, príncipe heredero a pesar de sus cincuenta y dos años, que se acababa de quedar viudo. Iba acompañado por su hija Astrid, que en la corte noruega, sin reinas, hacía las veces de primera dama, lo cual tenía su mérito pues era disléxica.

También se había recibido la invitación en Estoril, en Villa Giralda. Se había contemplado con asombro la carta y el sobre, se había consultado a los Saboya y a los París, también exiliados en Portugal, y al fin se había decidido aceptar, ¡Juan y María tenían tan pocas ocasiones de alternar con la aristocracia europea y salir de su cascarón! Además, no nos olvidemos, los Barcelona, como se les llamaba entonces, también tenían dos hijos por casar, Pilar, la mayor, de diecinueve años, y Juanito, de diecisiete, porque Margot y Alfonsito eran demasiado pequeños.[2] Su edad precisamente había sido la excusa para no invitarlos al crucero, aunque una enfurruñada Margot opinaba que:

—Si no me han invitado es porque, como soy ciega, tienen miedo de que me caiga por la borda.

Lo que a ella le parecía una solemne tontería, porque antes de caminar ya navegaba y, además, al contrario que la gente, ¡ella no se consideraba ciega! Don Juan había decidido ir en su propio barco, el *Saltillo*, hasta el puerto de Nápoles, desde donde salía el *Agamemnon*, ya que allí radicaba la casa consignataria de Eugenides. Comentando el caso de Alfonsito y Margot con los Saboya, María José sugirió:

—Dejadlos en la casa de Irene de Aosta en Capodimonte. Su hijo Amadeo, que tampoco va al crucero, se sentirá más acompañado.

Invitar a los terribles niños Barcelona al elegante palacio napolitano lleno de valiosas antigüedades y delicados objetos de cerámica no hace más que confirmar los rumores que corrían por Estoril: la exreina de Italia, María José de Saboya, era muy mala persona.

Cuando el *Agamemnon* soltó amarras, en los primeros días de agosto de 1954, Sofía sintió esa exaltación que experimentaba siempre en el mar y recordó quizás su ingenuidad de niña, ¡creía que su padre escribía utilizando el Mediterráneo como tinta! Como era una persona reflexiva, tal vez se dio cuenta de que si el barco naufragaba casi todos los tronos europeos se quedarían sin reyes y sin herederos, pero también sabía que si sucedía esta tragedia, de todos los confines del mundo, del interior de las selvas, de una fábrica de automóviles de Inglaterra, de un balneario decadente, de un pisito en la *banlieu* de París, avanzarían caminando paso a paso los descendientes para ocupar el puesto de los ahogados, porque esta es la grandeza de las monarquías y también su garantía de supervivencia.

Todo se organizó, según comentó doña María en sus *Memorias*, «a la prusiana». Creta, Rodas, Corfú, Tesalónica, Bolos, Mikonos, Knosos... En el teatro de Epidauro asistieron a una representación del *Hipólito* de Eurípides... Trece días. El barco navegaba de noche, y el transporte en tierra se hacía en pequeños autobuses o en burro.

Pablo era el cicerone de las excursiones, ¡en cinco idiomas! Había pasado muchos meses preparando estas visitas culturales y no hubo ruina que no visitaran. Claro que muchos, en lugar de agradecer este esfuerzo y la posibilidad de cultivarse, maldecían en sus cinco idiomas respectivos, porque el rey de Grecia se empeñaba en explicarles en la maravillosa isla de Spetses bajo un sol de justicia y frente a un mar tan transparente que daban ganas de bebérselo:

—Este lugar es un importantísimo símbolo de la resistencia, porque aquí se enfrentaron los griegos a los turcos por primera vez, en 1821.

Un pasajero, entonces casi un adolescente, me contó años después su visión de primera mano de aquel viaje:

—Estaba muy bien organizado, ¡demasiado! La gente joven lo que queríamos era hacer nuestros planes... Nos levantábamos tarde porque estábamos toda la noche de juerga, cuando los grupos ya habían bajado a tierra. ¿Tú crees que a cincuenta chicos les apetecía visitar restos arqueológicos? Nuestros padres nos reñían, ¡a Juanito el primero, que conste!, nos obligaban a unirnos a las excursiones organizadas por los reyes de Grecia y a las actividades programadas, que eran bastante infantiles, adivinanzas, loterías, cosas así, decían que era una falta de educación intentar evitarlas; las peleas de los jóvenes con los mayores eran constantes por no atenernos al programa previsto, ¡pero quién le pone puertas al campo!

Para que todos alternasen con todos, sorteaban los puestos de las mesas, en las que siempre se servía comida griega. La *moussaka* era el plato más alabado, y se hizo subir al cocinero para explicar la receta:

—Es fácil. Se pone una capa de berenjenas, otra de cordero picado, otra de berenjenas, otra de cordero, se cubre de bechamel y al horno.

Todos escuchaban con gran atención, aunque claro está que ninguno de aquellos nobles tan empingorotados se iba a atar un mandil a la cintura para meterse en ninguna cocina.

Ninguno excepto María de Borbón, la condesa de Barcelona, que se empeñaba en apuntar los trámites culinarios en un papel porque, como decía alegremente:

—¡Nunca se sabe lo que puede pasar! ¡Si Franquito no nos llama, siempre puedo emplearme de cocinera en el Beau Rivage!

Su marido, rojo de vergüenza, musitaba con los dientes apretados:

—María, coño, ¿es necesario?

A la reina Juliana de Holanda, por ejemplo, en aras del azar le podía tocar de vecino de mesa un chico de quince años. Como la posibilidad de cenar con Juliana al lado, por muy reina que fuera, no le apetecía a ningún chico en edad de merecer, los jóvenes se dedicaban a hacer trampas para que los sentasen al lado de las chicas que les gustaban y, según me contó mi informante:

—Si eran «frescas», mejor.

Entre los jóvenes se formaron dos grupos, el de los alemanes y el de los latinos:

—Los latinos, franceses, italianos y portugueses, eran muy estilo «Costa Azul». María Gabriela y Diana de Francia, las más atrevidas, se bajaban los tirantes del traje de baño para tomar el sol y fumaban; ¡fue la primera vez que vi las uñas de los pies pintadas de rojo! Siempre tenían un grupo de moscones alrededor.

Uno de estos moscones era Juanito. Por las noches, se las arreglaba para cenar siempre con Ella. Estaba irresistible con su primer esmoquin, que se había comprado en el mejor sastre de San Sebastián, que,[3] mientras se lo probaba, le iba informando de que:

—El precio es de tres mil quinientas pesetas, pero por tratarse de su alteza se lo dejaré por dos mil quinientas, que es lo que me ha costado la tela y los forros.

Había sido su último año en el colegio; el curso siguiente ya entraría en la Academia Militar de Zaragoza. Juanito, «el chico de los Barcelona», era alto, rubio, atrevido y descarado, coqueteaba con todas las mujeres del barco, incluidas las señoras mayores, se ponía las babuchas que le compraba su madre en Marruecos e iba con *shorts*, excepto para bajar a tierra o ir al comedor, porque estaba prohibido. Con Ella bailaba el *rock* y el bugui-bugui, en plan de:

—¡Pista! ¡Dejadnos solos!

A veces salía incluso a bailar una rumba con Federica, ¡muchos recuerdan el sensual movimiento de caderas de la reina griega! Entonces Diana de Francia, salvaje y coqueta, saltaba también descalza a bailar sujetándose la falda a un costado como las gitanas portuguesas, y todos se quedaron de una pieza cuando una noche Karl Wurtenberg, del grupo de los «sosos», puso en movimiento sus zapatones del 45 en una danza que nadie sabía si era griega o apache, pero todos comprendieron que tamaño esfuerzo se debía a que se había enamorado como un becerro.

Alejandro de Yugoslavia, que a Sofía le había parecido mayor porque era calvo y tenía treinta años, no bailaba y se limitaba a mirar intensamente a María Pía de Saboya, la hermana mayor de Ella, una gordinflona siempre sonriente, lo que presagiaba un carácter apacible y un cuerpo acogedor.

María Pía y Alejandro se casaron tan solo cinco meses después de este viaje.

Por las noches, cuando cerraban la *boîte* del barco, se oían carreras por los pasillos, puertas que se cerraban, suspiros, risas, algún bofetón... Todavía no había llegado la revolución sexual y las chicas esperaban llegar vírgenes al matrimonio.

Precisamente este tema de los «virgos» era uno de los favoritos de Juanito, según cuenta en su libro su gran amigo Manuel Bouza.

Al fin y al cabo una se lo puede pasar muy bien sin necesidad de entregar «el bien más preciado de una mujer honrada», como decía Pilar Primo de Rivera en la España ultracatólica de Franquito, como lo llamaban en Estoril. Pilar era hermana del fundador de la Falange y formaba a las mujeres españolas según la vieja divisa de «mitad santa, mitad soldado y mitad madre», lo que hacía dudar bastante de su aptitud para las matemáticas.

Lo que venían a ser las tres «k» que había estudiado Federica en las Juventudes Hitlerianas: *kinder, küche, kirche*.

Pero quizás alguna princesa del *Agamemnon* se saltó las reglas.

En el año 2001 una mujer francesa presentó ante los tribunales de Burdeos una demanda de paternidad. Se llamaba María José de la Ruelle y decía ser hija natural de Juan Carlos de Borbón y de María Gabriela de Saboya. Afirmó que había sido concebida en el *Agamemnon*, que María Gabriela había ido a dar a luz a Argel y posteriormente la había entregado en adopción. Su demanda fue desestimada, pero la Casa Real española se vio obligada a pronunciarse por boca del embajador de Francia:

—Todo es un infundio sin ninguna base.

Lo que sí era cierto es que María Gabriela estaba locamente enamorada de Juanito. En su diario,[4] en esos días, escribió estos arrobados versos:

*Es tan joven, tan rubio,*
*bueno sin esfuerzo,*
*grande sin enemigos.*

Claro que las carreras por los pasillos y el bugui-bugui del Bueno Sin Esfuerzo y de la rubia princesa italiana no tenían nada que ver con Sofía:

—Mis padres no me dejaban quedarme por la noche; a las doce tenía que estar en cama.

Antes de irse bailaba un par de piezas con su hermano Tino, con el que había practicado largamente en las calurosas tardes de Tatoi con una gramola de manivela. Su hermano era el único chico que había enlazado su cintura hasta aquellos momentos, si exceptuamos esos amores de Salem de los que nada sabemos, aunque todo hace suponer que el bien más preciado de las mujeres honradas en general y de Sofía en particular seguía en su lugar de siempre. Mi amigo, italiano, me decía con expresión soñadora:

—Sofía era una *meravigliosa ballerina.*

Además, Sofía formaba parte del grupo alemán e inglés, mucho más comedido, aunque lo cierto era que cuando miraba las contorsiones de Juanito en la pista de baile, cómo ponía la mano paralela al suelo queriendo aquietar las olas mientras sus pies se movían a un lado y otro frenéticamente, le brillaban los ojos.

Pero le suspiraba a su prima Tatiana con pesar, única depositaria de sus confidencias:

—¡Es un gamberro!

Eduardo de Kent, sin embargo, tenía un *humeur* contenido e irónico muy británico, y cuando aparecía en la cubierta, delgaducho, embutido en su largo albornoz de rayas, con gafas de bucear, tubo y pies de pato, el rey de Grecia le comentaba a su hija:

—Mira, ahí viene Marlon Brando.

En las escasas fotografías que existen de este viaje, vemos a Sofía sentada en el suelo, con pantalones piratas y un pañuelo en la cabeza, seria y creemos que callada, mientras un poco más allá podemos advertir las espaldas bronceadas de las princesas latinas, tumbadas en la cubierta, con el bañador bajado casi hasta la cintura, con las bocas pintadas, fumando cigarrillos.

No era el caso de Pilar, la hermana mayor de Juanito, a la que no gustaban los perifollos femeninos ni el maquillaje. Su padre, Juan de Borbón, tuvo que ir expresamente a un pueblo, buscar una perfumería, comprarle un lápiz de labios y pintárselos él mismo, mientras su hija hacía muecas de asco y movía la cabeza a un lado y a otro como si la estuvieran martirizando. Pilar y Sofía eran introvertidas y algo insociables. Pero lo que en Pilar era tosquedad y desgana, en Sofía era simplemente timidez. No intimaron en el viaje.

Mi confidente me dio unas cuantas pinceladas muy subjetivas sobre los pasajeros de aquel barco peculiar:

—A Juanito ya lo conocía de Estoril; era el más lanzado de todos, pero sabía cuándo debía detenerse... En esa época solo pensaba en chicas. Ella estaba colada por él y le hacía muchas escenitas de celos. ¡Yo a él lo vi coquetear hasta con la reina Federica! ¡Y no te creas que ella le hacía ascos! Federica era muy mandona, la llamábamos «el sargento prusiano»; mi madre comentaba que no era elegante, pero todas las noches sacaba traje largo y unas joyas que a mí me parecían de esas falsas de película.

Una de esas joyas falsas de película probablemente era el impresionante zafiro de 478 quilates que había pertenecido a la reina María de Rumanía, que lo había comprado a plazos a Cartier previa advertencia de que en caso de revolución y ruina la joya debía volver a la casa madre. A la reina Federica quizás se lo había regalado alguno de los armadores que gracias a su influencia empezaban a operar en Grecia con ganancias fabulosas, ya que se beneficiaban de contratos muy ventajosos y exenciones fiscales.

Mi amigo proseguía en tono conmiserativo:

—A los hijos se les veía un poco apagados al lado de las personalidades de los padres... Irene por las tardes tocaba el piano y el acordeón... Sofía era seriecita, pero no antipática. Comentábamos que le gustaba el duque de Kent, que era tan feo y siempre estaba constipado. A pesar de ser de nuestra edad, tenía algo que imponía, no te sentías muy cómodo a su lado, no favorecía las confianzas. Tino no se despegaba de su padre, ¡le miraba con adoración!

Pablo, que tenía más de cincuenta años, procuraba que fuera así. Sabía que los varones de su familia apenas superaban la sesentena y quería que Constantino estuviese bien preparado cuando le llegase el momento de sustituirle.

Una tarde, antes de cenar, con un *dry martini* entre las manos, descalzo y tocado con un gorro *sarakatsano* que había comprado en un bazar, Juanito contemplaba el atardecer junto al tío Jacob, del que se había hecho muy amigo, mientras esperaba a María Gabriela, que se estaba arreglando en su camarote. Con ellos estaba Áxel de Dinamarca, que era el hijo del adorado Valdemar, el gran amor del tío Jacob, con su mujer Margarita. Todos tomaban cócteles.

Juanito había escuchado sin pestañear durante el viaje las amenas historias que le contaba el tío Jacob de sus viajes por Dinamarca con Valdemar y de lo que sufrió cuando falleció, quince años atrás, lo que daba cuenta del carácter tolerante del chico de los Barcelona o de que no comprendía la naturaleza de la íntima amistad de los dos príncipes. Don Juan sí rezongaba continuamente:

—Menudo maricón.

Aunque doña María se apresuraba a gorgojear:

—¡Qué anécdotas más interesantes, tío Jacob! ¡Debíais quereros mucho!

El tío Jacob le dirigía mudas miradas de agradecimiento a María y puñaladas iracundas, también mudas, a Juan, ya que no había logrado superar la ausencia del hombre amado y moriría dos años después con su nombre «¡Valdemar!» en los labios.

Juanito no perdía ocasión para timarse con Margarita, la mujer de Áxel, una rubia lánguida cuya vida matrimonial no parecía muy satisfactoria. En las hamacas de al lado, Diana e Isabel de Francia leían el *Vogue* entre las dos mientras fumaban un cigarrillo. Irene, Helena y Catalina, las tres hermanas de Pablo, también fumaban apoyadas en la barandilla, copa en mano; se sentían tan a gusto que no necesitaban ni hablar. El mar estaba tirante como la piel de un tambor, el viento del sur, tibio y perezoso, movía suavemente el velamen y peces de lomos plateados bailaban sobre el agua.

De pie, la tía María Bonaparte competía con la condesa de Barcelona, ambas cámara en mano, para ver quién de las dos tomaba las mejores vistas:

—Yo, María, he tomado una foto del monte Olimpo que parece una postal.

Pero María de Borbón dejó de lo más planchada a María Bonaparte contestándole:

—Pues yo, tía María, prefiero dedicarme a hacer fotografías que no salen en las postales.

Ingrid y Federico, Pablo y Freddy estaban intentando jugar a la petanca, pero las bolas se les caían al mar, y cada vez que se caía una, reían. Reían, también, si no se caían.

Como en el poema de John Donne: «¡Todo era verano!».

El tío Ali y la tía Bee hablaban con Eduardo de Kent del accidente de aviación que le costó la vida a su padre y que a él lo convirtió en duque a los seis años. Ellos también habían perdido a su hijo Alfonso, que era aviador del bando nacional, luchando en la guerra civil. Bee, que era prima de la reina Victoria Eugenia y se había casado con un primo de Alfonso XIII, Alfonso de Orleans, se dirigió al príncipe heredero Olav de Noruega, que estaba escuchando la conversación mientras con sus anteojos se dedicaba no a mirar la puesta de sol, sino a sorprender a alguna pasajera en actitud descuidada:

—Es una pena vivir sin padre, ¿no te parece?

Olav suspiró dejando los gemelos a un lado, ¡lo contrario también puede ser una pena!, ¡que vivan demasiado! Olav tenía cincuenta y dos años y seguía siendo príncipe heredero. Cuando oía que los noruegos le gritaban a su padre, de ochenta y cinco años, ¡viva el rey!, suspiraba y se decía amargamente, que sí, vale, tenían razón, pero ¿era preciso que viviera tanto tiempo?

Humberto de Saboya y don Juan tomaban su enésimo whisky. Ambos residían en Estoril, pero a don Juan no le gustaba Humberto, lo encontraba «afeminado», y Humberto se aburría con Juan, con el que no podía compartir sus dos pasiones, la filatelia y la numismática.

La mirada de Juanito, distraída, se posó por primera vez de forma consciente en la hija de sus anfitriones. Iba con una fresca blusa de cuadritos, y hablaba con semblante serio con uno de sus aburridos parientes alemanes. Era Sofía, claro. Bueno, en el barco la llamaban Sophie. Sofi para Juanito. Ya para siempre Sofi.

Sí, la había saludado cuando habían llegado, por supuesto, pero ¡no era de su estilo! Jorge de Hannover, su tío, le estaba reprochando que no pensase continuar sus estudios en Salem:

—Cuatro años más, Sofía, y podrías tener un título universitario y una formación académica importante, ¡no va a ser tu tía María la única intelectual de la familia!

Juanito se rio para sus adentros, ¿para qué diablos querría una princesa, encima en activo, tener una carrera importante? El tío Ali se burlaba con voz no lo suficientemente baja:

—¡Qué más da que sea inventora o papa de Roma! ¡Lo importante es que tenga un buen lote de hijos!

Por encima de la voz del tío Ali, Sofía, de forma amable pero contundente, ya estaba contestando:

—No, tío Jorge, lo he pensado muy bien, cuando termine el bachillerato regresaré a Grecia, ¡después sería demasiado mayor para volver con gusto! Ya me he apuntado en una escuela de puericultura, me gustaría mucho ser enfermera.

—¿Enfermera? —las erres prusianas de su tío resonaron tanto que pareció que el barco se iba a pique.

—Sí… no me gustaría ser solo una princesa para ir a fiestas y ponerme vestidos bonitos…

Las hijas del conde de París la miraron horrorizadas por encima del *Vogue*, ¡pero si es lo que hacían ellas!, ¡y lo que pensaban seguir haciendo hasta el día del Juicio Final! Imperturbable, Sofía prosiguió:

—Ya ha pasado la época de los cuentos de hadas... Quiero ayudar a mis padres y hacer algo por mi país, y además, después de las tristes experiencias que hemos tenido todos, no está de más aprender un oficio...

La tía María, que siempre decía lo que pensaba, por algo era psicoanalista, la apoyó:

—¡Claro! Mira tu padre, gracias a que sabía hacer de mecánico pudo trabajar en la fábrica de automóviles en Inglaterra cuando lo botaron de Grecia y no necesitó vivir de la caridad de sus parientes.

Doña María ya iba a salir con lo de sus pretensiones de hacer de cocinera en el Beau Rivage cuando su marido, al que los nobles españoles pasaban una cantidad a fin de mes, se dio por aludido y exclamó acaloradamente:

—Hombre, tía María, aunque yo esté en el exilio sigo trabajando por mi país... por la dinastía... de la mañana a la noche... sin cesar... sin descanso...

Humberto masculló melancólicamente:

—A mí sí me hubiera gustado ser jardinero... pero mi padre se habría reído de mí...

La tía María prosiguió, inflexible:

—Haces muy bien, Sofía. —Y echó una mirada a su alrededor—. Aún recuerdo a tu abuela diciendo: prefiero ser gobernada por un león bien nacido que por cientos de ratas vulgares. Hoy día el que piense así tiene los días contados... Pedro, mi hijo, dice que nuestro fin natural es que nos guillotinen...

—¡Pues qué bien! —respondió María, muy entretenida ahora haciendo una labor de *crochet* y sin prestar mucha atención a la conversación.

Sofía, mientras hablaba, apoyada en la barandilla, estaba haciendo extraños ejercicios de piernas. Juanito, intrigado por aquella muchachita que tenía unas ideas tan distintas a las suyas y a las de sus amigas, le preguntó acercándose mucho:

—¿Eso que bailas es el *syrtos*, Sofi?

Ella, muy ufana por haber logrado su atención, levantó una pierna y dio una fuerte patada al aire:

—¿Esto? Es judo, un arte marcial... He dado clases en Salem con un maestro japonés.

El príncipe, que llegaba de dos de las culturas más machistas del mundo, la española y la portuguesa, se rio burlonamente:

—Con un hombre no te servirá de mucho eso, ¿no?

Sin pronunciar palabra, Sofía le cogió la mano, le retorció el brazo y lo tiró al suelo. El príncipe se quedó en una postura cómica, con los brazos en cruz, pero repentinamente agarró un tobillo de Sofía y la hizo caer con gran revuelo de faldas, risas y gorro *sarakatsano*.

Esta es la versión oficial[5] que nos ha llegado. Yo voy a aventurar la mía: Juanito, que solo con diecisiete años ya había tenido larga experiencia con las chicas, se dejó caer para, en el barullo de cuerpos mezclados, intentar la obligación de todo varón en edad de merecer, el viejo y conocido «meter mano». Intentarlo con aquella princesita tan recatada no dejaba de ser un desafío.

Pero yo supongo que Sofía, con los músculos endurecidos por el deporte y amurallada por una virtud a toda prueba, se le resistió bravamente, y don Juanito volvió a los acogedores brazos de su Ella, que, copa de cóctel en mano, había contemplado toda la escena con divertida condescendencia.

Otra espectadora, la reina Federica, se había dado cuenta de todo y se preguntaba qué significaban aquellos rodetes sonrojados en las mejillas de su hija. ¿Sofía y Juanito? ¿En qué cabeza cabe? Con un gesto apartó ese descabellado pensamiento de su mente, ¡no podían ser más distintos!

—No me sacó a bailar ni una sola vez —se lamentó años más tarde doña Sofía, que, soñadora, también evocó—: Era un juerguista.

Y también, con una punta de reproche:

—Él se lo pasó muy bien…

Don Juan Carlos, por su parte, interrogado al respecto, comentó de forma distraída:

—¿En el *Agamemnon*, Sofi? Estaba, ¿no? ¡La verdad es que yo no me fijé en ella!

Juanito se lo pasaría muy bien, pero estuvo a punto de terminar muy mal. En el viaje de vuelta, que hicieron en el *Saltillo*, a la altura de Tánger tuvo un ataque de apendicitis que estuvo a punto de acabar con su vida. Fue operado de urgencia en el mismo Tánger por el doctor Alfonso de la Peña, quien dijo que:

—Si llegan a tardar una hora más, el príncipe se muere.

Si bien el *Agamemnon* abrió Grecia al mundo, no consiguió del todo sus propósitos casamenteros. Las únicas bodas que salieron del crucero fueron las de María Pía de Saboya y Alejandro de Yugoslavia y, mucho más tarde, Diana de Francia y Karl Wurtenberg.

Pilar no encontró novio; Sofía tampoco.

Y segundo a segundo, como disminuye el día cuando va entrando en el invierno, el sol de Federica se encaminó lentamente hacia su inevitable ocaso. Sus éxitos empezaron a pasarle factura. Nadie habló del impulso para el turismo que había significado el crucero, pero la oposición empezó a criticar la imagen de ese barco lleno de ricachones y reyes, en su mayoría destronados por los regímenes democráticos de sus países, y culparon a la reina, «la alemana», lo que nos demuestra cuán efímeros son los afectos de los pueblos.

Pero todavía era difícil advertir la grieta entre la familia real y sus súbditos, y Sofía pudo emprender su vida de basilisa con entusiasmo. Y con dolor, ya que estrenó su vida pública con un terremoto de escala 8 que se cebó en las islas Jónicas cobrándose centenares de víctimas.

Federica preparó su botiquín de campaña, se puso zapatos bajos, un grueso abrigo, y cuando salía llevando ella misma un maletín, vio la expresión anhelante de su hija y le preguntó:

—¿Quieres venir? Piensa que será duro. Dormiremos en el Polimitsis, y en algunos sitios estarán enfadados con nosotros, aunque ellos saben que no tenemos ninguna culpa.

Sofía se limitó a desabrocharse el abrigo. Debajo llevaba el uniforme de enfermera que utilizaba en Mitera.

*Otra vez el caballo iracundo pateó el planeta.*
*Los relojes, desde el suelo, marcaban tercamente la hora del terremoto.*

Así recuerda el poeta Pablo Neruda la catástrofe que golpeó su ciudad, Valparaíso, porque todos los terremotos se parecen en su afán destructivo y fatal. Sofía no se dejó amilanar por la magnitud de esta tragedia y empezó por lo pequeño. ¡Los niños, que lloraban en las puertas que ya no existían de sus casas que tampoco existían! Hay una foto de ella en esos días. Muy sobria, lejos de las posturas melodramáticas con las que suele obsequiarnos su madre. Sobre el uniforme lleva lo que entonces se llamaba un chaquetón «de existencialista» con trabillas de cuero en su parte delantera. Por el cuello del abrigo le asoma un collarcito de perlas. Ya se la ve con el peinado que no abandonaría en la vida, pelo corto, muy hueco, ondulado, algo rígido. Está curando con algodón y un frasco la pierna de un niño con la cabeza pelada, al que su madre, enlutada, sujeta con aprensión y angustia. Sofía está concentrada en su tarea, las cejas, muy negras y bien dibujadas, sombrean unos ojos graves, tan absortos que casi dan miedo. El niño mira a la cámara.[6] Su madre, a la princesa.

Después de dos semanas de recorrer pueblos devastados con olor a indigencia y harapos, de cerrar los ojos de muchos cadáveres, de dormir apenas, de olvidarse de comer, de tener los párpados quemados por las lágrimas, en Zenta, donde solo quedaba en pie el campanario de una iglesia, Sofía se agachó e hizo resbalar la tierra por entre sus dedos. Querría hundir el rostro en ese barro y respirar Grecia.

En Mitera las clases duraban todo el día, el curso de enfermera dos años más un tercero haciendo prácticas en un hospital. Las otras alumnas se quedaban en régimen de internado, pero sus padres no se lo consintieron a Sofía por motivos de seguridad y porque tenía que cumplir con sus deberes como princesa. Se levantaba a las seis, cogía su «escarabajo» de color azul e iba a la escuela, donde trabajaba mañana y tarde y también en horarios nocturnos.

Un día Federica, que tenía un ojo muy crítico para advertir el más leve cambio en el físico de sus hijas y además odiaba la gordura, le dijo horrorizada:

—¡Sofía! ¿Qué pasa? ¿Qué haces, hija, con esas caderas?

Sofía no pudo menos que bajar la cabeza, humillada. Era cierto, devoraba las papillas sobrantes de los niños, hechas con Pelargón, dulces y riquísimas. El resultado fueron unos kilos de más que su madre le obligó a perder rápidamente. Sofía, en esa época, tenía tendencia a engordar, cosa que le preocupaba, y se desesperaba porque creía que sus piernas eran demasiado gruesas. ¡María Gabriela tenía los tobillos tan esbeltos!

Una noche estaba tranquilamente preparando unas inyecciones en el dispensario, cuando vio asomar por la ventana una cabeza. Esta se acercó y en tono jocoso dijo imitando la voz de Nursi:

—Mira, Sofía, el asno de Alejandría.

Tino se echó a reír:

—Es que no acababa de fiarme de que vinieras aquí en lugar de irte a bailar, ¡mamá te da demasiada libertad!

La idea era tan absurda que Sofía ni siquiera se enfadó con la falta de confianza de su hermano.

En Mitera tenían acogidos a huérfanos o niños de familias rotas o muy pobres. Las alumnas primero aprendían con muñecos de plástico y después pasaban a los niños de verdad. Cuentan las crónicas que el primer día en que tuvo que limpiar «caca humana», como hubiera dicho Tino, lo hizo sin ninguna muestra de repugnancia y con absoluta profesionalidad. Le cogió mucho cariño a un huérfano que se llamaba Bunny y buscó para él una buena familia finlandesa. Y luego, nueve meses después de que pasara por Atenas la VI Flota Norteamericana, nació el negrito Joe. Sofía también consiguió para él una familia: un médico norteamericano negro casado con una griega. A Bunny y a Joe, Sofía los llamaba «mis niños».

Sus profesores destacaban siempre en la basilisa su disciplina y lo responsable que era. Ni en Salem ni en Mitera se señaló que fuera una alumna popular entre sus compañeras; yo creo que si se omitió esa característica en esas referencias llenas de elogios es porque Sofía no resultaba demasiado sociable. Seguía siendo muy reservada y silenciosa.

Una vez más, los cronistas solo hablan de una amiga de aquella época, Joanna Ravanni, a la que continuó viendo después de casada, ya que se la llevó a España para que cuidara a sus hijos, lo que da buena cuenta de la naturaleza de esta «amistad». Sus principales amigos seguían siendo sus hermanos y su prima Tatiana. Los fines de semana los dedicaba a excavar con su profesora Teofanos Arvanitopoulos y con Irene, que había ido creciendo y había dejado de ser el último «monito», como la llamaba su madre, de la casa. La afición común igualaba a las dos hermanas, que se dedicaban a llenar la casa de cacharros; ¡eran capaces de estar varias horas inclinadas sobre un trozo de cerámica que el resto de la humanidad hubiera tirado tranquilamente a la basura! Incluso escribieron dos libritos, *Miscelánea arqueológica* y *La cerámica de Decelia*, que la madre regalaba, orgullosa, a las visitas. También fue a Sofía a la que se le ocurrió que sus excompañeros de Salem podrían ir en verano a ayudar a reconstruir los tesoros arqueológicos destruidos por el terremoto, y también «militariza» a las guías helenas y a los *boy scouts* con el mismo fin.

Su padre, que últimamente solo atendía a Tino porque se daba cuenta de lo incompleto de su educación y de lo mimado que estaba, advertía los esfuerzos de Sofía, y mientras le acariciaba distraídamente las mejillas, le decía:

—Sofía, eres la más voluntariosa y emprendedora de los hermanos, la pena es que, siendo tan discreta, la gente no podrá agradecértelo porque no se va a enterar nunca de tus buenas obras.

Sofía no era ya aquella niña que le decía orgullosa a su madre: «¿Verdad que tenemos el padre más guapo del mundo?», pero lo seguía pensando, y no porque el deteriorado Pablo pareciera un galán de cine: el antiguo hombretón de aspecto imponente estaba desfondado, era como un odre vacío al que le colgara la piel por todas partes. Apuntalado por el uniforme, que vestía aun en reuniones familiares, conseguía mantener su apariencia marcial, pero en casa, cuando se ponía cómodo, se colocaba las gafas y relajaba su fisonomía, se mostraba como lo que era: un hombre en franca decadencia. Pero era así cuando más lo quería Sofía, con esa inclinación hacia los más débiles que iba ya a tener toda su vida:

—Mi padre era profundo, tenía gran sensibilidad para el bien y la belleza, era religioso con autenticidad, sin alardes, discreto... Pasaba con él ratos breves pero intensos que me han influido para toda mi vida —le explica Sofía a su biógrafa, para luego añadir algo avergonzada—: ¡Lo tengo idealizado!

A Sofía le hubiera gustado ser como él, silenciosa y eficaz. A veces imaginaba que era invisible, para entrar en las casas volando para arreglar los problemas de la gente común. Confesaba:

—No me gusta que me den las gracias... no sé cómo corresponder.

Al final, se vio lo suficientemente preparada para suplir a su madre en sus viajes. Federica había ampliado sus objetivos, ¡ella todo tenía que hacerlo a lo grande!, y se desplazaba a Estados Unidos, a Suiza, a Italia, a Alemania, siempre con un montón de fotógrafos detrás como si fuera una *star* del *rock*. En Yugoslavia, adonde fue con su marido, recibieron la noticia de que su inseparable mastín había muerto de viejo en Atenas. Ambos, como sucede siempre en estas ocasiones, después de haber llorado todo el día, se presentaron en una cena de gala con los ojos rojos evitando explicar por qué. Su sorpresa fue que el sanguinario mariscal Tito se les acercó[7] y les dijo en tono emocionado:

—Les acompaño en su dolor. Sé muy bien lo terrible que es querer a un perro y perderlo.

Es una pena que ninguno de los historiadores que han escrito sobre la familia real griega nos haya facilitado el nombre de ninguno de sus fieles compañeros del reino animal, cuando tan importantes eran para ellos. Sí sabemos que Palo tenía labradores y mastines y Freddy caniches, pero ignoramos cómo se llamaban. ¿No conocemos hasta el nombre del perro de Ulises, *Argos*, que tiene veintinueve siglos y ni siquiera existió?

Tanto quería Sofía a los animales que, imitando a su madre, dejó de comer carne, como le contó en su día a la periodista Carmen Enríquez. No fue, como explicó Pilar Urbano en su libro, por ninguna especie de superstición cuando se murió su padre, sino porque no quiere que por su culpa se sacrifique a ningún ser vivo. De las mínimas inexactitudes que salieron en el libro de Urbano (interesantísimo y muy útil, por otra parte, como pongo en evidencia en mi trabajo), esta, según me cuentan, es una de las que más disgustó a doña Sofía.

Sí, Federica se dedicaba al mundo entero y para Sofía quedaba Grecia. Con meticulosidad preparaba sus visitas hasta el último confín del territorio, y hasta allí llegaba con un chófer y una secretaria, Helena Korizi, a los pueblos más remotos. Con su carpeta debajo del brazo se sentaba en los bancos de la plaza y, poniendo en práctica la democracia más directa, apuntaba en un bloc los problemas que le iba contando la gente. Cada vez comentaba lo mismo:

—Se lo transmitiré a la reina.

Las multitudes no gritaban:

—*Mitera, mitera.*

No se echaban a sus pies para besárselos, no había histerismo. Pero todos miraban primero con curiosidad y después con respeto a esa muchacha que, con su peinado rígido, sus abrigos por la rodilla, sus zapatos viejos y su expresión concentrada, más se asemejaba a una funcionaria que a una princesa de cuento.

Durante la semana, cuando tenía turno de tarde, iba al club marítimo con Tino a navegar. Sus padres les habían regalado un velero de clase Dragón, único en toda Grecia, lo que era una lata porque no tenían a nadie con quien competir. Salían los dos hermanos casi cada día, en esa unión única, sin palabras, que solo se tiene yendo en el mismo barco. Con gran dolor de su corazón, Sofía dejaba a su gato y sus perros en casa. Llevaba una cesta con algunas viandas. Con el viento en la cara, quizás Sofía recordara a aquel príncipe español tan gamberro al que tiró al suelo con una llave de judo.

Todo lo que le contaban de él era malo. Salía con Ella, pero al mismo tiempo mantenía en Zaragoza varias relaciones con chicas extranjeras, ¡encima brasileñas!, entre las que su uniforme militar y su condición de príncipe causaban estragos. Cómo habían ido a parar estas brasileñas a Zaragoza no nos lo cuentan las crónicas. También existía una escultural venezolana, Cristina Cárdenas, y una hija del duque de Sotomayor, aunque don Juan intentaba meterle por los ojos a una feúcha princesa de la casa de los Hohenzollern, María Cecilia de Prusia, y cuando él ya estaba dispuesto al sacrificio, ella se enamora del duque Federico Augusto de Oldemburg.

Nunca se le ocurriría a Juanito plantar cara a las órdenes de su padre. Es lo primero que les decía a sus embelesadas novias, que ante él caían como moscas:

—Me gustas muchísimo, pero no te puedo prometer nada, porque tengo que casarme con quien mi padre me diga por el bien de la dinastía.

Lo que, en un país en el que los chicos tenían que prometer matrimonio para conseguir el más mínimo avance sexual, no dejaba de ser comodísimo. Ya me imagino a sus amigos Antonio Eraso, Miguel Primo de Rivera, su primo Carlitos de

Borbón Dos Sicilias, Babá Espirito Santo, *Maná* Arnoso, comentando mientras se dejaban las pestañas para rozar aquella mínima y mítica porción de muslo que quedaba entre la media y la faja:

—Menuda potra, don Juanito.

—Pues sí.

Sofía a veces iba directamente desde el barco al hospital, intentando arreglarse en el espejo de su polverita. ¿Qué era lo que veía? Unas pecas sobre su nariz respingona, unas cejas que gracias a las pinzas de depilar habían perdido la forma agreste que tenían en su niñez y unos rizos rebeldes que se escapaban por debajo de la cofia.

Las crónicas no dan cuenta de ninguna espina en este rosal simbólico en el que han convertido el relato de la vida de nuestra reina. Las biografías que se han escrito sobre ella solo nos hablan de sus estudios y de su impecable juventud, sin sufrimientos, sin sombras; si fuera así, ¡bienaventurada ella! Personalmente opino que, queriendo hacerle un servicio al presentarla como una persona de pasado impoluto y un dechado de virtudes, se ha disminuido su figura hasta convertirla en un muñeco irreal, frío y lejano.

Porque en todos los cielos, por despejados que estén, tarde o temprano aparece alguna nube.

La terrible reina Federica no dejaba de repetir:

—A Sofía hay que casarla.

Como para Juanito, la cosecha de príncipes casaderos tampoco era muy abundante: tanto en Inglaterra como en Liechtenstein y Luxemburgo, los príncipes eran demasiado jóvenes para ella. En Suecia, Holanda y Dinamarca, no había varones. Estaban, por supuesto, los hermanos Balduino y Alberto de Bélgica, pero el primero decían que se iba a hacer sacerdote, y el segundo ya «salía» con Paola Ruffo di Calabria, la «*dolce* Paola» de la canción de Adamo, una bellísima italiana con la que acabaría casándose en 1959.

Quedaba Harald de Noruega. ¡Su relación con Sofía es uno de los episodios sobre los que más se ha mentido! Aquí el maquillaje llega hasta el sonrojo: unos dicen «no hubo nada, todo fue una mentira de los periodistas», otros, «la reina lo rechazó, no le gustaba», y ella misma le contó a Pilar Urbano, «casi no lo conocía, fue un invento de la prensa».

Harald, el heredero de la Corona de Noruega, llamado «el jeque blanco» por la inmensa fortuna que atesoraba, ya que era propietario de los mayores yacimientos de petróleo de Europa, era guapo y fuerte como el dios Tor, un puro ejemplar de vikingo. Le gustaba la navegación, como a Sofía, y, como ella, era un chico de pocas palabras y muchos silencios. Balansó, que lo conoció bien, opina que era insípido y poco inteligente, de ahí que fuera tan callado. Tenía dos años más que Sofía.

A Tatiana Radziwill también le gustaba y también se hacía ilusiones, ¡ha sido la única ocasión, en toda su vida, en que las primas estuvieron a punto de pelearse! Con la excusa de la navegación, Federica planificó varios viajes a Noruega. Las dos familias se encontraron en las regatas de Hankoe. La prensa griega armó un gran revuelo, dieron como inminente el anuncio de boda de Harald y Sofía, pero los periódicos noruegos guardaron un hermético silencio. Freddy invitó a Harald y a su padre a Corfú, que ella describía como:

—Un lugar mágico para enamorarse.

Harald y Olav estuvieron nada menos que un mes viviendo con la familia real griega y con Sofía. Los dos príncipes, según las revistas de entonces «sostienen un tierno idilio con todo el esplendor de sus veinte años», ilustrando la información con una foto de ambos a bordo de una lancha motora. Se interpeló al Palacio Real de Oslo, pero no hubo respuesta.

Ambos jóvenes se reunieron también en la puesta de largo de las nietas del rey de Suecia, y me imagino a la intrigante Freddy diciéndole a su hija para infundirle seguridad en sí misma:

—A su padre le gustas; a su abuelo también.

Y era cierto, al padre y al abuelo les gustaba Sofía, solo había un pequeño inconveniente. Mejor dicho, dos.

El primero era la cuestión de la dote.[8] A pesar de la exhibición de joyas y martas cibelinas que solía prodigar Federica, y de todos los fastos del *Agamemnon*, las familias reales europeas sabían de primera mano que la monarquía griega era muy pobre. Hubo conversaciones, ¡claro que las hubo! Empujado por su mujer, la reina Federica, Pablo se enfrentó al Parlamento griego pidiendo nueve millones de dracmas como dote para la basilisa, pero el primer ministro, Constantino Karamanlis, le tuvo que explicar que los congresistas solo habían aceptado conceder cuatro millones, cantidad que le pareció insuficiente al padre de Harald.

Federica no lo entendía:

—Me he dejado la piel por este país y ahora era el momento de agradecérmelo.

El segundo inconveniente, mucho más grave, era que Harald estaba enamorado de otra: Sonia Haraldsen, una sencilla vendedora y modistilla de Estocolmo que intentaba suicidarse cada vez que las revistas emparejaban a Harald con alguna princesa. Los dos estaban profundamente enamorados, pero el padre de él se oponía y no vencerían su resistencia hasta once años después. En medio de esta situación tan complicada, Harald mantenía también una relación basada tan solo en el sexo con una azafata. Se encontraban en un pisito de un barrio apartado.

Alguien avisó a Sonia, quien se presentó allí, tropezó con su rival en la escalera y la emprendió a bolsazos con ella. Si recordamos cómo eran los bolsos en aquella época, de charol, con gruesas armaduras metálicas y asas rígidas, podemos hacernos una idea de la contundencia disuasoria de aquellos golpes.

De estas historias dio cuenta puntual la prensa noruega, la más libre de Europa, que explicaba también que, mientras Harald estaba en Corfú, Sonia se había empleado en la tienda de sus padres para reunir dinero con el fin de hacerle, a su regreso a Noruega, un regalo. Federica apareció en el cuarto de Sofía con la revista *Se Og Hcr*, que sacaba unas fotos de Harald y Sonia en el Yachting Club de Oslo, diciendo con desprecio:

—Mira el tonto este liándose con una chica que no es de sangre real. ¡Pobre Olav!

Cuando el padre le insinuó a Harald que no hacía falta que abandonara a su novia cuando contrajera matrimonio, Sonia volvió a tomarse un tubo de píldoras y le debieron hacer otro lavado de estómago. Se contabilizaron siete durante el largo noviazgo.

Al final fue evidente para todos que Harald no se casaría ni con Tatiana ni con Sofía.[9] Después de haberse ilusionado con ser reina de Noruega, después de que el romance saliera publicado en diversos magacines europeos, incluidos los españoles (frente a mí en estos momentos tengo un ejemplar amarillento de la revista *Lecturas*), tuvo que ser una gran humillación este rechazo público. De ahí que sea un recuerdo ingrato para la reina, mujer al fin y al cabo, y que corte secamente con un «no hubo nada» la pregunta de la periodista curiosa y se haya negado a hablar siempre de este tema.

Nadie podrá quitarle la amarga sensación de rechazo, uno de los reveses sentimentales más difíciles de digerir, sobre todo en esa etapa existencial en la que estamos buscando nuestro lugar en la tierra. La cabecita de la tortuga, que había osado salir para ver cómo era el mundo e incluso participar en su vertiginosa marcha, volvió a meterse en su caparazón. Mamá, papá, Tino, Irene, Tatiana, podían consolarse mutuamente.

Esta historia también haría reflexionar a Federica, y quizás se le bajaron a la vez los humos y el listón: bueno, vale, descartemos príncipes de dinastías reinantes, porque si se van a poner tan pesados con el tema de la dote… ¿Quién hay en segunda fila? ¿Algún príncipe de edad adecuada sin demasiadas pretensiones? ¡Eduardo de Kent, duque, primo de la reina y fortuna inmensa, que parecía que tenía cierta inclinación por Sofía, también se había enamorado de Katherine Worsley!

¡Virgen de la Panagia, ayúdame!

De pronto se acordó de cierta sonrisa en el rostro de su hija. ¡Ya está! ¡El chico de los Barcelona! ¡Juanito!

# *Capítulo 5*

Jueves Santo de 1956, 29 de marzo. El dolor más grande se abatió sobre Juan y María. La muerte de un hijo, que cambiará a la familia para siempre.

—Mami, mami, te lo tengo que decir yo.

Un accidente. Villa Giralda, Estoril, Juanito, dieciocho años, y Alfonsito, catorce, juegan en un día de lluvia, aburridos, sin salir de casa.

—Mami, mami, yo no he tenido la culpa.

La madre es un agujero de dolor a la altura del estómago que estrecha absurdamente contra su pecho el tapete que estaba bordando «para tomar té».

La madre es la escalera que no se sabe si se sube o se arrastra.

La madre es el cuerpo de Alfonsito, en el suelo, muerto. Es el padre golpeando a Juanito y obligándole a jurar:

—Que no lo has hecho a propósito.

La muerte es la bandera española que, a cámara lenta, alguien tiende sobre el cuerpo como un sudario.

La muerte es el amigo de la infancia, siempre Antonio Eraso, que estrecha entre sus brazos al pobre Juanito que solloza y gime:

—Cartujo, me voy a hacer cartujo.

Ningún abrazo, para los dos, ni el que recibieron ayer mismo, ha sido jamás como aquel.

La muerte son los perros que aullaban, sobre todo el cachorro de Alfonsito que todavía no tenía nombre.

He publicado la historia de este trágico suceso en diversas ocasiones, en prensa y en libros. Pero ahora cuento con un testimonio nuevo que ha añadido algunos matices a aquel hecho atroz, pormenores que han permanecido ocultos hasta estos momentos. Los chicos estaban en una amplia sala del último piso de Villa Giralda, tan grande que incluso tenía un billar y una mesa de pimpón. No había una bala escondida en la recámara, ni hubo un empujón por parte de Juanito, ni Alfonsito apareció con el bocadillo de la merienda inesperadamente chocando contra la puerta, como habíamos dicho hasta ahora. Los dos hermanos estaban sencillamente tirando al blanco, a una diana hecha con papel en la pared. Una vez cada uno. Mi testigo me cuenta, todavía con los ojos llenos de lágrimas, ¡y han pasado cincuenta y seis años!:

—Alfonsito era listo como un rayo, simpático, pero muy atolondrado, hiperactivo, no se estaba quieto ni un momento. Juanito estaba tirando y a él se le ocurrió pasar por delante en el momento fatal, ¡la culpa fue de él y no de Juanito! La bala de calibre 22 le entró por la nariz. El doctor Loureiro dijo que parecía imposible que una cosa tan pequeña hubiera podido matarle.

Estoy comiendo con mi confidente en un elegante restaurante del centro de Madrid. Es un hombre guapo, con el pelo espolvoreado de gris, los ojos de acero. Junta las manos delante del pecho y, con la cabeza baja, relata de forma que apenas se le entiende:

—Esa familia quedó hundida para siempre, ¡nadie, ninguno de ellos, volvió a ser el mismo! ¡Nadie puede superar eso! Los ojos de Juanito han tenido siempre, en el fondo, una tristeza melancólica que aflora aún en los momentos de felicidad, que no creo que haya tenido demasiados desde entonces.

Me coge del brazo, casi me hace daño:

—Mira, te voy a contar una cosa que no le he contado a nadie… El otro día fui a ver al rey. Me hizo pasar a su despacho, más bien una salita de estar particular, suya, y en la estantería, la foto más grande no era del príncipe ni de las infantas, ¡ni de su padre o su madre! Era la de Alfonsito. Me acerqué a mirarla, él se puso a mi lado, me cogió por el hombro y me dijo con voz estrangulada: «¡A nadie he querido como a él!».

Nos callamos. A nuestro alrededor los camareros solícitos y silenciosos como gatos bien adiestrados nos cambiaban los platos, rellenaban nuestras copas. Pero todo es Alfonsito.

—Nadie, ninguno de nosotros volvió a ser el mismo.

Al dolor se une un brutal sentimiento de culpa. María cayó en una depresión de la que tardaría años en salir. Se movilizaron sacerdotes y psiquiatras y el tamtam corrió por el solidario gremio de las familias reales europeas. Fue a Sofía a quien se le ocurrió, y se lo dijo a su madre:

—¿Por qué no invitamos a los Barcelona a Corfú?

Mon Repos, en Corfú, era una vieja propiedad sin pretensiones donde pasaban todos los veranos. Fue construida por los gobernadores ingleses de Chipre y se convirtió en 1863 en propiedad de la familia real griega. La casa estaba en una colina rodeada de pinos y olivos, eucaliptos y magnolios, naranjos y limoneros; en el jardín había burros para pasear y los criados iban vestidos a la griega.

Los Barcelona aceptaron la invitación; irían con un hijo sin precisar cuál. El día señalado Irene y Sofía bajaron al embarcadero a darles la bienvenida. Tendieron la pasarela y una mujer vestida de negro bajó torpemente. Sofía apenas pudo reconocer a doña María. En un año y medio, el tiempo que había pasado desde el crucero en el *Agamemnon*, aquella mujer alegre y simpática, espontánea y llena de despistes, se había como hinchado, y las luminosas aguamarinas de sus ojos se habían convertido en aterradora agua estancada.

Espontáneamente, Sofía se acercó y le besó la mano. Algo advirtió María en su mirada, porque intentó sonreír y le dijo:

—Me ves muy cambiada, ¿verdad, Sofía? Pero enseguida me repondré con este clima tan bueno.

Detrás apareció la figura algo bamboleante, con ese paso de marinero en tierra que todos los que lo conocimos recordamos tan bien, de don Juan. Su aspecto no había cambiado, pero de vez en cuando se posaba la mano en los ojos, como queriendo borrar el recuerdo de la muerte de su hijo venerado. El brillo muchachil de sus pupilas se había apagado para siempre.

Dio un beso a las dos princesas y después se giró y gritó con su voz bronca, tan parecida a la de su padre Alfonso XIII, del que se conserva alguna grabación, tan parecida a la de su hijo, el rey de España:

—¡Margot!

Por la escalerilla apareció la infanta doña Margarita, tanteando la barandilla:

—Ya voy, papá, hace mucho sol, ¿verdad? ¿Están ahí Irene y Sofía?

Como era ciega no pudo advertir la decepción en el rostro de Sofía, ¡ella esperaba que fuera Juanito!

Se lo aclaró la propia Margot unos días después, mientras intentaba sacarle una melodía a un acordeón medio estropeado que estaba abandonado en la casona:

—Papá, desde lo… que pasó no soporta ver a Juanito.

Sofía le preguntó tímidamente:

—Y tu hermano, ¿cómo está?

Con alegre inconsciencia, Margot contestó:

—Bien; ha jurado bandera, ha podido ir Pilar a verlo… Después de la jura ha ido un grupo de Madrid, los de la JUME, había un cóctel en el Grand Hotel… Anson, nuestro primo Alfonso de Borbón, Joaquín Bardavío, Julito Ayesa…

Mientras Sofía e Irene se ocupaban de Margot, que se empeñó en aprender griego, uno de los nueve idiomas en los que la infanta puede expresarse con fluidez, los padres se quedaban en el jardín tomando licor de quinoto mientras una luna lúbrica y mantecosa se paseaba solemnemente por el mismo cielo donde jugueteaban Poseidón y la ninfa Córcira que había dado nombre a la isla.

Se oían canciones lejanas, ladridos de perros.

Federica, que era de ese tipo de madres que gustan de alabar desmedidamente a sus hijos, les contaba mientras se arrebujaba en un chal imaginario:

—Sofía, a pesar de lo que ha vivido, es de una integridad e inocencia admirables. Sabéis que la tía María ha intentado introducir sus terribles teorías psicoanalíticas en su escuela de enfermería. Uno de los profesores, que se ha formado en París con ella, les explicó a las alumnas que los bebés tienen deseos eróticos, y ¿sabéis qué dijo Sofía?: «¿Qué bebé le habrá contado eso al profesor?».

Todos rieron cortésmente, mientras en medio de la noche se alzaba la voz melancólica de doña María:

—Pues mis hijas, las dos, son muy cardos borriqueros.

Los condes de Barcelona se quedaban también algo desconcertados con las originales ideas de su anfitriona, aunque cuando hablaba de la fusión del átomo y de la física cuántica bostezaban con disimulo, y no digamos cuando explicaba sus exóticas creencias religiosas:

—En mi familia no creemos ni en el infierno ni en el demonio. También pensamos que Dios está en nosotros y en todas partes y que en cada vida nos reencarnaremos en alguien mejor hasta acercarnos a Él. Desde la ameba hasta Dios. Lo que pienso es lo que vuelve a mí. Si pienso cosas buenas, el universo me envía cosas buenas.

Esto provocaba el asombro escandalizado de aquellos dos católicos a machamartillo, pero al fin y al cabo eran sus huéspedes, los estaban tratando a cuerpo de rey, ¡y nunca mejor dicho!, y el quinoto adormece las penas. María se aletargaba con el aroma abrumador del enebro y la resina, el arrullo de las olas, las risas de las chicas. A Juan el sonido algo canalla del acordeón le recordaba sus noches en los tugurios de Port Said, cuando tenía diecinueve años y no se le había muerto ningún hijo.

—¿Qué edad tiene Sofía?

—Dieciocho años.

—Como Juanito.

—Sí.

Juan suspiraba:

—Yo me casé a los veinte.

Seguramente en aquellas tibias noches veraniegas, Federica y Juan ya planearon emparejar a Juanito y Sofía. A ninguno de los dos se les ocurrió que podrían negarse. Juan debía conocer que habían pretendido casar a Sofía con Harald, sin conseguirlo. Federica también sabría perfectamente que Juanito se consideraba novio de María Gabriela.

Cuando se marcharon, otra vez las princesas fueron a despedirlos al pequeño embarcadero. María estaba más bronceada, pero seguía ocultando sus ojos heridos con tupidas gafas oscuras que no se quitaba casi nunca. Juan estaba muy cariñoso con aquellas chicas que le parecían un poco pasadas de moda, pero muy bien educadas, ¡eran tan distintas a las suyas! Margot se abrazó a las princesas griegas llorando, y en el último momento Sofía pudo deslizar en su oído un «dale recuerdos a Juanito de mi parte» que no pasó desapercibido para el finísimo oído de Federica ni tampoco para el de Juan, que intercambiaron una mirada llena de complicidad por encima de las cabezas de sus hijas. Esa mirada tenía la fuerza de un pacto férreo e indestructible. Si ambos hubieran sido hombres, se habrían estrechado las manos. Si hubieran sido dos ejércitos, habrían firmado «el acuerdo de Corfú» presentando armas.

El verano siguiente Federica lo volvió a intentar. Visto el éxito del crucero en el *Agamemnon*, convenció a Eugenides para repetirlo, esta vez en otro barco, el *Aquiles*. Pero Inglaterra cerró el canal de Suez, con lo que se sustituyó el viaje por una estancia en Corfú. Los mismos invitados. Todos. Wurtenberg, Mauricio de Hesse, que parecía que iba detrás de Irene, Hannover, condes de París, Luxemburgo…

Todos menos Juanito.

Freddy quiso aprovechar el encuentro para poner de largo a Sofía, con un traje de tul y varios volantes arrepollados distribuidos por la amplia falda. Algo que no le pegaba a la austera princesita, quien, como en aquella lejana época de la boda de su tío Ernesto Augusto, con un vestido de organza que le estaba pequeño, en la víspera de entrar en Salem, se sintió el patito feo de la fiesta:

—La puesta de largo la odié con toda mi alma, odio concentrar en mí todas las miradas... Seguía siendo horriblemente tímida y vergonzosa.

¿Cómo no pensar que Sofía odió ese momento único de su existencia, en el centro mismo de su juventud plena, en el prodigioso paisaje de Corfú, rodeada de sus iguales, porque estaba ausente el gran amor de su vida? Si estás enamorada, odias con toda tu alma el mundo sin él.

Y sobre todo si sabes que él ha preferido estar con otra que contigo. Porque ya había aparecido en escena la célebre Olghina.

Otra historia, esta vez de un sabor más perverso, apta solo para estómagos fuertes y sexualidades exigentes, del hijo de los Barcelona, ese chico al que Franco estaba educando en España no se sabía muy bien para qué. De momento era el heredero del heredero de un trono vacío, pero nada estaba hecho de forma oficial. Continuaba en Zaragoza, donde incluso llegó a recibir la visita de su novia. Pero María Gabriela era la «oficial», porque don Juanito tenía otro amor oculto arrasador y apasionado: la condesa Olghina de Robilant.[1]

Olghina era condesa, es cierto, pero también una actriz de cine de segunda fila (sale en la película *La dolce vita*, de Federico Fellini) y miembro de una familia noble pero arruinada. Guapa, alegre, espectacular, con fama de viciosa, tenía cuatro años más que Juanito y se alojaba en casa de los Saboya, Villa Italia, en Estoril, porque era amiga de la familia. Juanito y ella se conocieron la noche de fin de año de 1956 en la *boîte* Muxaxo, y esa misma noche Juanito le dijo que se había enamorado de ella como de nadie en su vida. La acompañó a Villa Italia en su «escarabajo» negro (recordemos que el de Sofía era azul), y en el asiento de atrás, como tantos jóvenes en aquella época, tuvieron su primer encuentro sexual. A ella, mujer experimentada y mundana, le hizo gracia. Lo encontró muy español y muy apasionado, y también se sintió atraída hacia él. Preguntó quién era, y se asombró de que, dada la tragedia por la que acababa de pasar, la muerte de su hermano, hubiera ido a la fiesta:

—Juanito no daba muestras del menor complejo. Llevaba corbata negra y una simple cinta negra en señal de luto, eso era todo. Yo me preguntaba si aquello era falta de sentimientos o si su comportamiento era forzado. Sea como fuere, me parecía un poco pronto para ir a fiestas, bailar y hacerse carantoñas…

Olghina le preguntó en primer lugar, para no quedar mal con sus anfitriones, si era novio de María Gabriela, a lo que Juanito contestó con una estudiada tristeza que a Olghina le produjo ganas de reír pero también la enterneció:

—No tengo mucha capacidad de elección, intenta comprenderlo. Y ella es la que prefiero de las llamadas elegibles.

El ambiente en casa de los Saboya se fue enfriando, ya que Ella se puso celosa al ver las atenciones que Olghina recibía del príncipe y la echó de casa. También Juanito avisó a Olghina, mezclando astucia y honestidad, de que nunca se casaría con ella:

—Te quiero más que a nadie ahora mismo, pero no puedo casarme contigo, y por eso tengo que pensar en otra.

También contó Olghina en sus memorias[2] que Juanito en esa época ya se había percatado de que Franco había arrumbado a su padre al desván de los trastos inservibles y que él iba a ser el rey de España, sucediendo directamente al Caudillo, aunque quizás eso era una táctica sutil del taimado Juanito para deslumbrar a Olghina por una parte y también para no tener que comprometerse con ella, por otra.

A pesar de todo, la relación entre esta y el príncipe siguió a lo largo de más de cuatro años. Olghina se alojaba en casas de otros amigos en Estoril, iba a Madrid, se encontraban en Italia o en Suiza. Incluso estuvieron juntos en una feria de abril en Sevilla, de la que Olghina contaba con su peculiar estilo:

—¡Ah, qué maravilla, los divos y los gitanos juntos, una fiesta maravillosa, popular y alegre, musical y ebria!

La relación tenía que permanecer secreta, un aditamento picante que la volvía más atractiva, ya que Juanito continuaba siendo el novio oficioso de María Gabriela y don Juan se oponía con todas su fuerzas a que su hijo viera a la guapa condesa. Además de no ser de la familia adecuada, Olghina tenía «mala fama» y tuvo numerosos amantes mientras salía con Juanito e incluso dos abortos más o menos públicos. Ella misma se describía como:

—Muy generosa, me gusta dar todo lo que tengo, y como solo me tengo a mí misma…

También protagonizó un gran escándalo el día de su cumpleaños, en una fiesta que organizó en un local del Trastevere romano. Hubo un *striptease* y terminó en una orgía, cuyas fotos llegaron a salir en la prensa. Era la época de la *dolce vita* y Olghina una de sus protagonistas.

El conde de Barcelona intentaba que ninguno de sus próximos la recibiera en su casa, y por este motivo, en julio de 1957, con ocasión de la puesta de largo de la prima de Juanito, Victoria Marone Cinzano, en Rapallo, tuvo lugar un duro enfrentamiento entre padre e hijo.

El príncipe se negaba a ir si no dejaban entrar a Olghina. El conde de Barcelona le remarcó todos los sacrificios que él había tenido que hacer para apuntalar la frágil posición de Juanito en España, y también le recordó que, con su comportamiento frívolo, alimentaba las posibilidades de su primo Alfonso de Borbón, que también se postulaba al trono. Alfonso estaba ya viviendo en Madrid, comenzaba tímidamente a participar en actos monárquicos e iba dándose cuenta de que él también podía ser un recambio con posibilidades para heredar la corona de su abuelo.

Precisamente acababa de descubrir un busto dedicado al infante don Alfonsito, el desdichado hermano de Juanito, en una finca del conde de Ruiseñada cerca de Toledo y había sido Franco quien había insistido en que fuera el hijo de don Jaime el que lo inaugurara con estas palabras:

—Es que quiero que lo cultive usted, Ruiseñada, porque si el hijo [Juanito] nos sale rana como nos ha salido el padre, habrá que pensar en don Alfonso.

Esta frase se la había oído a Franco el ilustre periodista monárquico Luis María Anson, quien se la había repetido a don Juan. Y también le había contado que algún prohombre del régimen empezaba a volver sus ojos hacia la opción Borbón Dampierre.

Convencido a regañadientes e incapaz en el fondo de desobedecer a su padre, Juanito finalmente accedió a ir a la fiesta.

Después del baile, sin embargo, corrió a refugiarse en los brazos de su Olghina, que lo esperaba en el hotel con su amplio repertorio de habilidades eróticas.

También estaba en la fiesta Constantino, que salió al día siguiente para ir a la presentación de su hermana Sofía en Corfú. Don Juan quiso obligar a su hijo a que fuera con él, pero Juanito prefirió quedarse con Olghina y el padre, harto, se volvió a Portugal. Donde, por cierto, a él también lo esperaban los brazos amorosos de una dama que no era su esposa.

Sofía seguía con su vida aparentemente metódica, pero por uno u otro conducto estaba al tanto de todos los avatares sentimentales de Juanito. Tino, con inconsciente crueldad, le contó lo de la condesa italiana, ¡lo de Olghina era un escándalo en el seno de las familias reales! ¡No se había visto nada así desde que su padre, don Juan de Borbón, había intentado divorciarse de María para irse con una misteriosa griega llamada Greta! Solo lo había disuadido la amenaza de que Franco nunca nombraría rey de España a un divorciado.

Desde luego, Juanito no necesitaba de ningún ultimátum, ya que nunca pensó en casarse con Olghina, aunque sí le gustaba locamente. Al parecer la condesa era un volcán. Uno de sus amantes, el cantante Bobby Solo, declaró que en un mes con ella había adelgazado catorce kilos, pero que, después, si las mujeres no le daban lo que le ofrecía Olghina, las echaba a patadas de su cama. Claro que Juanito fue un buen discípulo. Ya en su madurez, Olghina declaró en sus memorias[3] que «Guanito» sabía cómo enamorar a una chica. ¡Si hasta había sido amante de Sarita Montiel!

La condesa también contó que en aquella época el príncipe era un chico apasionado, aficionado a los coches rápidos, las lanchas motoras y las chicas, aunque nunca olvidaba su posición. Era muy serio, pero tampoco era un santo. No era nada tímido, pero sí algo puritano, aunque siempre se portó con ella honestamente.

Juanito le escribía cartas. Las comenzaba con un «Olghina de mi alma, de mi cuerpo y de mi corazón...», y les ponía letras de rancheras:

*Un viejo amor ni se olvida ni se deja,*
*un viejo amor de nuestra alma sí se aleja,*
*pero nunca dice adiós…*

Y le contaba con candor que «esta noche, en mi cama, he pensado que estaba besándote, pero me he dado cuenta de que no eras tú, sino una simple almohada arrugada y con mal olor (de verdad desagradable)», y terminaba con esta observación filosófica: «Pero así es la vida, nos pasamos soñando una cosa, mientras Dios decide otra».

No le gustaban las mujeres frescas, pero a ella la besaba ardientemente con sus labios *«calde, secche e sapienti»* y pasaban largas y fogosas noches en hoteles. A pesar de ir bastante corto de dinero, corría con todos los gastos y era muy generoso. Sorprendentemente, dice Olghina que detestaba la caza, porque le gustaban mucho los animales, lo que hace sospechar que si se aficionó a ella fue por agradar al Caudillo.

Las cuarenta y siete cartas que Juanito le escribió a su enamorada fueron retiradas de la circulación por Jaime Peñafiel, a quien Sabino Fernández Campo, el jefe de la Casa del Rey, le entregó los ocho millones de pesetas que pedía la condesa.[4] Este dinero procedía del íntimo amigo de don Juan Carlos, Manuel Prado y Colón de Carvajal.[5] Sin embargo, Olghina hizo copias de estas cartas, que fueron publicadas posteriormente por *Interviú* en España y *Oggi* en Italia. En declaraciones a esta revista, Olghina incluso llegó a afirmar que su hija Paola, que nació durante su larga relación intermitente con don Juanito, era hija suya:

—¡Yo hubiera podido arrastrar a Juan Carlos a los tribunales, pero no lo hice para no comprometer su futuro![6]

Paola Robilant, la hija de Olghina, que ahora tiene cincuenta y dos años, es una afamada filóloga con varios doctorados, da clases en el Cheltenham Ladies College y no tiene ninguna relación con su madre.

Pero el tiempo de Sofía y de Juanito se estaba acercando; ¡los relojes corrían hacia la hora ineludible en que iban a encontrarse para siempre! Primero fue una entrevista casual en el hotel Meurice de París, donde ambos estaban alojados. Sofía había ido para acompañar a Irene a sus clases magistrales de piano con una profesora francesa. Se vieron en el bar.

—Hombre, Sofi.

Podemos suponer que Sofía enrojeció de placer al oír aquella voz tan añorada, pero solo contestaría con un sobrio:

—Hola, Juanito.

Intercambiaron dos besos, preguntaron por las familias respectivas, ¡ninguna mención a Olghina o a Ella, por supuesto! Sofía vería muy cambiado a aquel chico alocado que bailaba en el *Agamemnon*. Había crecido, se había ensanchado. Con timidez abordaría la muerte de Alfonsito para darle el pésame.

El rostro de Juanito cambiaría, como lo hacía siempre que hablaba de su hermano, como me confesó su gran amigo:

—Sus ojos adquirieron un fondo de tristeza que ya no ha perdido nunca.

Pocos meses después volvieron a encontrarse en la boda de una de las hijas del duque de Wurtenberg, Elizabeth, con Antonio de Borbón Dos Sicilias en Altshausen (Stuttgart), en 1959. Juanito llegó a bordo de un DC3 privado conducido por el teniente coronel Emilio García Conde. Por culpa del error de una torre de control en Francia estuvo a punto de tener un grave accidente, pero Juanito se olvidó del susto, se puso su uniforme de gala de la marina de guerra española y se fue directamente al baile. Sofía estaba muy guapa. Había conseguido adelgazar y llevaba un vestido blanco muy ajustado en la cintura, con un atrevido rameado en rojo y negro en la parte delantera. Debía ser uno de sus vestidos favoritos, pues se la ve con él en varias ceremonias distintas a lo largo de los años.

Esta vez Juanito sí bailó varias veces con Sofía, que, orgullosa, pudo lucir sus largas sesiones con Tino en la gramola de manivela. Sofía recuerda que Juanito iba con un grupo de ayudantes, militares los tres: el marqués de Mondéjar, Alfonso Armada y Emilio García Conde. Cuando alguien le comentó al príncipe lo buena pareja que hacían, Juanito fingió sorprenderse:

—¿Ah, sí? ¿La princesa Sofía de Grecia? ¡Me ha encantado!

Podemos imaginar aquellos bailes y aquel comentario las tormentas que desataron en el corazón inflamado de Sofía, aunque en su exterior nada lo delatase y continuase en Atenas su metódica vida de Penélope tejiendo su tapiz a la espera de Ulises: su trabajo en el hospital, sus entrenamientos con su hermano y sus fines de semana dedicados a las excavaciones arqueológicas. Pero al año siguiente, el 21 de julio, se casó otro hijo del duque de Wurtenberg, también en Altshausen, Karl, precisamente con la atractiva y vitalista Diana de Francia, a la que había conocido en el *Agamemnon*. Diana, que salía a la pista recogiéndose la falda en un costado y moviendo la melena. Diana, con la que Juanito había tenido algo más que un coqueteo, lo invitó a él con su pareja oficial, María Gabriela. Debemos suponer que Sofía se enteró, porque si no extraña mucho su desabrido comentario. Se negó a acudir a pesar de que había sido invitada, porque no le apetecía:

—No me interesaba. Podía ir o no ir… ¡Y no me dio la gana![7]

Desde el centro de Europa, la que fue reina de España, la fina estratega Victoria Eugenia, ya que no podía intervenir en la política de su país, movía los hilos de su propia familia. Cuando se enteró de que su nieto Juanito había ido de pareja oficial de María Gabriela a la boda de los Wurtenberg, una María Gabriela tan moderna que había estado en la feria de Sevilla y había alternado con toreros y bailaoras y a la que incluso se le había adjudicado un «romance» con el rejoneador Ángel Peralta, convocó a su hijo al grito de guerra:

—¡Esto no puede tolerarse!

En Lausana, en la Vielle Fontaine que se compró con el producto de la venta de una cruz tallada en una de las esmeraldas más grandes del mundo, al lado de la chimenea, con uno de sus perros teckel en el regazo y saboreando una copita de *gin*, le dijo a Juan con esa autoridad que hacía que su hijo, de casi cincuenta años y ciento veinte kilos de peso, se echara a temblar:

—Juan, se han acabado las María Gabrielas y las Olghinas, hay que buscarle a Juanito una princesa de verdad…, seria y preparada, virgen, de sangre real…

Juan es probable que mascullase:

—Coño, ni que fuera tan fácil.

Y también es verosímil que doña Victoria Eugenia hiciera chasquear la lengua y dijera:

—¡Las princesas griegas!

Sofía seguía entrenándose duramente con Tino, haciendo grandes sacrificios para disponer de tiempo libre para navegar, ya que, además de su trabajo en el hospital, recorría el país en representación de su madre e incluso debía atender a visitantes foráneos.

También en alguna ocasión viajó con Federica al extranjero. Con su madre visitó Estados Unidos, donde mientras la reina departía con científicos sobre la fusión del átomo y el funcionamiento de los submarinos nucleares, ¡temas en los que se creía tan experta que incluso se permitía dar algún consejo!, Sofía asistió al rodaje de una película en Hollywood, *El hombre de las pistolas de oro*, de Edward Dmytryk. Se da la coincidencia de que el protagonista de la película, con el que se hizo una foto, era el actor mexicano Anthony Quinn, quien seis años después iba a interpretar el gran papel de su vida, *Zorba el Griego*, donde inventaría un baile que hoy mucha gente cree que pertenece al acerbo popular de Grecia: el *sirtaki*. Anthony Quinn tenía una rodilla lesionada y de ahí el efecto de arrastre que hoy imitamos todos los que viajamos a Grecia, ¡junto al ritual de romper platos!

Este viaje fue una de las escasas ocasiones en las que se retrató a Sofía con abrigo de pieles. Era un visón beis con solapas y entallado. Sofía y Federica viajaron con sus dos perros caniches de tamaño mediano. Gracias a la meticulosidad de los fotógrafos norteamericanos, que identificaban incluso a las mascotas en los pies de foto, podemos conocer sus nombres: el de la reina se llamaba *Doodle* y el de la basilisa *Topsy*, y se lo había regalado su tía María, que ponía siempre el mismo nombre a sus perros, a uno de ellos incluso le dedicó un libro: *Topsy, mi historia de amor*. En la actualidad doña Sofía también tiene un yorkshire al que ha puesto *Topsy*.

También vivieron una experiencia única que muy pocas personas han podido compartir y que no suelen mencionar las biografías: asistieron al lanzamiento del primer cohete a la luna desde Cabo Cañaveral, hoy Cabo Kennedy.

Claro que ni Sofía ni su madre resultaron un talismán para el lanzamiento: el cohete se elevó unos centenares de metros y cayó al suelo. ¡Afortunadamente no iba tripulado!

Un año también fue con sus padres a India y Tailandia. Toda la familia se sintió fascinada por la religión de estos países, y Federica, fiel a su estilo, se embarcó en complicadas disertaciones sobre filosofía hindú con el presidente de aquel país, el profesor Radhakrishnan, que les regaló un libro escrito por él. Al día siguiente, Irene le comentó al presidente que le había parecido muy bien el libro:

—¡Era tan aburrido que me quedé dormida en el acto!

Es de suponer la vergüenza que debían causar estas meteduras de pata de su hermana a Sofía, y cómo acentuarían su introversión.

La basilisa iba siempre pulcramente vestida, a pesar del calor y la humedad, y llevaba su cámara colgada al cuello; parecía una turista más. Tomó muchas fotos de niños que la miraban extasiados, no porque fuera princesa, sino porque tenía la piel muy blanca y llamaba la atención, como le pasaba cuando era niña en Sudáfrica y los nativos la saludaban:

—*Cherio, cherio*.

Cuando llegaba a Tatoi se encerraba en su habitación para pegar sus fotos en álbumes que han acompañado a doña Sofía durante toda su vida. Debajo de cada foto apuntaba con su letra redonda, casi gótica, la fecha y alguna frase divertida relacionada con el momento de la instantánea.

Para Tino, sin embargo, la práctica del deporte náutico era casi su única ocupación. Por mucho que Federica en sus *Memorias* nos hable de la dura instrucción que le dio al heredero, al que hacía asistir a las audiencias de su padre desde los diez años, y a partir de los quince se le pedía incluso su opinión, la verdad es que estaba muy mal preparado.[8] El embajador francés Guy de Girard de Charbonnières cuenta en su autobiografía que, en una ocasión en que le tocó comer con los príncipes griegos, se dirigió a Tino en francés, y la princesa Irene, con jubilosa precisión, le indicó:

—No se moleste usted en hablar a Constantino en francés, no entiende una palabra, ¡es el bobo de la familia!

El embajador, que trató íntimamente a la familia real griega, se asombraba de lo mal educado que estaba el heredero. Mimado por su madre y adulado por los cortesanos, ¡solo había estudiado con mediocres preceptores privados! A los dieciséis años había seguido un simulacro de instrucción militar de la que se reía la prensa de su país. También se dijo que estaba estudiando en diversos ministerios, pero todavía fue más risible la mentira, ya que se descubrió que los citados estudios se limitaron a un par de mañanas en las que el diádoco tan solo estrechó algunas manos.

De Irene también comentaba el embajador que era ignorante y maleducada, que se notaba que tenía muy poco mundo, aunque añadía con algo de incongruencia que a pesar de eso era «deliciosa». Supongo que a esto se le llama alta diplomacia.

La mente incansable de Federica, siempre en ebullición, pensó que otra buena jugada de marketing, en una época en que esta palabra ni siquiera existía, sería aprovechar la única buena cualidad del diádoco: su aptitud para el deporte. Para aumentar la popularidad de su hijo sería bueno que este participara a bordo de su balandro *Nereus* en la olimpiada de 1960 que se debía celebrar en Italia. No solamente sería bueno para él, sino también para ella, pues empezaban a aparecer datos en la prensa, filtrados seguramente por Pedro de Grecia, el hijo de la tía María Bonaparte, sobre sus propiedades. En ellos se demostraba que la supuesta modestia de la familia real no era tal. En algún inventario salió que los otrora pobres reyes poseían treinta coches, veintisiete yates, doce mil pinturas de firma, doscientos iconos bizantinos y otros novecientos objetos de arte de gran valor, seguramente, según decía la oposición, gracias a comisiones y regalos recibidos por parte de los armadores, dueños de fabulosas fortunas.

Como era imposible atribuir el pecado de la codicia a ese hombre tranquilo y bondadoso, espiritual y distante, que era el rey Pablo, siempre ataviado con viejas y descoloridas guerreras, las miradas se volvieron a su mujer, en la que su cansado marido había delegado todas sus atribuciones.

Cuando Federica protestó delante de la tía María por la deslealtad de su hijo Pedro, la madre intentó justificarlo:

—No sé si es comunista o quiere ser rey en lugar de Palo… Yo creo simplemente que está loco.

Y luego había añadido:

—Te odia y dice que los griegos terminarán también odiándote.

Es muy pesado tener una persona en la familia que siempre te dice la verdad.

Un diplomático todavía en activo me contó hace pocos años:

—De la noche a la mañana Federica, aquella mujer que se creía el hada protectora de Grecia, la «*mitera*», pasó a ser la persona más odiada por sus súbditos… Es lógico y hasta aceptable que las familias reales prosperen a lo largo de generaciones, ¡pero es que Federica lo hizo en unos pocos años! Almacenó mucho, pero yo creo que ella en ningún momento pensó que estaba obrando mal. ¡Tenía derecho! ¡Enriqueciéndose ella se enriquecía el país, porque Grecia era ella!

Sí. Un triunfo en las olimpiadas sería el triunfo no de Grecia, sino de Federica.

En una de las regatas de preparación, en invierno todavía, Sofía se cayó al mar, lleno de placas de hielo, ¡con el peso del jersey y el anorak estuvo a punto de hundirse! Fue salvada cuando ya había tragado bastante agua.

Decidió no participar en la olimpiada, no por miedo, sino para no obstaculizar la victoria de su hermano. Había tanta presión para que ganase el oro que la princesa reconoció dolorosamente:

—¡Si perdía por mi culpa, nunca me lo hubiera perdonado!

Quedó relegada al papel de suplente.

La competición tuvo lugar en la bahía de Nápoles. Karamanlis, el primer ministro griego de aquellos años, despidió solemnemente al equipo diciéndoles:

—¡Debéis traer el oro olímpico, el diádoco no puede perder!

Toda la familia real griega se alojó en su barco, el *Polemitis*.

Supongo que siguiendo los consejos de doña Victoria Eugenia, los Barcelona, con Juanito, también fueron a presenciar la final. Su interés, más que deportivo, era de pura estrategia matrimonial, porque no se entiende que descartaran acudir a Roma, donde se celebraban las pruebas más importantes, para asistir a una regata con la que no tenían ninguna relación, ni patriótica ni familiar, tan lejos de su casa. Se alojaron entre el hotel Santa Lucia y el palacio de los Serra di Cassano en la via Monte di Dio de Nápoles.

Después de una reñida lucha con otro participante, un italiano, Tino ganó la medalla de oro, ¡la primera de Grecia de los juegos modernos! Sofía lo recuerda como uno de los momentos más hermosos de su vida:

—Cogí una manguera y los mojé a todos... Nuestro primo Karl de Hesse se tiró al mar con una botella gigante de champán y las copas...

¡Se rompieron platos y no se bailó el *sirtaki*, porque todavía no estaba inventado! Lágrimas, abrazos; en Grecia se paseaban fotos del diádoco por las calles en procesión. Federica organizó a bordo del *Polemitis* una fiesta de celebración donde hizo de orgullosa anfitriona con el magnífico aderezo de rubíes de Birmania color sangre de paloma compuesto por una tiara de hojas y flores y un collar que le llegaba casi hasta la cintura que había pertenecido a la gran duquesa Olga, la abuela de su marido. Como la corona recordaba a las hojas de laurel con que los romanos coronaban a sus deportistas, hubo quien con bastante irreverencia le dijo:

—¡Ave, Freddy Augusta!

Se lanzaron cohetes, se abrazaban los desconocidos, todos reían y lloraban a la vez. Irene y Mauricio de Hesse se cogían de las manos. Exultante, segura de sí misma, Sofía vio que Juanito la miraba sonriente. Espontáneamente, se dirigió hacia él y casi le echó los brazos al cuello. Pero de pronto retrocedió:

—Oh, llevas bigote, ¡estás horrible!

Grande debió de ser el asombro de Juanito cuando aquella princesa tan prudente que casi resultaba cursi, a la que tenía por seria y tímida, lo cogió del brazo con descaro, lo llevó arrastrando hasta el cuarto de baño, le hizo sentarse, le puso una toalla por encima de los hombros, como en las barberías, le levantó la nariz, ¡y lo afeitó!

Quizás Sofía se dio cuenta de que, si tenía que competir con las Olghinas de este mundo, no estaría mal sacar las viejas armas de mujer, el coqueteo y la picardía, aunque, como era una chica inteligente y había estudiado las características de su amado, se daba cuenta de que a Juanito, como buen español, lo que en el fondo le gustaba eran las mujeres puritanas.

Me imagino las miradas complacidas que Juan y Federica debieron intercambiar mientras sus dos hijos se encerraban en el cuarto de baño y a través de la puerta solo se oían risas y silencios. ¡El «acuerdo de Corfú» estaba dando sus resultados!

También le gustaba a Freddy que la historia de amor entre Irene y su primo Mauricio prosperase. ¡A ver si después de tanto preocuparse iba a casar a las dos hijas de una sola tacada!

Sofía y Juanito probablemente continuaron viéndose en esos días, aunque algunos autores (Preston y Gurriarán) cuentan que María Gabriela era la acompañante oficial de don Juanito en las jornadas olímpicas. Personalmente, pongo en duda este dato, ya que la república había prohibido que los Saboya pisaran territorio italiano.

Lo que sí me parece más verosímil es lo que dice la condesa Olghina de Robilant en sus memorias: ella sí estuvo en Nápoles, viéndose a escondidas con Juanito.

Lo que también es cierto es que, cuando Juanito regresó a Estoril, se pavoneaba delante de sus amigos enseñándoles una valiosa pitillera de oro adornada con algunas piedras ostentosas, de aire oriental, que, según contaba:

—Me la ha regalado la princesa griega.

Y también:

—¡Nos carteamos!

Este encuentro no para todos fue tan memorable. Doña María ni lo menciona en sus minuciosas memorias. Tampoco lo hace el rey en la biografía que le dictó a José Luis de Vilallonga, aunque el hecho de que no hable de este episodio que atañe a su mujer no tiene nada de excepcional. En las 250 páginas del libro apenas se nombra a la reina media docena de veces, siempre de forma tangencial, y tan solo en una página completa. Es ahí donde don Juan Carlos la define con cierta crueldad:

—¡Es una gran profesional!

Que el rey no aluda apenas a la reina creo que es un dato penoso y poco comentado, que en su momento debió de doler mucho a su mujer, ya que se produjo precisamente en un periodo de graves distracciones conyugales, como comentaremos en su momento. No hay ni un elogio a doña Sofía, aparte del mencionado «¡Es una gran profesional!», ni una anécdota familiar, ni una situación vivida juntos, ni se menciona el apoyo de la reina en el largo camino hacia el trono, una ayuda tan esencial que quizás don Juan Carlos no hubiera llegado a ser rey nunca sin ella, como trataremos de demostrar en estas páginas que tienen ustedes entre las manos.

Leyendo el libro de Vilallonga parece como si la relación de la reina con su marido fuera inexistente. ¿Es un olvido del rey? ¿Es una ocultación deliberada por parte de Vilallonga? Yo me inclino más por esta segunda opción, sabiendo cómo fue la génesis de estas memorias y quién apoyó su candidatura a biógrafo oficial de don Juan Carlos, lo que contaremos más adelante.

Resulta todavía más patético si se tiene en cuenta que las memorias de la reina dictadas a Pilar Urbano no son más que un canto de amor a su marido.

De todas formas, la olimpiada de 1960 pasará a la historia no por esa única medalla de Grecia en una categoría menor, sino porque en la maratón de Roma llegó el primero al Arco de Constantino un etíope que corría con los pies descalzos con la elegancia de un príncipe de la selva: Abebe Bikila, convertido en leyenda por ser el primer negro africano ganador de una medalla olímpica.

Las casas reales europeas prácticamente solo se encuentran en bodas o entierros. Siempre se ha dicho que el día D de Juan Carlos y Sofía tuvo lugar en la boda de Eduardo de Kent, primo de la reina de Inglaterra, ¡uno de los efímeros pretendientes de Sofía! La princesa sonreía con algo de melancolía al recordarlo con su albornoz de rayas y sus pies de pato a bordo del *Agamemnon*. Se casó con una chica plebeya, de origen campesino, pero muy guapa, Katherine Worsley, en York, el 8 de junio de 1961.

Más tarde la reina confesó:

—Por una vez, el protocolo hizo bien las cosas y me sentó junto a Juanito.

Sin embargo, también en este caso, la realidad dista bastante de lo que nos han contado. El rey Olav de Noruega había enviado a Harald a estudiar a Oxford, provocando su ruptura con Sonia Haraldsen. ¡Freddy volvía a tener esperanzas! Juanito estaba bien, pero era mejor Harald, por ser heredero de un trono que ya existía.

Y si alguien arguyera que Sofía estaba enamorada de Juanito, Federica le contestaría lo mismo que solía decir don Juan:

—Es una princesa real, y como tal acatará las decisiones de sus mayores.

Y yo estoy convencida de que Sofía lo habría hecho.

Federica maniobró y consiguió que colocaran juntos a Sofía y Harald en el banquete. Las revistas vuelven a especular y comentan que, al finalizar esta boda, se anunciará el compromiso entre la princesa griega y el príncipe noruego. Fue entonces cuando la persistente Sonia viajó con premura a Inglaterra, le amenazó, le suplicó, y el inestable príncipe noruego volvió a caer en sus brazos, prometiéndole que no se casaría nunca con otra que no fuera ella. Envalentonado, le dijo a su padre:

—Acudiré a la iglesia, pero después me iré con Sonia. No pienso casarme con Sofía.

Desalentado, Olav no tuvo más remedio que contárselo a Federica, que entonces sí que tiró la toalla. El campo estaba libre para Juanito.

En la catedral de Westminster se encontraron un príncipe que seguramente llegaría a ser rey, de veintitrés años, libre, ya maduro y dispuesto al matrimonio, y una princesa de gran categoría, inteligente, sin ataduras, disciplinada y con la sangre más pura de Europa. Se sentaron el uno al lado del otro. Sofía, humillada, no le dirigió ni una mirada a Harald, que, cariacontecido pero seguramente aliviado, se quedó a un lado. Tino estaba también junto a Sofía. Freddy debió de suplicar en silencio a la Panagia para que el asunto de Juanito se resolviera de una vez; cuanto más tiempo pasara, más se devaluarían las acciones matrimoniales de la inocente Sofía.

Si Harald no hubiera estado enamorado de Sonia, ¿Sofía se habría casado con él y no con el chico de los Barcelona? Era una princesa dócil y muy consciente de su deber. Su madre quería para ella el heredero de un trono antes que un príncipe con un futuro bastante precario.

Lo repito. Yo me inclino a pensar que, de no haber sido por Sonia, hoy Sofía sería la reina de los noruegos en lugar de la nuestra y su vida habría sido no sé si más dichosa, pero sí más apacible.

Pero el tiempo apremiaba a Juanito y Sofía; seguramente ambos eran muy conscientes de lo que se esperaba de ellos, ahora que ya no había obstáculos que salvar, y de que ninguno de los dos iba a tener mejores oportunidades. Yo imagino a Sofía palpitante y emocionada, sabiéndose en el inicio de la gran aventura de su vida. Y también, ¿por qué no?, con el deseo legítimo de salvaguardar su orgullo delante de Harald y además de la opinión pública que llevaba meses emparejándola con un príncipe que había preferido a otra. ¿Y Juanito? Desde la primera chica con la que salió, el príncipe había confesado que, «por mi posición no soy libre de enamorarme de quien quiera, tengo que obedecer el mandato de mis mayores y buscar la persona adecuada…». Unos lo llamarán resignación. Yo lo llamo sentido del deber.

Se lo contó sencillamente a sus amigos de la infancia, sin dramas:

—Papá ya me ha arreglado la boda con la princesa griega.

Y ellos estaban tan ajenos a aquellas componendas que le preguntaron:

—¿Con Irene?

—No, con Sofía.

Emanuela de Dampierre, la madre de aquel Alfonso de Borbón que disputaba a Juanito el trono de España y el afecto de Franco, lo cual venía a ser lo mismo, señaló con desprecio[9] que el encuentro entre Juanito y Sofi no fue casual, ni hubo amor ni nada que se le pareciese, sino que todo fue organizado por doña Victoria Eugenia y la reina Federica, de modo que, como casi todas las de su rango, la boda fue planificada:

—¡Como la mía! ¡Por interés!

Sofía contó después que no tenía ganas de ir a la boda del duque de Kent. ¡Naturalmente! ¡Cuando se enteró del desplante de Harald, seguro que hubiera preferido excavar con sus propias manos todos los yacimientos de Grecia! ¿Y a qué chica le apetece ver que alguien que le gusta, el duque de Kent, en este caso, se va a casar con otra? Además, era probable que creyese que Juanito, como en la boda de Karl Wurtenberg y Diana de Francia, acudiría con María Gabriela.

Mientras firmaba en el libro de huéspedes del hotel Claridge, Sofía vio un nombre que le llamó la atención, y le preguntó al conserje:

—¿Duque de Gerona? ¿Quién es?

Y entonces oyó una voz a su espalda que decía:

—Soy yo.

¡Era Juanito!

Permitan a esta biógrafa un inciso, más bien destinado a los beneméritos críticos que gustan de señalar con meticulosidad los errores en los libros de temas históricos, ¡actitud que yo aplaudo y agradezco profundamente! El título de duque de Gerona no existe, sí el de príncipe de Gerona (Girona por utilizar la grafía correcta), que corresponde a los herederos de la Corona española y que hoy ostenta don Felipe, príncipe de Asturias. Esta anécdota del Claridge demuestra que o bien quien la contó en primer lugar confundió la dignidad de duque con la de príncipe, o que don Juan Carlos se adjudicó un título que no existía.

Esta última posibilidad es menos descabellada de lo que parece. Balansó comentaba que con frecuencia le llamaban desde Zarzuela para consultarle los títulos que correspondían al rey de España y le pedían que trazara sus escudos de armas.

¡Aunque también pudiese ser que con los nervios, una Sofía esperanzada, no supiese ni lo que leía ni lo que le decían!

Esa semana en Londres fue intensa, ya olvidado totalmente el príncipe Harald. Fueron al cine, con Constantino como «carabina», a ver *Éxodo*. Volvieron al Claridge a cambiarse y juntos fueron al hotel Savoy, donde había un baile, y se sentaron el uno al lado del otro.

En el postre, el hotel decidió ofrecer un *striptease* a los clientes, todos adultos y sofisticados europeos, amantes de este tipo de placeres.

Cuando apareció la señorita profesional en el pequeño escenario, agarrada por las piernas a una barra y con las manos ya en la espalda tratando de soltar el sujetador de brillantes que hacía juego con el pantaloncito, Sofía se llevó la palma de la mano a la boca abierta sofocando un grito. Con gran revuelo de faldas y servilletas, indignada, se levantó y les dijo a sus acompañantes que ella se iba al hotel.

Se puso el abrigo, salió y en la puerta se dio cuenta de que Juanito la seguía. Le confesó:

—Me ha gustado que hicieras eso, Sofi.

Sabemos que a Juanito, como a la mayoría de los hombres de aquella época, le gustaban (para casarse) las chicas sin experiencia, las que «no se dejan», las recatadas y hasta intransigentes... Nosotros lo sabemos. ¿Es descabellado pensar que Sofía lo sabía también y que actuó en consecuencia? ¡No importa! ¡En el amor, como en la guerra, todo está permitido!

Quedaban por las tardes para recorrer Londres. Juanito la llamaba continuamente a su habitación. ¿Lo hacía espontáneamente? Recordemos que estaba con su padre. ¿Expresaba el conde de Barcelona su complacencia por este comportamiento, lo empujaba incluso? ¡Claro que sí! En lo que coincidimos casi todos los que escribimos sobre estos temas es que la reina sí se enamoró hasta el fondo, porque años después cuenta todavía emocionada que una de las salidas de la pareja fue al Dorchester. Se quedaron en la mesa sin bailar, charlando en profundidad de muchas cosas: de sus vidas, de filosofía, de religión...

Emprendamos el vuelo con los brazos al frente por un momento, de la misma forma en que quería volar Sofía para entrar en las casas de los demás. Elevémonos por encima de los dos con esa potestad que nos da la imaginación y la literatura. Alto, ahí están. Sofía va con un traje largo, su habitual collarcito de una vuelta de perlas, su peinado acartonado, anhelante, en el umbral de su nueva vida. Juanito está inclinado hacia ella, todo fuego. Sus manos, en algún momento, se encuentran, una coge a la otra. Se enredan los dedos. Las palmas secas y anchas de las manos son el territorio más dulce, la patria soñada.

Son dos niños perdidos, juguetes de sus familias, con padres o tutores formidables y tiránicos para los que solo son simples peones en una suerte de juego de ajedrez. Con un futuro incierto y tal vez peligroso. Supervivientes de una infancia sin raíces, de intrigas, exilios, necesidades, miedos. Hubo cálculo, estoy segura. Hubo estrategia, está comprobado. Pero en ese instante único eran tan solo dos pequeños vagabundos que, encontrándose, habían llegado por fin a casa.

Yo imagino que el que se vaciaba era Juanito. Tenía tanto que contar. ¡Y esa princesita callada, que lo miraba con admiración y que se bebía sus confidencias, era tan buen público! Ahí empezó Sofía a darse cuenta de que Juanito ya no era un chico, sino un hombre más profundo de lo que aparentaba. Ella lo había tomado por frívolo, juerguista y superficial… Le hablaría de su niñez en el colegio de Friburgo, donde incluso algunos de los alumnos, supervivientes de la guerrilla, iban armados, del desgarro que sentía cada vez que debía separarse de sus hermanos, ¡si hasta se ponía enfermo para no tener que alejarse de ellos! Tifus, varicela, paperas, trepanación de oídos, ¡por todo había pasado para que no lo internaran de nuevo! De su vida en España, al capricho de lo que decidieran Franco o su padre sobre su futuro.

De cómo su primo hermano Alfonso de Borbón Dampierre se consideraba con más derechos que él al trono, ya que era hijo del hermano mayor de don Juan:

—¡Y no es verdad, porque su padre renunció a la corona porque era un incapaz! ¡Renunció por él y por sus descendientes!

De cómo le gritaban por la calle:

—Borbón, bobón. ¡No queremos príncipes idiotas!

De cómo los falangistas amenazaban con ponerle una bomba o envenenarle.

De cómo los carlistas, más moderados, intentaban tan solo cortarle el pelo:

—Hay uno... José Barrionuevo, ¡es tremendo! ¡Eso que su padre es vizconde y visita Estoril!

José Barrionuevo fue después ministro socialista con Felipe González.

De que tenía una amiga, sí, que le pasaba los apuntes, Angelita Álvarez.

Pero, sobre todo, le contaría lo solo que estaba.

Sofía atendía con la cabeza inclinada, ¡otro día le hablaría de sus cosas! Su instinto de mujer le hizo darse cuenta de que quizás alguna vez conseguiría la llave de ese corazón profundo, no contaminado ni por la frivolidad ni por la ambición, y que entonces Juanito sería suyo para siempre.

Algún día.

Ya muy tarde, con la garganta reseca de tanto hablar y el corazón más ligero, Juanito se levantó y tiró de ella. Sin palabras salieron al centro de la pista, como si estuvieran solos. Bajo la luz tamizada por el humo de los cigarrillos bailaron con las mejillas juntas, el aliento de uno sobre la piel del otro.

Como decía Olghina, el príncipe sabía cómo enamorar a las mujeres.

A la hora de explicar lo que sentía en aquellos momentos, el rey, ante Pilar Urbano,[10] se muestra muy cauto:

—Hummm... me enamoré del conjunto. A ella le gustaba yo, y eso, como hombre, me halagaba. Ella también me gustaba.

—¿Se enamoró apasionadamente o se dejó llevar por la conveniencia?

—¡Hombreeeee... mujer! ¿Apasionadamente? Yo no soy un hombre que se enamore apasionadamente, perdidamente... Aparte de que entre ella y yo hablábamos en inglés, y a mí el inglés... no es que me inspire...

¿Cómo se sentiría la reina al leer estas declaraciones tan despegadas de su marido?

Se terminaron los días de Londres. En el momento de la separación, con las maletas en el vestíbulo del hotel, Juanito, que con su experiencia de las mujeres ya se habría dado cuenta de que Sofía estaba loca por él, le dijo con una frialdad que evidenciaba bastante cálculo:

—Oye, Sofi, ¿por qué no salimos un poco más nosotros solos y así vamos conociéndonos y veremos lo que pasa...?

¿Conocerle más?, se debió decir Sofía, ¿ver lo que pasa? ¡Si ella ya había decidido entregar su vida a aquel hombre con la seriedad y el compromiso que ponía en todas sus cosas! ¡Si ella se casaría con él en ese mismo instante!

Pero llevar la relación en secreto fue imposible. El indiscreto Tino le contó inmediatamente a su madre que todo el asunto entre Juanito y Sofía estaba bastante avanzado, lo que debió aterrorizar a la princesa, que conocía y temía el carácter de Freddy y también se iba dando cuenta de que a Juanito le gustaba llevar la iniciativa. En sus *Memorias*, tan insinceras como suelen serlo todas las autobiografías, Federica cuenta que a Pablo y a ella les encantó y les horrorizó la idea del noviazgo. Les encantó por razones bastante absurdas en una mujer que se las daba de profunda: porque «Juanito era muy guapo y muy apuesto». Porque tenía el pelo rizado, cosa que le molestaba a él, pero no a las señoras mayores como ella. ¡Quizás recordaba aquellas sensuales rumbas bailadas a bordo del *Agamemnon*! También porque tenía los ojos «negros», observación algo incongruente, ya que los ojos de Juan Carlos son verdosos, las pestañas largas, era alto y atlético «y cambia de vez en cuando y como quiere su encanto personal», lo cual, aunque no se entiende muy bien, suena a crítica. Luego añade eso de que era inteligente, de ideas modernas, amable y simpático. Pero dice que les horrorizó por su condición de católico.

Juanito le comentó a Vilallonga la reacción de su futura suegra con más llaneza y seguramente con más exactitud. Después de que Tino se «chivase», una entusiasmada reina de Grecia exclamó:

—¡Este no se me escapa!

Lo primero que hizo aquella mujer que según sus *Memorias* «estaba horrorizada» por la noticia, fue organizar las vacaciones de Juanito, sus padres y sus hermanas en Corfú, un lugar mágico para enamorarse, supongo que rezando a la Panagia para tener más éxito que con Harald y su padre en el mismo marco.

Incluso les envió un avión para transportar a la familia al completo.

Juan se frotaba las manos y a María todo le parecía bien. ¡Si en sus recuerdos dictados a Javier González de Vega[11] ya dice que a ella Sofía le gustaba mucho porque era muy sencilla, muy culta y amaba la arqueología! Aunque lo cierto es que a los ojos escépticos de esta biógrafa, que ya lleva a sus espaldas media docena de libros escritos sobre nuestra familia real, esta afinidad entre doña María y Sofía basada en la arqueología le resulta bastante inverosímil.

Según todos los testimonios que he recogido, Sofía y María tuvieron una relación estrictamente protocolaria, sin ninguna confianza.

Pero la estancia en Corfú, que tenía que ser paradisíaca, estuvo tan llena de peleas y dificultades que fue un milagro que el noviazgo saliese adelante. Juan, María y las infantas Margot y Pilar decidieron irse a los pocos días. No se encontraban a gusto en aquel ambiente preñado de tormenta. Juan temía que, llevado de su temperamento tan fácilmente inflamable, entrase en conflicto con Federica, menoscabando las posibilidades de Juanito y fastidiando el compromiso. Pusieron una excusa para su marcha prematura.

Y es que cuando Federica les daba los buenos días, por ejemplo, no les ahorraba el comentario:

—Es bonito ver como sale el sol en el país en el que una es reina.

Si Pilar alababa un objeto cualquiera, Freddy contestaba fríamente:

—Nos acompaña en todos nuestros palacios…

Y si no, se explayaba acerca de los tesoros que contenía el joyero de las reinas griegas, casi todos provenientes de la corte del zar en Rusia:

—Las joyas han pasado de padres a hijos en veinte generaciones.

Y los condes de Barcelona, judíos errantes en un mundo que es grande pero pequeño para ellos porque no incluye España, que nunca habían sido reyes y probablemente nunca lo serían, que no poseían riquezas y cuya casa era un chalé y no un palacio, ¡en un país ajeno, que no era el suyo!, debían contenerse. Juan se ponía rojo como las amapolas que crecen en los campos de Corfú, parecía que fuera a darle un síncope cuando oía los alteza por aquí, los alteza por allá del servicio de la casa, ¡él era majestad aquí y en Pompeya!

Se metía en la habitación, se mordía los puños y mascullaba:

—Joder, joder, joder...

Cuando el barco se alejaba del pequeño puerto, María se despidió desde la popa agitando un inmenso pañuelo de lunares y repitiendo con la voz más falsa que ha podido oírse en el Mediterráneo desde que Circe la hechicera intentara atraer a Ulises con sus mentiras:

—¡Lo hemos pasado muy bien! ¡Freddy, eres una gran anfitriona! ¡Volveremos todos los veranos!

Pilar y Margot escondían las cabezas bajo las almohadas para que no se oyeran sus risas histéricas. Juan iba rugiendo y haciendo cortes de manga al firmamento:

—¿Volver? ¡Tu padre!

Juanito y Sofi se peleaban por los temas más nimios; si salían en el barco, se peleaban porque uno no llevaba bien el timón, o porque el otro no sabía dónde estaba el foque. Si iban a cenar al merendero de Akihilon, se peleaban porque uno quería salmonetes y el otro cordero, reñían si uno quería vino blanco y el otro tinto.

¡Si se quedaban en Mon Repos, tenían que aguantar a Federica!

Porque Federica, con los años, se había convertido en una déspota arrogante cuyo comportamiento tiránico no tenía nada que envidiar al de su abuelo, el temible káiser.[12] Su marido prefería retirarse a esas regiones místicas donde uno está solo con Dios, sus hijos la temían y nadie a su alrededor se atrevía a llevarle la contraria. Los que se oponían a sus deseos eran borrados del mapa de sus afectos: había roto con su madre, Victoria Luisa de Prusia, que, a sus setenta años, mientras se deslizaba sobre sus rústicas tablas bajando por la Jungfrau, no comprendía a aquella hija exigente que solo la llamaba para pedirle su parte de la herencia, las propiedades, las joyas de familia, el dinero de los bancos de Londres. La hija del káiser solía lamentarse:

—Tengo seis hijos varones y a Freddy, ¡pues Freddy es el más macho de todos!

Con sus hermanos también estaba enfadada por los repartos testamentarios de su padre. La tía María Bonaparte, su apoyo durante los largos años de exilio, ya no podía soportarla, y achacaba su febril actividad a su bajo funcionamiento sexual:

—Tu marido es mayor y tienes energía sobrante. ¡Me ha dicho Pedro que él con mucho gusto puede suplirlo! ¡Por hacerte un favor!

Federica daba un bufido, decidida a no escuchar aquellas insensateces que tan atrayentes le habían parecido cuando era más joven. La tía María, además, era víctima de una depresión desde que se había muerto el tío Jacob, aquel hombre del que nunca había estado enamorada y que jamás la había satisfecho, pero que era simpático, buen padre, buen compañero y honrado.

¡Federica ya no podía contar ni con la tía María! Y tampoco con su hija Eugenia, que bastante trabajo tenía apaciguando el temperamento exaltado de su Raymondo. Sus cuñadas Irene y Helena vivían en Italia; Catalina, su dulce compañera de la Cruz Roja, de Sudáfrica y Egipto, que se disfrazaba de rey mago para sorprender a sus hijos, vivía en Londres. Como todos los tiranos, Federica se quejaba porque estaba sola, ¡no tenía a nadie! ¡Hasta había perdido la cruz que le había regalado el muchacho herido en el hospital, en los primeros días de la guerra, «*in touta Niké*» [Dios está contigo]! Y se decía con amargura que las reinas debían estar solas; se lo repetía a Sofía:

—¡Solas, hija mía! ¡Las almas grandes se forjan en soledad!

¡Rodeada de mediocres! ¡Cómo podía gobernarse así un país!

El único que hubiera podido frenarla era su marido, pero Pablo estaba cansado de vivir, ansiaba que su alma se uniera a las de los muertos que viajaban al Hades y prefería prepararse para otro mundo mejor que este. Federica solo se conmovía con él. Su carácter había cambiado, sus afectos también, pero su inconmensurable amor por Palo permanecía intacto a través de los años. Cuando visitaron el Taj Mahal en la India, Freddy apoyó la cabeza en su hombro y le preguntó:

—Palo, ¿serías capaz de levantarme un monumento como este cuando yo me muera?

Y el buen rey, envejecido y enfermo, aún tuvo ánimos de sonreír:

—Desde luego que no, prinzessin. Por hermoso que sea, preferiría que descansáramos bajo el cielo abierto de Tatoi y que los ciervos pasearan por encima de nosotros y brotaran florecillas silvestres en primavera…

Descansar, sí. Federica solo se sentía en paz cuando paseaba con él y con sus perros por el lugar escogido para sus sepulturas.

Entonces volvían a sus labios las viejas palabras de cariño:

—*Agapi mou.*

Y él le repasaba los labios con el dedo:

—*Omorfi.*

El resto del tiempo era un volcán en ebullición, una oleada de lava que amenazaba con arrasarlo todo. Una mujer constantemente en pie de guerra, agotadora e impetuosa. Pisar a los demás se había convertido en su segunda naturaleza.

Y Juanito no lo iba a consentir. ¡Hombre, él aguantaba a su padre porque era su padre, a Franco porque no tenía más remedio, pero a su futura suegra ni hablar!

Se enfrentaron un día en el salón bajo de Mon Repos y sus gritos se oyeron en toda la casa e incluso en el jardín. Sofía los escuchaba llena de angustia desde su habitación retorciéndose las manos. Una Federica más altanera que nunca acababa de conseguir de Karamanlis y el Congreso griego una dote de nueve millones de dracmas para su hija. Además se habían comprometido a celebrar la ceremonia con todo el boato posible.

Algún político comentó:[13]

—La basilisa Sofía es la única de la familia que vale la pena, es la más inteligente y la más equilibrada.

Hubo amenazas, súplicas, chantaje, Federica utilizó todos los recursos histriónicos aprendidos en sus veinte años de vida pública, recordó su labor en los hospitales, la dureza de su exilio, ¡las ratas!, ¡el terremoto de las islas Jónicas!, ¡los niños de Macedonia! Y al final lo había conseguido.

Sí, la misma cantidad que le habían negado para que Sofía se casara con Harald de Noruega. Federica estaba borracha de soberbia. No sabía que aquella cifra monstruosa era una cuenta más en el memorial de agravios que la iban empujando hacia su catastrófico final, ¡los griegos no se lo iban a perdonar nunca!

Quería anunciar el compromiso inmediatamente, en Corfú, a pesar de que los padres del novio ya se habían ido. Porque quería que Juanito y Sofi se casaran en octubre, dos meses después. Temía que el Parlamento diera marcha atrás en la dotación económica, y además sabía que una boda en el seno de una familia real era un sistema infalible para ganarse el amor de su pueblo, ¡ese ingrato que reclamaba a gritos la república!

Se lo comunicó al «chico de los Barcelona» con tono conminatorio que no admitía réplica. Pero Juanito contestó con tranquilidad y una chulería típicamente española:

—Me casaré cuando a mí me salga de las narices.

La reina se puso como la grana, ¡la cólera de Aquiles enfrentándose a Agamenón en la *Ilíada* no era nada a su lado! Sus rizos cobraron vida propia, sus cejas se unieron en medio de los ojos, se le hincharon los belfos, y apuntó con un dedo tembloroso a aquel muchacho que osaba responderle:

—Tú… tú… tú no eres nada, un desgraciado, nadie te quiere… no se sabe lo que serás… Nada, ¡una mierda!, menos que nada… Solo serás rey si Franco quiere…

Y Juanito cogió aquel dedo índice amenazante, y con una media sonrisa y una suavidad que había aprendido en su trato diario con uno de los hombres más fríos del mundo, que firmaba sentencias de muerte mientras lo afeitaban, le dijo:

—Eh, eh, eh, de eso nada… Tú, Freddy, serás todo lo reina que quieras, pero es bastante probable que yo también lo sea… pero no por Franco, sino por mis diecisiete antepasados que también fueron reyes… Si estamos hablando de sangres, tan pura es la mía como la tuya…

Cogió entonces la mano entera de Federica y se acercó a ella, que se quedó tan desconcertada al ver que le plantaban cara que enmudeció. Juanito se inclinó y pudo verse reflejado en las pupilas atigradas de su suegra, y hundiendo en su corazón el dedo índice de la otra mano, con voz aterciopelada le dijo:

—Como tú. Soy nieto de reyes.

La tensión llegó a ser insoportable, pero tras esto el chico de los Barcelona rompió a reír, cogió a la reina de Grecia por los hombros y, aproximándola a su pecho, frotó la nariz contra su pelo mientras le decía:

—Freddy, Freddy.

Y ya Federica ronroneaba oliendo esa mezcla a tabaco y hombre limpio que desprendía la piel de su yerno, sucumbiendo a su embrujo como tantas antes, como tantas después.

Cuando era pequeña, Freddy tenía un perro al que decía:

—¡Morir por el rey!

Y el perro se tumbaba inmóvil y se hacía el muerto. Si se lo pidiera Juanito, ella también se tumbaría sobre el suelo de piedra de Tatoi, pero el príncipe ya llamaba a gritos a su novia:

—Sofi, Sofi, vámonos al merendero, ¡tu madre también viene!

Pero para Sofía eran victorias tristes. ¡Qué injustamente había repartido Dios por el mundo esos polvos misteriosos llamados encanto que tan solo se posaban sobre algunas afortunadas cabezas sin mérito alguno!

Es cierto que Juanito estuvo a punto de romper el compromiso, pero lo disuadieron una llamada de su abuela y los ojos de Sofía. Cuando se fue de Corfú, envuelto en la luz lechosa de la mañana que reverberada en una neblina tenue, le tuvo que dar su palabra de caballero de que no huía, que volvería a lomos de un caballo blanco como el príncipe fascinante que era, que nada había cambiado.

Antes se tenía que despedir de sus «novias»: María Gabriela hacía tiempo que había comprendido que no se casaría nunca con Juanito, aun así, le dolía perderlo, ya que seguía enamorada de él. Con el tiempo reanudarían la amistad, ya en plan camaradería y, según me cuentan, una de las grandes depositarias de los secretos más íntimos de nuestro rey es precisamente ella, por encima incluso de sus hermanas. María Gabriela suele contar a sus amigos que nunca ha podido olvidar a su primer amor.

La otra «novia» era más difícil de despachar. Era tanto el atractivo sexual de Olghina, que Juanito temía volver a caer en sus redes. Fue a buscarla de madrugada al Club 84 de Roma y se hizo acompañar de Clemente Lecquio, el marido de su prima Sandra. Ya había nacido Paola, pero Olghina no le había dicho nada a su amante, porque llevaba casi un año sin verlo. Clemente se esfumó y la pareja, arrebatada de pasión, cogió un taxi y fue a la pensión Pasiello, un lugar «horrible, pero la imaginación puede convertir una habitación en un jardín de la Alhambra, y fue eso lo que hice».

A la mañana siguiente Juanito le contó que se había prometido con la princesa Sofía de Grecia y le enseñó el anillo que le había comprado:

—¡Con mi dinero!

Eran dos rubíes en forma de corazón con una barrita de brillantes por en medio.

La afirmación de Juanito no dejaba de ser una exageración, ya que los rubíes pertenecían a una botonadura de su padre.

Entonces Olghina le contó lo de Paola, y don Juan Carlos la escuchó con distanciamiento borbónico, se mostró «esquivo y asustado... le entró miedo de que le atribuyera esta paternidad».[14]

Olghina tuvo que pagar la habitación y el taxi, aunque luego el galante Juanito le devolvió el dinero por correo.

La petición de mano tiene lugar por fin, y como querían los novios, en Lausana, donde se reúnen las dos familias en la Vielle Fontaine, el 13 de septiembre de 1961. Ha sido el duque de Alba, el jefe de la casa de la reina Victoria Eugenia, el que ha viajado a Atenas a entrevistarse con Federica, que le dice algo así como:

—Tengo ganas de abofetearle, pero, por mi hija, le estrecharé la mano.

La reina Victoria Eugenia, a la que sus nietos llaman Gangan, está encantada con su nueva nieta. Comenta:

—Está preparada para su *metier* de reina, aparte de que es hija de reyes.

Y también:

—Esta muchachita tímida es en realidad un gran personaje. Ya veréis como más tarde desempeñará un papel muy importante.

La irreductible reina Federica se agarra del brazo del fornido Juan y ya no se suelta en toda la tarde. Pocas personas saben que, antes de salir al jardín, ya había tenido un enfrentamiento con la abuela de Juanito a propósito de cómo debían posar en las fotos. Doña Victoria Eugenia se había limitado a cortar su monólogo chillón con su inglés impecable de clase alta:

—*Dear... you tend to forget that I am a queen too...*

Tino y el rey Pablo van con uniforme militar, cosa bastante desacertada, ya que se trata de una reunión privada y familiar; a doña María solo se la ve en segundo plano, mientras el centro de la imagen queda para la reina Victoria Eugenia, muy ajada ya aquella belleza estatuaria que había conmovido Europa. En las fotos vemos una anciana despeinada con un perfil de bruja de cuento y una mirada demasiado perspicaz para resultar bondadosa. Juanito sale en casi todas las fotos mirando a su padre, como buscando su aprobación, y ambos, él y Sofía, sonríen. Juanito ampliamente, la princesa, con cierta contención. Los periodistas presentes en el acto definen el estilo de Sofía: «Lucía un sencillo vestido de vuelo, estampado en azul, zapatos blancos y cinturón blanco también... No llevaba reloj. Es esbelta. Debe medir un metro setenta. Rubia, pero no demasiado... Es una chica moderna a la que nadie regatearía un piropo». José María Pemán, consejero de don Juan, improvisa una copla, para mí algo ininteligible:

*Mi pueblo se ha vuelto loco,*
*todito lo que tenía*
*le pareció que era poco*
*y ha venido por Sofía.*

En Atenas se disparan ciento un cañonazos desde la colina del Lycaon.

El último en enterarse del compromiso es Franco. Don Juan, preterido hasta entonces en todos los aspectos de la vida de su hijo, quiere ser el principal aval en su boda, quizás el momento más importante de su existencia. Ha sido él personalmente, ayudado por la reina Victoria Eugenia, el que ha llevado todas las conversaciones definitivas con la reina de Grecia: el día de la ceremonia, la doble celebración ortodoxa y católica, la conversión al catolicismo de Sofía. El mismo día en que el compromiso sale en la prensa, don Juan telefonea a Franco, que está a bordo del *Azor*. Hay tormenta, la comunicación es deficiente, don Juan da grandes voces:

—¡Que el príncipe se casa! ¡Con la princesa Sofía de Grecia!

Lo repite varias veces. Nadie contesta al otro lado del auricular, solo se oye el bravío oleaje. Al final, cuando Juan ya ha apurado varios whiskys, se oye la voz atiplada del Caudillo recitando:

—Es motivo de gran alegría este compromiso de…

A su enemigo, «el borrachín de Estoril»,[15] según lo llaman en El Pardo, se le escapa la risa. Comprende que Franco se ha retirado para escribir una declaración oficial. Y masculla entre dientes:

—¡Ese enano despreciable!

## *Capítulo 6*

El aparatoso y pesado velo de novia de encaje de Bruselas que llevaba Sofía era el mismo que lució Federica el día en que se casó con Palo. Sí, el que le hacía parecer una colegiala disfrazada de novia, según palabras del agudo Peyrefitte. No es el caso de Sofía, que debido a su peinado rígido y al rictus circunspecto de sus labios escuetos, parece mayor de sus veintitrés años.

La esteticista Elizabeth Arden había ido desde Nueva York para vestir y maquillar a la novia, Federica sabía que la reina Isabel de Inglaterra la había contratado el día de su coronación y quería que Sofía estuviera tan deslumbrante como la prima Lilibeth, como la llamaba Juanito. Elizabeth Arden tenía ya setenta y cinco años, pero estaba de pie desde las cinco de la mañana, cuando había preparado sus mascarillas caseras a base de pepino y caviar para que el cutis de Irene, Federica y sobre todo Sofía se mantuvieran mate y sin brillos durante doce horas. A pesar de que las tres habían brindado con pastillas tranquilizantes la noche anterior, Sofía no había podido pegar ojo. Ella e Irene era la primera vez que las tomaban, pero, al parecer, Federica, desde su depresión, necesitaba la ayuda de un somnífero para dormir.

El traje de Sofía lo había hecho Jean Dessès, ¡habían pasado quince años desde que diseñara aquel primer ajuar de una princesa errabunda que quería conquistar a su pueblo! ¡Sí, el mismo ajuar que se había caído al mar en sus baúles de Vuitton! Era de lamé blanco bordado con puntilla de bolillos hecha con hilo de plata, una filigrana que había requerido muchas horas de trabajo minucioso y que solo se apreciaba de cerca, si no parecía una túnica casi monacal. Federica había cuidado hasta el último detalle; los zapatos eran de Roger Vivier y tenían justamente siete centímetros y medio para que la estatura de la novia concordase con la del novio, y la cola del vestido medía siete metros. Pero el velo caía alrededor del rostro sin mucha gracia, porque, como decía Elizabeth Arden:

—La tiara es muy pequeña, y hay que despejarla para que se vea bien.

La corona era la «helena», que le había regalado a Freddy su madre, la altiva Victoria Luisa. Freddy no la había invitado, y tampoco a tres de sus hermanos; únicamente fue Christian, el apuesto *playboy* de la familia. La causa principal del conflicto era la propiedad del castillo de Marienburg que Federica también reclamaba. Pero, según argüían sus hermanos, la finca debía ir vinculada al apellido Hannover y ella era ya reina de Grecia y tenía a su disposición multitud de palacios. Además, ¿no renegaba siempre de su pasado alemán? ¿No quería ser más griega que nadie?

En vano había esperado la hija del káiser que le llegara la invitación para la boda de su nieta. Palo le había dicho a su mujer:

—¿Pero no vas a invitar a tu madre?

La arrogante Federica no se había dignado contestar y, una vez más, Palo se encogió de hombros, le dio una larga chupada a la boquilla en la que ensartaba sus cigarrillos y cerró los ojos sin intentar convencer a su mujer, ¡una humilde barquichuela no puede luchar contra los elementos desatados! ¡Reinar sobre un país balcánico ya le llevaba bastante trabajo!

Al lado de la carroza nupcial, Constantino, vestido como un domador de circo, según le expresó uno de los invitados a esta biógrafa, caracoleaba innecesariamente con su caballo blanco para impresionar a una de las princesitas del cortejo, Ana María, la hija pequeña de los reyes de Dinamarca, de tan solo dieciséis años.

La reina Federica iba detrás, centelleante con un traje de lamé dorado con un abrigo beige largo ribeteado de martas cibelinas y con las esmeraldas de los Romanov bamboleándose en su cuello y su pecho. El año anterior, Federica había acudido con este collar a una sesión de Naciones Unidas. A su lado estaba el delegado soviético, Vichinsky, quien se inclinó sobre su escote y se interesó por la aparatosa joya. Federica, rompiendo el silencio sepulcral, le informó con frialdad:

—Eran de los Romanov, ¡esos a los que ustedes asesinaron!

No se podría decir si era una grosería o un acto de valor, ¡con Federica nunca se estaba muy seguro de dónde se hallaba la frontera entre una actitud y otra!

Pablo, con la pechera llena de condecoraciones y medallas, se movía tan rígidamente que parecía un muñeco de madera. Sus gafas oscuras, que debía llevar constantemente debido a sus cataratas, no permitían saber cuáles eran sus sentimientos. La presencia de la pareja real ya no despertaba ninguna admiración entre su pueblo. A pesar de eso, Freddy sonreía y saludaba al vacío, y así, saludando y sonriendo, aparece en las fotografías. ¡Federica llevaba tanto tiempo en la vida pública que ya conocía todos los trucos! Según me dijo mi informador:

—Cuando pasaba la reina Federica, era impresionante, el silencio casi se masticaba, ¡te daba angustia verla hacer aquellos gestos exagerados dirigidos nadie sabía a quién!

Había ciudadanos griegos a lo largo de todo el recorrido nupcial que agitaban civilizadamente banderitas en unas calles limpias y un entorno agradable. Pero lo que pocos conocían eran los duros combates que habían enfrentado a los manifestantes en contra de esta boda y a la policía, que se comportaba con extremada dureza; había heridos y muchos detenidos. Unos protestaban por el alto coste de los festejos, otros porque Sofía iba a renegar de su religión para hacerse católica. La oposición, a cuya cabeza estaba el socialista Papandreu, que había roto en público desdeñosamente la invitación a la boda, aprovechaba el río revuelto para manifestarse, ellos también, reclamando la república.

El primer ministro, Karamanlis, asimismo estaba enfrentado con la familia real. ¡Federica había estirado demasiado la cuerda, y aquellos nueve millones de dracmas entregados como dote a Sofía los tenía atragantados! Karamanlis estaba arrepentido de haber cedido a los ruegos de la reina, y su actitud durante todas las ceremonias fue de gélida displicencia.

Jaime Peñafiel, que asistió a aquel enlace como enviado de la agencia Europa Press, me explica:

—Entonces se nos contó que Federica había conseguido ocultar estos problemas a los ojos de los novios para que no sufrieran.

Yo no me lo creo. Tanto Juanito, acostumbrado a las manifestaciones en su contra, como Sofía, que conocía perfectamente a sus compatriotas, estaban al tanto de las revueltas, pero no tenían ninguna intención de volverse atrás en la decisión que habían tomado. Los dos por sentido del deber. Uno de los dos, además, por amor.

Peñafiel también me cuenta las dificultades que tuvo para «cubrir» aquella boda:

—Como yo trabajaba en una agencia, debía ir a toda prisa a Madrid, donde me esperaban para publicar el material al día siguiente. Entonces no había vuelo directo Atenas-Madrid, así que tuve que coger uno de Olympic Airways, la compañía de Onassis, hasta Roma, y allí otro de Iberia hasta Madrid. Como tenía miedo de perder la conexión, llamé desde Atenas a Iberia diciendo que «una alta personalidad española» que había asistido a la boda debía coger ese avión sin falta y, que si era menester, debían esperarlo. Cuál fue mi sorpresa al ver que, cuando llegué al avión de Iberia en el aeropuerto de Fiumicino con una hora de retraso, estaba esperándome Fraga Iribarne al pie de la escalerilla, y con aquella forma brusca que tenía de hablar, me espetó: «¿Así que usted es la alta personalidad española? ¡Mañana quiero verlo en mi despacho!».

Las autoridades griegas arreglaron someramente las calles por donde pasaba el cortejo para que quedaran bonitas en las fotos y para no ofender la vista de los regios asistentes, pero los invitados más sensibles no se dejaron engañar por esta treta y, si caminaban un poco, tenían ocasión de asombrarse con el contraste entre la pompa de todas las familias reales, incluida la griega, y la pobreza que reinaba en Atenas. Los delincuentes habituales habían sido ingresados en prisión —aun así, volaron muchas carteras—, y los lisiados, pordioseros, mendigos y gitanos fueron mantenidos a raya por la implacable policía griega, que formó un cordón alrededor de los invitados y sus valiosas joyas: la corona de zafiros de María Antonieta que llevaba la condesa de París; la corona de esmeraldas que había pertenecido a la reina Amelia que lucía la princesa Ana de Francia; la tiara con el famoso diamante de la corona, una de las gemas más bellas del mundo, que lucía la reina Juliana de Holanda; la tiara de la emperatriz Eugenia que adornaba el complicado peinado de *madame* Niarchos, Eugenia, la desgraciada esposa del multimillonario armador griego; los rubíes de la exmujer de Onassis, Tina, casada entonces con el marqués de Blandford, que hacían juego con su vestido de Guy Laroche de color carmín, y las perlas de la duquesa de Marlborough y de doña María, que contrastaban con su traje azul noche. ¡Muy inapropiado!, según la crítica Victoria Eugenia, quien, en carta a su prima Bee, que no había podido acudir a la boda no se sabe muy bien por qué, aunque sí lo había hecho su marido, el tío Ali, le escribió:[1]

—El traje de mi nuera, María, era azul fuerte y hacía que pareciese... Está enormemente gruesa de nuevo y casi siempre en las viñas del Señor, ¡temo que la mayoría se dé cuenta! ¡Siempre es la que va peor vestida!

Hay que entender la maledicencia de la que hace gala quien fue reina de España, ya que, según contaba el consejero de don Juan, Pedro Sainz Rodríguez:

—En el exilio se aburre uno mucho.

Pero, en la boda de su hija, Federica no pudo quejarse, ¡por tiaras que no quede! ¡Incluso la mujer del enviado de Franco, que era inglesa, se había plantificado una corona de brillantes que nadie sabe de dónde había sacado en todo lo alto del moño!

Aunque la invitada que acaparó todas las miradas fue la exactriz Grace Kelly, que se había casado hacía cinco años con el príncipe Rainiero de Mónaco y era la mujer más popular del planeta. Federica estuvo a punto de no enviarle a ella tampoco invitación; por muchas declaraciones democráticas que hiciera cuando iba a Estados Unidos, para ella una actriz de cine era poco más que una prostituta. Solo accedió a invitarla a instancias precisamente de la reina Victoria Eugenia, la abuela de Juanito, que se había erigido en protectora de Grace. A cambio, la exreina de España pasaba largas temporadas invitada «a tó meter», como decía castizamente, por los príncipes de Mónaco en el confortable clima invernal de la Costa Azul.

Federica en todo momento trató con altanería a la apabullante princesa-actriz. A pesar de eso y de la actitud recatada de Grace, que en las fotos aparece mirando el suelo, era la mujer más guapa de la boda, con diferencia. Aún ahora, a una distancia de cincuenta años, las aristócratas europeas, con sus joyas pasadas de moda colgando de sus cuellos ajados, enseñando brazos flácidos y perfiles ridículos, semejan patos al lado de la que fue apodada «El Cisne». Según cuentan los cronistas de sociedad, «la princesa está bellísima, de una elegancia suprema, de una solemnidad regia. Vestía un maravilloso traje azul *pervenche* con sombrero del mismo tejido y color. Cuando desde el umbral de la puerta del enrejado que cerraba el templo empezó a subir la escalinata, pisando casi de manera alada el alfombrado, parecía una reina».

La otra invitada que atraía todas las miradas era la novia despreciada, María Gabriela de Saboya, de quien el mismo piadoso cronista de sociedad dice algo incongruente, que «llevaba un precioso vestido verde y sombrerito-casquete del mismo color, que despertaba admiración porque espiritualizaba su figura».

Pues sí. A pesar de que el poder se le estaba escapando a Federica entre los dedos como fluye el agua y la arena, lo había conseguido una vez más. Ciento treinta y siete miembros de familias reales. Veinticuatro soberanos o jefes de casas exsoberanas —además de los de Grecia, estaban los reyes de Holanda, Noruega, Dinamarca, Liechtenstein y Mónaco; por Inglaterra fue el príncipe Luis Mountbatten—. Todos habían acudido a la llamada de la reina de los griegos. Tres mil personas habían aceptado su invitación con el mismo entusiasmo con que se apuntaban a sus famosos cruceros. Lo de menos era la presencia de la familia de Palo, pero ahí sí que el rey de Grecia se había mostrado inflexible: sus tres hermanas tenían que ser invitadas de honor y estar en los mejores puestos. Helena vivía entonces en Lausana y había ido con su hijo Miguel, con su nuera Ana de Borbón Parma y con su nieta mayor, Margarita. Helena, a la que en la boda se le siguió dando el tratamiento de reina, no en vano lo fue de Rumanía, se dedicaba a pintar y, como decía orgullosa:

—Hago exposiciones y vendo bastante, ¡y me compran personas que no saben quién soy!

Irene fue con su inseparable hijo Amadeo. Vivían en Fiesole, otra hacienda devuelta a los Aosta por la república italiana, pero para comprarse los trajes de ceremonia tuvieron que hacer mil y una economías. ¡Eso que a ella en la boda también la trataron de majestad, porque fue reina de Croacia, un país que no llegó a conocer nunca y que fue el principio de sus desgracias! Como si el destino quisiera compensarla por sus sufrimientos, Amadeo había resultado un chico guapo e inteligente que estaba estudiando para ingeniero, y en las fiestas prenupciales se le había visto bastante interesado por una de las hijas del conde de París, Claudia.

La hermana pequeña de Palo, Catalina, que según la maledicencia popular no era hija de su padre, vivía como lady Brandam en el campo, en Inglaterra, y llevaba la vida de una señora rural, con sus caballos y sus faldas de franela. Cuando observaba a su cuñada no reconocía en la altanera Federica a la prinzessin que se postró a los pies de su hermano diciéndole:

—Solo soy una bárbara del norte que vengo a Grecia para civilizarme.

Miraba a Sofía con ternura, no podía imaginarla de otra manera que viviendo en su cuarto poblada por todos los personajes de Walt Disney.

La tía María Bonaparte, que parecía indestructible, no pudo asistir a la boda porque se estaba muriendo a chorros de leucemia, ya no se levantaría de la cama de su casa de Saint-Tropez, donde traspasaría definitivamente dos meses después. Su perro *Topsy* se puso a aullar a sus pies, y así supieron que había muerto.

Sí, sí, es muy triste lo de la pobre tía María, pero hay que buscar una habitación para su hija Eugenia, que sigue con el inconstante Raymondo. ¡Y puede ser que a última hora, a Pedro, el hermano loco, le dé por venir también, aunque ya se le ha hecho saber que la presencia de su mujer Irina no sería bienvenida!

También fuera de plazo aceptó acudir Alejandra, la sobrina de Palo, la hija de la «señorita» Aspasia Manos. Su marido, el rey Pedro de Yugoslavia, vivía completamente alcoholizado en Estados Unidos. Alejandra, a pesar de que acababa de salir de un sanatorio inglés donde le estaban tratando su depresión, a pesar de que le habían quitado a su hijo Alejandro, ya que era incapaz de cuidarlo, no contestaba si no se la llamaba majestad, ya que había sido reina consorte de Yugoslavia, y de eso sí que se acordaba perfectamente. También exigió una habitación acorde con su rango.

La familia de Palo se alojó en el Palacio Real, donde Irene había metido a escondidas a sus cuatro perros. Todos observaron con asombro los cambios que había introducido Federica en el antaño destartalado edificio: obras de arte, tapices valiosos, lámparas de baccarat, iconos medievales... Un ejército de criados vestidos de escarlata satisfacían cualquier capricho de los huéspedes. Se comentaba, de todas formas, que los reyes de Grecia, que eran tan espirituales que nunca le habían dado importancia a la comida, no habían previsto que sus invitados pudieran tener hambre, y estos debían introducir a escondidas algún bocadillo para picar entre horas, lo que resultaba bastante violento, ya que en las puertas de los aposentos hacían guardia los *tsoliadas* con sus exóticos atuendos.

La familia del novio estaba en el hotel de la Gran Bretaña; las tías de Juanito y sus primas escandalizaban al personal porque se paseaban en ropa interior por los pasillos con la excusa de que hacía mucho calor. Lo contaba una nieta de la tía Bee:

—Nosotras íbamos en combinación y los hombres en calzoncillos, descalzos para poder pisar la moqueta. —La moqueta, un lujo entonces desconocido en la atrasada España.

En el puerto de El Pireo estaban el buque insignia de la armada española, el *Canarias*, a bordo del cual había llegado el ministro de Marina, el almirante Abárzuza, en representación de Franco, y dos barcos comerciales, el *Cabo San Vicente* y el *Villa de Madrid*, que habían transportado aproximadamente cinco mil personas. Muchos barcos de recreo particulares, como los espectaculares yates de los navieros griegos a los que tanto debía Federica, los Niarchos, Goulandris, Eugenides, Onassis, Livanos, Embiricos, Kulukundis, Nomicos, y al lado el pequeño *Saltillo*, recién pintado, a bordo del cual había llegado don Juan. Sería la última travesía del *Saltillo*; a su regreso a Estoril don

Juan lo cambiaría por el *Giralda*, obsequio de un grupo de monárquicos españoles.

Doña María y las infantas prefirieron desplazarse a Grecia en avión. Los reyes de Grecia fletaron dos Constellation para transportar a sus invitados. En ninguno de ellos había sitio para los familiares del novio, y así doña María tuvo que pagarse sus billetes como un pasajero corriente. ¡Federica ya no consideraba necesario hacerse la simpática con sus consuegros!

En realidad su deseo era que don Juan renunciase a sus aspiraciones al trono de España para dejar pista libre a su hijo. Así lo reconoce el consejero de Estoril, José María Pemán,[2] quien cuenta:

—La reina Federica no se está quieta ni un momento, es una mandona, quiere que don Juan abdique en su hijo y no se molesta en disimular.

Aunque nadie se lo había pedido, hizo amueblar lujosamente la casa de Psychico, donde habían nacido Sofía y Tino, para que viviesen en ella los recién casados, ¡quería disponer de sus vidas! ¡No estaba acostumbrada a que nadie, y menos su sumisa hija, le llevara la contraria!

Hay una foto tomada por Peñafiel en esos días que, aunque no tiene mucha calidad técnica, me parece muy reveladora. En ella Federica habla con su yerno. Juanito casi está de espaldas a la cámara, pero se nota que sonríe y se ve la sombra de sus largas pestañas sobre sus mejillas. Federica le coge la mano y le mira con ojos entornados y suplicantes que muestran esa expresión de arrobamiento que solo tienen los místicos o los niños. O los grandes enamorados.

Aunque a Freddy le importaba un bledo, a la familia real española no se la veía especialmente feliz, había habido muchos desaciertos en los días previos a la boda, las humillaciones que habían recibido, tanto por parte de los representantes de Franco como de la propia Federica, hacían que no pudieran saborear este enlace que tanto les había costado conseguir. Quizás la afrenta más grotesca fue que cada vez que el corpulento don Juan entraba en una recepción con su paso torpón y escorado, en lugar de sonar la *Marcha Real* los músicos habían recibido órdenes de tocar el *Pasodoble torero*. ¡Don Juan se ponía lívido de rabia!

Freddy lo había organizado todo a su manera, es decir, a lo grande. Lo peculiar es que, contrariamente a lo que se nos ha hecho creer siempre y también a los deseos del papa, donde Federica echó el resto fue en la boda ortodoxa, siendo la católica una ceremonia corta y modesta. En la catedral ortodoxa de Santa María, donde el único periodista español presente fue Jaime Peñafiel, se siguió el largo ceremonial bizantino. Y en la iglesia católica, una edición abreviada de la santa misa que apenas dura media hora. La pequeña iglesia de San Dionisios estaba engalanada con claveles rojos y rosas amarillas, formando la bandera española, pero la catedral ortodoxa la adornaron con treinta mil rosas rojas y la luz de millares de bujías.

La princesa entró en ambas ceremonias del brazo de su padre y seguida por su corte de honor. Pilar, la hermana mayor de Juanito, fue una de las ocho damas; con veintiséis años, era la mayor junto a Alejandra de Kent, la hermana del efímero pretendiente de Sofía. Pero esta ya estaba prometida a Angus Ogilvy, con el que se casaría un año después, y sin embargo en el horizonte de Pilar no se oteaba ningún pretendiente.

Ana María de Dinamarca era la más joven, solo tenía dieciséis años. ¡Tino no le quitaba los ojos de encima! Se casarían dos años más tarde. Otra boda saldría de esta: la de Ana de Francia, hermana de la sensual Diana que bailaba en el *Agamemnon* y que se había casado ya con Karl Wurtenberg. Ana contraería matrimonio con Carlos de Borbón Dos Sicilias, primo de Juanito, que estudió con él en Las Jarillas y que fue quien sostuvo la corona encima de su cabeza en la complicada ceremonia ortodoxa. La hermana pequeña de Diana y Ana, Claudia, se casaría también, con Amadeo de Aosta, dos años más tarde.

De entre todas las damas de honor, la única amiga de verdad de Sofía era su prima Tatiana Radziwill, que todavía no conocía al que sería su marido, el doctor Fruchaud, con el que se casaría cinco años después. Tampoco Irene de Holanda había conocido al que sería el suyo, el príncipe español Carlos Hugo de Borbón Parma, aunque dicen que él la escogió (era multimillonaria) al verla en una fotografía en la que estaba con su traje de dama de honor.

La octava dama, Irene, la hermana de Sofía, acababa de padecer la primera pena de amor de las muchas que sufriría en su vida: su primo Mauricio de Hesse la había abandonado para casarse con otra.

Todas iban ataviadas igual, con unos vestidos de organza de escote bañera, ceñidos por cinturones rosa y azul, cubiertos con unas chaquetillas de gasa transparente que no les favorecían, y con unas diademas de terciopelo que se les resbalaban todo el tiempo.

Pilar estaba muy seria, y eso se refleja en las escasas fotos que existen de ella, todas de grupo:

—No la vi sonreír ni una sola vez —me sigue contando mi informador—. En todo momento parecía enfadada.

Supongo que estaba dolida por el trato que recibían sus padres. También los rostros del resto de los familiares de Juanito eran un poema, serios y abrumados. Su hermana Margot, «la Cieguinha», según la llamaban los portugueses, llevaba un vestido muy amplio línea trapecio que la hacía parecer muy gruesa y, como me cuenta mi confidente:

—Estaba sentada al lado del pasillo, en sitio muy secundario; se la notaba apabullada por los ruidos, girando la cabeza a un lado y a otro. Solo la vi relajarse cuando sonó el *Aleluya* de Haendel en la iglesia católica... Daba mucha pena.

La reina Victoria Eugenia parecía que ni siquiera se había peinado; llevaba un sombrero que un niño definiría como «un nido de pájaros». Estaba sentada durante la ceremonia al lado de la reina Ingrid de Dinamarca y exhibía una expresión mustia. Dicen que no le gustaba asistir a celebraciones matrimoniales, de hecho no fue a ninguna de las de sus hijos, y veía con un estremecimiento las flores que tiraba el pueblo griego a su paso. No podía olvidar que dentro de un ramo de flores iba la bomba que lanzó Mateo Morral el día de su casamiento que costó la vida a veintiocho personas y que tiñó su precioso vestido de sangre.

Don Juan de Borbón, con riguroso frac, con el Toisón de Oro alrededor del cuello, experimentaba un sentimiento agridulce. Por una parte estaba contento porque consideraba esa boda obra suya. Había enderezado la vida sentimental, llena de olghinas, brasileñas y princesas italianas modernas, de Juanito, que a partir de entonces iba a ser un hombre serio, casado, y que pronto tendría hijos, por lo que la continuidad de la dinastía estaría asegurada. Sabía que la princesa Sofía era una buena elección, la mujer adecuada para un príncipe con una vida difícil.

Juan lo había aprendido de su madre:[3]

—Si no vamos con cuidado en la cuestión de las bodas, a nuestros nietos los gobernarán los que hoy son porteros o chóferes de taxi.

Franco acababa de sufrir un accidente de caza; hubo que intervenirle la mano con anestesia total, y decían que tenía un aspecto abatido y se le empezaba a manifestar el Parkinson; quizás el momento del recambio no estaba lejos, y don Juan, en sus declaraciones a la prensa, continuaba remachando la idea de que él era el sucesor de Franco y su hijo sería su heredero. Pero, en el fondo, ya no estaba tan seguro.

Ahora, ¿qué iba a ser de ellos, de su hijo y de él? Juan, como Federica pero con menos disponibilidad económica, hubiera querido regalarles a sus hijos una casa en Portugal. Si Juanito volvía a España con su mujer, si tenía a sus hijos ahí, ¿cómo iban a llamarlo a él, que llevaba treinta años en el exilio, para que ciñera la corona? ¡Quería tenerlo cerca y controlado, como si fuera un niño!

Amargamente, reconocía que esta boda tampoco iba a servir para aumentar su popularidad en España, porque Franco había impuesto una censura férrea y su presencia era sistemáticamente silenciada en las escasas noticias que aparecían en la prensa española. En televisión no salía nada, por supuesto, y los periódicos en general no sabían muy bien quién era el padre, quién el hijo, y qué representaban ambos. En *La Vanguardia*, por ejemplo, el periodista Cristóbal Tamayo explicaba que, al casarse, el príncipe convertía a su mujer en «condesa de Barcelona y duquesa de Atenas».

Don Juan comentó a sus allegados con tristeza:

—Es como la boda del huerfanito.

Pero si su hijo viviera en Grecia, como quería Federica, o en Portugal, como le gustaría a él, ¿no se aprovecharía su primo Alfonso de esta lejanía física de la patria? En su rostro crispado se adivinaba la tremenda lucha que sostenía entre el futuro de su hijo, el porvenir de la monarquía y sus propias aspiraciones.

Porque su sobrino Alfonso de Borbón Dampierre cada vez se mostraba más seguro en su papel de aspirante al trono de España y, por tanto, rival de Juanito. No se cansaba de piropear al régimen, a Franco, a la Virgen del Pilar y hasta a Nenuca, la hija del Caudillo, y se había hecho íntimo amigo del yernísimo, el marqués de Villaverde, un vivales al que en España llaman el marqués de Vayavida. Juanito le había pedido que fuera su testigo de boda, junto a su primo Carlos de Borbón, duque de Calabria, y el tío Ali, por una razón estratégica: creía que de esta forma se haría evidente la diferencia entre ambos. Y que Franco tomaría nota del contraste que existía entre los dos príncipes, el uno casado con una princesa real en presencia de todo el Gotha europeo, y el otro un solterón que solo iba con actrices de cuarta categoría, con un padre alcohólico que vivía con una cantante de cabaret en París.

Porque la madre de Alfonso, Emanuela de Dampierre, ¿dónde estaba? Después de las atrocidades que su marido intentó hacerle desde la misma noche de bodas, se había convertido en una persona vengativa y fría a la que solo interesaba su bienestar económico. Vivía en Roma, lejos de sus hijos, con otro hombre.

Sí, en la carrera por la sucesión las acciones de Juanito subían, las de Alfonso bajaban. Como decía Juanito cuando estaba en confianza:

—Yo de aquí (y se tocaba la sien), poco, pero de aquí (se daba un golpecito en la nariz), mucho.

Alfonso, que era abogado, tuvo que abandonar su trabajo en el Banco Exterior para acudir a la boda. Un trabajo que le había proporcionado el mismo Franco, ya que, como le dijo en una de las audiencias que solía concederle:

—No es costumbre que los miembros de las familias reales trabajen en empresas privadas.

Así recordaba en sus repulidas *Memorias* Alfonso de Borbón Dampierre la boda de su primo: «Acudí a Atenas con gusto; esta invitación consagraba las relaciones amistosas que mantenía con Juan Carlos». Sin embargo, el viaje pronto se iba a revelar para él como una pesadilla. El embajador de España en Grecia, marqués de Luca de Tena, le consultó a don Juan cómo debía figurar Alfonso de Borbón Dampierre en el acta matrimonial y qué tratamiento en general se le debía dar en todos los actos de la boda. Don Juan, que lo odiaba, el príncipe incluso afirmó años después que lo había agredido físicamente, contestó:[4]

—Don.

El marqués de Luca de Tena se extrañó y arguyó que si a los grandes de España se les daba el tratamiento de excelentísimo señor, con más motivo al hijo de un infante de España. Pero don Juan volvió a repetir, esta vez a gritos.

—¡Don! ¡Coño! ¡Solo don!

Y como don Alfonso de Borbón-Segovia Dampierre figuró en las actas de la boda. Y en las tarjetas, y en su reserva de hotel. Y su colocación en los actos estuvo siempre por detrás de la de personas que, según él, tenían menos méritos. Alfonso, ya de por sí un hombre tétrico y resentido, se sentía agraviado por afrentas reales, pero también imaginarias.

«El número de pinchazos fue tan grande, que un día decidí hacer las maletas y regresar a España. Lo hubiera hecho de no haber intervenido mi abuela:

»—Oye, Alfonso, no vayas a estropearlo todo. Puedo garantizarte que tu primo no tiene nada que ver con eso. Después de todo, has venido por él».

Alfonso, que era tan mujeriego como su primo, como su padre y como su tío, se consolaba en los brazos de María Gabriela, que era una chica abierta y generosa aunque estuviera «muy espiritualizada por el sombrerito-casquete», como dijo el cronista de sociedad José María Bayona en aquel antiguo número de la revista *¡Hola!*

Pero su atractivo rostro de un moreno casi azulado, más parecido al de un bandolero de Sierra Morena que al de un príncipe de cuna, como el de sus tíos, como el de su abuela, como el de sus cuñadas, era tenebroso y violento. Solo un tic en la mandíbula delataba las tormentas que estaban pasando por su interior.

Juanito, vestido con gran sencillez en medio de aquella parafernalia de entorchados y medallas, simplemente con su uniforme caqui de teniente del ejército de tierra, parecía apenas un niño. Mientras la tensión envejece los rostros maduros como el de su padre, que todavía no había cumplido cincuenta años, hace aparecer una expresión adolescente y conmovedoramente frágil en los muchachos de veinticuatro años.

Había adelgazado, el cuello desbocado de su uniforme permitía ver como la nuez de su garganta subía y bajaba angustiosamente. Estaba pálido, ojeroso; de vez en cuando paseaba una mirada sin esperanza por el techo de la iglesia y los suspiros se notaban a pesar de la guerrera. Según constató el embajador británico, el novio estaba totalmente alicaído y desanimado, aunque Franco, cuando vio las fotografías, dijo:

—Está muy marcial.

Es cierto que tenía agudos dolores en el brazo desde que se rompió la clavícula cuando practicaba judo con su cuñado Constantino, según unas fuentes, al resbalar por el Palacio Real de Atenas, según otras.

Su abuela le comentó a su prima Bee en la carta citada:

—Juanito estaba pálido, le dolía mucho, el yeso adhesivo le produjo una herida que tenía en carne viva.

Pero lo que le atormentaba no era el dolor físico, sino el moral; era consciente del difícil momento por el que estaba pasando su padre.

—A veces me estremezco pensando en lo que mi padre debió de sufrir —le contó don Juan Carlos a José Luis de Vilallonga.

Y también:

—¡Es un hombre tan decente que se encuentra prácticamente indefenso delante de las trastadas que a menudo le han hecho en la vida!

Franco le había dicho antes de la boda que tenía más posibilidades de ser rey que su padre, pero no había nada seguro; sabía que los falangistas estaban al lado de su primo Alfonso, que estaban haciendo incluso en estos momentos una campaña en contra de la princesa Sofía por el hecho de que iba a convertirse al catolicismo. La consideraban perjura y hereje. Franco le había pedido que se quedara en España:

—Para que los españoles lo conozcan y lo amen.

Se lo dijo con su voz que los periódicos definían como «broncínea con diamantinos armónicos», pero no le dio ninguna seguridad respecto a su futuro. Mal que bien, sus estudios, que no había podido seguir regularmente por todo el trajín de la boda, se daban como oficialmente concluidos. ¿A qué tenía que dedicarse en España? Su primo estaba trabajando en un cargo de verdad; él, ¿qué podía hacer? Ni siquiera podría inaugurar pantanos, pues ese honor estaba reservado para el Caudillo.

Pero todavía era peor la idea de vivir en Grecia, como quería su suegra, «el sargento prusiano»; ¡hasta les había puesto ya los cepillos de dientes en Psychico! También sería horrible vivir en Estoril, en el exilio, compartiendo con su padre la angustia, los anhelos del desterrado.

Se lo decía a Vilallonga:

—Mi padre se consumía en Estoril; me hablaba de una España que formaba parte de su memoria histórica, de su nostalgia, pero que ya no existía…

También era lógico que le diera miedo emprender ese viaje hasta el fin de sus vidas al lado de una muchacha a la que apenas conocía. ¿Se entenderían? Porque casarse significaba limitarse a tan solo una mujer en el mundo.

De vez en cuando miraba con asombro a esa mujer que ya sería la suya para siempre.

La carita triangular de Sofía, en la que tan difícil resultaba leer.

Una Sofía que había estado en Estoril, es cierto. Los amigos de la infancia de Juanito me lo cuentan cincuenta años después:

—Era muy callada y seria… Era distinta a nosotros, que tengo que reconocer que éramos bastante brutos… Nos preguntaba cosas de la historia de Portugal y de arqueología que no sabíamos cómo contestar. Se llevaba a don Juanito solo por ahí, ¡decía que quería hacer turismo y visitar ruinas! Fueron a ver los cerezos en flor del Algarve que nosotros, que llevábamos toda la vida en Portugal, desconocíamos. Nosotros entreteníamos a Irene. Y a su madre, que era de armas tomar, la dejaban con doña María, que no sabía muy bien qué hacer con ella. ¡Cuando estaba Federica delante nadie podía abrir la boca!

Babá Espirito Santo le contaba a José Antonio Gurriarán:

—A Sofía le gustaban mucho los niños, y quería tener muchos hijos.

¿Se han dado cuenta ustedes de que a los grandes solitarios les gustan mucho los niños y los perros?

En su boda, la princesa que quería tener muchos hijos, sin embargo y a diferencia del novio, sí sonreía. La sonrisa de Sofía no encendía inmediatamente la luz de su rostro; era como lava caliente, se extendía con lentitud, primero elevaba las comisuras de sus labios, después eran sus ojos los que chispeaban. Miraba con timidez a Juanito, no sabía qué significaban esos suspiros que parecía que fueran a partirle el pecho.

La vida de Sofía, antes tranquila, se había convertido en un torbellino. En esta semana que llevaba su novio en Atenas incluso había recorrido calles que ni siquiera conocía, porque a Juanito le gustaba todo lo popular, y lo había tenido que llevar a la Platka a beber *ouzo*, bailar *sirtaki* y romper platos en los pequeños bares donde orquestinas de turcos tocaban el *bouzouki,* con el olor del pan recién horneado mezclado con el perfume de jazmín y de mimosas. A Juanito le sorprendió que el país de su novia tuviera un aire tan exóticamente oriental. ¡Europa parecía estar muy lejos!

Pero Sofía tenía gran interés en que Juanito conociera «su» Grecia y le enseñó su escuela, Mitera, sus excavaciones arqueológicas y todos los lugares de su infancia; salieron a navegar en el barco del armador Goulandris, y juntos vieron los atardeceres lentos de esa primavera que ya estaba entrando en el verano. Incluso le presentó a su profesor, Jocelyn Winthrop-Young, que a pesar de su aspecto de erudito, sus «hum, hum» constantes y sus citas a los clásicos, no impresionó demasiado a Juanito, que le dijo:

—Perdóname, Jocelyn, pero a ti y a mí nos separará siempre una roca: ¡Gibraltar!

Al viejo Jocelyn no se le cayó la baba porque era un señor muy educado, pero casi. ¡Cuando Juanito saca la artillería pesada para seducir no hay nadie que se le resista! Un amigo suyo me lo explica:

—Es un poco teatro y un poco verdad. Tiene un corazón de oro, y esa cualidad tan rara es fascinante en las distancias cortas. Por otra parte, por la vida que ha llevado, sabe perfectamente cómo utilizar a su favor la naturalidad desarmante que ha heredado de su madre.

Sí. Corazón de oro, pero con una debilidad que no aflorará hasta años después. Claro que es el pecado que más perdonan los amigos y los pueblos.

Sofía no sabía muy bien dónde iban a vivir, con qué, para qué, pero su sonrisa brillaba tenuemente, era esa llamita insignificante que no se extinguía nunca y que quedaba en las fogatas, debajo de la ceniza. Años después,[5] ella intentó explicar sus impresiones:

—Yo tenía dentro una mezcla tremenda de sentimientos muy nuevos. Estaba radiante. Me sentía feliz, y al mismo tiempo tenía un nudo en la garganta, pensaba, me voy de aquí, algo importante se ha acabado…

Adiós, Mitera, adiós, niños huérfanos, adiós, Tatoi, ¡adiós las higueras bajo cuya sombra se adormecía escuchando el canto de las cigarras y olfateando el aroma sutilmente amargo del espliego! Adiós, mares azul tinta, ¡adiós rocas color violeta recibiendo el último rayo de sol del día, que cuando ponías la mano encima estaban calientes! Fuentes, volcanes, terremotos, adiós cítaras y mandolinas de Grecia, adiós, Grecia. *Ya sas Elleniki.*

Nadie ha remarcado jamás lo difícil que debió de ser para Sofía dejar su tierra. Como si el dolor por la patria perdida la disminuyera a los ojos de los españoles.

Ni siquiera se ha permitido ella misma, en las escasas ocasiones en las que ha hablado de su vida, expresar la nostalgia por su país natal, en un ejercicio de autocontrol que tiene algo de monstruoso.

Tuvo que ser muy duro. Sus veintitrés años de vida los había entregado a Grecia. Había recorrido sus mares, excavado en sus entrañas, curado las heridas que le habían producido los terremotos, las guerras, el hambre... Había visitado las islas más remotas, escuchado los problemas de sus compatriotas, enjugado su llanto... Había abrazado a sus niños. No había paisaje que no hubiera pisado, ni había griego que no la conociera; esa tierra antigua corría por sus venas, ¡podía recitar los cantos de Homero, hacer música como las sirenas, llorar todas las lágrimas de Penélope!

Pero no le estaba permitido demostrarlo, ¡las princesas no lloran! Se lo dijo su madre; a su madre se lo dijo la suya. Durante toda la boda se mantendrá impasible. Aquí, en ese momento, en este país telúrico y desgarrado llamado España que gusta de la exageración y de la desmesura, empieza a gestarse su leyenda de mujer fría. Mi informante me cuenta:

—Sí, de vez en cuando se enjugaba una lágrima, pero sin descomponer el semblante. A mi lado una invitada que lloraba a moco tendido, todavía no sé por qué, le dijo a su marido, ¡se nota que es alemana!

¡Ya empezamos!

A pesar de su aparente despego, Sofía se atreverá, sin embargo, a contar años después que sí se sentía preocupada respecto a su futuro:

—La situación de mi marido en España era muy delicada, muy difícil, muy extraña. Franco y don Juan querían cosas distintas, había que nadar entre dos aguas...

Debió convertirse al catolicismo; no le importó. Fue instruida en secreto por el arzobispo católico de Atenas, que iría quince días después de la boda a bautizarla. Había visitado al papa y, según decía, tanto el papa como la religión católica le habían impresionado profundamente.

La reina Victoria Eugenia había pretendido advertirla:

—A mí me hicieron muy antipática la conversión... pero es un trago que pasa pronto...

Pero no hacía falta que la consolaran, Sofía se sentía cómoda en el seno de la Iglesia católica. No se comprende cómo puede uno cambiar de religión de la noche a la mañana, encima no cayéndose del caballo como Pablo camino de Damasco, sino por imperativo categórico, y sentirte «muy impresionada» y «muy cómoda». Solo puedo explicármelo pensando que Sofía, como su madre, como su padre, tenía un sentido amplio de la espiritualidad, sin sujeciones a ninguna disciplina concreta. No en vano al parecer Federica le había comentado[6] a Franco:

—No se preocupe su excelencia, garantizo que mi hija va a ser una buena católica.

El ritual ortodoxo les resultó pintoresco a los invitados españoles. Las coronas suspendidas encima de la cabeza de los novios como símbolo de pureza, beber en la misma copa como señal de unión, también bailar con el arzobispo alrededor de la mesa nupcial según el libro de Isaías mientras diez toneladas de pétalos de rosas caían encima de los contrayentes. Pero el momento decisivo sí que lo entendió todo el mundo. A la pregunta en griego:

—*θέλετε για έναν σύζυγο.*

Juanito contestó con voz que era casi un suspiro:

—Sí.

Mientras Sofía pronunció cuidadosamente:

—*Malixta* [sí, quiero].

Después se sentaron mientras los interminables cantos gregorianos atronaban en la catedral de Atenas. Sofía, tal vez para relajarse, recordaba los regalos recibidos, desde una lancha motora de los príncipes de Mónaco, hasta un collar de diamantes en chatones con el que la ha obsequiado la reina Victoria Eugenia, ¡cada uno de esos brillantes le fueron regalados para hacerse perdonar una infidelidad! También recibió de la abuela de su novio un brazalete de zafiros y rubíes y la diadema de conchas de perlas y brillantes de «la Chata», realizada por Mellerio. Una simple carabela de plata, regalada por el rey Pablo; el general De Gaulle, una vajilla de Sèvres; los duques de Alba, una petaca de jade; los duques de Montellano, unos pendientes de brillantes; un petrolero de oro macizo como adorno de mesa del naviero Niarchos; un abrigo de martas cibelinas que le ha regalado Onassis se lo pondrá en contadas ocasiones, porque la reina no lleva pieles... Su madre le regaló a Juan Carlos un anillo del siglo V antes de Cristo, de oro con un camafeo, que es el que siempre lleva el rey en el dedo meñique. Claro que los regalos de los padres despertaron el desprecio de la letal Victoria Eugenia, quien le dijo a su prima:

—Freddy le ha dado solo cuatro sencillas pulseras de cadenas de oro con cabujones de rubíes, zafiros y esmeraldas, ¡muy pobre! Sofía no recibió ninguna perla, yo creo que podía haberle regalado un bonito hilo de perlas cultivadas en vez de tanta pulserita y tanto barco.

Y añadió:

—A última hora yo le di también un broche de brillantes del siglo XVIII, ¡parece que no lo apreciaron! ¡Estoy indignada!

El Real Madrid les regaló un estupendo equipo de estereofonía de alta fidelidad, como se decía en aquellos tiempos.

Sofía adivinó que su padre estaba sufriendo y tal vez se había refugiado en algún mundo interior que solo él conocía. Se había habituado a sacarse los lentes, limpiarlos lentamente con un pañuelo blanquísimo, exponerlos a la luz y volver a ponérselos. Su basilisa, la primera, la que nació en la mesa de Tatoi y que creía que él era el padre más guapo del mundo, salía para siempre de su país y de su familia.

Su madre no le quitaba la vista de encima, trataba de infundirle seguridad y fuerza. Sofía miraba hacia atrás. Pilar parecía molesta y rehuía sus ojos; Irene solo estaba pendiente de colocarse bien la diadema y la chaquetilla; pero Tatiana le sonreía, como siempre, de forma tranquilizadora.

En primera fila estaba el rey Olav, el padre de su amor juvenil Harald, ¡qué lejano le parecía todo ahora!, ¡qué joven e inocente era entonces! La novia de Harald, Sonia, la modistilla, sería reina de Noruega aunque le pesara a su padre y al mundo entero.

Ella, que era hija de reyes, ¿sería reina también?

Sabía que su futuro dependía de la buena voluntad del Caudillo, al que Sofía todavía no conocía. El matrimonio Franco le había regalado una diadema en forma de flores de la casa Aldao que también puede usarse como collar y un broche de brillantes, el Actinia, con un enorme zafiro; también le había sido impuesto el Gran Collar de la orden de Carlos III, del que la reina Victoria Eugenia dijo con desprecio:

—Pues vaya regalo más inapropiado, es una condecoración para hombres; a ti te tenía que haber dado la cruz de María Luisa.

A Sofía, además, dos escribanías de plata, unas mantillas españolas y unos abanicos. La princesa ya había cumplido con el primero de sus deberes: halagar al Caudillo. Le acababa de escribir una carta muy emotiva, dictada por Juanito, en la que le decía: «Mi querido generalísimo, me he sentido abrumada y profundamente emocionada por los maravillosos regalos que el almirante Abárzuza me ha traído de su parte y que le agradezco de todo corazón. La condecoración me ha complacido en extremo, al igual que el magnífico broche de brillantes que me envió como regalo de boda. Lo valoraré como un tesoro toda mi vida. Sofía».

También valoraron los príncipes el obsequio que les hizo la diputación de la Grandeza, a instancia de la duquesa de Alba, una cantidad de dinero que les servía, junto con la dote que le había concedido el gobierno griego, para ir viviendo. En sus primeros años de matrimonio, la pareja real necesitaba sesenta mil pesetas al mes.

Cuando acabaron las interminables ceremonias religiosas, los invitados se fueron trotando al Palacio Real a firmar la tercera boda, la civil, delante del alcalde de Atenas.

A las tres y media de la tarde, ciento setenta elegidos, que habían asistido a varias fiestas prenupciales y que además llevaban arreglados y vestidos desde las seis de la mañana, se sentaron por fin a almorzar en las grandes carpas instaladas en los jardines del Palacio Real con un suspiro de alivio. Muchos se descalzaron con disimulo. Aristóteles Onassis, el millonario armador al que Karamanlis había cedido la Olympic Airways, convirtiéndolo en el único ciudadano del mundo que poseía a título privado una compañía aérea internacional, tan presente en las revistas de sociedad de la época como Grace Kelly, había acudido solo a la boda. No podía llevar a una boda real a su amante, la *prima donna* María Callas, ya que no estaban casados, ¡por mucho que fueran los dos griegos más famosos del mundo! María, a la que había retirado de la ópera, lo esperaba pacientemente en su lujoso apartamento de la avenue du Foch de París. Onassis iba con sus características gafas oscuras y paseaba su mirada de depredador por todo el recinto en busca de una presa mordiendo más que fumando su habitual Papastratos. De reojo miraba a su rival en los negocios y en la vida, el magnate Stavros Niarchos, que estaba acompañado por su mujer, Eugenia Livanos.[7] Y mascullaba:

—A veces creo que lo único que me mantiene con vida es mi odio por ese hijo de puta.

El menú provocó bastantes críticas por lo escaso y vulgar. Primero iba el socorrido cóctel de langostinos, después una ligera suprema de ave con legumbres, como plato fuerte un inesperado e incongruente *foie gras* a la gelatina con ensalada y de postre un simple helado de *moka*, más propio de una boda de menestrales que de un casamiento real. El pastel, eso sí, levantó un murmullo de sorpresa entre los exhaustos invitados, aunque tampoco se consideró de muy buen gusto: tenía cuatro pisos, estaba adornado por cadenas de flores hechas de merengue y en su cima, en lugar de la ordinaria pareja de novios, Federica había decidido que se pusiera una aparatosa corona.

A mi informador le llamaron la atención los malos modales de los invitados griegos en la cena:

—Comían con la boca abierta, cogían las colas de los langostinos con la mano y se limpiaban con el mantel.

Había orquesta, y Onassis se empeñó en que tocaran *Zorba el Griego*:

—Él mismo se puso a bailar el *sirtaki* con otros invitados. A Federica se le notaban unas ganas locas de unirse a ellos, pero no se atrevió; seguía la música con los pies y dando palmas. Fue el momento más emocionante y espontáneo de la ceremonia, en el que se vio que, por debajo de todo el paripé artificial que había querido montar la reina para deslumbrar al mundo, en el fondo solo se trataba de la boda de una chica griega.

Era el 14 de mayo de 1962.

Los novios se fueron a los postres y embarcaron en el lujoso yate negro de Niarchos, el *Creole*, donde pasarían la noche de bodas. El armador, que había hecho su fortuna con sus ochenta superpetroleros gracias al apoyo personal de Palo y Federica, que también le habían conseguido el contrato para construir un importante astillero en Eskaramanga, a las afueras de Atenas, ¿de dónde, si no, los lujos que adornaban el Palacio Real?, fue naturalmente el invitado más rumboso de todos: no solamente estaba agradecido, sino que también era el más rico. Además del barco de sobremesa de oro, le regaló a doña Sofía un soberbio conjunto de diadema, collar y pendientes de Van Cleef con gruesos rubíes de cabujón rodeados de brillantes, y puso a su disposición el *Creole* con toda la tripulación, dieciséis personas, a su servicio.

El *Creole* está considerado el velero más bello del mundo. Tiene doscientos catorce metros, puede albergar a doce pasajeros, y la inmensa *suite*, donde pasaron Juanito y Sofi la noche de bodas, está recubierta con moqueta blanca y alfombrillas de ciervo; los muebles son de color beis y marrón *foncé* realizados con veinte clases de madera diferentes. En las paredes, cuadros impresionistas e iconos rusos, y peines y cepillos de oro en el cuarto de baño, hecho en mármol de Siena y adornado con espejos venecianos.

La leyenda dice que este barco negro, sin embargo, trae mala suerte. Sus dos primeros dueños murieron violentamente, la mujer de Niarchos, Eugenia, se suicidó, y el modisto Gucci, su siguiente propietario, fue asesinado por su esposa. En la actualidad pertenece a las hermanas Allesandra y Allegra Gucci.

El barco que tan buenos recuerdos debe tener para Sofía no se ha hecho a la mar desde hace cinco años; es un jubilado de lujo, en perfecto estado, en el puerto de Palma. ¿Lo habrá visitado en alguna ocasión, se habrá sentado en la cama que ocupó por primera vez con el que ya era su marido? ¿Habrá intentado revivir los sentimientos de aquella muchacha llena de ilusiones que estaba poniendo apenas la punta del pie en el nuevo camino que se abría ante ella?

Sería interesante imaginar a una Sofía madura y ya de vuelta de muchas cosas, con algunas arrugas en los ojos que no se deben a los años, abriendo de par en par la puerta del camarote para que saliera una Sofía joven y descalza gritando:

—¡Juanito!

La semana antes de la boda, para deleite de los novios, Niarchos colgó en el salón principal las joyas de su colección, que acababa de comprar al actor Edward G. Robinson en Hollywood: la *Pietà* del Greco y el *Retrato de Jane Abril*, de Toulouse Lautrec, además de dos Renoirs. Sobre la chimenea de lapislázuli también había colocado dos impresionantes candelabros de plata que le habían costado quinientos mil dólares y que daban a la decoración un toque gótico bastante inquietante.

Como dijo doña Victoria Eugenia con ironía:

—*C'est beau la fortune!*

En el Pireo una mujer vestida de negro consiguió acercarse hasta Sofía y le besó solemnemente la mano mirándola a los ojos:

—*Na zisete, basilissa* [larga vida, princesa].

Mientras el barco se alejaba, Sofía no pudo apartar su mirada de la silueta inmóvil que también parecía mirarla, ¡era el alma de Grecia que le decía adiós!

Nada sabemos de la noche de bodas de Juanito y Sofía. Ni de la pasión entre un Juanito de larga experiencia que besaba con sus labios *«calde, secqui y sapienti»* y una muchacha cuya sexualidad desconocemos. Durante su noviazgo, Franco, que conocía la incontenible pulsión erótica de los Borbones, les ponía una «carabina» cada vez que debían verse. Era el general Castañón de Mena. Por ejemplo, Juanito escribía a Franco comentándole que le gustaría ir unos días a ver a su novia a Zúrich, donde Sofía estaba comprando parte de su ajuar.

Franco accedía y llamaba a Castañón:

—Toma un avión a Zúrich; ¡no se te ocurra despegarte de su lado!

Los tres se encontraban en un restaurante. Pero, en lugar de seguir las instrucciones del Caudillo, Castañón les decía que tenía que ausentarse para comprar regalos para sus hijos.

Cuando Sofía estuvo en Estoril, se habían perdido solos con el coche por las ignotas carreteras portuguesas. Los novios volvían a Villa Giralda muy tarde, ya noche cerrada. No es difícil imaginar el diálogo que tenía lugar en el interior del elegante Porsche metalizado que los monárquicos españoles le habían regalado a don Juanito para que deslumbrara a su novia:

—Tonta, si total vamos a casarnos. Va.

—Déjame.

—Qué más da adelantarlo unos días… es como si ya estuviéramos casados… Solo una vez… te lo prometo.

¿Cedería ella?

Aunque a nivel teórico aquella princesa en cuya familia se hablaba del sexo libremente, que además estaba acostumbrada a asistir a partos humanos y del reino animal y se había encontrado en su escuela de huérfanos con todo tipo de parejas, no iba a escandalizarse de nada.

Empezaban también los años sesenta y la revolución sexual. Poco después las muchachas quemarían sus sujetadores en la hoguera y celebrarían el amor libre.

Recordemos que Sofía quería tener muchos hijos.

Pero lo más probable es que, en la noche de bodas, en lugar de entregarse a la fogosidad natural de los cuerpos jóvenes, Sofía tuviera que poner en práctica sus conocimientos médicos, ¡sabemos que el yeso que Juanito tenía en el brazo se había pegado a la piel y, según su abuela, su hombro estaba en carne viva!

Claro que también don Juan estaba enfermo el día en que se casó con doña María y, como le explicó a su hijo con desgarro en una ocasión en que este pretendía ausentarse de una ceremonia con la excusa de que se encontraba mal:

—¡Yo también estaba hecho una mierda el día que me casé y a pesar de eso por la noche tuve que cumplir con tu madre!

Pero la verdad es que no sabemos lo que pasó entre Juanito y Sofía, ni si para Sofía fue su primera vez.

¿Mi hipótesis? Juanito sabía cómo enamorar a las chicas. Y podía vencer la resistencia de la mujer más endurecida, ¿cómo no la de una mujer enamorada?

Lo que sí podemos asegurar con bastante exactitud es que la intimidad que estrenaron aquella noche duraría trece años.

Cuando amanecía, Sofía vio la silueta empolvada y luminosa de la isla de Stepsopoula.

El regalo de don Juan fue un viaje alrededor del mundo:

—¡En aviones *jet*! —comentaba una deslumbrada doña Victoria Eugenia. Tenía que durar tres meses después del pequeño crucero por las islas griegas que emprendieron con el *Creole*. Era el mismo regalo que Alfonso XIII le había hecho a Juan y María, aunque en este caso el viaje había durado seis meses y se había realizado con los ayudantes de Juan y la doncella de María. Juanito y Sofi iban a viajar completamente solos.

Federica, de todas formas, no podía dejar marchar a su hija y a su yerno así como así. Y además tenía que recordarles que a su regreso los esperaba en la casa de Psychico. Así que se presentó en Stepsopoula, propiedad de Niarchos, en la lujosa villa de quince habitaciones también del magnate naviero, para echarse en sus brazos gimiendo:

—¡Os voy a echar mucho de menos! ¡Volved pronto!

Sofía se emocionó y hasta su ya marido soltó alguna lagrimita.

Después quedaban dos trámites que aunque, según recordaba diplomáticamente Sofía, cumplieron con mucho gusto, debieron resultar bastante penosos para ambos. Primero visitar al papa y después a Franco.

En Roma se alojaron en el palacio Torlonia, en la via Boca di Leone, propiedad de los tíos de Juanito, la infanta Beatriz y el principone Torlonia. Quizás por los históricos suelos del palacio correteaba el primer nieto de la pareja, Alessandro Lequio, de diez meses, al que todos llamaban Dado. La infanta le dejó a Sofía los atavíos con los que tenía que presentarse ante el papa; fue la primera vez que la princesa se colocó una peineta y una mantilla. Que, según le decía doña María,[8] era muy difícil de poner, porque:

—Si te despistas, te quedan como dos cipreses a un lado y otro de la cara.

La tía Beatriz también le enseñó el complicado ceremonial de saludo: tres reverencias, hincarse en el suelo de rodillas y después besar la zapatilla del papa.

Cuando Sofía estaba tratando de coordinar estos movimientos, cosa bastante complicada porque además llevaba un misal y un ramo de flores, aparte del bolso, se encontró de repente con el papa, que se limitó a estrecharle las manos y decirle:

—No te preocupes, hija, quédate tranquila.

Era el afable Juan XXIII.

La segunda visita tenía mucha más complicación. Por primera vez Sofía se iba a encontrar con quien tenía en sus manos las riendas de su destino. La visita la hicieron a espaldas de don Juan, quizás aconsejados por Federica y también por doña Victoria Eugenia. Aunque lo cierto es que Sofía quiso dejar muy claro años después que había sido una decisión autónoma de ella y de su marido:

—Ni lo consultamos ni lo dejamos de consultar, ¡lo hicimos! En aquella época todo lo decidíamos los dos, conjuntamente.

Juan Carlos le comentó a su ayudante en el avión que los llevaba a Madrid:

—Cuando se entere mi padre, va a querer romper conmigo.

Estaba muy nervioso, sin embargo Sofía parecía muy tranquila.

Fueron a recibirlos al aeropuerto los marqueses de Villaverde. Ella, Carmen, a la que su familia llamaba Nenuca y los españoles Carmencita, era la única hija del Caudillo; él, Cristóbal Martínez Bordiú, su apuesto marido, pertenecía a la nobleza andaluza, era médico y ejercía de cirujano en La Paz; y ambos estaban en la cúspide social de aquella España que poco a poco iba saliendo de su terrible posguerra y entrando en el desarrollismo.

El yernísimo, como lo llamaban en la sociedad madrileña, no sabía muy bien por qué su suegro se tomaba tanto interés por «este niñato», como decía él, pero no se atrevió a desobedecer al Caudillo cuando este les ordenó que fueran a recibirlos al aeropuerto.

Se acercó al pie de la escalerilla contoneándose, parecía un torero haciendo el paseíllo, se giró mirando la parte posterior de una azafata y le soltó un guiño lúbrico a Castañón, que, perfectamente cuadrado, enrojeció violentamente a pesar de que era un héroe de guerra y tenía la Laureada (colectiva) de San Fernando.

Villaverde se sacó el cigarrillo de la boca, lo despidió con dos dedos dándole un vuelo en forma de arco, y tanto él como su mujer hicieron a los príncipes la reverencia protocolaria, aunque tanto Sofía como Juanito los besaron en las mejillas.

Era la primera vez que Sofía pisaba suelo español, y luego lo recordará todavía emocionada; el paisaje, el color de la tierra, de los campos, de los árboles le recordaba mucho a Grecia. La princesa pensaba:

—¿Simpatizaremos, habrá conexión entre esta gente y yo? —Y al decir «gente» podemos suponer que no se refería únicamente a los hijos del Caudillo.[9]

Desde el aeropuerto fueron directamente al palacio de El Pardo. A la princesa le llamaron la atención las estrictas medidas de seguridad que rodeaban el recinto. Juanito todavía estaba más nervioso que ella. Sabía que su futuro dependería de la impresión que su mujer causase en Franco y en la generalísima.

En el avión ya habían estado estudiando la mejor forma de dirigirse a él. Juanito le llamaba excelencia. Sofía no dudó:

—Creo que «mi general» es lo más adecuado.

Franco era muy distinto de la idea que se había hecho de él, ya que se lo imaginaba como un caudillo, un generalísimo soberbio, un dictador, y creía que sería duro, seco, antipático. Y se encontró a un hombre sencillo, con ganas de agradar y muy tímido.

El estudiado primer comentario de Juanito fue:

—Hemos venido porque la princesa tenía muchas ganas de conocerles, excelencia, ¡le he hablado tanto de ustedes!

Franco cabeceó con satisfacción, las manos sobre su prominente barriga, y todavía más satisfecho se mostró cuando Juanito le dijo devotamente:

—Además, mi abuela, la reina, me dijo que después de ver a Su Santidad debíamos venir a ver a su excelencia.

Doña Carmen enseñó su amplia dentadura en lo que pretendía ser una sonrisa simpática, bastante halagada, ya que Victoria Eugenia había sido reina de España. Tal vez Juanito también sería rey, siempre que a su marido le diera la gana, claro está, ¡lástima que las dictaduras no puedan ser hereditarias!

Sofía lo recordaría después en varias ocasiones:

—Yo le caí bien a Franco, a Juanito lo trataba como el hijo que nunca pudo tener... como su abuelito... le brillaban los ojos al mirarlo.

Franco le preguntó al príncipe:

—¿Qué tal la boda? ¿Salió todo bien, alteza?

Sofía vio cómo su marido tragaba varias veces para deglutir todos los desplantes, la censura con que se había amordazado a la prensa, el pasodoble torero con el que se quería humillar a su padre, para contestar:

—Sí, excelencia, todo bien, ¡muchas gracias!

Doña Carmen llevaba alrededor de su cuello de abultados tendones las perlas falsas de Pertegaz, ¡las famosas perlas de la generalísima! Se interesó por la salud de los reyes de Grecia y, después, dirigiéndose a Sofía, le preguntó:

—¿Os gustaría ver el palacio?

Sofía se apresuró a contestar que sí, y doña Carmen la llevó por todas las habitaciones señalándole los cuadros y las antigüedades con las que lo había adornado. Sofía hizo esfuerzos por expresarse en español, y al final doña Carmen se dio cuenta y le preguntó:

—¿Quiere que nos expresemos en francés? Yo lo hablo perfectamente pues tuve una *mademoiselle* cuando era pequeña.

Y prosiguió en su francés un tanto oxidado que Sofía no se cansaba de alabar, explicando que esta arqueta era del siglo XVII y había pertenecido a la reina María Teresa, y que la mesa del comedor era del palacio imperial de Eugenia de Montijo.

La princesa, que sabía que doña Carmen dedicaba todo su tiempo libre a visitar, y, según algunos, desvalijar los anticuarios del país, sonreía y asentía, asentía y sonreía, ¡no le parecía tan difícil como había pensado!

Es de suponer que Sofía intercalaría de vez en cuando alguna alusión a la Virgen del Pilar y también al brazo incorrupto de Santa Teresa como muestra de piedad; no descarto tampoco alguna crítica velada a la libertad de costumbres de ciudades como París o Nueva York y también a la parafernalia de las cortes europeas, porque doña Carmen, a pesar del gusto desaforado por las joyas y las antigüedades que se le había despertado, continuaba presumiendo de ascetismo y de austeridad cuartelera.

Cuando regresaron al salón fueron acogidas fervorosamente tanto por Juanito como por Franco, que ya no sabían qué diablos decirse. Al captar la angustia de su marido, Sofía le dirigió una mirada tranquilizadora:

—Todo ha ido bien.

El suspiro de alivio de Juanito debió oírse al este en Atenas y al oeste en Estoril.

Doña Carmen le comentó después a su íntima amiga Pura Huétor que la princesa le había robado el corazón a Paco.[10] Según Pemán, Franco quedó embelesado por su belleza entre maliciosa y aniñada, por su religiosidad y su dominio del español.

Y el Caudillo le dijo sentenciosamente a su primo Pacón:

—La princesa hablaba bastante bien el español y se estaba dedicando a estudiarlo intensamente. La he encontrado muy agradable y me ha parecido muy inteligente y muy culta.

Según su primo, el generalísimo contaba todo esto con cara de satisfacción.[11]

Franco no les hizo ninguna propuesta concreta, pero sí les dijo:

—Vamos a empezar nuevas obras de acondicionamiento en el palacio de La Zarzuela… estaría bien que sus altezas lo visitaran.

Al día siguiente Juanito llevó a su mujer al antiguo pabellón de caza de la familia real. Sofía lo encontró desangelado y muy poco acogedor, aunque le gustó el jardín de encinas y robles.

Después comieron con la frugalidad habitual —había días en que el menú consistía simplemente en una sopa de fideos y una tortilla de un huevo— con el matrimonio Franco y con sus hijos, los marqueses de Villaverde. Los encargados de la cocina eran guardias civiles, por motivos de seguridad, y según contó años después Carmencita Franco:

—Les dieron un cursillo, pero creo que aprovecharon poco... mi marido siempre se quedaba con hambre.

Los nietos de Franco le comentaban mientras intentaban cortar un pollo que se les resistía:

—Abu, este debió morir allá por 1943.

—No te equivocas —respondía, socarrón, el Caudillo.

Ni Juanito ni Sofía tenían que hablar demasiado, porque la voz cantante la llevaba el marqués, quien se dedicaba a explicarles que no era cierto que él hubiera estado detrás del negocio de las motos Vespa que se habían introducido en España desde Italia, como se quería demostrar en el extranjero:

—No es más que una conspiración judeomasónica para hundir todo lo español, ¡nos tienen envidia!

Aquí Sofía debió alarmarse, pues sabía que Franco opinaba que el rey Pablo, su padre, era masón, pero no pasó nada y el yernísimo continuó parloteando con su cerrado acento andaluz, hasta que Franco, con la servilleta anudada alrededor del cuello y el cuchillo en alto, clavó la mirada en un punto indefinido del tapiz que tenía enfrente donde una jauría de perros rodeaba a un ciervo con una flecha clavada en el cuello y dijo:

—Basta.

Como el grifo que se cierra, la voz dejó de manar por la boca del marqués. Su mujer y su hija continuaron comiendo como si tal cosa.

En los postres —una manzana—, el marqués se limpió cuidadosamente los labios y pidió permiso para levantarse:

—A las cuatro tengo una operación a corazón abierto, a vida o muerte.

Su mujer y su suegro estaban revolviendo con una cucharita sus yogures haciendo bastante ruido, y solo doña Carmen dijo con un tono falsamente amable:

—Adiós, Cristóbal, que te vaya muy bien en tu trabajo.

Más tarde se levantaron y pasaron a tomar café a una salita que daba sobre el jardín. Frente a la ventana, con pantalón corto de tenis, un niqui blanco y unas raquetas bajo el brazo, vieron pasar al marqués silbando una melodía.

No hubo comentarios. Y del pobre paciente que esperaba la operación a vida o muerte nunca más se supo.

Hay un ejemplo de esos días que nos ilustra acerca de la naturaleza ladina y solapada de Franco. Si bien les deseaba a los príncipes:

—Que tengáis un buen viaje; está muy bien que los españoles y el mundo os conozcan.

Cuando el nuevo ministro de Información y Turismo, Manuel Fraga Iribarne, tomó posesión de su cargo en julio de 1962, pidió ver «el libro verde» que contenía instrucciones para la censura. Junto a estrafalarias prohibiciones, como «no poner trajes de baño con señoras dentro», «no escribir la palabra braga», «evitar mostrar las axilas femeninas», «cambiar suicidio por embolia», encontró la orden de que no se diera ninguna publicidad a la luna de miel de Juanito y Sofía.

El avión los dejó en Niza. En Mónaco, en el Sporting Club, una agradecida Grace de Mónaco les organizó un baile. Lo presidió Victoria Eugenia; este pequeño principado era el único lugar del mundo donde le daban honores de reina y donde podía sentirse importante.

La otra personalidad presente era el exrey Faruk de Egipto. La princesa Sofía debió saludarlo con sentimientos encontrados, al recordarlo como su voluble anfitrión en los días tenebrosos de su exilio.

Gangan, como la llamaba Juanito, le preguntó a Sofía con curiosidad qué tal había ido la visita a El Pardo; la princesa le contestó:

—Franco me ha parecido muy simpático, y Carmencita, la hija, también.

—¿Y Cristóbal Villaverde?

Y Sofía le dijo riendo:

—¡Es un *playboy*!

En Portofino dejaron el barco y emprendieron su viaje en los aviones *jet* de los que había hablado Victoria Eugenia. Llevaban una veintena de maletas, ya que iban a ser tres meses en climas diferentes y también necesitaban trajes largos, de vestir, de deporte, de tarde, ropa informal, esmoquin, chaqué, calzado, abrigos, complementos...

Solos. Ha sido quizás la única convivencia a solas que han tenido los reyes en cincuenta años de matrimonio. Sabemos al detalle el itinerario de aquel viaje, organizado por una agencia: Jordania, India —donde conocerían al Pandit Nerhu y a Indira Gandhi—, Nepal, Tailandia, Japón, Filipinas y finalmente Estados Unidos, donde el embajador Antonio Garrigues y Díaz Cañabate decidió informar por su cuenta al Departamento de Estado que los recién casados representaban a España y a Grecia. También consiguió, dada su amistad personal con la familia Kennedy —cuando Jackie se quedó viuda, se especuló con la idea de que el embajador, viudo también, se casaría con ella—, que la pareja fuera recibida en la Casa Blanca.

La conversación, si la hubo, no ha pasado a la historia, pero hubo «foto», que era lo que interesaba. En ella vemos a Sofía con una especie de diadema de tela parecida a una tiara; lleva un collarcito de perlas dobles, un vestido con el largo por debajo de las rodillas, guantes blancos y el consabido bolso colgado del brazo, muy al estilo Jacqueline Kennedy. En la muñeca lucen las pulseras de piedras preciosas regalo de su madre que tanto criticó Victoria Eugenia. Sonríe vagamente, todavía no ha aprendido a enseñar la amplia sonrisa que lucirá posteriormente y que tanto la favorece, aunque tenemos que reconocer que nuestra reina no es fotogénica. Juanito no ha aprendido tampoco a potenciar su físico, lleva todavía el entrecejo sin depilar y, para parecer mayor, se peina hacia atrás revelando unas entradas muy poco favorecedoras.

Kennedy, por su parte, está colmado de triunfos, en la plenitud de su atractivo físico y su masculinidad, bronceado, con mechas doradas en el pelo, con unos músculos poderosos que se adivinan bajo su buen cortado traje y una sonrisa cordial que muestra perfectamente que es el hombre más importante de la historia de su país, y seguramente del siglo (y con una vida sexual prodigiosa).

Le quedaban un año y tres meses de vida.

Estoy segura de que de aquel encuentro sacó Juanito (recordemos su gesto tocándose la sien y la nariz) provechosas lecciones sobre la manera moderna de ejercer el poder, lejos de la rigidez militar y el autoritarismo posbélico del dictador Francisco Franco, propio de unos tiempos que ya se estaban yendo de España, aunque fuera de puntillas y poco a poco. No había vuelta atrás, porque el río no puede remontar hacia arriba.

Sabemos al detalle el itinerario, como escribía más arriba, pero muy poco sobre los sentimientos de aquella pareja de jóvenes que, por primera vez, vivían libremente, sin la sombra de sus padres, ni de caudillos, ni de sus responsabilidades como príncipes. En el puerto de Bombay perdieron una conexión y debieron pasar toda la noche en el aeropuerto. Con un montón de maletas ya desvencijadas, arrugados, mal vestidos, llenos de polvo, ¡solos!, ¡sin que nadie supiera quiénes eran! Parecerían dos vagabundos. Dos niños perdidos, cogidos de la mano.

Les llegó la noticia de que Federica había declarado en la prensa que le gustaría que Juan abdicase en su hijo, lo que fue desmentido rápidamente por la propia Federica en una carta a los diarios. Solo Sofía comprendió la humillación que debió sentir su madre al rectificar, obligada a desdecirse por su propio marido, que no quería trifulcas públicas con su nueva familia política.

A cambio Freddy consiguió que, en privado, Palo le escribiera a don Juan indicándole que no creía conveniente que los chicos vivieran en Estoril, que debían estar con Franco, en España.

En don Juan se acrecentó la antipatía por la familia de su nuera. Años después la reina se extrañaba de no haber encontrado aquella carta de su padre en el archivo de don Juan:

—Qué raro, debería estar ahí, con sus papeles; tengo que preguntárselo a Anson.

Conociendo al personaje, no es difícil colegir que la archivó, sí, pero en la papelera, seguramente acompañada por uno de sus habituales:

—¡Qué cabrones!

De mala gana Juanito y Sofía aparecieron al fin en Estoril arrastrando un par de maletas. Sofía se negó a instalarse en Villa Giralda. ¿Las razones?

—Ah, no, ahí no me metía yo.

El abnegado secretario de don Juan, Ramón Padilla, les cedió su villa Carpe Diem. La reina contará[12] más tarde con innecesaria precisión:

—Era muy pequeña y no podíamos ni clavar una chincheta en la pared porque estábamos de prestado.

Le recuerda a Juanito que las obras en La Zarzuela ya se han acabado y que el palacio los está esperando.

La vida en Estoril transcurría entre la incertidumbre y el aburrimiento. Sofía se había casado con el heredero de un trono, pero ese trono parecía estar cada vez más lejos. Todo el mundo hablaba de la fabulosa fortuna de Alfonso XIII, pero tampoco la veía por ninguna parte. Se cuenta que María le mostraba sus joyas, los collares de perlas, la diadema de las flores de lis, los broches de brillantes, y que Sofía le preguntaba:

—¿Dónde están las joyas importantes?

En esa época don Juan había gastado toda su liquidez en la boda de su hijo y pasaba por apuros económicos. Salió adelante gracias a la ayuda de su amigo el banquero Espirito Santo.

Sofía había dejado todas sus cosas en Psychico. ¡Allí no había nada que hacer! No quería parecerse a su suegro, que se levantaba por las mañanas y le preguntaba a su secretario:

—Hoy, ¿que tenemos?

—¡Nada, majestad!

Tampoco se sentía a gusto con el grupo de amigos, y sobre todo amigas, de Juanito. Un vecino de entonces me cuenta:

—No quería integrarse, ella no aceptaba elementos extraños en su matrimonio... yo no lo entendí hasta que me casé y mi mujer hizo lo mismo. Por una parte estábamos nosotros, sus amigos de siempre, las chicas con las que había tonteado cuando era un crío, y por otra estaba Sofía... Juanito no quería disgustarla... aunque a sus espaldas intentaba seguir viéndonos.

Finalmente, encontraron un pretexto para ir a España. Una excusa humanitaria y dolorosísima, pero útil para sus fines.

Las inundaciones de Cataluña de 1962. La lluvia cayó como una inmensa masa metálica entre las seis de la tarde y la una de la madrugada del 25 de septiembre. Un río insignificante, el Besós, se desbordó y arrasó la comarca del Vallés; murieron más de mil personas, la mayoría emigrantes.

Sofía recordó su viaje a las islas Jónicas después del terremoto, que los pueblos necesitan a sus reyes en esos momentos de devastación. Le pareció oír cómo los niños le acariciaban la cara y la llamaban:

—*Omorfi*.

Se lo dijo a su marido en el comedorcito de Carpe Diem. Juanito primero se opuso y le respondió:

—Ya está allí Franco, todos los ministros, ¡no nos necesitan!

Y Sofía se levantó para ponerse a su altura y le dijo golpeando con el puño cerrado su corazón:

—¡Te equivocas, Juanito! ¡Somos nosotros los que los necesitamos a ellos! ¡Nosotros!

Lo cogió por la chaqueta:

—Vámonos, Juanito. Si lo consultamos a tu padre o a Franco nos van a decir que no. Vámonos solos, cogemos un avión y nos presentamos allí, ¡es nuestro pueblo! ¡Nos necesita!

Juanito la miró con asombro. Su mujercita apacible, serena, echaba lumbre por los ojos.

Intentó otra vez oponerse:

—Pero así, sin avisar… papá tendrá miedo de que no nos hagan caso y dejemos en mal lugar a la familia… Franco dirá que nos inmiscuimos.

Pero Sofía ya estaba yendo a su habitación para preparar una bolsa de mano mientras le decía:

—Pues llama a Padilla. No, mejor, a Agustín Muñoz Grandes, el vicepresidente de Gobierno, ¡pero dile que estamos decididos!

Cuando llegaron allí, el espectáculo les impresionó. Ruinas, escombros, casas arrasadas o convertidas en cascarones vacíos... cochecitos de niño semienterrados en el barro. Miles de personas deambulando como fantasmas, intentando recuperar aunque fuera una fotografía, ¡su pasado, además de sus familias y sus enseres, estaba destruido, arrasado, muerto!

Sofía iba vestida con una falda de tergal, un abrigo discreto, un pañuelo en la cabeza, zapato plano. Era aquella basilisa que iba por los pueblos más remotos de la geografía griega apuntando en un papel las necesidades de sus súbditos, aunque ahora no pudiera recurrir a su madre. Su expresión era de sincera pena. Besaba a los niños e intentaba hablar en su español deficiente con aquellas mujeres que lo habían perdido todo y que no la entendían.

Un periodista, Enrique Rubio, que siguió la comitiva me contó:

—Hubo un momento impresionante. Nos llevaron a una especie de descampado con unas bolsas de plástico tiradas por el suelo por las que asomaban cabezas con el pelo manchado de barro, pies descalzos, una mano todavía agarrada a una rama de árbol... Algunos lloraban, una compañera del *Diario de Barcelona* se puso a vomitar... Sofía y Juan Carlos estaban allí, no decían nada, pero lo de verlos mezclados con la gente, con los zapatos destrozados, les hizo ganar muchos puntos, ¡piensa que Franco y su mujer iban bajo palio!

Hoy día hay muchas mujeres en Terrassa y en Rubí que tienen una foto con la princesa Sofía de Grecia, como se la llamaba entonces en la prensa, reconfortándolas. Juanito también estaba conmovido, pero todavía no sabía expresarlo en público, se le veía más envarado. La gente los miraba con curiosidad, en algunos rostros había agradecimiento. Muy pálidos y sobrecogidos, visitaron una masía en la que habían muerto todos los ocupantes: la altura del agua en la pared marcaba 2,25 metros. Les entregaron a las autoridades un millón de pesetas de donativo:

—Es de parte de mi padre, don Juan de Borbón.

Este gesto del conde de Barcelona, que le debió costar lo suyo dada su precaria situación económica, causó el enfado de Franco. Se lo encontraron en una misa en la iglesia de la Merced de Barcelona, lo vieron entrar con su mujer bajo palio, a lo lejos. Los saludó con frialdad.

Después[13] le comentó a su primo Pacón:

—Hubiera sido mejor que el príncipe fuese después de irme yo de Barcelona y que su visita fuera personal y no en representación de su padre, que no tiene popularidad en el país… Se siembra confusión…

Juanito y Sofía se enteraron del disgusto del Caudillo y se echaron a temblar. Ella se rehízo enseguida y comentó ante el espía de Franco que les había ido con el cuento:

—¡El viaje me ha servido para darme cuenta del entusiasmo de Barcelona hacia su Caudillo! ¡Si no lo hubiera visto con mis propios ojos, no lo habría creído!

¡La mirada de admiración sorprendida de su marido fue su mejor premio!

¡Recordaba mucho la mirada que Palo le dirigió a su mujer el día en que Sofía devino de oruga en mariposa y se puso a servir el té en Tatoi! Sofía sabía que a quien se lo decía lo transmitiría inmediatamente a Franco, que comentaría con satisfacción dando carpetazo al asunto:

—La familia real española está muy mal informada, ¡por adularles les engañan!

Poco después comentó:

—La princesa es extraordinariamente simpática e inteligente.

Fue el primer contacto de Sofía con el pueblo catalán y también con la nobleza de Cataluña. Por la noche durmieron en el palacio de los Castelldosrius en la Diagonal, y al día siguiente comieron en casa de Alfonso Sala, conde de Egara. Una marquesa le comentó:

—La Franca lleva corona cuando viene al Liceo. ¡Nosotras no podemos ponernos nada, porque los rojos nos robaron las joyas!

Otra invitada, Avelina Borrajo de Orosco, contó:

—Después de la guerra yo fui a una exposición de las joyas que nos habían robado «los rojos» en los bajos del hotel Majestic y vi unos negros de plata, de tamaño natural, que mi marido tenía a la entrada del despacho. Cuando fui a comunicar que eran míos, se me adelantó la mujer de un falangista y dijo: «Mira, los negros que tenía en casa. Llévamelos, Matías». ¡No me atreví a protestar!

Otra marquesa solícita se le ofreció a Sofía:

—Alteza, espero que contéis con nosotras cuando os instaléis en España. Mi madre fue dama de la reina Victoria Eugenia y conozco los usos palatinos perfectamente. ¡No podéis estar desguarnecida!

Sofía se estremeció.

Por la tarde fueron a Molins de Rey y Juanito ayudó a desenterrar con una pala el cadáver de un joven. Sofía trataba de consolar con palabras cuyo significado apenas comprendía a la madre, que había perdido también a otros dos hijos y el marido. Pero ¿qué consuelo cabe para el dolor más grande del mundo? No se muere uno, porque el dolor no mata, al menos inmediatamente.

El regreso a Estoril fue triste por lo que habían visto, pero también por lo que les esperaba. Sofía no se cansaba de decírselo a su marido:

—Juanito, tenemos que trabajar por España, tenemos que ganárnosla, ¿no decía tu abuelo, «si no trabajamos nos botan»?

Por la mañana iban a la playa, por la tarde al club náutico o al golf. A montar a caballo. A pasear los perros. A jugar a tenis. Aunque no tenían mucho dinero, a veces iban a comer lenguado a la parrilla a El Pescador o al cine del Casino. Por las noches la cena se alargaba en Villa Giralda con whiskys y maldiciones hasta la madrugada. Sofía, que en Atenas pedía de rodillas que el día tuviera treinta horas en lugar de veinticuatro, se impacientaba. No hacía más que repetirle a Juanito:

—¿Qué hacemos aquí? ¿Qué sentido tiene vivir en Portugal? ¡Nada! O España o Grecia, Juanito. Tu padre tiene que comprenderlo. Díselo.

Juanito se armaba de valor, sacaba pecho y se presentaba en el despacho de su padre, pero delante de él se achicaba y se limitaba a tartamudear:

—Papá, si queremos tener una monarquía en el futuro, tenemos que estar en España.

Don Juan no se dignaba contestarle. Años después Sofía comentaría con cierto rencor:

—Don Juan trataba a mi marido como a un niño, no le daba importancia.

Como no podían ir a España, iban a Grecia con cualquier excusa; la casa de Psychico los esperaba lujosamente amueblada, con su ropa colgada en perfecto orden en los armarios. Federica los reclamaba:

—Es nuestro aniversario de bodas.

Si no:

—San Dimitrius.

También:

—El aniversario de la liberación de Grecia.

A Sofía le emocionó ver ese día a sus padres cogidos de la mano. Era una fecha emotiva para ellos; hacía quince años que habían podido volver del exilio, pero ese mismo día el presidente Kennedy había invadido la bahía de Cochinos en Cuba y se temía una guerra mundial. Instintivamente, Freddy se refugió en su gran amor. Palo estaba preocupado, pero a pesar de todo acogió sobre su pecho a su prinzessin, que volvía a tener aquellos ojos de gorrioncillo temeroso que tanto le habían enamorado.

Al oído le susurró:

—*Agapi mou.*

Estaban a bordo de un portaaviones para ver el desfile naval cuando Sofía empezó a encontrarse mal y de pronto se dobló sobre sí misma mordiéndose los dientes para no gritar. Un agudo dolor de estómago. La llevaron al hospital con gran acompañamiento de sirenas y la operaron de urgencias. La prensa dio cuenta de que la basilisa había tenido un aborto, probablemente un embarazo ectópico. El embajador de España en Grecia informó en ese sentido a El Pardo. Franco envió una carta de condolencia. También el embajador inglés lo comunicó a Inglaterra.

En aquel momento no hubo confirmación oficial, pero como tampoco hubo mentís y estos temas no se trataban con la naturalidad de ahora, se dio por supuesto que la princesa estaba embarazada de pocos meses y había perdido a su hijo. Por eso llama la atención su tono malhumorado al desmentírselo a Pilar Urbano, treinta años después:

—Fue un invento de la prensa... me operaron de apendicitis.

No fue un buen invierno para Sofía. Estaba apática y desanimada. Echaba de menos a sus padres, a su hermana, a Tino. La situación en su país natal también era difícil, toda Grecia empezaba a levantarse contra esa reina alemana que les quitaba dinero para dárselo a una hija que se iba a vivir lejos:

—¡Devuelve el dinero! —le gritaban por la calle los mismos que la aclamaban—: *Mitera, mitera.*

Y alzaban las manos a su paso, como hacían los atenienses al paso de sus héroes cuando volvían de la guerra. Federica recriminaba al primer ministro que no hiciera nada para defenderla.

Karamanlis se encogió de hombros y dijo con fatalismo:

—Yo ya la avisé, majestad, ¡esto no tiene arreglo!

Sofía lloraba a solas en su casita de Estoril. No podía quitarse de la cabeza el aspecto cansado de su padre, el rostro de preocupación de su madre, ¡le había salido una arruga nueva, vertical, en medio de la frente! Así, desde la distancia, le parecía que la necesitaban, y le hubiera gustado abrazarlos, y creía que al hacerlo sentiría crujir bajo sus músculos de deportista sus huesecillos como los de los frágiles pájaros que se caían de sus nidos en el jardín de Tatoi.

Tatoi. El paraíso soñado. Perdido.

No se sentía cómoda con sus suegros, no tenían temas en común; en el fondo eran rivales, estaban en bandos enfrentados, y esto provocaba frialdad. No comprendía las comidas desarregladas, el trajín de platos y de gente que se sentaba a la mesa, la cola de gitanos pidiendo en la puerta, que doña María lo delegara todo en sus damas, Amalín López Dóriga o la vizcondesa de Rocamora. Mientras, ella se ponía a mirar por la ventana fumándose un cigarrillo.

Hasta que alguien le susurraba:

—Es que a esta hora llegaba Alfonsito.

Arriba, en la habitación fatal, seguía la marca del disparo en la puerta. Seguían sus botas de montar en los armarios, las copas que ganó jugando al golf en las estanterías, sus flechas de indio. Seguía Alfonsito subiendo y bajando por las escaleras llamando a gritos a su madre.

Seguía Margot hablando de Alfonsito alegremente, como si estuviera vivo:

—Estas eran sus flores preferidas, porque se llamaban margaritas, como yo.

Margot desconcertaba a Sofía. Se acercaba a ella y le pasaba las manos por la cara. Le decía:

—Sofi, estás seria.

O también:

—Te has puesto una diadema roja.

Porque distinguía los colores muy vivos.

Su madre la cogía y la abrazaba, intentaba mecerla llamándola:

—Guitte, Guitte.

Le hablaba en un idioma inventado por ellas, Margot aguantaba dos minutos y se soltaba como un potrillo para jugar con los niños de los gitanos que acampaban a la puerta. Doña María suspiraba:

—¡Mis hijas son tan cardos borriqueros!

Margot había pasado un par de años en Madrid estudiando en la escuela Salus Infirmorum y ahora a veces trabajaba de puericultora en la casa cuna de Lisboa.

Pilar sí era enfermera de profesión, y para ayudar a la economía familiar trabajaba en el hospital de los Capuchos, en Lisboa también. El tiempo libre lo dedicaba a montar a caballo o a leer encerrada en su habitación. También iba a visitar al tío Ali y la tía Bee en Sanlúcar o a Madrid.

Era silenciosa y algo adusta, como dicen sus amigos de la infancia. Ella misma de mayor se definiría:

—No soy simpática por naturaleza.

Cuando regresaba de uno de sus viajes, contaba los últimos chismes de Madrid en las largas tertulias de sobremesa, y llevaba revistas españolas que ella o su madre leían en voz alta entre risas: «El Caudillo se distrae de la dura tarea de gobernar España jugando con sus nietecillos» (foto de Franco en la playa de Bastiagueiro vestido de punta en blanco, hasta con gorra de oficial de Marina, mirando a sus nietos, que están en el suelo), «La apostura de su yerno contrasta con la belleza morena, españolísima, de Carmen Franco Polo» (foto de un marqués de Villaverde con sombrero cordobés llevando en la grupa de su jaca a su mujer vestida de gitana con claveles en el pelo).

También «El marqués de Villaverde hace un hueco en su abnegada tarea de cirujano para practicar el sano deporte del esquí acuático» (foto del marqués con un bañador apretado que le marca todo).

«Por primera vez María del Carmen acompaña a su madre, la marquesa de Villaverde, en la fiesta de la banderita». Y debajo de una foto de las tres cármenes, esposa, hija y nieta del Caudillo, las tres exhibiendo idéntica sonrisa e idéntico número de dientes, este alambicado pie: «La frustrada vocación marinera de Franco ha tenido un recordatorio permanente en las tres mujeres que más han influido en su vida, tres marías del Carmen con el nombre de Nuestra Patrona de la Mar».

Sofía, que temía las filtraciones, no se reía, fingía que no entendía, callaba. Más tarde su suegra se lamentaría de lo mal que se portó Franquito cuando murió su padre, negándole el permiso para entrar en España. Sofía miró fijamente su plato y tampoco comentó nada.

Según todos los testimonios que he recabado, la tensión en esos momentos podía cortarse con uno de los cuchillos de su ajuar, con las iniciales JC y S y una corona por encima, si estos cuchillos, junto al resto de sus enseres, no hubieran estado aguardándoles en la casa de Psychico, donde Federica no dejaba de reclamarles.

En una ocasión, según me cuentan, don Juan se puso tan nervioso por un chiste que contó Margot sobre Franco, que hasta le dio una bofetada.

Un don Juan que intentó explicarlo más tarde con cierto resquemor:

—A María nunca le importó ser reina, pero Sofía sí tenía apego al cargo.

Sofía también se sentía sola desde el punto de vista conyugal. La estrecha relación, la complicidad de su viaje de novios, las risas compartidas con Juanito parecían cosa del pasado, y para Sofía las horas transcurrían lentamente en Carpe Diem, escribiendo cartas interminables a su madre, preñadas de añoranza.

Juanito entraba y salía, sus mejillas frías del aire de la calle, la besaba distraídamente, hablaba por teléfono; sus amigos de siempre lo reclamaban. Antonio Eraso estaba estudiando en Inglaterra, ¡va para sabio!, y además se había hecho novio de una hija del embajador español, el marqués de Santa Cruz, pero estaban Babá Espirito Santo, *Maná* Arnoso, Chico Balsemao, Tessy Pinto Coelho… Estaba Chantal de Quay. Había un matrimonio también, María Pía de Saboya y Alejandro de Yugoslavia. Y estaba María Gabriela.

Iban todos a la *boîte* Van Gogó. Juanito se giraba hacia su mujer:

—¿No te importa, Sofi?

¿Qué iba a decir ella? ¡Tampoco se molestaría en escuchar su respuesta! Sacaba a bailar a María Gabriela, primero un *rock and roll:*

*Every limbo boy and girl,*
*all around the limbo world.*

Juanito y Ella se cogían con una mano, daban vueltas y con los índices de la otra señalaban el techo gritando: «¡*Limbo rock, limbo rock*!», y Sofía intentaba esbozar una sonrisa que le costaba lo mismo que si le hicieran enroscar tornillos con los labios.

Pero después era un «lento», y Juanito y Ella continuaban juntos en la pista mejilla contra mejilla, contándose secretos al oído o, todavía peor, en silencio:

*Ti voglio tenere, tenere,*
*legata con un raggio di sole, di sole,*
*così col tuo calore, la nebbia svanirà*
*e il tuo cuore riscaldarci potra*
*e mai più freddo sentirai.*

Un día Sofía se atrevió a preguntarle a María Gabriela si era verdad que había estado a punto de casarse con el *sah* de Persia, y la rubia princesa italiana se echó a reír:

—¡Él quería, pero a mí me parecía un viejo!

El *sah*, que había repudiado a la bellísima Soraya porque no podía darle hijos, se acababa de casar con Farah Diba.

Para Pilar, que era la mayor de todo el grupo y que por eso casi nunca quería salir con ellos, de momento no había *sahs* ni príncipes, pero en el horizonte de María Gabriela sí había aparecido un millonario, el atractivo Robert de Balkany, y Juanito, que la quería como a una hermana, le aconsejaba:

—No seas tonta… te hará muy feliz… ¡es muy rico!

Robert de Balkany estaba separado, pero Juanito, convertido en un hombre de mundo porque se había casado con una princesa extranjera y además tenía ya la vetusta edad de veinticuatro años, la tranquilizaba:

—No te preocupes; que se divorcie y luego pedís la anulación, pero mientras, ya estáis casados; tu padre acabará entendiéndolo…

No concibo mayor crueldad que el hombre del que estás enamorada te empuje a los brazos de otro porque ya no te quiere, pero María Gabriela lo escuchaba en silencio. Al atardecer los dos iban a dar largos paseos por la playa de Guicho. Antes de salir de casa, Juanito le hacía una carantoña a su mujer, la besaba en el cuello y le decía:

—Compréndelo… no tiene a nadie a quien contar sus penas… volveré pronto.

Sofía paseaba también por el pequeño jardín de Carpe Diem, del magnolio al limonero, del limonero al magnolio, añorando quizás los jardines de su querido Tatoi.

No se encontraba bien y se daba cuenta de que estaba embarazada. Al mismo tiempo, con evidente crueldad, alguien hacía correr el rumor de que Olghina de Robilant amenazaba con presentarse en Estoril con su hija debajo del brazo reclamando Dios sabe qué.

Fueron días de tensión inmisericorde.

Finalmente, Sofía hizo su pequeña maleta y se fue a Atenas. Sola.

Federica se llevó las manos a la cabeza cuando la vio aparecer sin Juanito y se apresuró a declarar que la basilisa había ido para conmemorar el centenario de la monarquía griega que se celebraba en esos días, y que si había llegado sola era porque su marido tenía que cumplir con sus altas responsabilidades. Qué responsabilidades en la ociosa Estoril, no se explicaban, y, como era lógico, la prensa empezó a hablar de las diferencias de la pareja, se comentó la vida libre del príncipe en Estoril, y también se dijo que Sofía ya estaba arrepentida de haberse casado con él.

No fueron simples rumores de revista de cotilleo que, por otra parte, en aquella época no existían, se planteaban en la prensa más seria y llegaban hasta el Parlamento. El diputado Elías Bredimas incluyó una moción en el orden del día pidiendo que si el matrimonio de la basilisa se había roto, como parecía ser, la dote de nueve millones de dracmas debería devolverse al pueblo griego.

Quizás fue la primera —y casi la única— vez en que las desavenencias en el matrimonio de Sofía y Juanito se publicaron libremente en la prensa.

Rememorando aquel episodio otra vez, la reina se indignaba ante Pilar Urbano por lo que ella definía como una mentira cruel y absurda:

—Fue mi primer encontronazo, mi primera decepción con la prensa… no podía entenderlo.

Pero, como solía comentar Franco, «no hay mal que por bien no venga», y alguna ventaja sacó de esa situación. Su madre le aconsejó llamar a su marido para decirle que su conducta debía ser impecable para no dar lugar a la maledicencia.

Juanito soltó una carcajada, y Sofía se propuso hablar seriamente con él. Se lo planteó sin ambages en cuanto regresó a Estoril:

—Nuestros actos tienen un reflejo sobre la gente, debemos tener cuidado con lo que hacemos... Vivimos en una casa de cristal y lo privado a partir de ahora va a ser público...

¿Me atreveré a decir que Sofía había comprendido que solo estas condiciones de tipo político conseguirían apaciguar el temperamento apasionado de su marido?

¿No se acordaría de que don Juan había moderado su comportamiento, en los tiempos de Greta la Griega, cuando se le hizo ver que Franco no toleraría conductas impropias?

¿No había comentado Franco más de una vez con desprecio la inmoralidad de los Borbones y la afición al alcohol y las mujeres del conde de Barcelona?

Para hundir el cuarto clavo en el ataúd de las conductas impropias, Franco les hizo llegar a sus altezas que, aunque él sabía que su proceder era irreprochable, también debían demostrarlo para no dar pábulo a las murmuraciones.

Quien me lo cuenta me secretea:

—Yo también les recordé que Franco no permitía en sus ministros el menor devaneo a riesgo de apearlos de sus cargos. ¡Pero si cuando corrieron rumores de que Castiella se llevaba mal con su mujer Franco lo dejó en el congelador hasta que él personalmente le aseguró que era mentira que se fuera a separar! ¡Le pasó lo mismo a Carrero Blanco con la suya, Carmen Pichot! Hasta a su cuñado Ramón Serrano Suñer lo apartó de su lado porque tuvo una hija con su amante.

Juanito, más que miedo a ese monstruo de mil ojos que se llama opinión pública, temía al Caudillo. Se lo decía a sus amigos:

—Franco me mira y me acojona, ¡me hace sudar por dentro! ¡Tengo miedo de haber hecho algo malo sin darme cuenta!

Sofía, con machaconería típicamente femenina, volvía a la carga:

—¿Qué hacemos aquí? ¡Tenemos que ir a Madrid!

Sabía que su futuro como reina estaba en España, quizás que su tranquilidad conyugal también, bajo el paraguas protector de aquel hombre pacato y puritano que en toda su existencia adulta había convivido únicamente con su mujer y con el brazo incorrupto de Santa Teresa.

Un Franco que empezaba a comentar con malhumor:

—Yo no voy a insistirles… quedan otros príncipes, como el infante don Alfonso de Borbón Dampierre, que es culto y patriota, ¡podría ser una solución si no se arregla lo de don Juan Carlos!

El general Castañón de Mena, jefe de la casa militar de su excelencia, envió a Estoril un alarmante mensaje por persona interpuesta:

—Si Sofía y él no se instalan en La Zarzuela, el palacio pronto estará ocupado por otro príncipe.

Juanito empalideció, su padre también.

Sofía los observaba a ambos, temblorosa de impaciencia.

Juanito carraspeó y le dijo a su padre sin mirarlo:

—Papá, no tenemos más remedio que irnos a vivir a Madrid.

Juan hundió la cabeza. Aquel titán que llevaba treinta años luchando por el regreso de la monarquía a España besó la lona, como los boxeadores que se entregan en el asalto postrero. No quiso hablar para que no se le rompiera la voz y solo hizo un gesto de rendición con la mano.

Cayó encima de él un remolino de cenizas: los treinta años de lucha, un golpe de aire los esparció por el firmamento. La derrota sabía a polvo.

Sofía, la de los pies alados, ya había volado a su habitación, abría la maleta, sacaba las faldas de tergal del armario y las chaquetas de punto, y en un impulso irresistible se había puesto a bailar estrechando las perchas contra su corazón e imitando la voz cálida de Nico Fidenco:

*Ti voglio tenere, tenere,*
*legata con un raggio di sole, di sole…*

## *Capítulo 7*

Cuando Juanito le enseñó a Sofía el Palacio Real de Madrid, le dijo:

—Mira qué horror, aquí vivían mis abuelos, ¡la comida siempre llegaba fría desde las cocinas!

Se cuenta que Sofía preguntó con ingenuidad:

—Ah, ¿entonces aquí es donde se guardan las joyas de la Corona?

De lo que se deduce que seguían pareciéndole poca cosa las cuatro alhajas —la corona de la Chata, la pulsera de zafiros, el broche— que le había dado la reina Victoria Eugenia.

Sin embargo, el palacio de La Zarzuela, con sus paredes de ladrillo rojo y su tejado de pizarra, era muy distinto del Palacio Real y le gustó enseguida, porque era sobrio como Tatoi. A cinco kilómetros del centro de Madrid, muy cerca de El Pardo, donde vivía el Caudillo, es un lugar idílico en el que solo se oyen los pájaros y los grillos, en medio de un espeso bosque de encinas poblado de ciervos, zorros, gamos, ¡en pleno invierno hasta se ven familias enteras de jabalíes!

Aunque por motivos de seguridad está prohibido sobrevolar la zona e incluso realizar fotografías, hasta hace poco salía en Google Maps. En esta perspectiva puede verse que, aun cuando se nos intenta convencer de que el palacio de La Zarzuela es una finca pequeña, el conjunto de los edificios que albergan en la actualidad las distintas dependencias rodeado de uno de los escasos pulmones verdes de la Comunidad de Madrid es impresionante.

Franco realizó obras por valor de cuarenta millones de pesetas, añadiendo al antiguo pabellón de caza de la familia real, destruido por los bombardeos durante la Guerra Civil, un nuevo piso. Allí se instalaron los dormitorios, el de matrimonio —en los primeros trece años de vida en común la pareja compartiría habitación— y los de los futuros hijos, y se modificaron los cuartos de baño. La zona de cocinas y servicio la dispuso en un semisótano, y mandó arrancar el antiguo papel de las paredes con motivos de caza para pintarlas de color blanco.

Pero todo tenía el aire desolado de las viviendas en las que no habitaba nadie, y el golpetazo de una puerta despertaba eco en los interminables pasillos. Aquí y allá la princesa veía algún severo mueble de madera oscura estilo castellano y también alguna vitrina panzuda muy pompadour, un enorme tapiz de Bayeu y una lámpara de veinte brazos, donde se adivinaba la mano de doña Carmen; quizás eran restos que no había podido aprovechar para El Pardo del botín de sus incursiones en los anticuarios españoles; ¡la temían más que a una plaga de langosta!

El primer día, lo primero que hizo Sofía fue abrir los ventanales.

—Juanito, ¡un ciervo!

Quería que su marido participara de todos sus descubrimientos; era el comienzo de su vida en común, de verdad, con casa propia, y le gustaría que recorrieran el camino juntos.

Juanito mascullaba:

—Si tuviera aquí un arma…

Sofía se ponía a gritar por la ventana, aunque el animal ya había huido:

—¡*Go away*, Bambi!

Quizás recordaba su habitación de Psychico con los dibujos de Walt Disney.

El silencio era absoluto; allí no llegaba ni siquiera el ruido de la carretera, el aire seco y frío parecía que ensanchaba y limpiaba los pulmones, llenándolos de energía. El césped y las flores estaban quemados por el invierno; un jardinero anticuado había trazado unos caminillos de piedra rocosa, y unos escalones afilados como guillotinas delimitaban tres terrazas, cada una ornada por un anémico surtidor. También había geranios.

Las cañerías e instalación eléctrica eran nuevas; se había añadido calefacción y aire acondicionado. Alguien[1] advirtió a sus altezas:

—Se ha aprovechado para poner micrófonos.

A partir de entonces, cuando Sofía y Juanito querían hablar de algún tema delicado, salían al jardín.

Fue en el jardín donde Juan Carlos le contestó a un amigo que le preguntó qué tipo de monarquía[2] le gustaría instaurar en España:

—Una monarquía de republicanos.

Sofía recorría las estancias, disponía:

—Aquí pondré el secreter, la mesa tiene que ir aquí, no sé si cabrá el piano en el salón…

Como todas las recién casadas, disfrutaba preparando el nido de la familia que acababa de crear, exclusivamente suya, aunque Juanito le advirtiera:

—No te ilusiones mucho… no sabemos cuánto vamos a durar.

Sofía se negaba a escucharlo, ¡llevaba tantos meses esperando ese momento! ¿Cómo meses? Años, toda su vida de pequeña desterrada sin hogar, desde que jugaba a las casitas con sillas en Sudáfrica, mientras en lo alto se columpiaban los murciélagos.

Llamaba a su madre:

—Mamá, envíame todo; lo primero los baúles de ropa, ¡no, no! Lo primero los armarios; mejor ponlo todo junto en un *container*, o dos, o tres —al final se necesitaron tres—. ¿Verdad que harás que me envíen todo lo que me habías comprado para Psychico? ¡El piano también, por favor! ¡Y desmonta mi taller de yacimientos y mandádmelos todos aquí! ¡Acuérdate de la lámpara de cristal! ¡Los sofás! ¡Las vitrinas! Y… y…

Federica anotaba a regañadientes. Se había salido parcialmente con la suya, al menos había conseguido sacarlos de Estoril, «el paraíso triste», como lo llamaba Saint-Exupéry, y de Villa Giralda, de esa casa sin futuro, con los padres exiliados que ya no sonreían nunca, la hija ciega, la hermana mayor que no terminaba de casarse y el recuerdo atroz de Alfonsito en todas las habitaciones.

Sí, ¡ella no había criado a su hija para que se uniese a un perdedor!

Claro que Sofía y Juanito tampoco se habían ido a vivir a Grecia, donde podrían aprovecharse de sus consejos… pero Freddy sabía que, si querían acceder al trono de España, tenían una dura tarea por delante: vivir en España para luchar con uñas y dientes por el trono, lo que incluía desde halagar al Caudillo hasta abjurar de su padre.

Sofía canturreaba de felicidad mientras distribuía los muebles ingleses, lámparas, vajillas, ropa de cama, toallas con la JC y la S mezcladas y una corona arriba, ¡hasta las cortinas y las alfombras las hizo llevar de Grecia! Como regalo de boda había recibido treinta y nueve cuadros, que repartió por todas las paredes, desde un Pancho Cossío hasta un Vázquez Díaz, desde un Zobel hasta un Rueda, pasando por Esplandiu, Macarrón, Reyzábal o María Revenga. La familia Mazuchelli, fervientemente monárquica, les había regalado uno de los once retratos de Alfonso XIII que realizó el pintor Benedito. Estaba en el Ministerio de Agricultura antes de la guerra, y fue adquirido a quien lo incautó por la cantidad de 1.492 pesetas. Sofía lo puso en el vestíbulo.

En el salón se instaló otro retrato de Alfonso XIII con uniforme de húsares, de Joaquín Sorolla.

En un lugar preferente colocó un biombo lacado en negro con incrustaciones de nácar que habían comprado en Hong Kong durante su viaje de novios, y también el barco que les había regalado su padre por la boda.

Curiosamente, no hay iconos, ni figuras bizantinas, ni alfombras turcas, ni platería balcánica, nada que nos recuerde que Sofía es griega.

Aunque, eso sí, escondida en el cajón más secreto dormía su muñeca, Helena, y a veces Sofía, que ya era mayor, tenía su propia familia, era princesa ¡y podría ser incluso reina si le daba la gana al Caudillo!, la cogía, la abrazaba, le levantaba una pierna de trapo mientras ella levantaba la suya y bailaban las dos un *sirtaki* mientras las cítaras resonaban tan solo en su cabeza, pero tan nítidas como si estuviera oyéndolas en un cafetín de la Platka tomando una copa de *ouzo* y rompiendo platos.

Como un capricho personal, Sofía se hizo instalar el estupendo equipo de alta fidelidad que les había regalado el Real Madrid con altavoces en todas las habitaciones.

Patrimonio Nacional contrató a dos ayudas de cámara para el príncipe, dos doncellas para la princesa,[3] y dos personas en la cocina, pero todos se retiraban a sus casas a media tarde. Doña María les había enviado desde Portugal dos sirvientas de toda confianza, que por la noche no se movían de su habitación, en el semisótano. Había quien decía que a veces, a medianoche, se veía la silueta de una pareja bailando en el salón a la luz de las velas y, si estaban las ventanas abiertas, podía oírse la voz melancólica de Richard Anthony:

*Et j'atends siffler le train,*
*que c'est triste un train qui siffle*
*dans le soir.*

Pero para Sofía todos los trenes son alegres. Los seres humanos tenemos un tiempo de felicidad en nuestras vidas, y aquel, con su incertidumbre de futuro, en un régimen cruel y dependiendo de un dictador arrogante, fue el de Sofía, aunque a nosotros nos pueda parecer imposible, ¡las fuentes en las que bebe la dicha son inescrutables y extraordinarias!

Consiguió un jardinero joven, que entendía sus ideas. Ella optó por el jardín italiano, que, como le dijo su jardinero:

—No es obra del hombre, sino del tiempo.

A Sofía no le gustaba el artificio, prefería respetar la naturaleza frondosa y llena de majestad de esos montes velazqueños; con sus propias manos plantó abetos, cedros del Líbano, olmos, fresnos, encinas... ¿Por qué no crecerán más rápido? Juanito la observaba a veces desde el porche con los ojos entrecerrados por el humo del cigarrillo, con sus zapatos tan brillantes que uno podría mirarse en ellos, con la camisa impoluta, las manos en los bolsillos:

—¡Cómo trabaja mi Sofi!

Ella se giraba cómicamente, una pala en una mano, un cepellón en la otra, y esas botas de agua que entonces se llamaban katiuskas. Tenía la punta de la nariz tiznada y llevaba un pañuelo atado a la cabeza, como las campesinas griegas. Le reprochaba ahogando la risa:

—Podrías hacer algo, ¿no? ¡Tan joven y tan ocioso!

—Estoy pensando, ¿te parece poco?

Se acercaba a ella, bajaba el rostro hasta encararse al suyo y se tocaba la sien:

—Porque aunque a algunos les parezca mentira, YO pienso.

Era la época en que se empezaba a decir que el príncipe era tonto y que la lista era Sofía.

Los príncipes apenas recibían visitas. Franco ya les había hecho saber que tenían que huir del ambiente de frivolidad que se daba entre los grandes de España; que él podía recordar, por su edad, que las fiestas de la corte eran un nido de intrigas y de maledicencia y que nada le gustaría menos que ver a la princesa alternando con las clases aristocráticas españolas, tan inmorales.

La sobrina de Franco, Pilar Jaraiz, le comentó a esta periodista que su tío solía burlarse de todo lo que oliera a realeza:

—A veces, cuando no estaba delante la tía Carmina, le salía el humor socarrón de su juventud. Un día estaba yo en El Pardo mirando una vitrina con unas medallas con mi tío Nicolás. Cuando bajó el tío, Nicolás le dijo: «Hombre, Francisco, ya veo que tienes una medalla de una señora de pierna alegre como Isabel II». Franco se echó a reír, empezaba bajito e iba subiendo de tono, y me dijo: «¡Cómo es tu tío Nicolás, no respeta ni a las reinas!». Se notaba que a él la aristocracia le daba cien patadas.

¿Que se apartara de las damas de la nobleza? ¡Ningún consejo le podía gustar más a Sofía! ¡Descartaba de un plumazo a las posibles María Gabrielas y Olghinas de este mundo! ¡Le resolvía la vida!

La reina Victoria Eugenia no se cansaba de contar que las amantes de su marido se las buscaban las señoras de la corte, y que uno de sus gentilhombres, Viana, incluso conspiró para que se separara de ella para casarse con la actriz Carmen Ruiz Moragas. Sofía, cada vez que se acordaba de las atrocidades por las que había pasado la abuela de su marido como reina de España y, sobre todo, como esposa, se estremecía de terror y se prometía extremar las precauciones para no sufrir lo mismo. Su marido era Borbón y español y, como le decía doña Victoria Eugenia:

—Los españoles son muy malos maridos y los Borbones ni te cuento.

Doña María, su suegra, se encogía resignadamente de hombros, ¡era inevitable! ¡Nuestros hombres llevan la infidelidad en los genes, como otros llevan la hemofilia!

¿No podría romperse nunca esta brutal cadena? ¡Quizás Juanito era más Orleans que Borbón! Podría ser.

¿No decían todos que se parecía tanto a su madre?

Gangan, como la llamaban sus nietos, también le comentaba con tristeza:

—¡Ni una amiga conseguí en los veinticinco años que viví en España!

Un grupo de señoras tituladas fueron a Zarzuela a hacer a la princesa una visita de cortesía y salieron escandalizadas:

—Nos hizo esperar; estaba trabajando en el jardín; apenas nos atendió; habla muy mal español; no sabía quiénes éramos... Es antipática.

Fue entonces cuando ellas preguntaron:

—¿No necesita vuestra alteza camareras de corte?

Y Sofía dio una respuesta que se ha hecho legendaria:

—Ya tenemos el servicio completo… aunque una buena cocinera no nos vendría mal… a mi madre también.

Las visitas intentan halagarla hablándole de su suegro:

—Nosotras vamos a Estoril desde el año 46…

Pero tampoco obtenían ninguna respuesta, porque don Juan era uno de los temas de conversación proscritos; Sofía temía no solamente a los micrófonos instalados en toda la casa, sino a los ayudantes que Franco había colocado a su lado: Mondéjar, el duque de la Torre, el general Castañón de Mena, tan triste que lo llamaban «Castañón de Pena», Emilio García Conde, el nuevo secretario de la Casa del Príncipe, el general Alfonso Armada… Aunque algunos estaban en el bando de los príncipes, todos preferían encender una vela a Dios y otra al diablo. Los chismes y los informes viajaban en ambas direcciones.

Y no se podía hablar de don Juan porque los caminos de Juanito y de su padre ya eran totalmente divergentes, aunque aún no hubieran tenido una charla de hombre a hombre. Poco después de la boda, don Juan había jugado su última carta, que había conseguido que Franco lo apartara definitivamente de la carrera dinástica. En lo que el Caudillo llamaba «el contubernio de Múnich»; monárquicos, católicos, falangistas del interior arrepentidos, y exiliados catalanes, vascos y socialistas emitieron un tibio manifiesto en el que se pedía una evolución moderada y tranquila hacia la democracia. En una de las sesiones, los monárquicos cantaron las alabanzas de una monarquía bajo don Juan:

—¡El rey de todos los españoles!

Con lo que vemos quién tiene el *copyright* de esta frase que tanto gusta de pronunciar a nuestro monarca.

También afirman que después de don Juan, iría don Juan Carlos, por supuesto. Pero solo después.

Franco creyó que el conde de Barcelona estaba detrás de esta operación, declaró el estado de excepción en el país, sacudido por una oleada de huelgas en el sector minero y entre los estudiantes, detuvo, encarceló, incluso dictó penas de muerte, y se dedicó a descalificar con desprecio a esos...:

—¡Desdichados que se conjuran con los rojos para llevar a las asambleas extranjeras sus miserables querellas!

Y todos entendieron que se refería a don Juan. De rebote, se enfadó también con Juanito y Sofía; no estaba seguro de su lealtad y se negaba a recibirlos. Juanito se consumía, se volvía hacia su mujer, que intentaba consolarlo:

—No te preocupes, nos necesita, si no, no nos hubiera hecho venir... ¡Tenemos que demostrarle que estamos de su lado!

Se cogían de la mano los dos en el salón, entre sus muebles nuevos, bajo los retratos inmensos que en la oscuridad tienen algo amenazante, como aquellos dos niños que se habían encontrado en algún lugar de Europa y se habían aferrado el uno al otro.

Un íntimo amigo de don Juanito de aquella época contestó así a mi pregunta:

—¿Enamorado don Juan Carlos? No creo que se lo planteara nunca.

Quizás Juanito no estaba enamorado de Sofía. Pero en aquellos tiempos de tribulación, la necesitaba, se apoyaba en ella.

La complicidad no es un mal sustituto del amor.

Muchos años después Sofía recordará con añoranza:

—¡Entonces todo lo hacíamos juntos!

Y Juanito le reconoció a Pilar Urbano que:

—Ella, sobre todo al principio, me dio mucho…

Más se preocuparon cuando se enteraron de que Franco se dedicaba a alabar indiscriminadamente al otro pretendiente, su primo Alfonso de Borbón Dampierre, que se había convertido ya en un habitual de la familia del Caudillo y estaba en plena efervescencia conspirativa.

El clan de El Pardo, encabezado por el yernísimo, el marqués de Villaverde, le buscó buenos padrinos. El principal fue Mariano Calviño, un abogado catalán que había sido el primer jefe de Falange de Barcelona después de la guerra y que había ocupado puestos tan importantes como la presidencia de la Sociedad General de Aguas. Era riquísimo y muy influyente, y gracias a él Alfonso se convirtió casi oficialmente en el pretendiente del régimen. La lista de seguidores crecía, aunque posteriormente todos lo negaron. Landelino Lavilla, que había sido compañero de don Alfonso en la universidad y que llegó a ser ministro de Justicia, elaboró un informe por el que se determinaba que Alfonso de Borbón era el legítimo heredero del trono, aunque en la actualidad Lavilla le haya negado a Joaquín Bardavío que realizara algo más que «algunas anotaciones, ya no recuerdo en qué sentido».

El mismo Bardavío da más nombres: Rodríguez de Valcárcel, Solís, Nieto Antúnez, todos pesos pesados del régimen.

Alfonso visitó El Pardo y pasó muchos fines de semana en el pantano de Entrepeñas, con los Villaverde. Como uno más de la familia, iba a las celebraciones familiares; cuando Carmen, la nieta mayor, cumplió trece años, Alfonso acudió a la fiesta que le organizaron sus padres y le llevó una caja de bombones. Carmen era una chica alta, de porte aristocrático, muy mimada por su abuela, con una belleza algo afeada por su prominente nariz. Sus hermanos se burlaban de ella y la llamaban:

—¡La princesa!

Franco también valoraba muy positivamente lo bien que se portaba Alfonso con su padre, el pobre infante don Jaime, hijo mayor de don Alfonso XIII, obligado a renunciar a la corona por culpa de su sordomudez. Porque el duque de Segovia se arrepintió de esta renuncia, y con su áspera voz intermitente vociferaba cada vez que algún visitante español se acercaba a su modesta vivienda de la Rueuil Malmaison:

—¡Me han tratado peor que a un cerdo! ¡Mi hermano Juan me ha engañado!

Se proclamaba duque de Borgoña y gran maestre de la orden del Toisón de Oro. Para adquirir notoriedad empezó a conceder toisones con alegre generosidad. Algunos ingenuos pagaron por lucir esta condecoración y otros no se daban ni siquiera por enterados de que habían sido agraciados con esta gran merced, como los astronautas Borman, Lovell y Anders, primeros hombres en viajar a la luna, cuyo asombro no conoció límites cuando por correo les fue enviada la citada condecoración.

Un día don Jaime decidió concederse también el título de duque de Madrid, que asimismo utilizaban Carlota, su segunda mujer, y la hija de esta, Hilda. Acudían con frecuencia a fiestas de sociedad en París, y los periódicos no sabían ya qué títulos adjudicarles y les aplicaban tratamientos tan estrambóticos como «sultanes» o «reyes en el destierro».

Don Alfonso velaba por este infeliz padre que el destino le había deparado con paciencia y generosidad y así se lo explicaba a Franco, quien al final decidió concederle una pequeña pensión mensual.

Alfonso vestía bien, era sombrío y guapo y, aunque terriblemente aburrido, tenía mucho éxito con las mujeres.[4] A pesar de que Marujita Díaz, con la que tuvo un *affaire*, le confesó a un periodista:

—¿Ves lo soso que es? Pues en la cama lo mismo.

Su trabajo en el Banco Exterior empezaba a estar bien remunerado, se decía que cobraba setenta mil pesetas de la época, ya que llegó a ser subdirector. Desde este puesto, según escribe en sus *Memorias* con su modestia habitual, «fundé diversas sociedades, entre ellas una sociedad financiera que llegó a ser la más rentable de todas aquellas cuyo accionariado controlaba el banco».

En uno de los concursos absurdos que se celebraban en aquella España sin programas del corazón lo eligen «Elegante de la política», y concede una entrevista informal en la que manifiesta que «no me siento elegante, me gusta vestir cómodo», haciendo gala de una gran originalidad. Cuando la periodista, Maite Mainé, le preguntó:

—¿Tengo que llamarle alteza o de usted?

Él contestó caballerosamente:

—Usted está bien.

Y luego se explayó sobres sus gustos y aficiones:

—No uso agua de colonia, estoy leyendo el libro de Luis Romero, *Tres días de julio*, no me gustan nada los juegos de azar, me gusta el dulce, el jazz, el cantante Raphael y, en los toros, Antonio Ordóñez y el Cordobés. No fumo y mi ideal de mujer es una que tenga mis mismos gustos, con la cual pueda hablar y me pueda entender.

La periodista, entregada, terminó la entrevista diciendo «es un príncipe encantador... sin cuentos de hadas».

Juanito y Sofía tampoco vivían un cuento de hadas, sino una existencia oscura y solitaria en La Zarzuela; en las revistas de esa época no hay ni una sola mención de ellos. Leían con estupor el tratamiento de príncipe y de alteza que daba la prensa a Alfonso, aunque no se atrevían a protestar. Juanito quizás miraba con cierta envidia a su primo, porque era abogado y además lo describían como «atractivo *playboy*». La lista de sus romances era interminable, aunque el más publicitado fue el que tuvo con una actriz italiana de cuarta fila, Marilú Tolo, que, aunque parezca imposible, algo en común tenía con Sofía, ya que había actuado en una película rodada en Grecia que llevaba el sugestivo título de *Maciste, gladiador de Esparta*. Marilú declaraba a las revistas con desenfado:

—No me importan los blasones, y Alfonso es mi hombre, aunque no estamos oficialmente prometidos.

Cuando rompieron, ella contó a la revista *Lecturas*:

—Le he devuelto sus regalos: un brazalete de diamantes, muchos discos, algunos libros y perfumes, aunque —especifica con honradez— las botellas estaban medio vacías.

Alfonso salía en las fotos vestido de forma impecable en las fiestas al lado de mujeres espectaculares, o con atuendos de deporte, de esquiar, de bucear, de jugar al tenis, o incluso al baloncesto. Sofía pasaba las hojas de las revistas con desaprobación y le comentaba a su marido:

—A Franco esto seguro que no le gusta.

Pero Juanito se desesperaba, estaba cariacontecido y taciturno, temía que, después de tanto luchar, ahora se iba a quedar sin su padre, don Juan, y sin su abuelito, Franco. Miraba a Sofía con ternura. Sabía que ella no le iba a fallar nunca.

En la misa de Réquiem que se celebra todos los años en El Escorial en conmemoración de los difuntos de la familia real, el 28 de febrero de 1963, por primera vez, Sofía asistió al lado de Juanito. Sabía que estaban recordando al abuelo de su marido, ¡nadie les podía robar el protagonismo! Con vestido negro y perlas en el cuello, se mostraba grave y emocionada. Por la noche, ante su recién estrenado aparato de televisión, se sentaron los dos muy ilusionados. Estarían juntos por primera vez en un acto oficial en España y por primera vez los españoles se darían cuenta de que estaban viviendo allí y preparándose para suceder a Franco.

Pero su desilusión no conoció límites.

El locutor anunció, encima de una imagen del Caudillo:

—... La ceremonia fue presidida por su excelencia el Caudillo de España y doña Carmen Polo de Franco.

No los mencionaban. Ellos no salían. Habían cortado la imagen para que no se les viese.

Sofía se levantó y se fue corriendo a su cuarto. No quería llorar ni delante de su marido, ni del servicio, ni de los micrófonos.

Al día siguiente Juanito le confesó[5] a Mondéjar:

—Me dio mucha vergüenza de cara a mi mujer... Había llamado a su madre para contárselo y le prometió enviarle una copia para que la visionaran en Atenas. ¡Tengo miedo de que se arrepienta de haberse casado con un don nadie como yo!

El 24 de abril se casó Alejandra de Kent con Angus Ogilvy, el hijo del conde de Airlie, un título menor. Sofía y Juan Carlos pidieron tímidamente permiso para ir. Franco se lo concedió como si a él ya nada de lo que pudiesen hacer le atañese.

Antes se pasan por Alemania, Sofía quería que Juanito conociera a su abuela, la hija del káiser.

Victoria Luisa, derecha y altiva, con el rostro surcado de arrugas y quemado por el sol, con los ojos mongoles convertidos casi en una ranura, palpó a Juanito como si se tratara de uno de sus caballos y luego dictaminó:

—¡Sofía, es alto, fuerte y rubio, pero es más guapo tu padre!

Y luego le salió el rencor por su hija:

—¡No entiendo cómo puede aguantar a Freddy! Bueno, claro, es un santo.

Los cuatro hermanos de Freddy también acudieron a tomar el té con su nuevo sobrino. Les desconcertó que fuera tan bromista y le preguntaron cómo podía vivir en la oscura y miserable España. El tío favorito de Sofía, Christian, ya de cuarenta y cinco años, se acababa de casar con Mireille Dutri, que tenía solo dieciséis. Pocos criados del palacio de Marienburg recordaban a Freddy. Tan solo el anciano cocinero emergió de las profundidades del sombrío palacio y con sus manos temblorosas le dio una bolsa con spekulatius para su madre y le dijo melancólicamente a Sofía:

—Eran las galletas favoritas de la prinzessin cuando era pequeña.

Sofía visitó una feria de productos para el hogar y contempló el último grito en lavadoras, una soberbia Westinghouse de la que la propaganda decía: «Mientras usted se dedica a sus aficiones favoritas, su lavadora, con su automatismo total, le resuelve la colada». Le preguntó a su marido:

—¿No crees que podríamos comprarla?

Y Juanito, castizamente, se frotó el dedo índice con el pulgar y le dijo:

—¿Y el parné, Sofi?

—Pero, Juanito…

—Ni Juanito ni hostias.

Les llamaron por teléfono al hotel. Al parecer la reina Federica había sufrido un atentado en Londres.

Sofía intentó comunicarse con Londres o con Atenas. Al final fue el armador Loukas Nomicos, otro de los amigos millonarios de Federica, el que la llamó y la tranquilizó:

—No se preocupe, alteza, ha sido cosa de la mujer de ese maldito Ambatielos, como es inglesa ha movilizado a un pequeño grupo de gente y profirieron insultos cuando su majestad llegó al hotel Claridge. La reina se asustó y, en lugar de entrar en el hotel, se puso a correr. Se refugió en una casa de vecinos, de donde la rescató la policía.

Toni Ambatielos era un miembro del Partido Comunista griego que estaba encarcelado por sus actividades al frente del sindicato de marineros. Había campañas internacionales para pedir su liberación y la propaganda lo había convertido en un mártir.

—Pero mi madre, ¿está bien?

Nomicos se echó a reír:

—Alteza, ya conocéis a la reina, ¡se crece en las dificultades!

Cuando llegaron al hotel Claridge, sufrieron una gran impresión, porque en la puerta había un grupo de manifestantes con pancartas que gritaban: «¡Fuera la reina fascista!», y algunos enarbolaban el *Daily Express*, en cuya primera página salía una foto de Federica con la leyenda «¿Queremos a esta mujer aquí?».

Les sorprendió encontrarse a un sonriente Tino en el vestíbulo, que llevaba a una chica muy joven colgada del brazo. Dándose importancia, se la presentó:

—¡Mi novia!

Era la princesa Ana María de Dinamarca, que hizo de dama de honor en la boda de Sofía. Solo tenía diecisiete años; cuando sonreía se le marcaban unos hoyuelos encantadores y no sabía si besar a su futura cuñada o hacerle una reverencia. Juanito rompió el hielo:

—Qué cabronazo eres. Muy guapa, Tino, ¡vaya suerte!

Fuera del ojo vigilante de Franco, Juanito recobraba un poco aquellas maneras de seductor que tantos triunfos le valieron en lo que él ya calibraba como remota juventud, ¡y solo tenía veinticinco años!

Sofía le preguntó a su hermano:

—¿Mamá está arriba, en su habitación?

Subió corriendo. La puerta de la habitación de su madre estaba entreabierta.

El cuarto estaba a oscuras; su madre estaba apoyada en la ventana entornada escuchando los gritos de los manifestantes:

—¡Fe-de-ri-ca-fas-cis-ta! ¡Fe-de-ri-ca-fas-cis-ta!

No se giró. Sabía quién era la que había entrado; conocería su respiración entre la multitud, sus pasos que se detuvieron detrás de ella. Sin mirar a su hija, como hablando consigo misma, dijo:

—¿Te acuerdas, Sofía, de las ratas que corrían encima de mi tocador en Ciudad del Cabo? ¿Y de las cucarachas?

Sofía asintió sin palabras. Había velas y, apoyada en unos libros, una imagen de la Panagia. La elegante habitación del Claridge parecía un santuario. Nunca habían hablado de aquello.

—Sí, mamá, claro que me acuerdo.

Federica estaba fumando:

—Os daba de cenar; yo os decía que ya había comido… ¡no había nada! ¡Tenía tanta hambre que hasta probé a comer hierba que crecía al lado de los caminos!

Fuera seguía el griterío. Ahora la emprendían contra Sofía, que estaba viviendo en España.

—¡Sofía, fascista, vete con Franco! ¡Quédate en España! ¡No te queremos en Inglaterra! ¡Devuelve la dote! ¡Te gastas en joyas el pan de nuestros hijos!

Freddy siguió fumando, soñadora, como si no oyera nada.

—Tu tío el rey dijo que no y mil veces no cuando los italianos le pidieron que se rindiese... Había un chico en el hospital... me dio una cruz... *In touta Niké*... Yo los quería mucho a aquellos muchachos... Detuvieron con sus cuerpos el avance de los italianos...

—Ya lo sé, mamá... los griegos también te quieren mucho... no hagas caso... Franco dice que los que gritan son los resentidos y los envidiosos...

Federica no la escucha. Ahora entona desafinadamente:

—*Beee beee black sheep.*

Es la canción que le susurraba al oído en Creta para que no oyera caer las bombas. Sofía se estremeció, pero se acercó y la abrazó. Federica era un cuerpo rígido, tenía los ojos secos.

—*Beee beee black sheep*.

A Sofía le daba un poco de miedo. A pesar de todo susurró:

—Mamá, estoy embarazada.

Federica se calló de golpe. Pareció despertar. Se apartó, aplastó el cigarrillo contra un cenicero, encendió la lámpara, el rostro de Sofía resplandecía bajo la luz color membrillo, y suavemente le dijo:

—Muy bien, hija, esperemos que sea un chico.

La princesa puso un gesto compungido y Freddy se apresuró a preguntarle mientras cerraba la ventana:

—Pero ¿hay buenos ginecólogos en España?

Sofía le explicó que le habían hablado del doctor Mendizábal, que tenía su consulta en el paseo de la Castellana, ¡en su sala de espera se reunía toda la aristocracia de Madrid! ¡En una sola tarde había recibido a tres duquesas!

Pero Federica fue categórica:

—Te llevará nuestro doctor Doxiades.

El día 4 de mayo el palacio de Atenas envió un comunicado oficial a los medios, en el que informaba que «la princesa Sofía de Grecia está esperando su primer hijo».

Franco se limitó a felicitarlos fríamente, a través de Mondéjar.

Pocos días después, una mañana del mes de mayo, Juanito y Sofía estaban desenvolviendo paquetes; a Juanito ya se le habían roto varias tazas, porque se empeñaba en lanzarlas al aire y luego no llegaba a tiempo a recogerlas. Sofía, que iba vestida con una cómoda bata de boatiné que le había enviado su abuela desde Alemania, porque las mañanas estaban fresquitas todavía en Zarzuela, fingió reñirlo con severidad, pero, como le dijo su marido:

—Se te escapa la risa por debajo del bigote.

Ella protestó:

—¡Pero yo no tengo bigote!

Juanito le dijo riendo:

—Pero no seas tan alemana, Sofi, ¡es una expresión figurada!

—Pero yo no soy alemana, ¡soy griega!

—No, Sofi, ahora eres española.

Su mujer, súbitamente ablandada, se acercó mimosa para darle un beso, pero Juanito saltó hacia atrás y le enseñó una fotografía que acababa de sacar de una caja:

—¡Mira, Sofi, lo guapo que estoy aquí!

Está vestido de militar, en la terraza de Villa Giralda, con la gorra de plato debajo del brazo. Dócilmente, su mujer le contestó:

—Sí, muy guapo.

—Tienes que decir de puta madre, Sofi. Aquí, cuando te regalen algo que te guste mucho, has de decir: ¡está de puta madre!

—¿De putttta madrrre? ¿Así? —preguntó diligentemente la princesa.

—Sí, cuando vengan las grandes con un ramo de flores, tienes que decirles: ¡estas flores están de puta madre, marquesa!

Sofía ya se apresuraba a repetir varias veces «de puta madre» para afinar la pronunciación, cuando un paternal Mondéjar entró en la habitación sonriendo bondadosamente:

—Permítame, príncipe, que le explique a su alteza que esta expresión debe utilizarse únicamente en la intimidad.

Sofía enrojeció:

—¡Juanito, eres un gamberro!

Pero Juanito no cejaba en sus clases de idiomas:

—Tienes que decir cabrón, Sofi. Cabrón.

La princesa gruñía y le arrojaba una caja de embalar y luego se lanzaba en plancha encima de él, intentaba hacerle una llave de judo y se ponía a tirarle del pelo y de las orejas mientras Juanito le gritaba:

—Ay, ay, piensa en tu hijo, Sofi, hazlo por él.

Mondéjar tosió discretamente:

—Ejem.

Llevaba un sobre en la mano con el sello de El Pardo. Cuando Juanito vio que era de su excelencia, se apresuró a cuadrarse, temblando, y a abrirlo.

Era una invitación a una representación de los Coros y Danzas de la Sección Femenina en el teatro María Guerrero, el 24 de mayo. Aparte de posar para dos retratos que les estaba haciendo el pintor Enrique Segura, sería la única ocupación de esa primavera.

Sofía se vistió con un abrigo de mezclilla que le había hecho Elio Berhanyer, un modisto muy simpático que le había presentado la marquesa de Llanzol y que cuando le probaba en su chalecito de Ayala 124 le contaba cosas muy divertidas de la vida de España: los amores de Ava Gardner con un torero y que la condesa de Quintanilla era una americana muy guapa de la que se rumoreaba que era espía, y después hablaban de sus perros. Sofía se había traído sus dos terriers de Grecia.

Todavía no se le notaba el embarazo, pero prefería que el abrigo fuera ancho para poder lucirlo también en otoño, que estaría más avanzada, ¡su presupuesto no daba para mucho, a pesar de que Elio le hacía un buen descuento!

Los príncipes entraron del brazo en el teatro, saludaron y se sentaron, sonrientes, en el palco de honor para asistir a la tediosa representación, y Juanito, que odia la música y no digamos el baile, le dijo en voz baja sonriendo hipócritamente:

—Menudo tostonazo.

Sofía le contestó:

—Pues yo prefiero esto a una corrida de toros.

Esta era una de sus discusiones más comunes. La reina Victoria Eugenia ya se lo había advertido:

—Es un espectáculo cruel propio de un pueblo atrasado como el español. A mí me obligaban a ir a las corridas; una vez tuve un aborto al ver como se desangraban los caballos. ¡Me ponía los gemelos al revés para no ver aquella salvajada, pero aun así oyes como lloran, porque los caballos y los toros lloran como las personas!

Cuando Sofía protestaba y decía:

—Yo me negaré a ir.

Gangan le respondía con sombría satisfacción:

—No podrás negarte, te obligarán.

Pero las niñas de la Sección Femenina ya habían terminado su última muñeira, y Sofía y Juanito aplaudieron puestos en pie. Sofía sonreía recordando uno de los últimos titulares de los periódicos griegos hablando de su estancia en España: «Nuestra basilisa baila perfectamente la jota y la sevillana».

Saludaron a un lado y a otro; nadie tiene costumbre de hacer reverencias, aparte de las monárquicas de viejo cuño, y se limitaban a estrecharles la mano. El estilo un poco monjil y preconciliar de Sofía, en una época en la que aparecía un nuevo modelo de mujer encarnado por Brigitte Bardot, despertaba mitad burla, mitad compasión.

Pero a la salida del teatro, un grupo de carlistas exaltados, partidarios de don Javier de Borbón Parma, pocos pero muy ruidosos, seguramente entre ellos estaría Barrionuevo, los estaban esperando. Al verlos, empezaron a gritar:

—Fuera Juan Carlos; no queremos reyes idiotas; impostor, Borbón al paredón.

Y también:

—¡Viva don Javier!

Aturdido, sin darse cuenta, o quizás queriendo quitar hierro al asunto, Juanito gritó también más fuerte que nadie:

—¡Viva!

Y aquí Sofía tuvo una inspiración genial. Se paró en seco, se giró hacia su marido y clavando en él una mirada severa de priora de convento, indiferente a los que los rodeaban, le reprendió:

—¡Cómo que viva don Javier! ¡Tienes que gritar viva Franco!

Nadie se dio cuenta de que en lugar de hablar en inglés, el idioma en el que se comunicaba con su marido, se lo dijo en su mal español. Así, los ayudantes que los rodeaban que, naturalmente, tenían a gala hablar solamente el idioma del imperio, pudieron transmitir sus palabras textuales al Caudillo. Concretamente se lo contó Mondéjar. Franco se mostró entusiasmado:[6]

—Yo ya sabía que la princesa era sumamente inteligente, me dolió lo sucedido, pero no podemos olvidar que los príncipes viven en España por deseo mío y hasta ahora su conducta es irreprochable en todo.

También se enteró de que el embajador inglés, sir George Labouchere, los había invitado a comer en la embajada para comentar aspectos mundanos de la boda de Alejandra de Kent. Y que Sofía había contestado, en español y en voz lo suficientemente alta como para que la captaran los micrófonos:

—No podemos aceptar por el momento —para dejar muy claro que una cosa eran los contactos familiares y otra olvidarse del tema de Gibraltar.

Cuando Juanito le dijo entusiasmado a Sofía:

—El Caudillo me ha llamado muy cariñoso otra vez y me ha dicho que a partir de ahora quiere verme todos los lunes.

Su mujer fingió contar los puntos del jerseicito que estaba tejiendo para su hijo, y Juanito no se dio cuenta de que se sonreía «por debajo del bigote».

En esas audiencias Franco hablaba y Juanito callaba. Vilallonga decía de él: «El príncipe es el hombre que mejor se ha callado de España».

Audiencia. Los lunes. Sí. Un par de horas.

Pero la semana tiene siete días de veinticuatro horas y no tenían nada más que hacer.

Sofía lo recordará más tarde:[7] «Teníamos que estar inventándonos el trabajo cada día, no teníamos un estatus, no sabíamos muy bien quiénes éramos... no podíamos exigir ningún derecho, no sabíamos ni cuál era nuestro puesto, nuestro rango, incluso en el protocolo...». Sofía acompañaba muchas veces a su marido y se quedaba de visita con doña Carmen, la Señora, como la llamaban en España. Le pedía algún consejo sobre decoración y ropa, pero básicamente se dedicaba a escucharla. Doña Carmen abominaba de la televisión y le contaba que:

—Tuve que llamar indignada porque ayer por la noche vi como salía un anuncio de... una señorita en... ropa interior. ¡Pura pornografía! ¡He exigido que se pase a medianoche, cuando las criaturas estén dormidas, para preservar su inocencia!

También se explayaba acerca de la desgracia que las malas mujeres pueden llevar al seno de las familias honradas (en este aspecto la princesa estaba de acuerdo):

—En Estados Unidos es muy corriente; se divorcian y ya está. ¡Qué puede esperarse de un país en el que las mujeres se casan envueltas en celofán, sin nada debajo!

Aun cuando Sofía asentía a todo, en este punto estuvo a punto de atragantarse con una moskovita de chocolate y almendras que la Señora se hacía llevar expresamente de la confitería Rialto de Oviedo.

Sí, esto de moskovita no le gustaba mucho a la Señora, que rezongaba:

—Toda la vida se han llamado carbayones...

De vez en cuando aparecían los marqueses de Villaverde, bronceados por el sol, fumando, oliendo a perfumes caros, y saludaban a la princesa con una reverencia, es verdad, pero con cierto desdén burlón en la mirada. El marqués se sentaba en el brazo de una silla y movía un pie calzado con un mocasín Gucci con borlas, traído especialmente desde Italia. Su suegra lo miraba con adoración: ¡era tan guapo!, ¡y era marqués! Porque la Señora, que había enviado un anuncio de sujetador a la madrugada televisiva, se moría de gusto, porque por mucho que hablase de la inmoralidad de los Borbones, a ella le ponían un título delante y se olvidaba de inmoralidades y del lucero del alba.

Carmencita contaba con la voz adolescente que aún hoy, a los ochenta y siete años, conserva, que la noche anterior habían estado en el Tiro de Pichón:

—Los embajadores de Filipinas, que son muy amigos nuestros, han dado una fiesta benéfica…

La princesa preguntaba en su mal español:

—¿Benéfica? ¿Para quién?

Pero ya la marquesa solventaba la pregunta con un gesto de la mano:

—¡Qué más da! ¡No me acuerdo!

Al día siguiente las revistas relataban que en el desfile de varias atractivas maniquíes del modisto Pitoy en el Club de Tiro de Pichón, estas «eran correspondidas con sonrisas y requiebros por dos galantes caballeros: el marqués de Villaverde y el marqués de Cubas».

En la foto se veía a la marquesa con el peinado «cardado» que se llevaba entonces, alhajada ostentosamente con un collar de turquesas y brillantes, con pendientes, pulseras y anillos haciendo juego.

La maledicencia popular contaba que en El Pardo había habitaciones enteras llenas de cajones con joyas, cosa que años más tarde corroboró Jimmy Giménez Arnau, que entró en la familia al casarse con una hija de los marqueses, que me contó:

—No eran armarios, eran habitaciones con filas de cajones dedicados a brillantes, otros a esmeraldas, otros a rubíes, ¡era como la cueva de Alí Babá! Eso sin contar que las joyas más importantes se guardaban en el banco.

Es evidente que ni la marquesa ni su madre habían leído el *Quijote*, donde Sancho Panza abandona el gobierno de la Ínsula de Barataria proclamando: «Saliendo desnudo como salgo, no es menester otra señal para dar a entender que he gobernado como un ángel».

Claro que a Juanito no le iba mejor con el Caudillo en su conversación *tête-à-tête* en el sombrío despacho. Franco se limitaba a hablarle de la finca de Valdefuentes, que él quería convertir en una explotación modelo, del número de vacas que tenía y de sus jornadas de caza. Cuando el príncipe al final se atrevía a preguntarle por un suceso concreto:

—Pero usted, en este caso, ¿cómo haría esto, cómo reaccionaría?

Franco le contestaba:

—No sirve de nada lo que yo le diga, porque usted lo tendrá que hacer de otra manera.

Empezaban esos años de larga travesía por el desierto que algunos llamaron «de hibernación», duros y solitarios, en los que solo podían estar seguros el uno del otro. Cuando, según recordó Sofía más tarde, «no éramos nadie». Don Juan Carlos era un desconocido para el pueblo español, una figura desdibujada detrás del Caudillo en los desfiles de la Victoria, con un uniforme militar que parecía que le quedaba demasiado grande.

En esa época[8] corría por España un viejo chiste.

Su nieto de cuatro años le dice a Franco:

—Abu, cuando yo sea mayor quiero ser caudillo como tú.

Franco se horroriza:

—Pero no puede ser, es imposible que haya dos caudillos a la vez.

Otro. Franco se reúne con Juan Carlos y le dice:

—Soy muy mayor, y un día sería conveniente que vuestra alteza ocupara mi puesto; pienso que le convendría que el pueblo lo conociera, he pensado que podríamos visitar juntos todas las provincias españolas para presentarle y que vieran que vuestra alteza es mi sucesor, ¿qué le parece?

—Me parece formidable, mi general, ¿por dónde empezamos?

—Para no herir susceptibilidades, empezaremos por orden alfabético, primero Álava, después Albacete, y así dos al año.

Franco se consideraba inmortal. No me resulta chocante. Yo recuerdo haberle preguntado a mi padre, hombre inteligente y franquista hasta la médula, qué pasaría cuando se muriera Franco. Él me contestó con absoluta seguridad:

—Esa posibilidad ni la contemplamos.

Luego intentaba explicármelo científicamente: que si los antepasados del Caudillo eran longevos, que si un tío suyo había muerto a los ciento cuatro años, que al no fumar ni beber no tenía desgaste...

Cuando me lo dijo, Franco tenía ya casi ochenta años.

Lo que sí es cierto es que Franco se reunió con Juan Carlos y Sofía y les ordenó:

—Viajen y que los conozca España.

¿Le habría comentado Sofía a la Señora que esta era una de las manías de su madre, quien decía que los príncipes debían viajar para conocer el país en el que iban a reinar, y también para que el país sobre el que iban a reinar los conociera a ellos?

Todo es posible. Como la definió el perspicaz escritor Ramón Garriga, corresponsal de *La Vanguardia* en diversos países extranjeros, «pocos advertimos entonces la refinada inteligencia de la princesa Sofía; era prudente y enérgica al mismo tiempo, una ayuda indispensable, y quizás algo más que ayuda, en la larga marcha que la pareja debía recorrer para alcanzar el trono de sus mayores».

Como le decía su padre:

—Sofía, eres tan discreta que la gente ni siquiera puede advertir las cosas que has hecho por ellos.

Bueno. Viajar. Sí, era una ocupación. Nada de trajes ostentosos. Elio Berhanyer propuso vestidos largos, abrigos de glasé, pieles, pero Sofía se negó:

—No, no, todo muy sencillo.

Muy sencillo no quiere decir pobre ni mal hecho. La princesa era exigente, así me lo confirmó años después otro de sus modistos, Manuel Pertegaz, que le hizo un vestuario completo para un viaje a París:

—Tenía mucho carácter, los gustos muy definidos... Se daba cuenta de cuando una sisa le tiraba, o cuando un drapeado no estaba bien hecho o cuando un cuello se desbocaba. Tenía una manía: ¡no le gustaban las medias azules! Decía que hacían piernas de muerta.

También era exigente con el servicio. Se contaba entonces que en su habitación se seguía el siguiente ritual. La doncella ponía la combinación, por ejemplo, encima de la cama. La princesa la cogía por los tirantes, la miraba cuidadosamente, incluso al trasluz. Si veía la más mínima mota de polvo, o una arruga, la dejaba caer sencillamente al suelo y esperaba a que pusieran otra encima de la cama. Sin pronunciar palabra, porque no solía hablar con la servidumbre.

Entonces no se firmaban cláusulas de confidencialidad en los contratos, como sucede en la actualidad, y casi todas las doncellas de las grandes casas estaban relacionadas entre sí, formando una red social tan sólida como las castas aristocráticas. Se hablaba también de la austera lencería que usaba la princesa griega.

Para viajar tampoco sacaba las joyas. Un hilo corto de perlas, su anillo de boda. En realidad, estaría muchos años sin lucir las alhajas importantes, a pesar de que la Generalísima, cuando acudía al Liceo de Barcelona, lucía una corona muy aparatosa de perlas y brillantes que nadie sabe de dónde había sacado (como también se ignora dónde se encuentra en la actualidad).

Los viajes conllevaban, en ocasiones, graves riesgos para la integridad física de los príncipes. Les tiraban patatas y tomates. Don Juan Carlos contó luego:

—Un día, uno de los tomates vino a estrellarse en mi pantalón. Me agaché, pasé el dedo por la mancha y me lo llevé a la boca. Mirando a quien me lo había arrojado, dije: «Vaya, está un poco amargo...». Otra vez yo imaginaba que iba a suceder algo desagradable y caminaba atento al lugar de donde podría partir la intemperancia. De repente, di un salto hacia atrás para apartarme de la trayectoria de algo que vi venir directamente hacia mí. Un tomate se estrelló en el uniforme de mi acompañante, que iba distraído. Pero este, muy tranquilo después del impacto, solo comentó: «Esto iba para su alteza».

Eran campañas orquestadas por los falangistas o los carlistas. En ocasiones, el gobernador civil de tal provincia recibía órdenes de que apenas se les hiciera caso, sin embargo, si era Alfonso el que se desplazaba, recibía honores de rey.

El rostro de Sofía se iba redondeando; el embarazo transcurría con su ritmo habitual. Dos veces a la semana iba a la consulta del doctor Mendizábal en la Castellana, donde se la instruía en el «parto sin dolor». A pesar de su insistencia, no consiguió que don Juan Carlos la acompañara.

En realidad no sabemos nada de los embarazos de doña Sofía, por lo que deducimos que no hubo preocupaciones, pero ¿fue así en realidad?

Ella únicamente comentó más tarde:

—He tenido buenos partos.

Yo pongo en duda que esta frase corresponda al léxico de la reina, estos temas entonces apenas se abordaban y, desde luego, a la acción de alumbrar solo se la llamaba «parir» en algún manual feminista. Faltaba bastante para llegar a la desenvoltura de doña Letizia saliendo de la clínica y exclamando delante de cientos de periodistas:

—¡Ahora voy a dedicarme a la lactancia materna!

A principios de diciembre llegaron a Madrid, para acompañarla en el momento de dar a luz, sus padres, Irene y su prima, la imprescindible Tatiana Radziwill. Pablo, con solo sesenta y dos años, tenía un aire nuevo, cansado. Un periodista que lo vio entonces advirtió en el rey de Grecia encogimiento y pesadumbre, una expresión resignada por la siembra interior e implacable de la enfermedad que iba a llevarlo a la muerte.

Era como si ya estuviera despidiéndose.

Federica, sin embargo, asombraba a los periodistas.

—Era increíble; tenía tal energía como si quisiera mantener a su marido con vida. Él era como si ya hubiera tirado la toalla, ella parecía no darse cuenta, ¡a sus cuarenta y seis años tenía el aire travieso de una niña!

Estaba en su plenitud física, nunca había estado tan guapa. Según cuentan, le había ganado fuerza a los años, era una mujer espléndida, de inagotable inquietud por la vida:

—A su lado, todos, incluida su hija Sofía, parecíamos sombras desvaídas. Era agotadora.

Solo le quedaban tres meses de felicidad.

Los días transcurrieron sin que pasara nada; el nacimiento se retrasaba. Pablo se entrevistó con Franco y le explicó la situación delicada en que estaba Grecia:

—Las elecciones las ha ganado un socialista al que yo había tenido de ministro del Interior, Giorgios Papandreu, y lo primero que ha hecho ha sido poner a Ambatielos en libertad.

El Caudillo comentó:

—Mala cosa, las elecciones.

—Pero es que la derecha también me odia. Karamanlis, que ha sido mi primer ministro durante once años, conspira contra mí desde París.

—Mala cosa, la democracia. Míreme a mí, ni elecciones ni democracia.

—En realidad, no contamos con el apoyo de nadie, no sé qué monarquía le voy a dejar a mi hijo. ¡Pobre Tino, tan joven, tan mal preparado y teniendo que reinar sobre un puñado de griegos que no lo quieren!

Franco se limitó a contestarle:

—Pues yo no encuentro pesada la carga de gobernar… Los españoles son fáciles…

Sofía, madre primeriza, no había echado bien sus cálculos, entonces no existían las ecografías, y el niño no estaba todavía a punto de nacer. Así se ha escrito la historia, aunque me parece una explicación un tanto extraña, pues el embarazo de la princesa recibía un seguimiento estricto, y además ella era enfermera.

Tino, que se había quedado como regente en Grecia y que solo tenía veintidós años, le pidió a su padre que regresara:

—Papandreu me ignora, toma decisiones sin consultarme, ha abierto las cárceles, ayer había tumulto en la puerta misma del palacio, no pude irme a dormir a Tatoi. ¡Hasta los oficiales de la guardia se olvidan de cuadrarse delante de mí!

Pablo regresó a Grecia; es probable que supiera que, sin él, la monarquía tenía los días contados, pero aun así quería hacerle un último servicio a este hijo al que había educado tan mal.

Se despidió de Sofía. Su hija lo abrazó fuertemente y se dio cuenta de lo delgado que estaba. Temblaron ambos. En silencio, él hizo un gesto infrecuente: le trazó la señal de la cruz sobre la frente con sus dedos sensitivos y elegantes. Después la besó.

Quizás le dijo:

—Cuida a la prinzessin.

A Sofía le subieron los sollozos a la garganta.

Como los cangilones de la noria, se unen la vida y la muerte, la aurora y el ocaso.

El 20 de diciembre Sofía sintió dolores a primera hora de la mañana. Con la canastilla que llevaba un mes preparada y que aguardaba en el vestíbulo, los príncipes se fueron a la clínica de Loreto, en el popular barrio de Cuatro Caminos, en la avenida Reina Victoria. Les dieron las habitaciones 604 y 605. Estaban también el duque de la Torre y el teniente general García Conde. Federica hablaba sin parar, daba instrucciones, coqueteaba con los médicos, le pedía fuego a Juanito dejando caer los párpados de forma insinuante. Irene y Tatiana eran las únicas que se preocupaban realmente por Sofía:

—¿Necesitas algo? ¿Tienes sed?

A la una bajaron a Sofía al paritorio, y allí se planteó un problema nimio, pero común a todas las mujeres que hemos pasado por ese trance. ¿Qué hacer para que no se ensucie el primoroso camisón de encajes que se ha escogido en la mejor tienda y que tan caro ha costado? ¿Cómo no se ha pensado en llevar algo más sencillo para ese momento?

Claro está que le ofrecieron a Sofía uno de esos espantosos camisones de hospital abiertos por detrás, pero la princesa lo apartó horrorizada. Miró la bolsa donde Juanito había puesto su ropa[9] y le dijo:

—Dame la chaqueta de tu pijama.

Y con la chaqueta del pijama de su marido, a las dos y media del mediodía, y en un parto seguido por los doctores Mendizábal, Olmedo, Taracena y Doxiades y la comadrona Elvira Moreira, dio a luz a una niña. Fue la primera princesa real que nacía en un centro sanitario. El bebé pesó cuatro kilos trescientos cuarenta gramos. Este dato asustó a Gangan cuando se lo comunicaron, pues los hijos hemofílicos son más gordos de lo habitual. Alfonsito, por ejemplo, su hijo mayor, había pesado casi cinco kilos.

Pero la tranquilizaron, no había ninguna posibilidad de que los hijos de Juanito y Sofi tuvieran la enfermedad que había diezmado a la mitad de las familias reales de Europa, que se originó en la reina Victoria de Inglaterra y que a España trajo precisamente ella, la pobre reina Victoria Eugenia, ¡qué duramente fue castigada por este pecado!

Pero la hemofilia solo la pueden transmitir las mujeres, y Sofía no estaba infectada. Su marido, aunque para el caso era irrelevante, tampoco.

El bebé no era hemofílico.

Pero era una niña.

Al contrario de lo que suele contarse de que Sofía y Juanito estuvieron cogidos de la mano durante todo el acontecimiento, la verdad es que el padre no entró en la sala de partos (algo, por otra parte, normal en aquella época). De hecho, cuando la niña nació, él estaba hablando en el pasillo por teléfono con su padre. Le dijeron:

—Alteza, ha sido niña.

Juan, que también lo había oído, desde Estoril, le repitió a su mujer:

—¡Ha sido niña!

Cuando fue al lado de Sofía, seguramente había desilusión en los ojos de Juanito, que se reflejaba en los de la princesa. En esa carrera particular y titánica para conseguir el trono de España, tener una niña restaba puntos.

Claro que luego, cuando se reunió con los periodistas que esperaban en la cafetería y brindó con ellos con champán, les dijo:

—Queríamos una niña; es mucho mejor para la educación de los hermanos que el primero sea una niña...

Juanito llamó a El Pardo. Franco estaba reunido en consejo de ministros, pero aun así se puso al teléfono. Juanito trató de que su voz sonara alegre cuando informó:

—¡Ha sido una niña, está muy sana!

Sí, es una niña, está muy bien.

Pero hubiera sido mejor un niño.

Seis días después, el día 27 de diciembre, a las siete de la tarde, se celebró el bautizo. Federica ya se había ido; la situación en Grecia era alarmante, huelgas salvajes y manifestaciones recorrían el país, y Pablo y Tino necesitaban su ayuda.

Tampoco tenía ganas de encontrarse con don Juan. Ni este con ella. Sabía que estaba furiosa porque se negaba a pasar sus derechos dinásticos a su hijo:

—Que abdique ella.

Decía don Juan echando fuego por los ojos.

Cuando Federica se fue, llegó él. Entró en España por primera vez en treinta y tres años. Tuvo que pedir permiso humildemente al Caudillo, quien le contestó con condescendencia que sí, que bueno, pero que esperaba «que no aprovechen sus adictos para explotar esta visita con fines partidistas».

Juanito y Sofía se enteraron de esta respuesta, que implicaba una enorme grosería, pero callaron. Para ser sinceros, habrían preferido que don Juan y doña María no hubieran venido a España, ¡era tan delicada su situación!

Franco no permitió que los condes de Barcelona se alojaran en Zarzuela; tampoco podían cruzar Madrid y tuvieron que hospedarse en casa del duque de Alburquerque, en Algete. Juan transigió con todo, aunque mascullando:

—Hijo de puta. ¿Qué se puede esperar de un hombre que solo bebe limonada?

Pero creía con ingenuidad que estar al lado de su primera nieta pondría las cosas en su sitio. ¡Cómo iba a nacer el último brote del viejo árbol borbónico y él iba a estar ausente!

Mientras iban a La Zarzuela, conduciendo él mismo el coche, María le dijo primero:

—Me encuentro mal.

—Ahora no me hagas la cabronada de ponerte enferma.

—Voy a aprovechar para decirle a Franco que no le perdono lo fatal que se portó cuando murió papá; ¡tardó tanto en darme permiso para entrar en España que no pude recoger su último suspiro!

Juan se volvió con asombro hacia aquella mujer que nunca le había dado problemas y se llevó una mano a la cabeza (la otra la conservaba asiendo el volante):

—¿Está en juego la dinastía y tú vas a empezar con esas imbecilidades?

María frunció «sus labios gordezuelos de Sánchez Coello», como la describían en *ABC*, y se calló, pero, como le contó más tarde con cierto aire de travesura la propia doña María a Luis María Anson, que fue quien me lo contó a mí:

—Me callé, pero le di a Franco la mano flojita...

Doña Victoria Eugenia no pudo ir; parece que a Juan le había dicho: «Si hubiera sido niño, sí valía la pena el esfuerzo...», le resultaba muy difícil abandonar el cómodo invierno en Mónaco y las atenciones que le dispensaba Grace. En el periódico *Nice-Matin* de esos días salía una pequeña nota: «La Costa Azul, destino favorito de los reyes destronados: el exrey Faruk de Egipto y la exreina de España».

El bautizo fue frío. Da un poco de vergüenza ver la corta lista de invitados; el primero, anunciado pomposamente, era el rey Simeón de Bulgaria; teniendo en cuenta que este, que vivía en Madrid y estaba casado con Margarita Gómez-Acebo, solo fue rey de los cinco a los ocho años, resultaba un poco exagerado el tratamiento, aunque como ya he dicho, en el «club de los *royals*», una vez se ha sido rey, se es rey para toda la vida. Estaba el primo de Juanito, Carlitos de Borbón, con Ana de Francia, su mujer; las hermanas de doña María, Esperanza y Dolores, y también las princesas de Baviera, que solo podían utilizar ese título como cortesía de Franco, pero que eran muy guapas, simpáticas y chicas muy de moda en Madrid; una de ellas había posado pintando sin zapatos y los periodistas se apresuraron a llamarla «la pintora de los pies descalzos». El resto eran títulos próximos al régimen y muchos militares.

En la lista no figuraba el nombre de Alfonso de Borbón Dampierre. Tampoco nadie de la familia de Sofía, ni sus tíos alemanes ni sus queridas tías Helena, Irene y Catalina, que eran como actores que ya hubieran llegado al final de su función y saludaban y salían del escenario. Sofía tan solo seguiría viendo, esporádicamente, a la tía Catalina, que había compartido con ellos el exilio y que vivía en el campo, en Inglaterra, no muy lejos de su nani Sheila McNair. A veces se reunían las tres en casa de tía Catalina, en Marlow, en el condado de Buckinghamshire, y compartían viejos recuerdos.

Aunque en la lista de invitados sí se mencionaba al «personal de la embajada griega». Sofía tuvo el detalle de invitar también a los médicos y las enfermeras que la habían atendido y asimismo a «los directores de los periódicos *Arriba*, *Pueblo*, *Informaciones*, *Madrid*, *El Alcázar* y *ABC*».

Franco llevaba uniforme militar, y se le veía con su aplomo habitual en alguna foto departiendo con don Juan, que a su lado parecía un gigantón y que reía nerviosamente con la cabeza echada hacia atrás. Doña Carmen lo miraba con cierto aire de superioridad, pensando, ríe, ríe, ¡de momento, los que tenemos la sartén por el mango somos nosotros!

Margot y Pilar mostraban rostros serios y apesadumbrados. Doña María llevaba un extraño sombrero de medio lado que no la favorecía en absoluto, tenía tos, casi no podía respirar; luego resultaría que padecía una pulmonía y deberá guardar cama muchas semanas. Juanito miraba con aprensión a su padre, temiendo que metiera la pata y que todos los esfuerzos que estaba haciendo para consolidar su futuro fueran inútiles. Solo Sofía parecía tranquila y feliz (únicamente se alarmó cuando doña María tosió encima de su hija), llevaba el peinado de moda aquel invierno, a lo Sylvie Vartan, con una sencilla mantilla de encaje negro por encima. Detrás de ella estaba la niñera que su madre le había obligado a contratar, pero no le dejaba a su hija ni un instante.

Era ella la que se levantaba por las noches cuando la oía llorar, la que la bañaba; no sabemos si la criaba ella personalmente, como se decía entonces con delicada perífrasis. Sofía, que tanto había cuidado de los niños de los demás en Mitera, que había jugado con su muñeca Helena hasta ayer mismo como quien dice, ¡cómo iba a dejarle a otra su hija de verdad!

Porque la infantita se iba a llamar Elena, como su muñeca.

Claro que la niñera se desesperaba y se quejaba a las otras doncellas:

—No sé qué hacer… me aburro…

Terminó por despedirse.

Los padrinos fueron doña María y el viejo tío Ali. Aunque era tío de Juanito, era un Borbón irreprochable, ya que había sido héroe de guerra y había perdido un hijo en las filas nacionales.

Naturalmente, y como era de prever, la ceremonia no significó ninguna ventaja para don Juan ni hizo cambiar sus planes a Franco, que declaró a *Le Figaro* con suficiencia en una de sus escasas declaraciones a la prensa extranjera: «Los defectos personales de determinados monarcas han perjudicado a la institución monárquica». ¡No se iba a olvidar nunca del contubernio de Múnich ni de eso de que Juan quería ser rey de todos los españoles! Comentaba con sarcasmo:

—¿Incluso de los asesinos, comunistas, masones, violadores de monjas? ¿De los que mataron a José Antonio y a Calvo Sotelo? ¿Los de la matanza de Paracuellos? ¡Pues muy bien!

Curiosamente, quizás fue en Grecia donde más repercusión tuvo este nacimiento. Tino, para desviar la atención sobre los problemas que asolaban su país, dio una improvisada rueda de prensa[10] en la que declaró con cierta ingenuidad:

—Estamos muy contentos, porque nos hemos dado cuenta de que ¡yo ya soy tío y mi padre, abuelo!

Es lógico que tal simpleza del que iba a ocupar la corona de Grecia a la muerte de su padre acaparara al día siguiente la primera página de todos los periódicos. Fue la única ocasión de ese invierno en que los periodistas no se cebaron en la convulsa política griega, que solía resolverse con decenas de detenciones, atentados y denuncias de tortura y corrupción. ¡Y fue la única vez también en que los lectores se rieron de buena gana!

Fue un invierno muy frío y lluvioso en toda Europa. Sofía estaba embebida por su hija; se levantaba sonriendo pensando en ella.

Elena era ruidosa e inquieta. Lloraba durante horas, su carita redonda enrojecida. No le dolía nada. El pediatra le decía:

—Está poniendo a prueba sus pulmones.

Freddy la llamaba todos los días. Sofía apenas podía hablar con ella porque la niña se ponía a llorar y tenía que cortar la comunicación con un apresurado:

—Lo siento, mamá, muchos besos.

Un día Federica le soltó, pero sin mucha urgencia:

—Papá no está bien… Doxiades dice que hay que operarlo del estómago, seguramente tiene unas úlceras sangrantes, le hacen sufrir mucho… Han venido la tía Helena, la tía Irene y la tía Catalina…

Sin alarmarse, Sofía repuso:

—Ah, pues vamos… así veis a la niña.

Su madre también la había llevado, con la misma edad que tenía Elena entonces, a conocer a su abuelo el káiser atravesando toda Europa.

Juanito y Sofía primero fueron a Lausana a visitar a Gangan, que les dijo:

—Muy mona, Elena… ahora tenéis que ir a por el niño.

La cogía en brazos y le decía:

—¿Cómo era aquella tontería que cantaban en España? «Cinco lobitos tiene la loba…».

Con aire vivaracho y los ojos brillantes y repentinamente juveniles, recordaba:

—Pero a mí me gustaba más «se va el caimán, se va el caimán, se va para Barranquilla…».

Aunque «el caimán» no tenía ninguna intención de irse a Barranquilla y continuaba en El Pardo, tan firme como las Pirámides.

Después, a Saint Moritz. ¡Juanito quería relajarse esquiando! Mientras estaban allí, en el hotel La Margna, les volvió a llamar Federica:[11]

—Ahora dice Doxiades que hay que operar enseguida.

A Sofía se le encogió el corazón. No le extrañó nada que, cuando llegaron a Atenas, la operación ya se estuviera realizando en un quirófano improvisado en Tatoi y el médico les dijera:

—Es cáncer de esófago; no hay nada que hacer… tenéis que prepararos para lo peor.

Llevaron a Pablo a su dormitorio de siempre. Lo más duro de todo fue entrar sonriente en la habitación, cuando lo que querías era estrecharlo entre tus brazos y pedirle que te consolara de su propia muerte.

Pero eso no se podía hacer. Había que tragarse las lágrimas; el marco de la puerta era la entrada al escenario en que habías de interpretar el papel más difícil de tu vida. Tu padre se iba a morir.

Tú lo sabías.

Él también.

Cuando al final todos lo aceptaron, la tensión se aflojó, pero la tristeza lo anegó todo. El viejo rey intentaba sonreír tratando de infundirles valor y tranquilidad. Ellos no veían una sonrisa, sino la máscara monstruosa de la muerte.

Un día señaló un sofá. Lo sentaron. Pidió un cigarrillo, que insertó trabajosamente en su boquilla. Sofía le acercó a Elena para que la bendijera. La niña se quedó extrañamente callada frente a su abuelo.

Cuando se acostó, no volvió a levantarse.

Federica no hablaba con nadie, no comía, no miraba a su primera nieta, que, en una habitación apartada, emprendía a gritos y a patadas el camino de una nueva vida mientras otra se extinguía.

Se hizo llevar un catre de campaña a los pies de su marido y pasaba las veinticuatro horas pendiente de él. Primero intentaba darle de comer a cucharadas, le masajeaba los pies fríos, o simplemente, le acariciaba la cara. Él apenas abultaba debajo de las sábanas. Su piel se volvió de color gris, el blanco de los ojos se puso amarillo, el rostro se le afiló. Miraba a sus hijos y a su mujer con asombro, como no reconociéndolos, y después la compasión por ellos le llenaba los ojos de lágrimas. Entonces fijaba la vista en un punto indeterminado. El sufrimiento ponía ojeras de color violeta alrededor de sus ojos y hacía que se retorciera sobre sí mismo. Sus cabellos se convirtieron en alambres eléctricos.

La enfermera entraba en la habitación con las jeringuillas, con calmantes para aliviarle los dolores. Con firmeza, Pablo los rechazaba:

—No, quiero estar consciente para marcharme… no quiero que me retengan, quiero irme…

Federica no se movía de su lado, para ella ya no existían ni Tino, ni Sofía, ni Irene, queriéndolos tanto.

Lo llamaba:

—Palo, Palo.

Con la voz sin matices, interminablemente, todo el día.

Él cerraba los ojos. Todos espiaban la sábana, ¿subía? Sí, subía, todavía respiraba.

El último día entró Tino y le dijo:

—Papá, todas las iglesias están llenas, ¡los griegos lloran por ti!

Cogió la mano de su hijo, ese hijo ignorante e ingenuo que iba a recibir el peso desproporcionado de una herencia que no podría mantener.

Lo echarían los mismos que estaban rezando por él.

Pero eran sus súbditos, también eran sus hijos. Abrió los ojos y murmuró:

—Diles a todos que se lo agradezco mucho, que los quiero, y diles adiós. Adiós, hijo mío.

Sofía, a los pies de la cama, no podía dejar de mirar a su padre. En la cabecera, una lamparita custodiaba una imagen de la Virgen que habían traído del monasterio de Tinos. La llama oscilaba, temblorosa, como el aliento del viejo monarca.

Al pie de los robles centenarios de Tatoi, irían a enterrar a un hombre gastado que, como un personaje homérico, había tratado de mantener su reino a pesar de las tempestades que el dios del Infortunio le había enviado. Leopardi despedía a los héroes con un hermoso verso: «¡Descansarás al fin para siempre, cansado corazón!».

Por la tarde del miércoles 4 de marzo, Federica se despertó y lo vio incorporado en la cama. Había tirado las sábanas al suelo, tenía el rostro radiante, los ojos blancos, el color sonrosado de su juventud. Se habían rellenado los huecos de la cara y le sonreía como cuando era un hermoso príncipe que la cortejaba en Florencia.

Freddy le preguntó con miedo:

—¿Estás mejor?

—Sí, creí que ya me había ido... Siento paz y bienestar, he visto la Verdad... Freddy, es el tiempo más maravilloso de nuestras vidas...

Federica se dio cuenta de que se moría, bajó la cabeza, puso los labios en la palma de su mano descarnada que se enfriaba atrozmente y susurró contra los dedos mojados:

—*Agapi mou.*

Solo se oía el tictac del reloj. Freddy le preguntó:

—¿Te gustaría escuchar música?

Él asintió. Sofía puso la *Pasión según San Mateo,* de Bach, en el tocadiscos. La escucharon una y otra vez, los oboes cubriendo el horrible estertor con el que la muerte iba venciendo a la vida.

*Mis ojos vierten sobre tu cabeza*
*un torrente de lágrimas...*
*¡Sangra, querido corazón!*
*... Descansad, miembros abatidos,*
*descansad dulcemente...*
*Felices son tus ojos*
*que se cierran al fin.*

Nadie hablaba. Pablo dijo en voz muy baja y con gran esfuerzo:

—Es la música más grande que se ha escrito nunca.

Pasó la noche. Llegó el amanecer. El rey se incorporó, trató de quitarse de nuevo las sábanas, movió las piernas como si quisiera caminar y le dijo a su mujer:

—Siempre estaremos juntos tú y yo... te llevo en mi corazón para la eternidad... veo la Luz...

Y musitó, tal vez:

—Prinzessin…

El viernes llovió durante diez horas seguidas. Cuando cesó, Pablo estaba muerto.

## *Capítulo 8*

La mandíbula rígida revelaba un sobrehumano esfuerzo para ocultar su frustración, aunque Juan Carlos, el 13 de junio de 1965, intentaba sonreír mientras brindaba de nuevo con los periodistas en la cafetería de la clínica Loreto.

—¡Felicidades, alteza! ¡Padre de nuevo!

Cuando el doctor Mendizábal salió de la sala de partos, sacándose los guantes de goma y el gorro, y le comunicó:

—Su alteza está muy bien y la niña también.

El príncipe afirmó más que preguntó:

—Ah, ha sido otra niña.

El médico, saltándose el protocolo, le apretó el brazo y le dijo:

—Sí, señor, una niña muy sana.

El príncipe se rehízo inmediatamente:

—Muy bien, me alegro mucho.

Entró y besó a su mujer en la frente, y le hizo una caricia a la niña, que dormía plácidamente en sus brazos. Sonrió al ver que Sofía llevaba de nuevo su chaqueta de pijama. Una Sofía que le dijo con timidez:

—Ha sido niña, ¿estás contento?

Juanito tragó con esfuerzo y contestó:

—Claro que sí, ahora no la cambiaría por nada.

Pero Sofía, sin poderlo remediar, se deshace en llanto.

Juanito, que también lloraba sin lágrimas, no sabía qué decirle a su mujer, salió y se dirigió al teléfono del pasillo para llamar en primer lugar a El Pardo:

—Excelencia —carraspeó, después de alzar la voz un par de decibelios por encima de lo normal e incluso soltar un gallo adolescente—, ha sido niña.

En segundo lugar, a Estoril, a su padre:

—Papá, ¡ha sido niña!

Juan se quedó un instante callado. Después dijo:

—Yo no voy a ir ahí después de las cabronadas que me hace ese hijo de puta. Irá tu madre.

Juanito, que temía que el teléfono de la clínica estuviera también interceptado, se apresuró a cortar a su padre:

—Está bien, está bien.

En tercer lugar llamó a su abuela, que fue la única que le dijo lo que todos pensaban:

—Lástima, ¡qué pena! Un varón hubiera afianzado tu papel en España.

Advirtió el silencio dolorido de su nieto, y se apresuró a consolarlo a su manera, fría y eficaz:

—Guanito, no te preocupes… sois muy jóvenes, tendréis más hijos…

La infanta Elena, que ya tenía quince meses y lucía mofletes sonrosados, se acercó al hospital a conocer a su hermana acompañada por su nueva *nurse* inglesa, Christine Pople, y saludó a los fotógrafos y a los curiosos con la mano, ya adiestrada desde la cuna para comportarse como una princesa real. Federica fumaba un cigarrillo tras otro, ¡si hubiera adivinado que iba a ser niña, probablemente no se habría movido de Grecia! Ana María, la mujer de Constantino, los reyes más jóvenes de Europa, estaba también a punto de dar a luz en la finca de Mon Repos, en Corfú, aunque después el parto se retrasaría y su nieta Alexía no nacería hasta el 10 de julio.

Y no era solamente su hijo quien la necesitaba. ¡También Grecia! ¡La siempre convulsa, torturada, excitable Grecia!

Todas las noches llamaba a su hijo:

—Tino, no tomes ninguna determinación hasta que vuelva... ¡No te fíes de nadie!

El primer ministro, Papandreu, mascullaba delante de Tino:

—Majestad, dígale a su madre que más cocina y menos política.

A Federica la muerte de Pablo le había roto el espinazo; su vida carecía de solidez y ataduras. Estaba aturdida, como un boxeador noqueado, como un barco sin timón, y, aunque solo tenía cuarenta y ocho años, creía que la única misión que le quedaba en la vida era ayudar a sus hijos en sus difíciles caminos.

Fue ella misma la que se lo contó a los periodistas[1] con un resto de su antigua pasión:

—Es un papel que nadie me impedirá llevar a cabo, ¡nadie! ¡He sido reina y quiero que mis hijos se aprovechen de mi experiencia!

Porque a Irene únicamente había que buscarle un marido, pero a Sofía había que ayudarla a despejar el camino hacia la corona y a Tino tenía que mantenerlo como fuera en el tambaleante trono griego. Solo a Sofía le reveló que:

—Tu padre me indica por las noches lo que tenemos que hacer y luego yo se lo transmito a Tino.

En la primera edición de sus *Memorias* Federica contaba estos diálogos transmateriales, tan acordes con su fe en las vidas reencarnadas y en el poder de los espíritus. Se cree que el mismo Franco le advirtió que este tipo de confidencias no hacían más que perjudicar la credibilidad de su hijo, y dejó de mencionarlos e incluso los suprimió de su autobiografía.

Al día siguiente del nacimiento de la segunda hija de Juan Carlos y Sofía, el ayudante de los príncipes, el general Armada, convocó a los gráficos en la remodelada salita de la *suite* que había ocupado la princesa.

—Cuatro fotos, sin preguntas, y hasta la próxima.

Sofía se sentó en una butaca y miraba intensamente a su hija, que había pesado tres mil seiscientos gramos. Llevaba una especie de abrigo floreado, sus inevitables perlas y el peinado rígido y alto que tan poco la favorecía y que alguien definió como «pelo globo».[2] Juan Carlos tenía los ojos inquietos. Las dificultades de su vida se acrecentaban, su carrera hacia el trono estaba llena de obstáculos y a veces parecía que le fallaban las fuerzas, ¡porque su mayor enemigo no era Franco, sino su padre! A su íntimo Manuel Bouza,[3] que es una de las pocas personas autorizadas a tutearle, ya que estuvieron juntos en la Academia Militar de Zaragoza, le confesó con desaliento, de «hermano a hermano»:

—Estoy harto de que mi padre me utilice como un arma arrojadiza contra Franco sin tener en cuenta mis sentimientos... me siento como una pelota a la que tiran a un lado y a otro...

En el pasillo había un grupo armando bulla y riendo. Juanito dirigió miradas angustiosas a la puerta. Al final el general Armada fue a ver qué pasaba. Entró en la salita de puntillas, con ademán travieso, fumando un cigarrillo y poniéndose el índice sobre los labios reclamando silencio, el yerno de Franco, el marqués de Villaverde. Llevaba el pelo planchado con gomina y la bata de médico abierta sobre un conjunto sport de pantalón de pinzas muy alto de cintura y camisa de rayas gruesas. Los fotógrafos se apresuraron a soltar sus cámaras y estrecharle la mano. El marqués exclamaba con todo su gracejo andaluz:

—Cuánta luz, esto parece la feria de Sevilla.

Y poniéndose serio, les comunicó:

—Acabo de salir del quirófano; una operación difícil, diez horas.... Corazón, hígado, bazo, pulmones... ¡Todo! Era un niño. Lo he salvado de milagro...

Apenas prestó atención a Sofía ni a Juanito, que se sintieron, ante tamaña gesta, un tanto ridículos. ¡Al fin y al cabo, solo habían traído un nuevo ser al mundo, ya tan superpoblado! Todos parecieron olvidarse un poco de ellos.

Se intercambiaron cigarrillos, se rememoró la última cacería en la que había participado el marqués, en la que estuvo «tirando» con la cantante Luciana Wolf, y alguien preguntó por la última corrida del Cordobés. Un fotógrafo, andaluz también, de pequeña estatura, incluso emuló el salto de la rana del popular torero:

—¡Oleeeé! —gritaron todos.

Sofía y Juanito intentaban hablar entre ellos y con la niña:

—Ro-ro.

Pero la infanta Elena tampoco les hizo caso, parecía fascinada por la escena y señalaba con su dedo regordete a aquel señor de dentadura tan blanca como un anuncio de pasta dentífrica. Palmoteaba, encantada por aquel maremágnum de voces, y se puso a chillar.

De pronto entró el lúgubre Alfonso de Borbón Dampierre en la habitación, conducido por Castañón de «Pena», más «Pena» que nunca. Juanito, con lo que él creía refinada astucia florentina, había nombrado a su primo padrino de la recién nacida. Inmediatamente se instaló en la habitación un silencio respetuoso, y los fotógrafos volvieron a hurgar en sus cámaras con expresión reconcentrada. El marqués se apresuró a pegarle un abrazo con grandes palmadas en la espalda:

—Hombre, príncipe... alteza.

Con su voz aflautada y su marcado acento francés, el comedido Alfonso exclamó:

—Cristóbal, qué sorpresa.

Otra vez explicó Cristóbal Villaverde lo de la operación, el quirófano, diez horas, el niño casi muerto...

Terminó abriendo los brazos modestamente:

—Lo salvé, alteza. —Señalando a lo alto—. O Dios, no lo sé... Príncipe...

Le pegó otro abrazo.

Alfonso se dejaba querer mientras tendía distraídamente su regalo, una caja de bombones, a Sofía, que la cogió al vuelo. Juanito enrojeció de rabia, pero se calló. Solo él tenía derecho al tratamiento de príncipe o alteza y quizás pensara, en una expresión que solía utilizar su padre, que los bombones:

—Se los podía meter en el culo.

El bautizo de Cristina tuvo lugar en el palacio de La Zarzuela el 20 de junio de 1965. No asistieron ni Juan ni doña Victoria Eugenia, que sin embargo sí se desplazaron una semana después a Roma para asistir a la boda de Olimpia Torlonia, la hija de la infanta Beatriz de Borbón, que se casó con Paul Anik Wyler el 27 de junio. El avión Lisboa-Roma en el que viajó Juan hizo una breve escala en Madrid, y Sofía le llevó su hija a su suegro para que la conociera. El ministro del Interior autorizó esta brevísima visita de don Juan con un:

—Media hora.

Sofía le aconsejó a Juanito no protestar para no poner las cosas más difíciles.

Por mucho que se nos diga que el nacimiento de Cristina tuvo lugar con toda normalidad, algún misterio hay que no hemos podido desvelar. Como siempre, la reina manifestó que todo había ido bien, sin embargo, estuvo una semana en la clínica y salió el mismo día del bautizo, y eso porque este no pudo retrasarse, ya que la madrina, la infanta Cristina, debía regresar a Roma para asistir a la boda de su sobrina Olimpia. Una enfermera indiscreta reveló que la estancia se había prolongado porque la princesa tenía fiebre. Cuando una periodista se lo preguntó al médico, este se limitó a contestar:

—Lo normal en estos casos.

En este punto la voz de esta biógrafa debe manifestarse.

El trabajo que he osado emprender se revela a partir de aquí más dificultoso que nunca. Incluso el prestigioso historiador Fernando González Doria, experto en biografías de las reinas de España, se resistió en su momento a trazar la vida de doña Sofía, ya que «los elogios, por justos que fueren, me incluirían en el reprobable grupo de los aduladores, y si señalo cualquier defecto entraría en el grupo, no menos reprobable, de los detractores».

Pero no es el tono la única dificultad con la que me tropiezo. Porque estamos penetrando ahora en una época en la vida de doña Sofía casi pública. Si bien hasta su matrimonio y hasta que vino a vivir a España he tenido que reconstruir trabajosamente sus años de infancia y juventud, de los que tan pocos testimonios existen, a partir de ahora su vida ha dispuesto de luz y taquígrafos dando cuenta del más mínimo acontecimiento público, pero también privado. Contra lo que podría parecer, esta circunstancia, en lugar de favorecer mi trabajo, en realidad lo dificulta, ya que tanta claridad deslumbra e impide llevar a cabo una investigación rigurosa.

Durante muchos años hemos dado por ciertos hechos que quizás solo existieran en la imaginación de quien los redactó por primera vez, y que todos hemos repetido hasta convertirlos en auténticos, y otros acontecimientos importantes han permanecido tantos años deliberadamente ocultos, que ahora es muy difícil investigarlos y exponerlos a la atención de los lectores.

Hay muchas personas, demasiadas, incluidos los protagonistas, interesadas en tergiversar deliberadamente la historia, por distintas razones.

Yo he tenido varias veces, en mi vida periodística, delante a Carmen Martínez-Bordiú, de quien tanto he escrito. Le he comentado sucesos de su infancia o de su juventud y ella me ha contestado con expresión desorientada:

—No me acuerdo, ¿fue así? En realidad nunca lo he sabido… Si tú lo dices… ¿Hay fotos, dices? Tal vez… Yo era muy joven…

Voy a dar un ejemplo que atañe, precisamente, a doña Sofía. Ella misma ha sido categórica al declarar que en ningún momento resultó una preocupación el hecho de dar a luz a niñas en lugar de varones.

—Nunca lo pensamos…

Como en el caso de su noviazgo con Harald de Noruega, que también ha negado siempre pese a las evidencias, ha repetido hasta la saciedad esta afirmación:

—¿Niña? ¿Niño? ¡No nos importaba!

Analizándolo fríamente, ¿alguien puede creérselo? ¿Alguien puede pensar que una princesa real tan responsable como Sofía, que sabe que la tarea más importante de su vida es dar un heredero a su dinastía, va a hacer un comentario tan superficial y tan frívolo? ¿No le recordaba el tío Ali que esta era la única misión de los príncipes? Cuando las puntadas para afianzarse en el trono eran tan sutiles, tan difíciles, tan frágiles, ¿el hecho de no dar a luz a un varón no representaba una tragedia para el matrimonio? ¡Vamos, solo tenemos que recordar los ríos de tinta que corrieron en la España abanderada de los derechos de la mujer en la primera década del siglo XXI, durante el nacimiento de Leonor y Sofía, para dudar de la veracidad de la frase «que fueran niñas no nos preocupaba en absoluto»!

Apezarena,[4] el biógrafo de don Felipe, afirma que la búsqueda de un varón se había convertido en una obsesión para Sofía, quien se lo confesaba a su ginecólogo, el doctor Mendizábal, después de haber estudiado la genealogía de la familia a la que ahora pertenecía:

—Debo tener un chico; los Borbones son muy escasos en hombres…

El periodista José Antonio Gurriarán[5] cuenta que durante su tercer embarazo:

—La princesa estaba muy preocupada por no poder dar a luz un niño… se encontraba mal… estaba muy nerviosa.

En una de sus visitas a Estoril, el periodista añade que «a las complicaciones propias de su estado» se juntaba que a Sofía le atormentaba la posibilidad de que este próximo hijo tampoco fuera varón.

Una noche Sofía y Juanito salieron a bailar con el matrimonio Arnoso, *Maná* y Nena, a la *boîte* Van Gogó, en Cascais.

Sofía estaba preocupada. Para que se distrajera, *Maná* la sacó a bailar y le preguntó qué le pasaba. Sofía contestó:

—Ya ves, tú y Nena, que no lo necesitáis y que os es igual que sea niño o niña, ¡ya tenéis dos niños! Y yo, que tanto lo necesito, tengo dos hijas y no sé qué va a pasar.

*Maná* le dijo:

—Seguro que el próximo será un niño.

Sofía insistió:

—Por las dificultades que he tenido en mis embarazos anteriores, quizás ya no pueda tener más niños, ¡probablemente será mi último hijo!

Esta conversación, que le fue transmitida a Gurriarán por el propio Arnoso, se contradice con la versión que la reina le dio a Pilar Urbano:

—Nos era igual tener niño o niña, además, yo tenía solo veintinueve años, creía que tendría más hijos… —Y también—: Mis embarazos fueron todos muy buenos.

De lo que se deduce que no siempre el propio biografiado es sincero en sus manifestaciones.

Y si se me permite emitir una opinión, la fama de mujer fría entre los españoles le viene dada a nuestra reina por su incapacidad a la hora de confesar sus debilidades. Creo que su falta de empatía, por usar una palabra que ahora está de moda, se hubiera paliado si en algún momento hubiera exclamado:

—Yo, durante mis embarazos, lo he pasado muy mal.

Y también:

—Tuve un noviazgo frustrado con un príncipe noruego que, naturalmente, me causó mucho dolor.

Asimismo:

—Mi vida ha sido muy dura y ha estado llena de acontecimientos fuera de lo común.

Y quizás:

—Mi matrimonio no ha sido ningún lecho de rosas.

Claro que para llegar a esta etapa de su vida, todavía faltaban algunos años. De momento Juanito se mantenía férreamente a su lado, no sé si anudado a ella por los lazos del cariño o por el miedo al ojo que todo lo veía, al oído que todo lo escuchaba, del todopoderoso Caudillo.

Cuando el médico, el mismo doctor Mendizábal de los dos partos anteriores, en la misma clínica Loreto, ahora ya remozada y perfumada casi como un centro californiano, le dijo al príncipe, que se había fumado en una mañana dos paquetes de cigarrillos, el 30 de enero de 1968:

—Ha sido un niño.

Don Juan Carlos, simplemente, se desmayó. Se cayó al suelo.

Después se abrazó a la reina Federica llorando, y a las enfermeras, y a los médicos y hasta a un hombre que también esperaba el nacimiento de su hijo y que pasaba por allí.

Sofía lloraba también cuando Juanito entró en la sala donde acababa de dar a luz, pero esta vez de alegría.

Si hubiera podido incorporarse, quizás habría hecho el antiguo saludo prusiano, inclinando la cabeza ante su rey:

—*Servus!*

O como los generales después de ganar batallas:

—Misión cumplida.

Porque había dado un heredero a la monarquía. Como dicen los historiadores medievalistas:

—Las reinas no hacen política, ¡hacen dinastía!

¿Y les era igual tener un niño que una niña?

Eufórico, Juanito llamó a El Pardo:

—Ha sido un machote, excelencia, como su padre.

Poca fe debían de tener don Juan y doña María de que el nuevo nieto fuera varón porque, poco antes de que Sofía saliera de cuentas, se habían embarcado para un lujoso crucero por el Caribe en el fabuloso buque italiano *Eugenio C.* Fueron con la infanta Cristina y su marido, Enrique Marone Cinzano. ¡No era ocasión de despreciar tamaña magnificencia! Porque el diminuto rey del Cinzano corría con todos los gastos, aunque él no parecía disfrutar mucho del viaje, tosía mucho, tenía mal color. Le quedaban tan solo ocho meses de vida.

Cuando estaban cerca de Cuba recibieron un cablegrama que les entregó el propio capitán. Debían ponerse en contacto de forma urgente con Madrid. Desembarcaron en Miami y desde allí llamaron a su hijo. Había ruidos en la línea, y Juan entendió que había nacido otra niña.

Se le escapó un rotundo:

—¿Otra niña? ¡Joder! ¿Para esto me haces desembarcar?

Pero Juanito le repitió:

—No, papá, ¡un niño!, esta vez es un niño, ¡el heredero!

Juan debió de pensar: calma, calma, no nos saltemos el escalafón, ¡el heredero del heredero!

El bautizo sería ocho días después.

—Gangan va a ser la madrina, ¡queremos que el padrino seas tú!

Aunque Juan tenía la intención de hacerse el interesante, cogió el primer avión que salía para Lisboa. Pasaron por Estoril para recoger a Margot y se fueron los tres a Madrid a dar la bienvenida a la reina Victoria Eugenia, que pisaba por primera vez suelo español desde hacía treinta y siete años.

Eran los años que habían transcurrido desde que salió con un puñado de joyas en el bolso del Palacio Real, llevando a sus hijos, los unos enfermos, los otros asustados, rumbo a un exilio que solo se acabaría con su muerte. En las estaciones de tren los insultaban, y al final, la reina, con su tijerita de uñas, tuvo que raspar los escudos reales de las portezuelas.

El atroz recuerdo de la matanza de Ekaterinburg, ¡los bolcheviques asesinando a toda la familia imperial en los sótanos de la casa de Ipatiev!, se hunde en su corazón como una tenaza de hierro candente. Tiene miedo de este pueblo cruel que se divierte torturando animales en una plaza de toros y que gritaba por las calles, ella lo había oído muchas veces y al final se lo había hecho traducir:

*Viruta, viruta,*
*la reina es una puta.*

Sí, vuelve Ena a España. La reina guapa regresa al país que nunca la quiso.

La reina viajó en avión desde la Costa Azul, donde estaba invernando en el palacio del príncipe Pierre de Polignac, el padre de Rainiero. Iba con sus damas y llevaba abrigo de visón y perlas, porque, como le dijo al periodista Marino Gómez Santos,[6] enviado especial del diario *Pueblo*:

—No me voy a poner brillantes para viajar.

Le enseñó también una pulsera de la que colgaba una cruz y le explicó al periodista:

—Me la regaló la reina Federica de Grecia cuando mi nieto se casó con Sofía.

La cruz llevaba una inscripción. ¿Por qué no pensar que ponía «*In touta Niké*», como la cruz que el soldado moribundo le entregó a Freddy cuando la vida de la prinzessin todavía estaba por inventarse?

Al sobrevolar Barcelona, el comandante ofreció una copa de champán. Brindaron. La reina, quizás emocionada, dijo sobriamente:

—Por España.

Doña Victoria Eugenia se alojó en el palacio de su ahijada Cayetana Alba, Liria; tres mil personas hicieron cola para poder visitarla.

Cuando se lo dijeron a Sofía, se sintió dolida. ¿Dónde habían estado estas tres mil personas durante los seis años largos que llevaban viviendo en España? Cuando le contaron que algunos lanzaron gritos de «viva Juan III», todavía le gustó menos. Más tarde[7] dijo con un punto de acritud:

—Había histerismo, excitación... No me gustó.

Durante la larga audiencia de doña Victoria Eugenia en Liria permanecieron a su lado Cayetana y su nieto Alfonso de Borbón Dampierre. A los oídos de la exreina, que lo sabía todo, había llegado el rumor de que Alfonso tonteaba con una nieta de Franco. Y le preguntó:

—¿Es verdad, Alfonso? ¿Es aquella niña tan mona que me presentaste en el cine, en Lausana? Estaba estudiando en un internado. ¡Me pareció muy educada!

Alfonso sonrió misteriosamente.

Gangan también sonrió mientras jugueteaba con las perlas que llevaba en el cuello. Y es que la reina Victoria Eugenia tenía una idea fija: que los Borbones volvieran al trono de España. Si Juanito no servía por culpa de su padre, podía ser Alfonso, que si se casaba con la nieta de Franco se convertiría en un candidato imbatible.

Esta vez Juan había recibido permiso para alojarse en La Zarzuela, e incluso pudo pasear lentamente con su coche por delante del Palacio Real en el que vivió su familia hasta que la monarquía fue abolida en España, en el año 1931. Pudo ver la ventana de la habitación donde dormía con Gonzalín, prematuramente tronchado por la hemofilia. La misma enfermedad que cuatro años más tarde también se llevó al mayor, a Alfonsito. El único hermano varón que le quedaba, Jaime, el padre de Alfonso de Borbón Dampierre, vivía en París en una nube de alcohol y sordera, más cerca del otro mundo que de este. Juan se consideraba un superviviente; a veces se sentía cansado y le hubiera gustado coger su barco y perderse en el océano. ¡Pero tenía todavía tantas batallas por librar! ¡No podía regodearse en el pasado y los recuerdos!

Le dijo a Anson, que iba a su lado en el coche:

—Chiquito, ¡media vuelta!

Le preguntó a su hijo si eran ciertos los rumores de que Alfonso Segovia iba detrás de la nieta de Franco. Juanito casi se puso a llorar por la tensión que estaba pasando:

—No lo sé, papá, ¡pero tengo tan mala suerte que no me extrañaría! —Y luego, con un arranque de humor negro, exclamó—: Si dos tetas tiran más que dos carretas, ¡figúrate lo que tirarán seis tetas!

Juan también le pidió a su hijo con tono suplicante que los avergonzó a ambos:

—Arréglame una cita con Franco.

Juanito lo intentó, sin comentárselo a Sofía, pues sabía que no estaría de acuerdo. A su mujer no le parecía justo que Juan viniera a romper el difícil equilibrio en el que se mantenían ambos. El Caudillo se negó en redondo a recibir a «ese señor», como lo llamaba entonces, dejándose de altezas y otras zarandajas:

—Cuanto le tenía que decir, ya se lo he dicho a ese señor —contestó secamente, y Juan Carlos no se atrevió a insistir, porque cuando el Caudillo se ponía en ese plan, un escalofrío recorría la columna vertebral de su interlocutor. No olvidemos que en España estaba vigente la pena de muerte y Franco todavía la aplicaría, hasta el final de la dictadura, media docena de veces.

Los consejeros de Juan tacharon la actitud de Juanito y de Sofía de cobarde, lo que dolió especialmente a la princesa. Solo ella sabía el esfuerzo inmenso que tenían que hacer para ganarse milímetro a milímetro el cariño de Franco y de su mujer, mientras Juan estaba cómodamente instalado en Estoril, atendido por una corte de dieciocho nobles que se turnaban para servirle a él y a doña María.

Más tarde comentaría:

—Hasta me fiscalizaban las llamadas que hacía a Grecia, las Coca-Colas y los gastos de mis hijos.

No olvidará nunca las críticas del entorno de su suegro. «Me trataban de hereje y decían cosas horribles de mí», recordará años después todavía con rabia. Lo que más le dolía quizás era que difundieran la especie de que, a pesar de ser princesa, desconocía cómo portarse en sociedad, que era huraña y que no había sabido conectar con los viejos monárquicos de Estoril.

Sí, esos que querían que el rey fuera don Juan y no Juanito. ¿Y todavía se extrañaban?

Esos viejos monárquicos de Estoril que estaban acostumbrados a la actitud de doña María, tan parecida a la de los tres monitos del templo Toshungu, que ni ven, ni oyen, ni dicen.

Juan, que en los últimos tiempos de su vida achacaba en privado su marginación a su nuera, se lamentaba:

—María nunca se metió en nada, pero, ¡joder, Sofía! ¡Ella sí que tenía afición al cargo!

Hay que aclarar que según distintos testimonios, entre otros los de Carmen Díez de Rivera, que lo trató bastante, don Juan era uno de los hombres más machistas que había sobre la faz de la tierra.

El bautizo de Felipe, al que la prensa llamaba infante porque nadie sabía qué puesto ocupaba en la sucesión monárquica, tuvo lugar el 8 de febrero de 1968, y otra vez en el palacio de La Zarzuela, con el mismo traje de encajes que había llevado su padre en idéntica circunstancia pero en Roma. Fue la primera vez que Zarzuela se abrió a una auténtica recepción oficial, con trescientas personas que se situaron incómodamente en el salón y el comedor contiguo, con las puertas abiertas para hacerlos más amplios. La princesa no tenía a nadie que la ayudara y eso se notó. La organización adoleció de torpezas que los viejos monárquicos criticarían durante años. Tampoco le gustó a nadie la forma en que estaba decorada Zarzuela, «parece un catálogo de muebles de clase media». Lo cierto es que Sofía no prestaba atención a los detalles domésticos y tampoco tenía un gusto estético demasiado refinado, excepto, quizás, para la música, sobre todo en comparación con la incultura cerril en este terreno de la que hacemos gala los españoles.

La nueva niñera de Felipe, a la que acababan de contratar, la inglesa Anne Bell, ayudó a colocar las sillas, que tuvieron que llevarse de una casa de alquiler.

A la reina Victoria Eugenia le llamó la atención lo pequeño que era el palacio, y dijo conmiseratívamente:

—Es como un chalé.

Y también, a ella que era una gran *gourmet*, y cuya casa, la Vielle Fontaine, era uno de los lugares en los que mejor se comía de Europa, le sorprendió la frugalidad y la falta de imaginación de los menús.

A Sofía el tema de la comida tampoco le preocupaba en absoluto. No sabía cocinar, ¡no le gustaba comer! Cuando se le pregunta en alguna entrevista cuál es su plato favorito, se queda sin palabras y recurre al consabido gazpacho. Cuenta con naturalidad que la única vez que intentó cocinar, un *soufflé*, se le quemó, y también que el príncipe y ella cenaban en veinte minutos delante del televisor con una bandeja y que si les preguntaran después:

—¿Qué han comido?

No sabrían qué contestar. Para no complicarse la vida con los menús, dispuso que de primer plato siempre se pusiera sopa, quizás por consejo de doña Carmen, a quien el refinamiento culinario le parecía una muestra de decadencia e inmoralidad. Como decía el Caudillo:

—Donde esté un buen plato de caldo gallego…

«Los Juanitos», como los llamaban Franco y su mujer en la intimidad cuando hablaban de ellos,[8] se les parecían más que sus propios hijos.

La recepción, como no pudo ser menos con tales mimbres, se desarrolló en un clima tenebroso en el que todos los invitados rezaban no por el bien de la criatura recién nacida, sino para que se acabara todo de una puñetera vez. La foto que ocupó al día siguiente la primera plana de los periódicos *ABC* y *La Vanguardia* nos presentaba a un grupo de personas apesadumbradas y tristes, más propias de una pintura negra de Goya que de una alegre celebración familiar. Juanito tenía los ojos inyectados en sangre y llorosos; doña María, la cara dramática de una tragedia griega; Franco, vestido de capitán general, ya estaba muy mermado por el Parkinson y presentaba ese rostro rígido e inexpresivo consecuencia de la fuerte medicación que tomaba; Juan, al que nadie dirigía la palabra, primero deambuló por el salón mirando con curiosidad las paredes, su hijo le había contado que todavía se veían algunos impactos de bala de la Guerra Civil, mientras iba haciendo tintinear los hielos de su vaso de whisky.

Vio una cara conocida, la del vicepresidente del Gobierno, almirante Carrero Blanco, y se acercó con la mano extendida:

—¿Cómo está, almirante?

Carrero lo miró fríamente y se negó a estrechársela. Y no porque fuera antimonárquico, que también lo era, sino porque, puestos a elegir, prefería a don Juanito.

Juan se quedó con la diestra extendida y una sonrisa de cartón piedra en el rostro, sin saber qué hacer. Al final se retiró a un rincón con el duque de Alburquerque y apenas intercambió palabra con su hijo. Doña Carmen se comportó con amable condescendencia; en esos momentos, la auténtica familia real de España era la suya propia, y los Juanitos estarían ahí solamente mientras a su marido le diera la gana.

Los marqueses de Villaverde, que acababan de llegar de Venecia, donde habían asistido a un baile en el Lido, hablaban entre ellos y con Alfonso de Borbón, que, con las manos en la espalda, una postura muy habitual en él, les preguntó por su hija Mari Carmen. La marquesa llevaba «casi» minifalda, la prenda que lucía en la calle la nueva mujer española, y un complicado moño que en Italia había puesto de moda Claudia Cardinale y que aquí había intentado copiar su peluquera Rosa Zabala. Ya sabía que su hija había rechazado a Alfonso porque lo encontraba demasiado mayor y demasiado aburrido, y se limitó a explicarle:

—Ahora quiere empezar a trabajar en Iberia, ya sabes lo que son estas chicas modernas, que quieren la independencia. ¡Si hasta se va a operar de la nariz!

—Esa niña es tonta del bote.

El marqués hablaba así de su propia hija, porque esta había empezado a salir con un chico que no le gustaba, Jaime Rivera, un apuesto jinete, en lugar de contentarse con ser princesa.

A Alfonso no le importaba. Sabía esperar y contaba con muy buenos aliados, tanto para su relación con Mari Carmen como para su lucha particular por el trono de España. Creía tener los mismos derechos que su primo para optar a él.

Entre el grupo de invitados estaban las dos hermanas de Juanito, unas grandes desconocidas. Los periódicos apenas las destacaban, incluso a veces confundían sus nombres; todos tenían órdenes de no dar demasiado realce a la familia del príncipe. Como en la boda de Atenas, don Juan apenas salió en las fotos y no se le identificó en los pies. Hubiera podido decir como entonces:

—Es el bautizo del hijo del huerfanito.

Margot y Pilar estaban con el exrey Simeón de Bulgaria y su mujer, Margarita Gómez-Acebo. En su casa precisamente había conocido Pilar a Luis Gómez-Acebo, el primo de Margarita, quien era, desde hacía menos de un año, su marido.

Sí, la difícil Pilar que no quería maquillarse, el «cardo borriquero», según su madre, se había casado porque se había enamorado perdidamente, como se enamoran los que solo caen una vez en la vida. Luis, un atractivo abogado, la conquistó tocando la guitarra y cantando:

*Solamente una vez*
*amé en la vida.*

Afirmación cierta en el caso de la infanta, aunque él, cuando empezó a salir con Pilar, tuvo que romper con su novia de toda la vida con la que estaba a punto de casarse, teniendo que devolver regalos y participaciones. Luis pertenecía a la doble aristocracia de la sangre y de la banca, aunque su título, vizconde, no era demasiado rimbombante. No era un partido muy bueno para una princesa real, pero su padre, que no oteaba ningún candidato mejor en el horizonte y que además quería mucho a Pilar, pensó que había tenido mucha suerte en encontrarlo y dio su autorización.

Pilar y Luis vivían en un pequeño piso en la calle Padilla que les había alquilado el bailarín Antonio y, aunque probablemente todavía no lo sabían, estaban esperando su primer hijo. Tenían muy poca relación con Sofía y con Juanito, lo que se achaca, quizás injustamente, a esa frialdad de la princesa griega. ¡Era más fácil y menos doloroso nombrar culpable oficial al extraño, al extranjero!

Sofía no asistía a las cenas informales de sus cuñados, pero tampoco iba a reuniones multitudinarias, ni a estrenos de postín, ni puestas de largo, ni bailes, ni funciones de teatro. No había olvidado el consejo de Franco:

—No me gustaría que se reprodujese el clima de frivolidad de la corte borbónica. ¡Cuantos menos contactos con la decadente aristocracia, mejor!

Siempre que podía, la princesa comentaba, sobre todo si estaba cerca de un posible micrófono o de un probable espía de Franco:

—No comprendo ese estilo de vida… Es muy vacío, yo no sería feliz así…

Luis, que era culto e inteligente y que estaba convencido de que podría servir de enlace entre sus cuñados y la sociedad madrileña, se sentía dolido y rechazado.

La hija de doña Pilar, Simoneta, lo tuvo muy claro desde pequeña:

—Mi madre es infanta, pero nosotros no somos nadie.

En medio de estas tensiones, en el bautizo de su nieto, Federica parecía extrañamente serena.

Y era la que tenía menos razones para estarlo, porque sufría uno de los periodos más tormentosos de su vida. «Mi fortaleza es el amor de mi pueblo», decía la divisa de los reyes de Grecia, pero Federica se había quedado sin divisa, porque se había quedado sin reino.

Todo empezó el día en que cumplió cincuenta años. Hundida en una severa depresión desde la muerte de Pablo, no quería celebrarlo, pero Sofía se presentó en Atenas con las dos niñas. Federica e Irene vivían en Psychico, mientras que Constantino y Ana María, embarazada de ocho meses y que ya tenía a su hija Alexía, vivían en Tatoi. En la casita de Psychico, en medio de los muebles tan familiares, incluso la mesa sobre la que había nacido, Sofía volvía a ser la basilisa. Se calzaba sus viejas botas de agua y salía a pasear por el jardín con sus hijas y con su madre, que les iba enseñando a sus nietas en griego el nombre de las flores y de los árboles:

—Este árbol se llama *prinódendro*…

Sofía traducía:

—Encina.

—Esto es un *dafni*…

—Laurel…

—Y estas flores tan bonitas, *roz*…

—Rosas.

Y Elena y Cristina gorgojeaban encantadas:

—*Roz, roz*…

Y Federica y Sofía se miraban riéndose por encima de sus cabecitas rubias, conmovidas por ese hilo de sangre que las prolongaba más allá de sus propias vidas.

Una noche, volviendo del cine, mientras Sofía se quitaba el abrigo, llamaron a la puerta, y ahí estaba un oficial correctamente vestido. Lo más sorprendente y terrorífico es que detrás vio unos tanques que apuntaban hacia la casa:

—El oficial me dijo: no se preocupe, estamos al lado del rey.

Los coroneles de ultraderecha acababan de dar un golpe de Estado.

Lentamente, los tanques, como enormes paquidermos prehistóricos, dieron media vuelta y se alejaron. Estuvieron toda la noche paseándose por Atenas, sembrando el pánico, ¿cómo no recordar los tanques del general Milans del Bosch que recorrerían Valencia catorce años después, también en un intento de golpe de Estado en cuyo epicentro se encontraba Sofía? Como dijo Marx, la historia se repite dos veces, la primera como tragedia, la segunda como farsa. El caso de Sofía debe ser el único en que la historia se repite dos veces, pero siempre como tragedia.

Instintivamente, corrió a la habitación de sus hijas, que dormían con toda tranquilidad, sin enterarse de nada. Les arregló nerviosamente el embozo, las besó en la frente. Apenas protestaron entre sueños. Con el corazón palpitando a mil por hora, despertó a su madre, llamó a su hermano. Otra vez Sofía era protagonista de la historia y no un simple testigo, como le decía la tía María Bonaparte: «Vale más vivir la historia que luego estudiarla en los libros». Pero una vida no tiene por qué ser constantemente extraordinaria, y Sofía creía que su cuota de prodigios ya estaba cumplida.

Todavía faltaban unos cuantos.

Tenía miedo. Como cuando oía caer las bombas en Egipto, como cuando las ratas corrían por su casa en Sudáfrica, como cuando la insultaban en Londres o en Madrid, volvía a ser una niña asustada. Pero Sofía ya no era una niña, era una princesa adulta, madre de dos hijos, y que pertenecía ya a otro país y a otro futuro, y por eso Federica la abrazó, pero en lugar de cantarle *beee beee black sheep*, le recomendó mientras le acariciaba el pelo:

—Vete tranquila a España, te espera un avión en el aeropuerto para sacarte del país, no te preocupes por nosotros, con el ejército a nuestro lado no debemos temer nada. Tino ha decidido colaborar y ha tomado juramento a la junta militar.

Sofía se sobrepuso de su abatimiento para protestar débilmente:

—Mamá, ¿colaborar en un golpe de Estado? Papá no lo aprobaría.

Federica la abrazó con fuerza y por encima de su hombro, con los ojos extrañamente despiertos y brillantes, seguramente tenía fiebre, le espetó con un tono en el que se vislumbraba la desesperación:

—¿Y qué quieres? ¿Que los griegos se maten otra vez los unos a los otros? ¡En este país ya ha corrido demasiada sangre!

La prensa europea sacó en grandes titulares: «El rey de Grecia es un pelele en manos de los militares golpistas». ¡Lo mismo que decían de Juanito y de Sofía!: «Juan Carlos de Borbón y Sofía de Grecia son unos peleles en manos de Franco».

Algunos periodistas, como Garriga, intentaron definir a los príncipes con más precisión: «O son peleles o son rehenes, pero las dos cosas no pueden ser».

Al cabo de pocos meses, quizás Pablo le dijo a Federica en esas conversaciones de ultratumba que mantenían por la noche:

—Nuestra sangre no puede mancharse con esta ignominia, recuerda que nuestra fuerza es el amor de nuestro pueblo, representado en la Constitución.

El caso es que el pobre Tino reaccionó tarde y mal. Intentó un contragolpe, confiando en militares demócratas pero débiles que fueron detenidos de inmediato, y se quedó sin apoyos; las potencias occidentales lo dejaron solo y, obligado por la junta militar a la que quería derrocar, tuvo que irse al exilio, la madrugada del 14 de diciembre de 1967.

Nunca se borraría de la mente de Tino esa noche aciaga en que salieron él, su mujer, sus dos hijos, Alexía y Pablo, su madre, Federica, y su hermana Irene en un viejo avión con destino a Roma, sin dinero, tan solo con la ropa que llevaban puesta, él vestido de militar, con la gorra de plato encasquetada hasta las cejas, Ana María, con sus ojos inmensos y asustados de joven corza herida, Federica con profundas ojeras y un extraño jersey de rombos, ¡todos temiendo por su vida! Ese recuerdo, repito, todavía no se ha borrado de la mente del hermano de nuestra reina y, probablemente, no se le olvidará mientras viva, porque allí inició la cuesta abajo de su existencia. Me contaba un asiduo de Zarzuela, que tan solo dos meses antes de escribir este capítulo del libro, almorzó con el exrey de Grecia:

—En los postres, apurando nuestras copas, con la mirada vidriosa clavada en el mantel donde con el tenedor iba trazando rayas paralelas, gemía: la culpa de todo la tuvo el embajador norteamericano, ¡me prometió que me auxiliaría y me dejó completamente solo!

Sofía, embarazada de ocho meses, desoyendo el consejo de su médico, arriesgándose a perder esa criatura que tal vez sería la última, y tal vez sería niño, corrió a Roma a llevarle a su familia ropa, dinero, juguetes de sus hijas para sus sobrinos...

Juanito, cuando ya estaba a punto de partir, le dijo, dubitativo:

—Sí, comprendo que quieras ir, pero pide consejo a Franco... permiso, quiero decir.

Con su sangre prusiana puesta en pie como un solo hombre, llevando ella misma una maleta, Sofía le contestó secamente:

—Nadie va a prohibirme socorrer a mi madre.

Y en uno de sus raros arrebatos de indignación, se acercó a su marido y levantó el índice amenazante delante de él:

—Nadie, Juanito. ¡Nadie!

El general Armada, que presenció la escena desde la puerta, le hizo un gesto al príncipe, que terminó dando un paso atrás y levantando las manos en señal de rendición:

—Vale, vale. Si a mí también me parece bien que vayas.

No se atrevió a decir «yo también lo haría», porque nadie podía imaginar que, si don Juan necesitara ayuda, lo llamara a él para que le socorriese.

En el último momento, él, que no estaba sobrado de ropa, añadió al equipaje dos trajes con camisas y corbatas para su cuñado.

A Sofía le impresionó ver a los suyos en la Embajada de Grecia en Roma, ya con la marca del exilio que ella conocía tan bien, ateridos de frío, temblorosos, pálidos, abrazados para darse seguridad y calor los unos a los otros, tapando a los niños con el abrigo de visón de Ana María.

La voz de su hermano se había puesto extrañamente chillona, parecía la voz de una mujer.

Federica, serena, vestida de negro, le dijo:

—Sabía que vendrías sin necesidad de llamarte.

Sofía, que no había pronunciado palabra, cayó de rodillas delante de su madre, hundió la cabeza en su regazo y se echó a llorar.

Muy bajito, Federica le preguntó:

—¿Lloras por Grecia, Sofía?

Y la basilisa movía la cabeza y negó con ferocidad:

—¿Por Grecia? ¡No!

Y después, tan quedamente que solo la oyó su madre, dijo:

—Lloro por papá.

En el bautizo de Felipe en el palacio de La Zarzuela hacía cincuenta y cuatro días que Federica había salido de Grecia para siempre. No volvería a ver la luz de su país, ni el mar de Ulises. Sus pies, tan pequeños que podía intercambiar los zapatos con sus hijas cuando eran niñas, no volverían a pisar los polvorientos caminos de Salónica, ni volvería a estirarse debajo de las higueras bebiendo *retsina* mientras se iba adormeciendo con el monótono canto de las cigarras. No habría más salvas para los herederos desde el monte Lycabetos, ni más sirtakis encima de las mesas de la Platka, ni volverían a romper platos contra el suelo al ritmo enloquecedor de las cítaras, que, desde entonces, no podrían escuchar sin que se les cayeran las lágrimas.

No protestaba. Se resignó. El dolor más grande fue la muerte de Pablo. Después, todos los golpes fueron soportables. Solo le pidió un deseo a Tino, a Sofía y a Irene. Juntó las manos de los tres y las cubrió con la suya, en la que llevaba únicamente su aro de boda. Sus hijos la sentían temblar. Les pidió:

—Cuando muera, llevadme allí, a Tatoi, con papá.

Pero ahora estamos en el bautizo del primogénito del primogénito, un hecho venturoso para la monarquía española. Y Federica se ha quitado parcialmente el luto y va vestida de gris y negro.

Oye que comentan a su lado:

—La princesa Sofía siempre está tranquila. Nadie diría que es griega.

Solo Federica sabe el esfuerzo que ha tenido que hacer su hija para olvidar los tanques apuntando a la casita de Psychico y la destrucción de todo lo que a su padre le había costado tanto construir. La ha cogido minutos antes de la ceremonia y le ha dicho:

—Aquello es el pasado, y en último término es a Tino a quien le corresponde resolver el problema. Tu futuro está aquí, entre estas personas. Siéntete española, hija mía, lucha como yo te he enseñado y como solo tú sabes hacerlo.

Federica la observa durante toda la ceremonia con atención. Solo ella adivina que debajo de la sonrisa congelada de Sofía existe la firme determinación de no dar un paso en falso, caiga quien caiga. En este campo de batalla en que se ha convertido el bautizo de Felipe y su vida entera, Federica también le ha aconsejado:

—Mira, Sofía, el que tiene el poder es Franco… él tiene que notar que estás a su lado y no al lado de Juan… Juan es un pobre hombre, un perdedor, ¡hasta tu marido se ha dado cuenta!

Sofía lleva un conjunto de vestido y abrigo de color malva que cubre púdicamente sus rodillas, obra de Elio Berhanyer, con el broche «actinia» que le regaló Franco por su boda en la solapa, y lo cierto es que habla más con doña Carmen que con sus suegros. Juan, que ha aprendido a detectar todos los desaires, también se da cuenta y comenta con algo de melancolía:

—Se veía venir desde la boda… Juanito se está alejando de mí… Todo es cosa del sargento prusiano…

También Federica, para servir a la causa de su hija y a pesar de los días terribles que está pasando, intenta hablar distendidamente con Franco y con su mujer. Ahora vive en una casita alquilada en la via Apia romana con Irene, mientras Tino y Ana María se han ido a vivir a Dinamarca, a casa de sus suegros. Pero todos los meses, Sofía retira de su escaso presupuesto una cantidad para ayudar a su madre, ¡sin lo que les da Sofía, madre e hija no podrían ni comer! También les ha ofrecido un apartamento dentro de Zarzuela; es lo único que no le ha consultado ni a Franco ni a su marido, lo que da medida del amor que le tenía a su madre y de su sentido de la lealtad. Se limita a comentarle al príncipe:

—Juanito, le he preparado a mamá y a Irene unas habitaciones en el primer piso.

Ella misma las había amueblado. Aquí sí había puesto iconos y platería balcánica y alfombras turcas. ¿No se lo había dicho su padre, cuida de la prinzessin? Encendía una vela y le parecía que el espíritu del rey Pablo se manifestaba en la llamita vacilante y, sin decírselo a nadie, sin confesárselo ni a ella misma, se sentía como en casa.

Federica no se lo ha agradecido, ¡no hace falta! Solo la ha mirado con esa complicidad que tienen los espíritus que han padecido juntos, y con un guiño imperceptible para todos excepto para Sofía, se ha lanzado a alabar a Franco de una forma tan desmedida que hubiera hecho enrojecer hasta a las venerables piedras del Partenón.

—Mi general, Papagos, el que fue nuestro primer ministro, siempre decía que gracias a usted los españoles podían llevar la cabeza muy alta, por su bravura y su caballerosidad. ¡Alguien así necesitaríamos en Grecia!

Claro está que Franco apenas entiende esta parrafada, ya que Freddy habla una mezcla de griego, alemán e italiano que resulta ininteligible para casi todo el mundo menos para su hija.

A pesar de la barrera del idioma, ha conseguido hacerse amiga de Franco ¡y de doña Carmen!, ha concurrido incluso a las aburridas meriendas —el té es cosa de extranjeros y masones— que doña Carmen organiza con sus amigas, Ramona de Nieto Antúnez, la mujer del capitán ultraconservador Urcelay, Pura Huétor o Carmen Pichot de Carrero Blanco, que ha olvidado sus veleidades matrimoniales gracias a un sacerdote muy persuasivo. Aunque lo más persuasivo había sido la amenaza sin palabras de su excelencia a su marido: si no arreglaba su situación matrimonial, le quitaba la cartera de ministro.

Carmen Pichot,[9] que es muy aficionada al teatro, suspira mientras se mete un picatoste en la boca:

—Al teatro no puedes ir, porque salen muchachas semidesnudas.

—¡Pero si hasta nuestra Carmen Sevilla me han contado que sale sin ropa en las películas que rueda en el extranjero!

—¡Jesús! ¡Carmen Sevilla! ¡Pero Aurora Bautista, no!

—No, Aurora Bautista, no.

Porque Aurora Bautista ha hecho de Juana la Loca y de Agustina de Aragón en el cine, y hasta allí podríamos llegar.

Con fruición apuran su segunda taza de chocolate.

Sí, Federica de Grecia, aquella reina que tuvo poder absoluto. ¡La nieta del káiser! Aquella delante de la cual se cuadraban los generales, las multitudes se levantaban a su paso y la llamaban:

—*Mitera!*

Que departía con obispos y santones, pero que también había conocido el exilio, dos veces, las bombas, el dolor asesino de la pérdida del ser humano al que más quería, aquella persona inteligente que asombraba a los científicos norteamericanos con sus conocimientos de bioquímica y de física, ¡que había ocupado, no lo olvidemos, incluso la portada de la revista *Time*!, finge horrorizarse con las modernidades obscenas que a España trae el turismo, mientras intenta tragar aquella pasta marrón llamada «churro» que para ella es como cartón machacado:

—¡Y qué me dicen de la minifalda! ¡Luego se quejan por lo que pasa!

—¡Y si no pasan más cosas es porque los jóvenes, por culpa de la droga y las canciones modernas, se han vuelto maricas y degenerados!

Por no hablar del follón que arman esos estudiantes manifestándose por una guerra que transcurre en un país tan lejano como Vietnam y que debería importarles un pepino, ¡seguro que en Vietnam no tienen ni idea de dónde está España! ¡Que se manifiesten los vietnamitas para protestar porque Europa no nos deja entrar en el Mercado Común cuando nuestra renta per cápita ya da gloria verla!

Y doña Carmen, que solo ha tenido una hija, suspira:

—Y esas muchachas que quieren, sí… no me atrevo ni a decir la palabra —se persigna—, ¡abortar!

Todas se apresuran a persignarse, lo cual resulta bastante difícil cuando se tiene una taza con medio litro de chocolate en una mano y en la otra un churro de considerable grosor.

Aún alguna se refiere a esos curas que en lugar de rezar se van a los barrios obreros, no a hacer caridad, sino la revolución, pero ya nadie le hace caso porque doña Carmen está enseñándoles su última adquisición, un collar que puede convertirse en tiara o en pulsera:

—Me lo ha regalado la Diputación de Barcelona… No son tan tacaños como dicen los catalanes…

Y Camilo Alonso Vega, al que por algo llaman Camulo y que entra en ese momento, lanza una risotada:

—¡Sí, su único defecto es que son catalanes!

Pero seguimos estando en el bautizo de Felipe en La Zarzuela. La calefacción está puesta a todo meter y el calor es sofocante, a pesar de que la noche es muy fría y los jardines de Zarzuela están blancos de escarcha. Federica le tiende a su hija una estola de visón, aborda con determinación al Caudillo sintiendo sobre su espalda los ojos furibundos de Juan y le espeta una frase aprendida de memoria marcando mucho las erres:

—Mi general, me gustaría mucho que me contara algún hecho de guerra.

Aquí deja caer los párpados, ¡cuando quiere, sigue siendo una sirena! Ahora pone hoyuelos, ¡si quisiera, que no quiere, ninguna mujer, aún hoy, podría hacerle sombra!

Pero doña Carmen está al quite y le dice a su marido:

—Francisco, cuéntale a la reina lo de Alhucemas.

Y Franco se embarca en una larga disquisición con su cargante voz que *Arriba* describe como «viril campana hermenéutica» consiguiendo adormecer hasta a Federica, lo cual tiene su mérito, pues desde que murió Pablo sufre de insomnio crónico. Doña Carmen cruza una mirada retadora con Federica, ¡es una señorita asturiana y no ha sido reina de ningún sitio, pero a la hora de defender su estabilidad conyugal a ella nadie se la da con queso!

Franco, al saludar a doña Victoria Eugenia, se echa a llorar. La reina le dice:

—Mi general, estamos los dos ya muy viejecitos.

Franco se rehace inmediatamente y se pone a disertar sin venir a cuento y con tono monótono sobre los peligros de esas jovencitas que viajan al extranjero para dedicarse al servicio doméstico.

Como la única señorita dedicada al servicio doméstico en el extranjero, la nueva niñera, Ann Bell, no habla castellano, nadie puede aprovechar tan interesantes advertencias.

Después de la ceremonia, Sofía los hace pasar a una salita privada para que conversen, y aquí, al parecer, la reina, mirando al neófito, le dijo a Franco:

—Excelencia, ahora ya tiene a tres, escoja.

A favor de que dijo esta frase se decantan López Rodó, Víctor Salmador, Jesús Pabón, miembro del consejo privado de don Juan, Preston, Federico Silva, Ricardo de la Cierva y Alonso Vega, quienes arguyen que la reina, llevada por el ansia de ver sentado a un descendiente suyo en el trono, fue capaz incluso de esta falta de *politesse*. En contra se pronuncian el dilecto primo Franco Salgado Araújo, el historiador Ricardo Mateos, el irrefutable Luis María Anson y la misma reina doña Sofía, quienes afirman que una señora tan elegante como la reina nunca descendería a hacer este tipo de comentarios. Lo que sí le dijo la reina a Franco, según cuenta Anson en su libro sobre don Juan, fue:

—Como todo el mundo hablaba de mi predilección por Alfonso, le dije que encontraba a Juanito cada vez más maduro y preparado.

¡Ni una palabra del pobre Juan! ¡Hasta su propia madre lo había arrumbado al desván de los trastos inservibles!

Doña Victoria Eugenia regresó, al cabo de tres días, a Niza acompañada por su nieto Alfonso de Borbón.

Poco tiempo después le concedió una entrevista al periodista Jaime Peñafiel y le dijo:

—Querido Jaime, no tenía que haber vuelto nunca a España.

Y también:

—Desengáñese, Peñafiel, los españoles son muy malos maridos, y aunque se casen enamorados, enseguida son infieles.

Doña Victoria Eugenia murió un año después sin haber regresado al país donde había sido reina. Tenía ochenta y dos años. Paseando con su teckel *Toni* por el jardín del palacio del padre de Rainiero, se cayó y se dio un golpe en la cabeza. Grace la llevó al hospital y la cuidó con tierna solicitud. Le leía cuentos, pero Gangan le comentó a Sofía:

—La pobre lo hace fatal, porque tiene una voz muy aburrida.

Regresó a Lausana, tardó tres semanas en morir y entró en coma tres veces. Alfonso cuenta[10] de su querida Gangan que «pasé mucho tiempo a su cabecera y estuve con ella en sus últimos momentos, me pedía que le diera masaje en las piernas y en los pies, porque le hacían sufrir mucho. La última frase que me dirigió, en inglés, quedó profundamente grabada en mi corazón:

»—Alfonso, *darling, I love you too much!*».

Cuando ya agonizaba, quiso tener junto a ella las fotos de sus desdichados hijos Alfonso y Gonzalo, y así se fue, abrazada a ellos, las tres almas ya juntas para siempre.

Juan Carlos y Alfonso llevaron a hombros el féretro de su abuela, que fue enterrada en el cementerio de Bois de Vaux de Lausana. En el momento de encabezar el cortejo, hubo un forcejeo entre los dos hijos de la reina muerta, Jaime y Juan, por ver quién lo presidía. Carlota, «la duquesa de Segovia», según la prensa, que estaba presente y a quien nadie dirigió la palabra, intentó a empujones que su marido encabezase el desfile, pero las infantas Beatriz y Crista lo convencieron para que dejara la preeminencia al conde de Barcelona. Sofía, totalmente vestida de negro, al lado de Juanito, tuvo que aguantar que en la iglesia los sentaran en el mismo nivel que a Alfonso.

Federica le dijo:

—No tenías que haberlo consentido.

Pero ahí sí que Juanito se cuadró y dijo secamente:

—Tía Freddy, es nieto lo mismo que yo, y como nieto tenía el mismo derecho.

Juanito y su padre no se dirigieron la palabra en ese entierro preñado de tormenta que echaba el telón sobre una época y daba paso a otra cuyo desarrollo y final no dejaba de ser un misterio.

Ya en el hotel Royal, la situación estalló en mil pedazos. Sin el muro de contención de su madre, fuera de España y de la autoridad del Caudillo, empujado por los miembros de su consejo privado,[11] como Areilza, quien, como un Yago de Portugalete, mascullaba en el oído de Juan, tan altamente inflamable: «¡No podemos fiarnos de ese niñato!», el padre se enfrentó al hijo como en una tragedia de Shakespeare y con voz indignada y un tono tan alto que la princesa Sofía, que esperaba en la habitación contigua, casi se puso a llorar, le dijo:

—¿Qué pretendes? ¿Quieres saltarte la continuidad dinástica? ¡Recuerda que yo estoy antes que tú!

Aunque Juanito no alzó la voz, su tono se mantuvo firme:

—Papá, si estoy allí, tengo que aceptar lo que hay.

Y Juan siguió vociferando de tal manera que Sofía se puso a hacer apresuradamente la maleta:

—Sí, estás en España, ¡pero no para suplantarme a mí! ¡Coño y mil veces coño!

Juanito salió del saloncito, fue donde estaba Sofía, y sin intercambiar palabra, salieron del hotel rumbo al aeropuerto.

Sofía intentó alguna caricia, y al final se limitó a apretarle fuertemente el brazo.

Franco los recibió en cuanto llegaron a Madrid. Sofía ahora ya iba a El Pardo casi más a menudo que su marido. Y también que la hija de Franco. La marquesa de Villaverde estaba continuamente de viaje, su vida social era frenética, y en ocasiones Franco[12] preguntaba:

—¿No ha vuelto mi hija de su safari?

—Sí, excelencia, regresó ayer.

Y el Caudillo comentaba con tristeza de su Nenuca:

—¡Y todavía no ha tenido tiempo de venir a ver a su padre!

Para Sofía, sin embargo, Franco y su mujer estaban siempre en el primer lugar de sus intereses y ellos lo sabían.

Muchas veces la princesa iba acompañada de su madre y también de sus hijos, que se habían hecho «amigos» de los nietos pequeños del Caudillo, Arancha y Jaime. Yo imagino que esta amistad fue propiciada por la princesa a instancias de Freddy, ¡no había que dejar ningún cabo suelto, y en una situación de guerra, todas las tretas podían usarse, como ya había enseñado Maquiavelo cinco siglos atrás!

Sofía algún día se quedaba a comer. Los platos eran tan frugales como en La Zarzuela, y la conversación tediosa, como me contaba Pilar Jaraiz Franco, la sobrina del Caudillo, años después:

—Nos sentábamos a la mesa, el confesor de mi tío, el padre Bulart, bendecía la mesa, y entonces comíamos en silencio, todo se consideraba indiscreto. A veces mi madre intentaba llevar las críticas de la calle y mi tía Carmina protestaba: «Pero tú,

¿con quién te juntas, Pilar? Los españoles quieren al Caudillo, a saber con quién vas, por Dios». Una vez coincidí con la princesa, que había ido a enseñarle a mi tía una joya que había vuelto a montar… no abrió la boca… eran comidas aburridísimas, la verdad.

El clima de las audiencias seguía siendo muy protocolario. Si bien a la Señora podían visitarla libremente, para entrevistarse con el Caudillo debían esperar a que este les llamara, y muchas veces permanecían en el vestíbulo hasta que terminaba la audiencia anterior.

Entonces, la mujer de Huétor de Santillán, Pura, que hacía las veces de dama de honor de la Generalísima, iba a buscar a la princesa:

—Dice la Señora que si quiere Vuestra Alteza pasar a verla.

Franco, mientras, hacía entrar al príncipe. Como un padre airado, quizás incluso algo celoso del «otro» padre, le recriminaba la postura de don Juan en el entierro de Lausana. Juanito intentaba disculparlo. Franco lo interrumpió:

—No comprendo la actitud de vuestro padre, alteza… No os involucréis en sus querellas…

Y Juanito contestó, demostrando que ni era tan niñato ni tan tonto como creían los consejeros de don Juan:

—No se preocupe, mi general, yo he aprendido mucho de su galleguismo…

Franco, Juanito y Sofía, que entraba en aquel momento, se echaron a reír con cierto aire conspirativo.

La reina Victoria Eugenia, en su testamento, no mencionaba ni a Juanito ni a Sofía, ni les dejaba nada, ni a ellos ni a ninguno de los nietos. Se refería únicamente a su hijo Juan: «Encarezco a mi hijo don Juan que si la providencia le otorgase la posesión efectiva de la Corona de España, entregue su vida y desvelos a procurar a su pueblo el mayor bien posible». Le dejaba también las joyas tradicionalmente vinculadas a la Corona, como la tiara de las flores de lis, la perla que llaman La Peregrina (la auténtica está en poder de los herederos de Elizabeth Taylor), el collar de chatones más grandes, algunas pulseras de brillantes y varios collares de perlas gruesas.

El reparto de los bienes dio lugar a largos procesos y componendas. Uno de los albaceas, Larraz, llegó a dimitir, se contrató incluso un agente de seguridad extra para que protegiese la caja donde se guardaban las joyas por temor a que alguien la forzase.[13] Al final se llegó a un reparto más o menos equitativo entre los hijos gracias a la habilidad de Luis Martínez de Irujo, el duque de Alba. Si bien Jaime, el hermano sordomudo, siempre se quejó de que su parte era la menor, aunque su mujer, Carlota, en muchas ocasiones lució joyas importantes que, según contaban las revistas, «habían pertenecido a la Corona de España».

Cuando años después murió Jaime, Carlota se quejó de que «la familia» (se supone que los hijos) había ido a su casa en tan dolorosos momentos para arrebatarle las joyas que le había regalado su marido, incluso arrancando los broches de los abrigos donde estaban prendidos.

Muchas de las alhajas fueron subastadas y vendidas en secreto —se consideraban bienes particulares— y aún ahora, las grandes casas de subastas sacan piezas que han pertenecido a doña Victoria Eugenia.

Doña María guardó las joyas para sí, de momento. Porque entonces todavía eran ellos los llamados a ocupar el trono de España, aunque en el fondo ella, que era bastante realista, quizás ya no se hacía ilusiones.

Y es que aunque Juan Carlos y Sofía tenían ya tres niños, gozaban del cariño de Franco y de su mujer, que, según cuentan, cuando estaban en algún acto, le preguntaba soñadora a su marido:

—¿Qué estarán haciendo ahora los Juanitos?

Seguían estando en el filo de la navaja, porque nada había acordado oficialmente. Sofía quería remodelar el jardín y hacer obras en la casa, ¡las dos infantas tenían que dormir juntas y el cuarto de juegos era pequeño! Le presentaron tres presupuestos y escogió el más ajustado. Pero, cuando le dijeron que las obras tardarían casi un año en realizarse, le comentó al arquitecto:

—Pues no, porque no creo que estemos aquí para entonces.

¿Era sincero este tan publicitado comentario?

Déjenme que les diga que Sofía sabía que esta observación llegaría a El Pardo y que quizás consideraba que es una forma sutil de ejercer presión sobre el Caudillo para que por fin nombrara heredero a su marido.

Pedro Sainz Rodríguez habló con ella para que Juanito llevara chaleco antibalas:

—Alteza, dígale usted al príncipe que no salga sin protección de casa, que lleve siempre el chaleco, ¡no nos vayan a joder vivos a todos!

Porque podía ocurrir un atentado:

—De los alfonsinos, de los carlistas, de los falangistas…

No podían hablar libremente ni en su propia casa, erizada de micrófonos y escuchas.[14] ¡Hasta encontraron un aparatito de esos debajo de la cama matrimonial! ¡Sofía se moría de rabia al pensar que unos brutales desconocidos habían estado escuchando sus suspiros de amor, escasos o abundantes, nunca lo sabremos, y la frecuencia de sus relaciones! Para una persona tan púdica como ella debió de ser tremendo ver su intimidad violada de tal forma, y sin poder protestar.

Recordemos que en esa época todavía compartían habitación y hasta lecho matrimonial.

Hasta para el comentario más inocuo, debían ir al jardín. Sofía le hacía señas a su marido, salían y le preguntaba por ejemplo:

—En el Ministerio de Asuntos Exteriores, ¿a quién han puesto?

—A Castiella. Ya sabes, todo el día con la matraca de Gibraltar.

Y así Sofía podía dar rienda suelta a las escasas muestras de humor que la situación le permitía:

—Entonces que le cambien el nombre al ministerio y en lugar de Asuntos Exteriores que lo llamen «del asunto exterior».

Los dos se reían tanto que se les saltaban las lágrimas.

Pero quien más sufría con esta situación era Juanito, mejor dicho, era el único que sufría, porque Sofía estaba con el hombre que quería, con sus tres hijos y con una esperanza bastante razonable de llegar a ocupar un día el trono de España. Pero Juanito, ¡tenía solo veintinueve años y la sangre caliente de todos los Borbones! Apenas veía a los amigos de su edad, no conocía ninguna sala de fiestas de Madrid, no podía ir al cine, ni a restaurantes, ni de tapas, ni salir libremente a la calle. Estaba rodeado de personas mayores que ejercían el papel de padres o, peor aún, de abuelos. No trató de rebelarse, pero, aun así, el general Armada,[15] a sugerencia de Franco, elaboró un código de conducta muy poco conocido, pero que debió representar para el príncipe una especie de Inquisición particular, hecha a medida para sus presuntas debilidades.

Junto a recomendaciones un tanto absurdas, como «no contar chistes», «no hablar mal de nadie», «no aceptar regalos», «no dejarse dominar» (supongo que por su padre, ya que Franco era un «jefe» tiránico no solamente para su país, sino también para él), «hacer ejercicio físico», «nunca perder el tiempo inútilmente», destacan para mí las más importantes y que debieron caer como pesadas gotas de cera en el corazón tierno y vulnerable de ese príncipe tan generoso en sus afectos: «ser profundamente religioso», «huir de la frivolidad», «no tener amigos particulares», «no ser caprichoso» y, sobre todo, «presumir de una vida personal impecable, que la princesa y los hijos sean la principal ocupación fuera del trabajo… mantener la familia en su puesto…». Fue un decálogo que duró hasta la muerte de Franco, en 1975.

¡Me aventuro a decir que aún ahora don Juan Carlos todavía tiene pesadillas cuando lo recuerda!

Aunque seguro que la reina lo echa de menos a menudo.

Puedo afirmar que si, a estas alturas de la vida de mi biografiada, uno se pregunta cuánto tiempo duró la tranquilidad conyugal de nuestra reina, la respuesta está muy clara: en tanto duró este compromiso de conducta, es decir, hasta la muerte de Franco, en 1975.

Porque no se trataba de sugerencias, sino de obligaciones que tenían que cumplirse. La desobediencia tenía un castigo duro e irreversible: como decía Sainz Rodríguez, una patada en el culo rumbo a Estoril. Adiós, Juanito. Hola, Alfonso.

Menos mal que de vez en cuando, previa autorización, viajaban al extranjero y Juanito podía relajarse. En el verano de 1966 su prima Ana Sandra Marone dio una fiesta en su casa de Rapallo para su puesta de largo. Acudió un grupo de personas de Barcelona, quienes me cuentan ahora sus recuerdos de aquel baile. Primero, una curiosidad:

—Si don Juanito iba a una fiesta en la que estaba su hermana Margot, lo primero que hacía era buscar un *chevalier ser-*

*vant* para ella con la misión de no perderla de vista. Tenía mucho miedo de que, siendo ciega, algún desalmado se aprovechara de Margot, a la que quería mucho. ¡Es como si Alfonsito, cuando se murió, se la hubiera encomendado!

Después, en aquella húmeda y sensual noche mediterránea en la que los cuerpos parecían anudarse los unos a los otros, lejos de la vigilancia de Franco, Juanito, aquel hombre obligado en España a la vida modesta y discreta de un monje cartujo, podía mostrarse como realmente era: fascinante, atractivo, el perfecto latino, el príncipe encantador capaz de conquistar todos los reinos y a todas las mujeres:

—Recuerdo como si fuera ayer que al principio de la fiesta Sofía intentaba cogerse de su brazo, pero él se desasía, primero con disimulo, pero después ya protestando. ¡Sofi, déjame, sabes que no me gusta que te cuelgues, que hace calor!

Sofía iba con un traje de gasa de color malva con lunares blancos de Pedro Rodríguez, los rubíes de Niarchos y un chal sobre los hombros. Juanito, cuando casi todos los hombres llevaban esmoquin blanco, lucía chaqueta negra, quizás el presupuesto no daba para más. Bromeaba, se reía:

—Incluso en un momento dado se puso a cantar cogiendo una copa como si fuera un micrófono:

*Chi non lavora*
*non fa l'amore.*

Que, interpretada por Adriano Celentano, ese verano sonaba en todas las fiestas.

Sofía estaba con sus hermanos y su cuñada. Irene se puso a hablar con el hermano pequeño de Alfonso de Borbón, Gonzalo, un atolondrado vividor que no había terminado ninguna carrera y que se dedicaba a negocios de exportación e importación entre España e Italia. No existe nadie más distinto que el inmaduro Gonzalo y la peculiar Irene, pero a pesar de todo bailaron un *twist*.

Al final, Juanito se dirigió lentamente hasta Paola Ruffo de Calabria, la mujer de Alberto de Bélgica, y la sacó a bailar:

—Nos pareció lo natural, el más guapo de la fiesta con la más guapa... Paola llevaba una trenza rubia que le llegaba hasta la cintura, más que morena era dorada, todo en ella era de oro, hasta las pestañas, lo que le daba un aspecto increíblemente sexy. Como una sirena, ¡más espectacular que una artista de cine! Él le estaría contando tonterías, porque ella se reía mucho. Cuando amanecía los vi descalzos, sentados en el césped, fumando y tomando la última copa... El príncipe Alberto hablaba con otras invitadas y la princesa Sofía había desaparecido.

Era la hora de los lentos y sonaba el último gran éxito de Doménico Modugno:

*Dio, come ti amo.*
*Non è possibile*
*avere fra le braccia*
*tanta felicità.*
*Baccierò le tue labbra...*

Paola Ruffo de Calabria es hoy la reina de Bélgica.

No. No lo pasaba muy bien Sofía cuando tenía que asistir a alguna fiesta. Con razón prefería quedarse en La Zarzuela, donde no había tentaciones para Juanito.

Eso que su vida en Madrid era de una monotonía exasperante. Los tres mil monárquicos que aclamaban a la reina Victoria habían vuelto a desaparecer; estaban aislados, no sabían ni siquiera cómo relacionarse con la gente, para no caer en la inmoralidad de la aristocracia española, que tanto odiaba Franco. De vez en cuando iban a cacerías, pero, como explicaba la reina a Pilar Urbano:

—Únicamente para ver a gente, las tertulias al lado del fuego... nunca he cogido un arma, no me gusta matar animales... No sabíamos muy bien cómo actuar, nos movíamos por instinto... La situación era incómoda, hasta la designación nosotros seguíamos siendo aquella pareja de jóvenes que en nuestra luna de miel pasamos una noche sobre un montón de maletas en el aeropuerto de Nueva Delhi.

Aunque añadió con mal disimulada satisfacción:

—Pero siempre juntos.

Poco a poco iban imponiéndose tareas, como despachar con Armada y con Mondéjar todos los días, al atardecer. No había temas concretos que tratar; se hablaba sobre todo de política internacional, y Sofía también asistía e intervenía con muy buen criterio.

Su madre se lo había dicho:

—Desde el principio me propuse estar al lado de tu padre; solo nosotras podemos aconsejarlos. Reinar es una tarea tan pesada que no puede recaer en los hombros de una sola persona... Nosotras somos más pragmáticas...

Sofía preguntaba, apuntaba, escuchaba; tenía una enorme curiosidad por los temas que se debatían, y es que le encantaba, y aún ahora, la política. Me lo cuenta un amigo del rey que tiene entrada en Zarzuela:

—Hables de lo que hables, la reina lo deriva a la política. Se sabe al dedillo los nombres hasta de subsecretarios norteamericanos, la política internacional no tiene secretos para ella.

No olvidemos que la reina es miembro del Club Bieldeberg, entidad que organiza una serie de simposios anuales en los que disertan los grandes de este mundo. A pesar de que durante mucho tiempo se especuló con el poder de este club, adjudicándole una inmensa capacidad de decisión en el rumbo de nuestra economía y política, al parecer, y según me informa un experto en temas internacionales, son reuniones más bien de tipo social, sin ningún poder decisorio.

Este experto me dice con cierto tono irónico:

—Anda, que el rey iba a dejar que asistiera la reina si realmente tuvieran importancia.

Cuando le comento al amigo de don Juan Carlos que debe ser muy interesante hablar con la reina, dados sus conocimientos sobre política, esta persona titubea:

—Te diré, son reuniones informales en las que nos ponemos al día de nuestras vidas, y puede ser muy pesado tener que elevar el nivel para estar a su altura... ¡Cuando está ella delante, no hay diversión posible!

Tengo que decir que mi informante es una persona jovial y entretenida, muy del estilo «campechano» de nuestro monarca.

En aquellas reuniones primerizas en el despacho de Zarzuela, Sofía intentaba que se trataran todos los temas en profundidad, alargándose a veces más de lo necesario, lo que impacientaba a Juanito:

—Sofi, no te entretengas, a otra cosa. —Había días que se enfadaba con ella—. ¡Mira que eres coñazo!

A pesar de que la princesa a veces tenía que irse corriendo a su habitación para que nadie viera cómo se le saltaban las lágrimas, la verdad es que disfrutaba con esos momentos que le recordaban las conversaciones que tenía con sus padres en Tatoi.

Solo se quejaba de que las hicieran tan tarde y tuviera que perderse el baño de los principitos.

Como su madre, no tiene ningun interés en ser solamente una mujer a la sombra de su marido, aunque algunas veces se puede entender así en el libro de Pilar Urbano, quizás debido a la ideología de su autora. Françoise Laot, la periodista de *Point de Vue*, que es quizás la persona que mejor la conoce y que la ha entrevistado varias veces a lo largo de su vida —en sus entrevistas se han basado muchos de sus biógrafos, aun sin citarla—, contaba: «Le falta el encanto de su marido... tiene autoridad, sentido del mando, es dura, no se deja manipular, juzga, analiza y puede cambiar de actitud en un segundo si algo le disgusta, puede pasar de la calidez más entrañable a la frialdad más sobrecogedora...».

Trabajosamente y por consejo de Federica, se hizo con una agenda propia de nombres interesantes de la cultura española. Le hablaron del filósofo Xabier Zubiri[16] y quiso ir a visitarlo, aunque esta primera cita fue algo caótica, ¡cuando Sofía se la contó a su madre, las dos rieron, y hasta a Juanito le hizo gracia!

Sofía se presentó en su casa de la calle Núñez de Balboa, y la recibió su mujer, Carmen Castro, la hija del historiador Américo Castro.

La princesa se puso a departir con ella y, después de varias horas, le preguntó por su marido:

—¿Y el ilustre filósofo, Carmen?

La mujer contestó desenfadadamente:

—Ahora saldrá; está ahí, en el despacho, pensando como un animal.

La psicóloga María Jesús Álava, que ha tratado a la reina, me ha hablado de ella:

—Cuando le interesa un tema, monta un seminario con un grupo de gente, y nos pide que seleccionemos unos expertos y que debatamos... Temas históricos, médicos o incluso sobre tecnología; recuerdo uno hace poco sobre el peligro de los teléfonos móviles... ella toma notas, pregunta de una forma muy inteligente... Tiene una enorme y atractiva curiosidad. La primera vez, por cosas que había leído sobre ella, temí encontrarme con una persona anticuada y de ideas conservadoras. ¡En absoluto! Dio su opinión, moderna y avanzada, en varias ocasiones, sin miedo a mojarse, y no me pareció carca, ¡en absoluto! Es una pena que no la podamos conocer directamente, pues los españoles se llevarían una sorpresa con nuestra reina.

—Pero hay quien dice que es antipática.

—Pues se ríe a carcajadas de cosas absurdas que a lo mejor solo ha advertido ella... Aunque sí es cierto que no nos da confianzas a nadie... mejor dicho, sí da confianza, pero impone bastante, aun quizás sin quererlo.

Es lo mismo que me contó un noble catalán que asiste a las reuniones de la Cruz Roja a las que también va la reina:

—Se acuerda de todos nuestros nombres, se prepara los temas con total seriedad, se alegra de los objetivos logrados... pero como no sabes hasta dónde puedes llegar en el trato, prefieres mantenerte en un plan ambiguo y por eso las reuniones suelen ser bastante pesadas...

A mi pregunta de si el rey ha asistido alguna vez a esos seminarios, María Jesús contesta:

—No, no ha venido nunca.

La misma pregunta al noble catalán, quien se asombra:

—¿El rey? No, nunca. Ella siempre viene sola. Aunque a veces yo sé que están los dos en Barcelona, no van juntos a ningún sitio.

Su meticulosidad le lleva a preparar los viajes hasta el último detalle. Características del lugar, número de habitantes... todo se apunta en carpetas, como cuando era la basilisa y tenía que desplazarse a los lugares más remotos de Grecia. Viajan sin parafernalia alguna, su coche, un viejo Mercedes conducido por el propio Juanito, con su mujer al lado, detrás el coche de los escoltas y también el de los ayudantes.

En esos viajes en los que tenían que estar varias horas de pie, a veces Juanito se impacientaba y protestaba a sus íntimos:

—Coño, no se prevé que tengo que mear, ¿es que se creen que los príncipes no mean?

Sofía se enfadaba con él:

—Hombre, Juanito, acuérdate de los consejos de Gangan. No bebas y así no sudarás... ni lo otro.

Pero Juanito le contestaba con amargura:

—¿Y qué quieres que haga si me ofrecen vino en todas partes? ¡Si termino con el estómago hecho polvo!

No consta que Sofía se quejase jamás por estos viajes tan poco interesantes. Sí se lamentaba de que no tenían ocasión de profundizar en las características del lugar al que viajaban, porque no podían hablar con nadie de forma espontánea. Las autoridades locales no se atrevían a dirigirse a ella directamente, y todo se perdía en gestos protocolarios vacíos de contenido. Un día le comentó al amigo de su marido:

—Bouzas... en estos viajes siempre me encuentro a las mismas personas, ¿se desplazan allá donde vamos?

Y es que todos exhibían la estética de la época: uniformes militares, correajes, gafas oscuras, bigotillos, ¡era muy difícil diferenciarlos! Alguno se olvidó el ramo de flores para obsequiarla, y cuando trataron de disculparse, la princesa les dijo en su mal español:

—¡No se preocupen! ¡No saben lo incómodo que es cargar con un ramo de flores todo el día!

Eran frases graciosas que hubieran aligerado el ambiente si su interlocutor las hubiera entendido, pero entre el acento de la princesa y los nervios, el funcionario en cuestión se limitaba a asentir como un muñeco automático.

Su mal dominio del español le jugó alguna mala pasada, de la que ella no fue consciente, pero que abochornó a su marido. En una ocasión tenían unos invitados a cenar en Zarzuela. Llamó la señora para preguntar:

—Perdone, alteza, pero ¿esta noche hay que vestirse?

Sofía contestó:

—¿Vestirse? No, al contrario, nosotros por la noche lo que hacemos es desvestirnos.

Se comprende que se refería a que por la noche utilizaban ropa informal, pero la señora en cuestión estuvo planteándose todo el día qué debían ponerse, hasta que una llamada de su marido al príncipe disipó el malentendido.

Con su madre se entendía solo con una mirada, ¡los legendarios ojos de Federica, que nadie ha podido olvidar jamás! Pero no intima con nadie. Ni una sola dama española. Ni antes, ni después. Ni ahora. Nunca. Y de las extranjeras, su hermana Irene, su hermano Tino y su prima Tatiana. Los mismos del exilio. Nadie más.

—¿Amigas? No, no tengo amigas; sí amistades, pero amigas, no. Ni confidentes, nunca le he hecho una confidencia a nadie —dice tranquilamente la reina,[17] sin percatarse de lo monstruoso de esta aseveración. ¡Porque ella sí había seguido al pie de la letra el decálogo del general Armada, ese en el que se aconsejaba a los príncipes no tener amistades privadas! Juan Carlos se vio obligado a contarle a Emilio Romero en una conversación informal que el periodista publicó, indiscreto como todos los de nuestro oficio, ¡si no, no seríamos buenos periodistas!:

—Yo soy abierto, y todos los que quieran venir a verme son bienvenidos. Lo que no tengo son amigos íntimos.

—¿Tiene su alteza saloncillo de tertulia, como todos los príncipes que en el mundo han sido?

Y la prudencia, Franco, su mujer o el maldito decálogo de Armada le obligaron a contestar:

—Si se refiere usted a si tengo camarilla, pues no.

Sin embargo, una vez más, déjenme que ponga en duda esta afirmación. Miguel Primo de Rivera era íntimo amigo suyo, se habían conocido de muy jóvenes en un tentadero y desde entonces eran inseparables. Habían estado incluso en China juntos, y como muestra de amistad, ambos llevan la misma cruz de oro. Era de los pocos autorizados a tutearlo en privado, aunque en público el tratamiento es de alteza.

Y muchos más, no simples conocidos, sino auténticos amigos. Jaime Carvajal, que estuvo con él en el colegio, y a cuya madre, Isabel, él también llamaba «madre»; José Luis Leal, el único alumno plebeyo de las Jarillas, al que tenía mucho cariño; Antonio Eraso, el íntimo de su hermano Alfonsito, casado entonces con la hija de los marqueses de Santa Cruz; su primo Carlitos, duque de Calabria, casado con Ana de Francia; Fernando Falcó; Niki Franco Pascual de Pobil, el sobrino del Caudillo; incluso una chica, Blanca Romanones Figueroa, de quien la reina estaba algo celosa porque le habían contado que Juanito y ella se gustaban cuando eran más jóvenes y Juanito no era más que un cadete en la Academia Militar de Zaragoza.

El príncipe se justificaba:

—Blanca me riñe, no me adula... dice que puede hacerlo porque ella lleva también el Borbón en el apellido, ¡es como una hermana!

Aunque a su hermana de verdad apenas la ve. El propio Juanito[18] cuenta que la primera vez que su hermana fue a verlos a La Zarzuela, en taxi, el conductor la llevó al teatro de La Zarzuela. Ella miró el local desde la ventanilla y le suplicó que bajase a preguntar. El taxista fue a la taquilla, regresó y le dijo a la infanta:

—Dicen que no hay ningún actor que se llame Juan Carlos.

Lo que da cuenta del escaso grado de intimidad que tenía con su hermano y con su cuñada, ¡ni siquiera se habían molestado en explicarle dónde estaba el lugar donde habían ido a vivir en España!

En verano Pilar y sus hijos a veces iban a bañarse a la piscina del palacio. Casualmente, cuando llegaban, Sofía había salido a pasear a caballo por los montes de El Pardo con su instructor, el coronel Julio Heredia y Albornoz. Los caballos que utilizaba eran del ejército.

Con sus amigos, Juanito tampoco se veía físicamente demasiado, aunque la comunicación por teléfono era constante. Todos conocían su número de memoria: 231 77 45. Algunas mañanas se encontraban en el gimnasio de Heliodoro Ruiz, pero poco más. También sus camaradas de Estoril, cada vez que iban a Madrid, lo telefoneaban, incluso Maná Arnoso se compró un chalé en Pozuelo, donde se dejaba caer de vez en cuando un agobiado Juan Carlos, sin avisar, y siempre con algún obsequio:

—Unas corbatas que él no se pone y que le han regalado, una caja de buen vino...

De vez en cuando iba a ver a un nuevo amigo, Manolo Prado y Colón de Carvajal, que le había presentado su primo Carlitos de Borbón Dos Sicilias:

—Venía a una casa que tenía mi familia en la urbanización Casaquemada, al lado de El Pardo, éramos para él como una botella de oxígeno en el ambiente encorsetado y vigilado de La Zarzuela, donde a veces era huésped y otras rehén, pero nunca señor de su casa...

Era cuando comentaba a sus amigos:

—Me gustaría ver cómo os bandearías vosotros entre esos dos viejos...

Todos sabían que se refería a su padre y a Franco.

Prado contaba en sus memorias recogidas por Joaquín Bardavío:

—Llegaba en un viejo todoterreno, y cruzaba la tapia de un salto, presentándose a la clandestinidad ingenua y libre de mi mundo.

Siempre solo. Sin Sofía.

Mucha gente tenía curiosidad por conocer a esa princesa de la que tan poco se sabía. El ideólogo del régimen, número tres de la Falange, Ernesto Giménez Caballero, quien en tiempos quiso casar a Pilar Primo de Rivera con Hitler, le envió a la princesa unos libros suyos. Sofía le contestó con amabilidad, lo que le dio pie a él para pedirle una cita. Lo recibieron Sofía y Juan Carlos en un saloncito de Zarzuela. «Bastante sencillo e impersonal, de casa de familia normal sin mucha atención a los detalles», me contó Giménez Caballero, que había sido embajador y entonces vivía en su elegante casa de El Viso, con su mujer, alemana, y con su nieto:

—Juan Carlos me inspiró el mismo sentimiento que a Franco, como si fuera un huérfano, un ser ansioso de afecto y protección, ingenuo y alerta a la par, con un gran tipo físico para su representatividad carismática... —Quizás Juanito había aprendido que esta actitud humilde le iba a ganar el aprecio de un viejo zorro de la política, tan viejo y tan zorro como el mismo Franco—. Sofía, no sé si por su cultura germánica, prusiana y su cultura de lenguas, de música, viajes y azares dinásticos, me impresionó mucho. Su mirar es inteligentísimo y suspicaz. Como a Franco, me robó el corazón, le gustaba hablar de política internacional, ¡leía mucho! En aquella época no se expresaba muy bien en español, pero ella era la primera en reírse de sus meteduras de pata.

También añadió una característica que creo define mucho al personaje:

—No era diplomática; era sincera, sin artificiosidades, me pareció muy de verdad.

Pocos días después, y casualmente, se encontró a la reina en el cine Monumental viendo un espectáculo de marionetas rusas con sus hijas, entonces muy pequeñas:

—El teatro estaba medio vacío... era una compañía soviética un poco destartalada y, claro, no estaba muy bien visto ir a verla. Pero ahí en primera fila estaba la princesa con sus dos hijas. Al finalizar y cuando todos nos levantábamos para irnos, el director de aquello salió al escenario y pidió un aplauso para la princesa y sus hijas.

Detrás de los gruesos cristales de sus gafas, los ojos de Giménez Caballero brillaban con malicia:

—No muy puesto en temas protocolarios, el hombre, supongo que queriendo dotar de atractivo un espectáculo bastante mediocre, le pidió a la princesa que subiera al escenario. Se la veía bastante violenta, pero creo que pensó que sería una descortesía negarse, y además, casi no había nadie, y se encaramó al escenario, sonaron cuatro aplausos y las infantas incluso hacían reverencias y saludaban como si fueran actrices...

Giménez Caballero, que ya estaba entonces retirado, me decía:

—Fui un testigo privilegiado de aquel momento... Se lo conté a Franco y se limitó a mover la cabeza paternalmente, como si le hiciera gracia. ¡Él, que era el hombre más intransigente del mundo!

Proseguía Giménez Caballero:

—A Franco, cuando hablaba de don Juan Carlos, se le ponía la mirada soñadora.

Como le pareció que su antiguo amigo lo observaba con sorna, Franco reaccionó rápidamente e intentó justificarse «entre tímido y receloso»:

—Comprende, Ernesto. Había que recoger a ese muchacho, que estaba descuidado, y ver qué daba de sí.

Aunque, fiel a su estrategia de jugar con varias barajas, le comentó también que:

—Don Alfonso de Borbón Dampierre es muy afecto al Movimiento.

Otra casualidad. Giménez Caballero también se encontró pocos días después a Federica jugando al golf en el club Puerta de Hierro:

—Había leído sus *Memorias*, que me habían deslumbrado; ¡era una delicia de mujer! Era una mujer imperial, filósofa, no muy atractiva en el rostro, pero con una mirada de luz milenaria que me unió más a su hija Sofía.

Pero en lugar de nombrar sucesor, Franco, de momento, en diciembre de 1966, iba a someter a referéndum la Ley Orgánica del Estado, un texto indigerible que se había leído durante varias horas en las Cortes. Después tuvo lugar su célebre advertencia sobre los peligros de los «demonios familiares» de los españoles, «espíritu anárquico, crítica negativa, insolidaridad entre los hombres, extremismo y enemistad mutua». El país se llenó de carteles con la leyenda de «Franco sí» y «Vota sí por la paz», y se utilizó la televisión para hacer propaganda. El referéndum, por primera vez los españoles pronunciábamos esta palabra que nos sonaba tan extraña, se convirtió en una plataforma de apoyo al propio Caudillo.

Alfonso de Borbón le manifestó a Franco en audiencia privada:

—A pesar de que por mi rango no tendría que votar, llevado de mi desbordante entusiasmo acudiré a las urnas para depositar mi voto afirmativo.

Franco se mostró emocionado por esta decisión. Por una de esas habituales filtraciones Zarzuela-Pardo-Zarzuela-Pardo, Sofía se enteró de esa conversación y se lo comunicó a su marido, y le dijo que ellos entonces también tenían que votar. Juanito no sabía qué hacer, y como siempre que estaba desorientado, acudió a su padre. El conde de Barcelona montó en cólera contra su sobrino y le contestó a su hijo:

—Haz lo que quieras, pero no te compares nunca con Alfonso Segovia, es un desleal con todo lo que yo represento.

Lo que demostraba que, como siempre, Juan estaba en la luna de Valencia.

En realidad no hubieran hecho falta los votos de Alfonso ni de Juanito ni de Sofía, porque el sí salió por aplastante mayoría: un 95 por ciento. A Fraga Iribarne, ministro de Información y Turismo, le llamaron a partir de entonces «el mago de las urnas», porque el éxito de la votación superó los cálculos más optimistas y se decía que con sus «poderes mágicos» había logrado que dentro de las urnas los votos en blanco o negativos se convirtieran en flamantes síes.

Lo único que quedaba claro en la ininteligible Ley Orgánica del Estado que se había aprobado era que el sucesor de Franco sería un rey, de estirpe real, católico y mayor de treinta años.

Juanito le dijo alborozado a su mujer:

—Yo estoy dentro de esas coordenadas.

Pero Sofía le recordó:

—Alfonso también.

Y entonces se produjo un hecho inesperado que estuvo a punto de truncar el tortuoso camino, «la larga marcha», como la llama López Rodó, de Juan Carlos hacia el trono de España. Un acontecimiento que, en los años siguientes, sumiría a los príncipes en la perplejidad más absoluta, la indefensión, el pánico, les haría templar sus armas y pondría a prueba su paciencia y su equilibrio: empezaron a surgir rumores de noviazgo entre Alfonso y Mari Carmen. La revista francesa *Point de Vue* y el periódico inglés *Daily Mail* publicaron ese mismo invierno: «Posible noviazgo entre Alfonso de Borbón y Carmen Martínez-Bordiú, una nueva dinastía para España…».

Las posibilidades de esta relación enloquecieron a Cristóbal Villaverde. Pilar Franco, la hermana del Caudillo, le contó a la autora de este libro en conversaciones publicadas en su momento:

—La historia entre Alfonso y Carmen empezó cuando Carmen tenía quince años, impulsada por el marqués de Villaverde.

Y la misma Carmen confesó en un documento de anulación de su matrimonio ante la Sacra Rota:

—Todo venía de muy atrás, el empeño de mi padre en casarme con Alfonso.

Consecuentemente, aumentó el número de los padrinos de la opción «alfonsina». El hijo de don Jaime empezó a hacer viajes oficiales por los pueblos, como su primo, inauguró monumentos, y José Solís, el ministro del «búnker», como se empezaba a llamar a la ultraderecha española, ordenó que se le diera el más alto tratamiento, alteza real y príncipe. Como me dijo mi hermana Olga, que trabajaba en Iberia a cargo de los personajes VIPS:

—Alfonso era muy puntilloso con el protocolo; yo creo que llevaba la corona bordada hasta en la ropa interior, sin embargo quería dar siempre imagen de sencillez, y no permitía que lo pasaran a primera en los aviones y cargaba él mismo con sus maletas. Claro que si le llamabas de usted, simplemente no te contestaba, era como si a alguien que se llama Pepe le llamas Juan.

Franco tenía setenta y cinco años y estaba algo achacoso, es cierto, se quedaba dormido en ocasiones, se le veía muy apático a pesar de que la prensa continuaba llamándole «Faraón ibérico» y «Don Pelayo, Cisneros y Cánovas en una sola persona». Cada vez pasaba más horas frente al televisor, y llegaba a interrumpir las audiencias porque daban partidos de fútbol o la serie *Bonanza*, que era su favorita.

Una vez se lo encontró su médico, Vicente Gil, sentado en la taza del retrete moviendo los labios y con algo entre las manos. El doctor le preguntó preocupado:

—¿Qué hace, excelencia? ¿Está rezando el rosario?

El Caudillo le contestó:

—No, Vicente, estoy leyendo la etiqueta de este masaje para después del afeitado.

Restringió las visitas de Juanito. Otra vez sus acciones en la bolsa monárquica habían empezado a bajar y subían las de Alfonso. Juanito y Sofía hablaban interminablemente, mientras daban largos paseos por el jardín, de la estrategia a seguir. ¡Si más buenos ya no podían ser! ¡Si, para cumplir, habían tenido tres hijos, uno de ellos varón, con lo que la dinastía estaba asegurada, mientras Alfonso seguía soltero!

¡Si Juanito desde que se casó no había mirado a otra mujer que la suya! ¡No alternaban con nobles, no tenían amigos, gastaban lo mínimo! ¡Si hasta comían sopa de fideos y una tortilla de un huevo, como en El Pardo! ¡Si Sofía prácticamente no se hablaba ni con sus suegros, ni con sus cuñadas, ni con sus tíos, entregada a la amistad incondicional hacia Franco y su mujer!

¡Si eran los Juanitos!

Las peleas con su padre por teléfono eran constantes. Juan se ponía nervioso en su exilio de Estoril, Franco lo había apartado de un certero puntapié de la carrera por el trono y el único que no parecía darse cuenta de ello era él. Muchos visitantes de Zarzuela oían a Juanito hablar airadamente con su padre, conversaciones que también llegaban a los oídos de Franco. Cuando colgaba, desesperado, Juanito comentaba en voz muy alta:

—¡Al final aquí el único que juega con las cartas boca arriba es Franco!

Así, no es extraño que el Caudillo le confesara arrobado a su primo Franco Salgado Araújo:

—Es infundado el rumor que dice que el príncipe es tonto, en los asuntos de la política no está entregado a su padre. Son muy buenos los dos.

Pero Juanito, delante de sus amigos, en el jardín, cuando sabía que no había ningún micrófono recogiendo todas sus palabras, se pavoneaba un poco. Les contaba que Franco lo había llamado en audiencia recriminándole que hubiera utilizado la palabra «libertad» en uno de sus viajes:

—Pero yo lo toreo bastante bien... le dije: «Mi general, no se preocupe usted por esa palabra aislada, solo queremos el bien de España...». Y se quedó tranquilo...

Sofía, a espaldas de su marido, hablaba también con su madre; ambas debatían qué pasos debía seguir la princesa para ayudar a su marido. Al final intentaron un truco algo burdo, pero que podía dar resultado.

Así, Sofía, aquella mujer culta e instruida, que presumía de criar a sus hijos personalmente, tan versada en cuestiones de puericultura que era ella quien enseñaba a las niñeras cómo había que cuidar a sus hijos, pidió audiencia con el Caudillo.[19] No con Juanito, sino ella sola:

—Es que le quiero consultar un tema referente a la educación de los príncipes.

Y añadió con timidez:

—Me gustaría que pudiera estar presente también doña Carmen.

Franco la recibió inmediatamente. Doña Carmen estaba también presente. Sofía fue directa. Quería que sus hijos recibieran la mejor educación posible. Me la imagino dirigiendo algunos ditirambos a la España de Franco, y su deseo de educar a sus hijos en el servicio de la Patria, y preguntando también si era conveniente llevarlos a colegios religiosos o laicos, españoles o extranjeros por aquello de los idiomas. No es difícil deducir cuál fue la opción escogida por el Caudillo y su mujer.

Sofía quizás dio también la opinión que Laot ha recogido en su biografía:

—Yo no creo en la psicología, ¡cada hijo es distinto!

—Qué gran verdad —supongo que contestó el matrimonio Franco, a los que la palabra «psicología» les debía sonar a barbarismo extranjero e incluso masón—. ¡Cada hijo es distinto!

—No hay pautas para educar, se va haciendo según las necesidades de cada uno.

Ni Sofía ni el matrimonio Franco, que asentía fervorosamente, se daban cuenta de que esta última frase parecía sacada del *Manifiesto comunista*, que, como es natural, ni una ni otros habían leído, y cuyo lema más conocido es «de cada uno su capacidad, a cada uno según sus necesidades».

Creo yo que Sofía también explicaría que:

—No soy partidaria de llevar a los niños a una guardería antes de que cumplan tres años; prefiero que se eduquen en casa.

Y aquel matrimonio anciano, cuya hija no había ido nunca al colegio y cuya nieta Mari Carmen se había educado en El Pardo hasta los catorce años, que deberían tener por consiguiente tanta idea de la educación de los niños como de la cría del ornitorrinco en cautividad, es de suponer que aplaudirían esta medida tan sensata.

Y Sofía cumplió. Aunque las infantas sí iban a la guardería Santa Elena, Felipe hasta los cuatro años no fue al colegio ni convivió con otros niños que no fueran sus hermanas.

No hay que decir que esta forma de educar tan tradicional, tan distinta de los métodos modernos que estaban entrando en esa época en España, que abogaban por los colegios mixtos, no religiosos, y con una incipiente formación sexual, encantaría al matrimonio Franco. De hecho, ellos, al parecer, aportaron también su ayuda a la educación de los principitos.

—¿Por qué no invitamos a merendar a Pilar? —sugirió doña Carmen, y todos sabían quién era esa Pilar. Como su hermano José Antonio, el fundador de la Falange, no necesitaba el apellido Primo de Rivera para identificarse. Era la fundadora de la Sección Femenina, que en un principio siguió el modelo de las Juventudes Hitlerianas a las que había pertenecido Federica, aunque luego había ido evolucionando. Durante cuarenta años había tratado de preservar y, si fuere posible, también aumentar los valores de la mujer española. De talante autoritario y maneras algo masculinas, y, por principio, antimonárquica furibunda, ¡la única reina que le gustaba a Pilar era Isabel la Católica!, le daba un poco de miedo a Sofía.

Sin embargo, simpatizaron. La princesa no se maquilló; iba con zapato plano y no recordaba en nada la inmoralidad y la superficialidad de la aristocracia de la que tanto abominaban los falangistas.

—Será una buena española —dictaminó aquella mujer de hierro a la que Giménez Caballero pretendió casar con Hitler para conseguir una nueva estirpe para España.

Los encuentros entre Pilar y Sofía, que fueron ocultados cuidadosamente después de la muerte de Franco, se produjeron periódicamente, aunque no consta que Sofía aplicase las enseñanzas de la Sección Femenina a la educación de sus hijas:

—El padre es el jefe del hogar y la madre es la reina de la casa, una reina que solo está al servicio de su marido.

Y también:

—No hay nada más admirable que el ama de casa, ¡la universidad está bien, pero, cuando llegan los hijos, el puesto de una mujer está en su casa!

Permítanme que dé un testimonio personal y familiar. Mi tía María Dolores Eyre, que fue, en Barcelona, delegada provincial de la Sección Femenina durante los años cuarenta y principios de los cincuenta, se constituyó en ejemplo vivo de esta doctrina. Abogada de prestigio, número uno en su carrera, con veintipocos años iba en coche oficial y era una de las mujeres con más poder de España. Al casarse con un médico rural de Bossost, en el Valle de Arán, se retiró a aquel lugar, entonces inaccesible y cubierto de nieve casi todo el año, y dedicó el resto de su vida a criar a sus seis hijos. No volvió a tener actividad profesional.

—El hogar es el santuario de la mujer —le gustaba decir a Pilar; aquella mujer austera, mitad monja y mitad soldado, que no se había casado nunca, que no sabía cocinar, cuyo ideal de vida hubiera sido luchar en las Cruzadas, ¡merece ella sola una biografía! Su relación con Sofía llegó a ser tan estrecha que, muchos años después, el sobrino de Pilar, Miguel Primo de Rivera, contó:

—La princesa adoraba a mi tía... y ella también la quería mucho.

Sofía agradeció las atenciones de doña Carmen y el Caudillo, y no se olvidaba nunca, después de estas reuniones de adoctrinamiento, de decirles con su tono de voz más cariñoso:

—Mi general, usted y doña Carmen son como los abuelos de los príncipes. Desgraciadamente, ustedes saben que no puedo contar con nadie, mi padre porque ha muerto, mi suegro porque...

Franco la hacía callar. ¡No tenía que explicarle nada de aquel desalmado! Tanto a él como a doña Carmen se les caía la baba con los halagos de la princesa. Y más todavía el día en que Sofía llevó a las infantitas y les preguntó, señalando a ese general que según ciertos historiadores había causado cincuenta mil muertos durante la larga posguerra y al que en Estoril llamaban «el Caimán»:

—¿Quién es este señor?

—El Abu.

Me cuenta un testigo de la escena que a Franco le brotaron las lágrimas.

Tanto esfuerzo merecía su recompensa. Y el Caudillo tenía palabras para ellos que nunca había dedicado ni a su hija, ni a su yerno. Ese yerno tan alocado que salía en las revistas bailando el *twist*: en el pie de foto se detallaba que «el marqués de Villaverde, eminentísimo doctor y no por ello menos yeyé, baila ritmos modernos con notable desparpajo en este difícil arte». Cuando le llevaron la revista, el Caudillo la apartó con desprecio.

En el mismo número de *Diez Minutos* salían fotos de sus nietas en una fiesta *hippy* bailando el kasatchoc. En ninguna revista gráfica apareció, en ese año, 1969, ninguna imagen de Sofía. Tan solo en los periódicos, algunos «breves»: en *La Vanguardia* del día 16 de mayo, daban cuenta del viaje de los príncipes a Valencia, donde fueron recibidos por el gobernador civil y señora, provista de un ramo de flores, para visitar la Feria Muestrario Internacional y las obras de la nueva sede de la Feria Muestrario Internacional, en Paterna. Sin foto. O en *ABC:* «Lección magistral en la clausura del congreso de endocrinología de Madrid, con la asistencia de don Juan Carlos y doña Sofía». También sin foto.

Así Franco[20] no podía menos que comentar:

—Son muy buenos; tanto él como la princesa, a pesar de su juventud, reflejan una madurez de espíritu grande. Son inteligentes, serios, sensatísimos. Estoy sumamente satisfecho de su conducta en todo momento. Los dos demuestran el alto concepto que tienen de la misión que están llamados a desempeñar. Yo estoy seguro de que cuando llegue ese día servirán a España con el mayor patriotismo. Si alguien se permite hablar en contra de ellos, es que no conoce sus elevadas cualidades y la vida de sacrificio que llevan. Estoy, repito, muy contento de ellos en todos los sentidos.

Claro que el gallego no se olvidaba de apuntar:

—Pero si el hijo nos sale rana por culpa del padre, siempre nos quedará don Alfonso.

Porque los amigos de Alfonso no cesaban de trabajar a favor de su protegido. Por fin se escribía en letras de molde que la candidatura de Alfonso al trono español merecía tomarse en serio. En el diario *Pueblo* se le hacía una entrevista que el periódico titulaba «El príncipe prudente» y que levantó mucho revuelo. Alfonso pasaba a ser príncipe, y ya no se apearía del tratamiento hasta su muerte. Hablaba de sus gustos musicales, y se decía que era sencillo, alto, excelente conversador y amante de las bellas artes. Se convirtió en un candidato oficial también al trono de España, y en la misa de réquiem de los reyes ya se le sentó al mismo nivel de Juan Carlos y Sofía.

Sofía y Juanito se dieron cuenta, por primera vez, del tremendo poder de los medios de comunicación. Lo hablaron con Armada y Mondéjar, y al final el diario *Pueblo*, el de más tirada de aquella época, cuyo director Emilio Romero presumía de tener hilo directo con el Caudillo, encargó al periodista Tico Medina que los entrevistase a ambos, a él y a su primo.

Las interviús salieron en el mismo número bajo el título de «Príncipes» y era evidente que las simpatías del periodista estaban del lado de Alfonso. Lo retrataba como un hombre serio, que se iba abriendo poco a poco. Varonil, se había hecho a sí mismo; era abogado, trabajaba, y tenía una visión moderna de la vida. Modesto, vivía en un piso normal y no tenía criada; él mismo abría la puerta. Alfonso opinaba magnánimamente de Juanito:

—Mi primo es un chico simpático con buen corazón, lo paso muy bien con él.

De Franco:

—Admiración... simpatía... 25 años de paz... reconstrucción de la nación, gran patriota...

Cuando Tico le preguntó cuál era su mayor preocupación, el príncipe confesó sentenciosamente:

—La juventud española, sobre todo la universitaria.

Por contraste, Juan Carlos quedaba, como dijo su padre, punto menos que como un imbécil. Para empezar pedía las preguntas con antelación para estudiarlas en su palacio, en el que vivía rodeado de consejeros que le ayudaban en las respuestas. Le dijo a Tico Medina:

—No te importa que te tutee, ¿verdad? Es una costumbre que tengo... Si te parece leemos mis respuestas y las vamos corrigiendo... No se entendían muy bien, porque tengo muy mala letra, y me las han pasado a máquina... me levanto a las siete, luego me ducho...

Un ayudante le dijo:

—No hace falta que su alteza entre en detalles de ese tipo.

Juan Carlos vaciló:

—Hombre... yo creía que había que contarlo todo... voy al gimnasio, vuelvo, y hago algo en el despacho, como a las dos con la princesa, leo algún libro, Azorín y Emilio Romero [director del periódico que lo entrevista]... cenamos a las nueve, televisión y a las once a la cama...

Cuando le preguntaron cuáles eran sus aficiones, contestó enumerándolas con los dedos:

—Hago deporte, natación, vela, kárate…

De repente se interrumpió «y me mira con los ojos sorprendidos de un chiquillo:

»—El kárate está prohibido en España, no sé si decirlo…».

Paternal, el periodista contestó:

—No creo que el Ministerio del Interior proteste.

Llamaron al teléfono y se oyeron durante media hora sus:

—Sí, papá

—No, papá.

Regresó y explicó:

—Era mi padre.

Prosiguió:

—¿Franco? Es un gran militar, ganó la guerra por amor a la patria… Mi primo Alfonso está lleno de cualidades, es muy trabajador, excelente deportista, conoce muy bien el ambiente español…

El pobre Juanito, en su primer enfrentamiento con la prensa, quedó muy mal, como reconocieron sus propios consejeros: un bobo rodeado de ayudantes, dependiente de su padre, un inmaduro que no podía contestar unas preguntas sencillas sin leerlas en un papel, infantiloide, inseguro… Fue lo que dijo de él Giménez Caballero, y «ansioso de afecto y protección, ingenuo…».

¡Sofía se llevó las manos a la cabeza! ¡Ahora, para borrar la mala impresión, habría que trabajar el doble, sin desanimarse! Redobló sus esfuerzos, sus visitas a doña Carmen, los nietos jugando con los nietos, Federica se tragó todo lo de Alhucemas, cómo tomaron el monte Gurugú y hasta los sitios de Zaragoza y la guerras púnicas, que, aunque no estuvieran comandadas por Franco, merecerían haberlo estado por lo bien que fueron conducidas.

Juanito concedió otras declaraciones, esta vez más atinadas, al director de la agencia Efe, Carlos Mendo, sin hacer alusiones a su padre, un naipe ya descartado, explicando:

—El día en que juré bandera, prometí entregarme al servicio de España con todas mis fuerzas.

Franco las leyó y le comentó a su primo:

—Están muy bien, ¿quién se las habrá escrito?

Mari Carmen se puso de largo, vestida de Pedro Rodríguez, en Valdefuentes, en una fiesta impresionante con 600 personas, algunas «con graciosas minifaldas pero nunca demasiado cortas, tampoco cuando la orquesta tocaba ritmos modernos el baile se hacía desenfrenado, porque todos guardaron una gentil discreción» (*Lecturas dixit*). Aun así, el marqués de Villaverde volvió a aparecer «bailando ritmos pop», lo que hizo exclamar a su suegro cuando vio la revista:

—¿Pero este hombre no sabe hacer otra cosa que bailar?

Lola Flores cantó, Tony Leblanc contó chistes, el Cordobés improvisó una coplilla:

*Que ni fu ni fa,*
*que ni antes ni después,*
*que no hay torero mejor*
*que el Cordobés.*

El actor Alberto Closas presentó las actuaciones, Conchita Márquez Piquer le comentó a doña Carmen que ella también quería ser cantante, como su madre, Concha Piquer, y en la puerta se amontonaban los Mercedes y hasta un Rolls Royce (el de la Señora).

La cosa duró hasta las ocho de la mañana, en que se sirvieron sopas de ajo y chocolate con churros.

Los príncipes no fueron:

—No tenemos a nadie de confianza con quien dejar a las infantas y al príncipe.

Aunque entonces ya había doce personas de servicio en Zarzuela, incluidas tres niñeras, Anne Bell, Pamela Wallace y una «salus» (enfermera de la Escuela Salus Infirmorum) española, pero Franco cabeceaba de satisfacción. Él tampoco acudió a la puesta de largo de su nieta; tenía que despachar asuntos graves; para paliar las continuas manifestaciones y huelgas estudiantiles y obreras, no había tenido más remedio que dictar un estado de excepción y llenar las cárceles de gente. Hubo enfrentamientos armados entre las «fuerzas del orden» y organizaciones de izquierda, ETA ya había empezado a actuar, y había una campaña internacional para acabar con la última dictadura que quedaba en Occidente.

Franco le comentó a su primo horrorizado:

—¡Los estudiantes han intentado defenestrar al rector en la Universidad de Barcelona!

No era cierto. Lo que se lanzó por la ventana del rectorado de la vieja facultad de letras, entonces en la plaza Universidad, fue un busto en mármol del rector. ¿Testigos? La que firma este libro.

No consta la opinión de Sofía sobre aquella España en llamas. Más tarde explicó que a su entender «Franco era un dictador, pero no un tirano». También, «yo no vi nunca ni represiones brutales, crueles (en los años sesenta, sí más tarde)». Y además, «en realidad, más que una dictadura, lo de Franco fue una dictablanda».

En la dictadura o en la dictablanda, la princesa mantenía sus faldas debajo de las rodillas, su peinado impecable, su cruz al cuello, sus escotes recatados. Rezaba el rosario con doña

Carmen y con Pura Huétor, se sentaba al lado de la Señora en la fiesta de la Banderita y si había que presidir algún desfile militar, allí estaban ellos, en segundo plano, pero apoyando con su presencia al Caudillo.

A veces Juanito se desesperaba:

—Prefiero que Franco me diga que no, ¡no me matarán los falangistas, será la incertidumbre lo que acabará conmigo!

Don Juan, en Estoril, se reía burlonamente de la desesperación de su hijo:

—Juanito, si Franco te nombra heredero, ¡acepta! ¡No se te ocurra decir que no!

Sus risotadas irónicas hacían temblar el hilo telefónico y llenaban de amargura el corazón lacerado de su hijo.

12 de julio de 1969. Cinco de la tarde, mucho calor. Las infantas están en la piscina, se oyen sus gritos a través de las ventanas abiertas. Felipe duerme arriba, en su habitación. Sofía intenta leer la vida de María Antonieta, pero no puede concentrarse. Veinte veces ha empezado la misma página y otras tantas ha olvidado lo que acababa de leer. Juanito está en esos momentos en una audiencia con Franco, que le ha llamado urgentemente a El Pardo porque tiene algo muy importante que decirle.

Oye la puerta que se cierra, los pasos apresurados de su marido. Su voz alborozada:

—Ya está, Sofi. Me ha preguntado si quería ser el sucesor.

Sofía se levanta lentamente, a cámara lenta, como si sus piernas fueran de madera. Cierra los ojos, aprieta los puños, los sacude delante suyo como si quisiera desprenderlos del cuerpo. ¡Sí! ¡Lo han conseguido! ¡Los dos! ¡Juntos! Casi no oye a su marido, que completa de forma innecesaria la información:

—¡Le he dicho que sí!

Juanito corre a llamar por teléfono. Sofía se queda en medio del salón; tarda medio minuto en darse cuenta de que no se han abrazado.

# *Capítulo 9*

—¡Sofi! ¡Es verdad! ¡Alfonso se casa con Carmencita!

Juanito, con la excitación, temblaba y tenía la respiración jadeante. Sofía se levantó bruscamente del sofá donde estaba haciendo punto, una chaquetita para Nicolás, el hijo pequeño de su hermano Tino, que tenía un año menos que Felipe. Con la aguja de tejer le enseñó imperativamente el lugar donde estaban los micrófonos: en la lámpara de techo, tan mal colocados que incluso se veía un cable. Juanito se llevó las manos a la cabeza gimiendo audiblemente:

—¡Qué tonto soy!

Mientras, Sofía lo empujaba hacia el jardín. Todavía, cuando abrieron la puerta de cuarterones del salón, tropezaron con uno de los criados que estaba agachado escuchando con la oreja apoyada en la puerta, aunque el sirviente se puso a limpiar con un trapo que llevaba oportunamente en la mano un tibor gigante chino, y los príncipes hicieron ver que no se habían dado cuenta.

Tan nervioso que incluso tartamudeaba, Juanito prosiguió explicándole a su mujer:

—Me lo ha contado el propio Franco... Ha ido Cristóbal Villaverde a verlo, o sea que ahora sí que va en serio. ¡Se casan, Sofi! ¡Se casan!

Sofía se abrigó con el chal de cachemir que llevaba por casa, el viento otoñal enviaba ráfagas lluviosas frías como el hielo en ese mes de noviembre de 1971, pero siguió empujando a su marido, que, con manos trémulas, intentaba encender un cigarrillo, para alejarlo también de la garita del portero. Tanto Juanito como Sofía sabían que el conserje era un empleado directo de El Pardo, que cada día anotaba en un papel quiénes habían ido, cuánto rato habían estado y el tema de las conversaciones, material que cada noche llegaba a buscar un motorista sin ningún recato.

Algo sabía la princesa de esa proyectada boda. La nueva ayudante, Laura Hurtado de Mendoza, medio sobrina de Mondéjar, a pesar de la discreción y la delicadeza aprendida en el Opus, del que era miembro además de licenciada en Exactas y decoradora, se lo había comentado a su manera mientras repasaba la agenda de la princesa, bastante desprovista de actos, por cierto:

—He oído que Carmencita, la nieta de Franco, se ha encargado dieciséis conjuntos en Miguel Rueda.

Sofía la miró levantando una ceja sin decir nada. Últimamente, ella, como Juanito, había aprendido a callarse. Laura prosiguió. Sin dejar de anotar aquí y allá una frase, «traje chaqueta y abrigo, suele hacer frío», «ir en ayunas porque aquí ofrecerán productos típicos del campo», «recordar que la mujer del gobernador civil estuvo visitando a S.A. el año pasado en Zarzuela», dijo:

—Ya sabe vuestra alteza que los marqueses de Villaverde han estado unos días en Estocolmo, se han alojado en la embajada con el príncipe don Alfonso… y parece que allí nació el amor.

Y Laura añadió, ya que era políglota además de algo romántica:

—La prensa sueca dice: «El embajador y la Carmen de Merimé»… Ahí, en esa carpeta, he puesto las cartas que pueden interesar a vuestra alteza… Hay una sobre la protección de burros en Córdoba y también otra de su cuñada la infanta doña Pilar para que asista a su Rastrillo benéfico…

Sofía se metió la carta procedente de Córdoba en el bolsillo, ¡más tarde la contestaría e incluso algo enviaría de su magro presupuesto, sin que nadie, ni siquiera Laura, se enterase! Y abrió la carta de su cuñada con un suspiro. Las cuñadas, sí, tenían que existir, las pobres, pero… Aun así le preguntó a su secretaria, como si no le importara:

—Pero, Carmencita, ¿no tenía… una amistad… con un primo del príncipe?

Laura, que tenía conexiones en todas partes, en la última hornada de ministros incluso habían conseguido colocar a varios miembros de la obra en carteras importantes, contestó:

—Sí, con el príncipe Fernando de Baviera… cuando riñó con el jinete, Jaime Rivera. Ya sabe vuestra alteza que se escaparon a la Costa Azul y fue el marqués de Villaverde a buscarlos y la trajo a ella de una oreja porque el príncipe está casado…

Sofía cortó con un gesto. Laura era eficiente y se había convertido en imprescindible para ella, pero tampoco quería darle más confianzas de las necesarias. Le reprochó con algo de malhumor:

—Sí, sí, ya sé, Laura, pero acuérdate de que aquí el único príncipe que hay es don Juan Carlos. ¿Has enviado ya las fotos dedicadas a esas señoras de La Coruña?

Laura, muy en su papel, murmuró:

—Por supuesto, alteza, esta mañana.

Sofía no le explicó, aunque probablemente Laura ya lo sabía, que el propio Franco había hecho llamar a Juanito para decirle:

—Contenga usted a ese sinvergüenza de su primo, ha sacado el donjuanismo de los Borbones y mi nieta es una niña. Yo podría incluso meterlo en la cárcel como corruptor de menores y adúltero.

A lo que había contestado Juanito, muy contento de no haberse apartado ni un ápice del tálamo conyugal, ni siquiera en las escasas salidas al extranjero:

—Pero mi primo no es un niño, excelencia, y no le puedo decir cómo gobernar su vida. Además, le recuerdo que no es Borbón, sino Baviera.

Juanito[1] quizás se quedó rumiando que vaya niña esta Carmencita (no podía pensar en ella en términos carnales, ¡y menos delante de Franco!). Y el Caudillo masculló que todos, Borbones y Baviera, eran lo mismo a la hora de tratar con mujeres, pero cuando su primo Pacón quiso ahondar en el tema, Franco se apresuró a comentar:

—Del príncipe de España no se puede decir nada malo, porque su actuación es intachable.

Porque por ese título, príncipes de España, eran conocidos ahora que Juanito ya había sido proclamado oficialmente sucesor de Franco. Don Juan Carlos y doña Sofía no iban a llamarse príncipes de Asturias, porque tal dignidad significaría el reconocimiento de que era don Juan el titular de la corona.

¡Príncipes de España! Qué lejano suena ahora este título, seguramente desconocido para la mayoría de los lectores jóvenes de este libro, y, sin embargo, resulta tan familiar para mi generación como el de príncipes de Asturias en la actualidad. Un título cuya invención se atribuyó entonces a López Rodó, aunque posteriormente se averiguó que fue fruto del discurrir de Sofía, aunque ella nunca ha reivindicado este triunfo.

Don Juan, cuando le contaron que había sido su nuera la artífice del invento, comentó con sorna que seguramente se lo había soplado…:

—¡El sargento prusiano!

O sea que cuando Juanito le fue con el cuento de la boda, no la cogió tan de sorpresa como él esperaba. Aun así, Sofía empalideció. Lo miró muy seria, con una seriedad que esgrime en pocas ocasiones pero que cuando lo hace da miedo. Como nota al margen, debo indicar que Sofía es muy consciente de que la sonrisa la embellece, como me comenta el fotógrafo catalán Oriol Maspons: «Cuando ve una cámara, sonríe de inmediato». De ahí la dificultad de encontrar para ilustrar este libro imágenes de la reina sin esa sonrisa que se ha convertido ya en su «máscara», entendiendo como máscara la careta que se colocaban los actores griegos sobre el rostro para transformar su persona en personaje.

Con la voz enronquecida por la preocupación le preguntó a su marido:

—Y Franco, ¿qué te ha dicho?

—Se ha limitado a mirarme de aquella manera que tú ya sabes y solo ha comentado: «Espero que sea para bien».

Los peores presagios se habían cumplido. Lo resumirá Pedro Sainz Rodríguez en Estoril cuando se entere:

—Coño, pues si Franco no estira la bota ahora mismo, todo se puede ir al quinto carajo… todo puede joderse ahora, con todo lo que hemos trabajado, ¡puede joderse! ¡Menuda putada!

Era cierto que desde hacía tres años Juanito era el sucesor oficial de Franco. Pero habían sido tres años en los que no habían podido bajar la guardia ni un instante, siempre con la espada de Damocles de su dichoso primo encima. Ahora todo era posible.

Sofía afirmaría años después:

—Juanito y yo hablábamos de política todo el día.

Hacía diez años que Sofía llevaba estudiando y analizando a Franco y a su régimen. Y no se engañaba, por mucho que luego dijera:

—Franco y su mujer siguieron tratándonos como siempre.

Era consciente de que una parte importante de la clase política, lo que se denominaba «el búnker», encabezada por los ministros ultras José Solís y Nieto Antúnez, además de toda la familia de Franco, apoyaba a Alfonso porque presentía que este no iba a abjurar de los Principios del Movimiento y que, de esa forma, el franquismo, aun sin Franco, tendría continuidad por los siglos de los siglos. Como en las partidas de parchís que gustaban de jugar en los veranos en Meirás, la ficha volvió a la casilla de salida.

Lo cierto es que doña Carmen estaba muy disgustada. Tanto que le dijo a su marido:

—¿Por qué te apresuraste tanto a nombrar tu sucesor? ¿A qué venían tantas prisas? —Y se perdió por los interminables pasillos de El Pardo levantando las manos y agitándolas—. Prisas, prisas.

Sofía y Juanito volvían a ser aquellos niños perdidos que buscaban refugio el uno en el otro. Estaban desconcertados, y también tenían miedo. Temían que sus diez años de sumisión y sacrificio no hubieran servido para nada. Sofía se daba cuenta con desaliento de lo que habían dejado atrás. Mientras las parejas de su edad salían, viajaban, disfrutaban de la familia, de sus amistades, de sus logros profesionales, ellos habían vivido sometidos a las disposiciones tiránicas de Franco y solo podían contar con sí mismos. Y ahora, cuando creían que ya podrían estar tranquilos, otra vez los viejos temores volvían a paralizarlos. Juanito comentó con amargura:

—Que me digan si voy a ser carpintero o a cuidar el jardín, pero quiero saberlo ya.

A Carmencita la habían convencido para que se casase con Alfonso con promesas de que iba a ser una princesa y amenazas de la vida enclaustrada que le esperaba si rechazaba el matrimonio, y el resto lo hicieron su juventud, su inconsciencia y el pavor que le tenía a su padre. Dejó su trabajo en Iberia y abandonó al grupo de amigos de su edad, a los que dijo:

—Yo os quiero lo mismo, pero a partir de ahora me tenéis que llamar alteza y nada de besos.

Y salía únicamente con amigos de sus padres y con la aristocracia de nuevo cuño, que quería homenajearla. Todos la cubrían de regalos. Iba a El Pardo a ver a su abuela y fantaseaban juntas sobre lo que sería su vida futura:

—Primero serás embajadora, pero luego quizás reina, si a tu abuelo le da la gana.

Sus más mínimos deseos se veían cumplidos al instante, ropa lujosa, joyas, coche oficial. Como solo tenía veinte años, las cosas que le hacían ilusión eran las más superficiales, como llevar corona —sus padres le prometieron que le regalarían una para la boda—, que le hicieran reverencias, estar al mismo nivel que las otras princesas europeas... Con los barones de Gotor, sus tíos, y con Isabel Vila de Rodés, se fue de compras a París y Roma e hizo cerrar la mejor peletería de Madrid, donde adquirió un fabuloso abrigo de visón blanco y negro, único en España, y otro de lince para combatir los fríos nórdicos.[2]

—No estaba preparada; me hacían vivir en una atmósfera ficticia e irreal —dijo más tarde en su declaración delante de la Sacra Rota para obtener su nulidad matrimonial.

Cada día Juanito y Sofía se encontraban con un disgusto nuevo, porque Madrid era un hervidero de intrigas, maniobras, sueños… Como nadie de la familia se fiaba de la madurez ni del sentido de la responsabilidad de Carmencita, precipitaron los acontecimientos. Ella no intervino en nada. Tampoco Alfonso, a quien las cosas materiales importaban poco. No le preocupaba ni la dote de su novia, ni los regalos que estaban recibiendo, ni dónde iban a vivir una vez casados, ya tenían la embajada. Ni siquiera cambió la severa decoración del edificio, que había llenado con pesados muebles españoles cuando tomó posesión de su cargo. Pero sí le importaba el ceremonial simbólico al que él, por su nacimiento, creía tener derecho, y con esta boda se sentía fuerte para exigir lo que le correspondía y que hasta ese momento le había sido negado.

Sofía y Juanito debían enterarse por medio de sus escasos leales de las maniobras que preparaba Alfonso para poder combatirlas. Era una situación de desgaste diario que se manifestaba hasta en su físico. Sofía adelgazó muchísimo, la cintura se le quedó tan estrecha que su marido, si hubiera querido, podría habérsela rodeado con las dos manos; incluso desapareció la robustez de sus tobillos que tanto la acomplejaba… Su cuello se veía más esbelto que nunca, sonreía cuando estaba con sus hijos, pero, si no, las comisuras de sus labios tendían hacia abajo, y siempre tenía los ojos tristes.

—Hija, ¿tú comes bien?

Se lo preguntaba su madre continuamente, una Federica que cada vez pasaba más tiempo en Zarzuela. Parecía que Irene se interesaba por Gonzalo, el hermano de Alfonso, y había salido con él alguna vez. Tino se había ido a vivir a Londres, desde donde intentaba que en Grecia se celebrara un referéndum sobre la monarquía. Pablo se lo había «dictado» seguramente a Freddy en sus charlas de ultratumba:

—Es la salida más honorable... los griegos nos quieren y votarán por la vuelta de Tino...

El primer ministro, Papadopoulos, harto de la madre y del hijo y seguro del resultado, se lo prometió para el año 1973.

Ahora, quien más necesitaba la fuerza, mermada pero potente todavía, de Federica y sus consejos era Sofía. Federica, con los años, se había convertido en una nómada, en una gitana errante, pero lo más parecido a un hogar que tenía estaba en España: sus nietos la querían mucho. Alguien que la trató bastante en aquellos años cuenta:

—Era muy divertida, con su pelo blanco en forma de bola de payaso. Sus réplicas mordaces y atrevidas hacían reír, ¡era como un elefante en una cacharrería! Sus sarcasmos eran desgarradores, ¡causaba verdaderos estragos entre la gente! ¡Hablar con ella era agotador, pero también muy interesante!

Llevada por su temperamento volcánico, creía que tenía mucho en común con los españoles. Un día adoptó su tono más desenfadado para decirle a su hija:

—Me gustaría comprarme algo aquí, en España, para instalarme definitivamente con Irene. ¿Qué te parece? Así podrías dedicar mis habitaciones a los niños y todos tendríamos más privacidad... A Irene también le apetece. —Con el tono de voz cada vez más débil, prosiguió su catálogo de méritos—: Los niños me adoran... yo no me metería en nada... gasto muy poco...

Sofía se estremeció. Temía la reacción de su marido en esos momentos en que toda prudencia era poca. Pero tampoco quería herir a su madre, que tanto había sufrido y que tan sola estaba, y le dijo:

—Bien, mamá, ya sabes que a mí me gustaría mucho..., si quieres hablo con Juanito.

Federica, la todopoderosa reina de Grecia, se hizo la desentendida, estaba ayudando a la infanta Elena, que estudiaba ballet, a realizar un *elevé* aguantándola en el aire, lo cual tenía su mérito, pues Elena sufría algo de sobrepeso. Pero Sofía sabía que estaba esperando anhelante su respuesta. Habló con Juanito, Juanito habló no se sabe con quién. El resultado fue que alguien cercano a Zarzuela le dijo a Federica muy claramente:

—Si vuestra majestad quiere hacer visitas ocasionales a su hija, no hay inconveniente, pero comprar propiedades aquí e instalar su residencia en España, no es posible.

Juanito también le insinuó a Irene que no le gustaba demasiado que frecuentara a Gonzalo, el hermano de Alfonso de Borbón, y la princesa griega no volvió a salir con él.

La historia[3] no se publicó nunca, pero corrió por ministerios y embajadas, e hizo sonreír a muchos. El embajador inglés comentó con muy poca circunspección:

—¡La real *mutter* de don Juan Carlos es insoportable! ¡No he conocido mujer más mandona, pretenciosa, falta de tacto y desagradable! ¡Los españoles la tienen calada y no la tragan!

Y el embajador francés, Jacques Baeyens, le comentó a Françoise Laot:

—Federica de Grecia es inteligente, pero le falta juicio, delicadeza, prudencia y discreción.

A Sofía estas opiniones sobre su madre la llenaban de tristeza, le parecían juicios injustos y cobardes sobre una mujer que ya no tenía ningún poder ni influencia. ¡Ella conocía el espíritu indomable de su madre, su generosidad, su honradez y su grandeza de espíritu!

—A mi madre nadie la ha comprendido nunca... —le comenta a Laot.

¿Por qué no se lo decían cuando era reina? ¿Por qué se cebaban con ella ahora que no tenía trono, ni marido, ni un ejército para defenderse?

A veces le hubiera gustado ponerse delante de su madre, como un escudo humano, y gritar:

—¡Disparadme a mí!

Pero fue la propia Federica la que le dijo, con una sonrisa amarga, que no la defendiera:

—Yo ya he vivido mi tiempo, Sofía. No te preocupes, a mí ya nada me hace daño, tú tienes que seguir tu camino.

Freddy, sin embargo, y por muchos esfuerzos que hacía para mantenerse al margen, no podía evitar seguir dándole consejos a su hija, ¡estaba en su naturaleza!

—No olvides quién tiene el poder y a quién tienes que conquistar... Todo hazlo en equipo con tu marido, no lo dejes solo, su destino es el tuyo... No te enfrentes nunca a él, ni siquiera por mí. —Y también, como todas las madres—: ¡Come, que estás hecha un fideo!

Y era cierto. Juanito y Sofía estaban tan delgados que algún venenoso comentarista del antiguo régimen se burlaba:

—¡Quieren hacerse invisibles!

Sin embargo, Alfonso florecía y se expandía. De ser un eterno segundón, amargado por la marginación y la desidia de los que consideraba sus pares, se había convertido en protagonista y se emborrachaba con su nueva posición.

Su boda con Carmencita apareció reflejada en la prensa sueca, pero él apenas prestaba ya atención a los asuntos de la embajada. Escribió listas interminables con los títulos a los que creía tener derecho, tratamientos, fechas, honores, condecoraciones; los papeles con anotaciones cubrían las mesas de su despacho como confeti de alguna verbena triste; enviaba cartas, telegramas, se hacía aconsejar por su secretario, un sabihondo Hervé de Pinoteau... En una palabra, ¡conspiraba!

«El clan de El Pardo» alentaba sus aspiraciones. Era un tiempo en el que todo, hasta lo más remoto, parecía posible.

Mientras, Franco permanecía exteriormente impertérrito, en parte por su propio carácter, en parte por la medicación que tomaba contra el mal de Parkinson que sufría, que tenía un efecto paralizante sobre los músculos faciales. En los consejos de ministros se quedaba adormilado muchas veces, se despertaba de golpe y se ponía a discurrir en tono doctrinal:

—Será siempre vano y estéril el sueño de algunos grupos que esperan que el mero paso del tiempo pueda introducir en nuestras instituciones elementos ideológicos extranjeros...

Los ministros se miraban entre sí, extrañados, pero ninguno osaba hacer ningún comentario y se limitaban a asentir:

—Sí, sí, excelencia... eso... nada de elementos extraños...

Y también:

—Nuestra gloriosa cruzada... regada con la sangre de las víctimas... los luceros...

Parecía que el país había retrocedido cuarenta años.

Y es que Franco, que hasta entonces solo había escuchado a su voz interior, cada vez se dejaba influir más por su familia, sobre todo por su mujer.

Un día Alfonso se levantó y exigió en tono perentorio:

—Quiero ser príncipe de Borbón.

Y por su parte Villaverde le dijo a su suegro:

—Mi general, creo que es justo que además Carmencita también sea alteza real, como su marido.

Al enterarse, Juanito y Sofía se espantaron, ¿cómo iba a haber dos príncipes con idénticas dignidades?, ¿cómo no pensar que esto tan solo era un precedente para ser nominado pretendiente a rey?, ¿qué tipo de solemnidades tendría cada uno, cuál tendría prelación?

Juanito se lo dijo a Sofía, porque eran un equipo:

—Tú intenta hablar con doña Carmen, que yo lo intentaré con Franco.

Pero Sofía ya no tenía nada que hacer con la generalísima. Doña Carmen la quería mucho, sí, pero este cariño había quedado pulverizado por la posibilidad de que su nieta fuera reina de España. ¡Nunca más les iba a dar el dulce apelativo de Juanitos ni la iba a invitar a sus meriendas! ¡Ya no le preguntaría nunca por la educación de los príncipes! ¡La educación de los príncipes, en realidad, ya le importaba un bledo!

Bueno, sí, los principitos podían seguir yendo a jugar con sus nietos a El Pardo con la nani Meryl Gibbs. Como a Cristóbal lo llamaban el yernísimo, las infantitas a la nani la llamaban «la nanísima». Hacía unos meses Sofía les hubiera reñido. Ahora se limitaba a mover la cabeza distraídamente mientras pensaba en otra cosa, y las niñas repetían varias veces con delectación:

—Nanísima, nanísima.

Preparó con Juanito minuciosamente la entrevista con Franco. Le tenía que hacer comprender que Alfonso pretendía maniobrar para quedar al mismo nivel que él.

Juanito le dijo a su mujer, que volvió a recordar eso de que a Franco le brillaban los ojos porque lo miraba como un padre:

—Sí, Sofi, pero no te olvides de que Franco es el abuelo de la novia, y en este caso de verdad.

El príncipe se dio cuenta de que el Caudillo, por primera vez, evitaba mirarlo a los ojos, lo escuchaba distraídamente y le contestaba de forma malhumorada y a regañadientes. La ofensiva de su familia había empezado a hacer mella en él.

Juan Carlos comentó luego:

—En esta audiencia pasé uno de los momentos más tensos de mi vida, ¡sudaba por dentro!

Sofía tuvo que pasar también por un trago amargo. Con cinismo, Alfonso le pidió que fuera su madrina de boda. Ella, que ya llevaba diez años manteniéndose a flote en las aguas turbulentas de aquella España que no era monárquica, se puso también en plan cínico y le dio una contestación digna de un tratado de diplomacia vaticana:

—Alfonso, te lo agradezco y me encantaría, pero ¿cómo voy a ser yo tu madrina viviendo tu madre? Sé que tú estás deseando, como es natural, que sea ella tu madrina, pero eres tan bien educado que por cortesía te ves obligado a pedírmelo a mí. Yo te libero para que la nombres a ella, ¡me cuesta renunciar, pero es un regalo de boda que te ofrezco con todo mi cariño!

Alfonso, que no tenía ninguna intención de hacer madrina a su madre, una Emanuela a la que todos odiaban por su fama de disoluta pues se había divorciado, vuelto a casar y, lo que es peor, ¡vuelto a divorciar! Y que encima se los había sacado de encima, a él y a su hermano, cuando eran muy pequeños, tuvo que apretar, por una vez, los dientes y aguantarse. ¡Sofía, con sus sonrisas y su aspecto aniñado, le había vencido, a él, que era embajador y quizás sería rey si a Franco le daba la gana y jugaba bien sus cartas!

Emanuela, con su aire antipático, su amargura y sus ganas de fastidiar a todo el mundo, se presentó en España, ese país al que sin conocer ya odiaba profundamente.

Sin dar tiempo a nada, sin que los novios se hubieran visto más que un par de veces, y nunca a solas, llegó la petición de mano, en El Pardo, el 23 de diciembre de 1971. Sofía estuvo toda la tarde con la mirada baja. No se les menciona en las crónicas, no aparecen en ninguna de las fotografías que al día siguiente salieron en primera página de los periódicos. «María del Carmen, bellísima en su traje que rehuía las estridencias pop, y su prometido, Su Alteza Real el príncipe don Alfonso de Borbón, un príncipe que se ha mezclado con el pueblo, ha trabajado y ahora es embajador en el país de la Sirenita de Hans Christian Andersen», decía el editorial de *La Vanguardia*, que no hacía ninguna mención a los príncipes de España.

El traje «sin estridencias pop» era un vestido de color rosa de Miguel Rueda al que apresuradamente se habían cosido unas plumas de avestruz, igualmente teñidas de rosa, en el dobladillo bajero. Zapatos rosas de satén y medias de color rosa. Este mismo traje se vendió años después en un puesto de segunda mano en el Rastro de Madrid, pero, no se sabe por qué, sin el adorno de avestruz. El pelo suelto de Carmencita estaba apuntalado por kilos de laca y, tal como se llevaba en aquella época, teñido con «mechas» rubias. Su nuevo perfil, *made* el doctor Vilar Sancho, hacía juego con el primer *lifting* de la marquesa de Villaverde, que previamente también se había «hecho» la nariz. La marquesa llevaba un traje largo hecho con tela de seda china, mientras Emanuela, que aún presumía de belleza y además «estaba en el mercado» porque acababa de separarse, lucía un inapropiado vestido rojo muy escotado que le valió muchas críticas.

Su casi consuegra le dijo:

—Creo que será mejor que te pongas un chal... hace mucho frío en El Pardo. Subidito de hombros.

Emanuela comprendió la indirecta y se envolvió en un largo echarpe, que, sin embargo, dejaba caer con voluptuosidad a la más mínima ocasión mostrando unas clavículas un tanto descarnadas. Ella y la marquesa de Villaverde lucían collares de perlas; el de Emanuela quizás era una de las joyas que le regaló la reina Victoria Eugenia y que se negó a devolver a su marido cuando se separaron.

Un marido, el infante don Jaime, el padre del novio, el hermano de don Juan —que, por supuesto, no fue invitado, ni doña María, ni la infanta Pilar, ni su marido, ni Margot—, que brilló por su ausencia, ya que no acudió a esta petición de mano. Porque detrás de las sonrisas típicas de las Franco, las tres cármenes tenían idéntica forma de reír, había mucha tensión, una tensión de la que no se percataron ninguno de los 120 invitados, aunque sí Sofía y Juanito, informados puntualmente de todos los detalles del compromiso. A la pedida únicamente se había convidado a don Jaime de Borbón, el padre de Alfonso, y no a su segunda mujer, Carlota, al no ser válido su matrimonio en nuestro país, y por problemas de protocolo. Hubiera sido impensable, en la España de entonces, que un hombre acudiera con dos esposas vivas a ninguna ceremonia. También Emanuela se negó a acudir si iba Carlota.

Carlota se había hecho un traje nuevo y estaba ilusionadísima pensando que por fin iba a entrar en el Gran Mundo, un gran paso para una chica que antes de conocer a un infante español había sido animadora en un *dancing* y modelo de fotos de la casa Chevrolet. Cuando supo que no la habían invitado, rompió el vestido en varios trozos con unas tijeras, se echó a llorar con histerismo y amenazó a su marido con dejarlo. Naturalmente, ante esta posibilidad, don Jaime, que dependía enteramente de ella, arrió velas, tuvo lugar una reconciliación regada con abundante bebida, se marcaron un pasodoble en el comedor de su casa y el infante hizo saber a su hijo que no pensaba acudir a la ceremonia de petición de mano por el enorme desprecio que le habían hecho a:

—La pobre Carlota, que tanto me quiere.

La familia Franco se disgustó mucho con la actitud del infante. Al final, en la petición de mano, con el único Borbón que podían contar era con el estrafalario Gonzalo, el hermano de don Alfonso.

A Emanuela de Dampierre todos la trataron con frialdad que rayaba en el desprecio. Hubo muchos momentos en que se quedó sola, con una copa en la mano, sin que nadie le dirigiera la palabra. Ella no se recató de contar en sus *Memorias* la impresión que le había causado la familia Franco:

—Carmen Villaverde me pareció una mujer pesadísima para su marido, la convivencia con ella debía ser un auténtico tormento... le dio a ella tantos hijos para que lo dejara en paz.

Fue un acto forzado y tirante. Emanuela sigue rememorando con amargura:

—Carmencita y su madre se comportaban constantemente de una forma muy poco delicada, la forma de actuar de ambas era de unas personas muy maleducadas.

Los príncipes de España intentaban sonreír, pero estaban en terreno hostil, a pesar de que habían aportado las únicas presencias reales de la fiesta: Constantino y Ana María.

No fue Federica; su presencia no hubiera hecho más que perjudicar a su hija y no quería contribuir a la mayor gloria del rival de Juanito. Por su parte, Juan, a la misma hora de la fiesta, recibía en Villa Giralda a un grupo de bailaores andaluces de gira por Portugal. En el grupo destacaba Enrique el Cojo, que de pronto anunció:

—Ahora voy a bailar por alegrías.

Una muchacha portuguesa, amiga de Margot, preguntó horrorizada en voz alta:

—¡Cómo va a bailar con esa deformidad!

Pero, según contaron los periodistas portugueses, esa misma muchacha se arrancó las flores del pelo (sic) para lanzárselas a Enrique el Cojo. Y concluyeron:

—A él que no le hablen de complejos.

A Sofía tampoco. A pesar de la modestia de su cocina y de que la comida no era lo suyo, como reconoce ella misma, dio una cena íntima, para cincuenta personas, en La Zarzuela, después de la fiesta de pedida en El Pardo. Los manjares fueron escasos, la preparación no muy esmerada, el servicio lento. Cuando se le preguntó a un invitado qué les pusieron de comer, dijo taxativo:

—¡No me acuerdo!

Cuando el preguntón hizo notar que los príncipes de España tenían un presupuesto muy apretado, el invitado en cuestión contestó sobriamente:

—Ya se nota.

Según comentó el mismo invitado:

—Los príncipes de España no parecían disfrutar mucho en medio de aquel clima de euforia, se notaba que estaban en guardia.

Antes de bajar al comedor, Sofía pasó por la habitación de sus tres hijos. Todavía no se había remodelado el piso superior, y compartían el cuarto de juegos. La secretaria, Laura Hurtado de Mendoza, conseguía que todo funcionara apaciblemente en el ámbito doméstico, por muchas que fueran las tormentas que azotaban al navío de sus altezas, y Sofía sabía valorarlo. Felipe tenía ya tres años y era un niño simpático y guapo, pero bastante maleducado. Todavía no iba al colegio, y su afición era tirarse con su triciclo encima de las visitas, que salían de palacio frotándose las espinillas y con sonrisa de conejo, diciéndole a la princesa:

—No se preocupe la señora; es un niño muy simpático.

No sabían si sentirse halagados por el hecho de que el que sería el rey número 44 después de don Pelayo les hubiera atropellado, o enfadarse porque se iban bastante descalabrados y además la madre se limitaba a sonreír y a explicar con su cerrado acento germánico:

—Al príncipe le gustan mucho los coches, como a su padre.

Felipe dormía ya con su cocker *Jerry* a sus pies, y así, con las pestañas sombreando sus mejillas de angelote, parecía un niño bueno. En un rincón, un cervatillo gigante de peluche fingía hacer guardia. Sofía sonreía con ternura ante la estampa, y esta vez no la estaba enfocando ninguna cámara, y no pudo evitar subir el embozo de la sábana, aun cuando su alteza estaba perfectamente tapado. También le apoyó la mano en la frente. Había estado unos días constipado, pero sabía que no tenía fiebre, ¡era una excusa para demorarse un segundo más al lado de su hijo idolatrado y para rozar su piel de porcelana!

Elena y Cristina, de ocho y seis años, todavía estaban despiertas, con las trenzas apretadas cayendo por su espalda, pijamas limpios, oliendo a colonia y a sueño. Elena era tímida, reservada, introvertida y Sofía pensaba íntimamente: «Se parece a mí». Cristina era ruidosa y turbulenta, pero en el fondo más fría que su hermana, «como Juanito». Las dos iban ya al colegio de Los

Rosales y se sentían tan mayores que se permitían aconsejar a su madre:

—Mami, ¿por qué no te has puesto sombrero?

—Porque de noche y en casa no es adecuado.

Sofía callaba otra razón. Tiene la cabeza grande, como su hermana Irene, y los sombreros le sientan como un tiro.

Y Cristina, que, sentada en el último escalón, había visto a través de la barandilla que la marquesa de Villaverde llevaba los labios color escarlata y unos rabos negros en los ojos, le había suplicado:

—Mami, por favor, no te pintes nunca así. ¡Parece Cruella de Vil y da mucho miedo!

Y Sofía la había abrazado aun a riesgo de arrugarse su vestido, porque sabía que la película *101 dálmatas* era la favorita de Cristina y Cruella de Vil uno de sus personajes más odiados.

Ay, lo que hubiera dado por quedarse con sus hijas a leer cuentos y a empaparse del adorable olor de la infancia.

Los disparates, las intrigas, las amenazas y las tortuosas pretensiones de Alfonso, de su futura familia política y de sus partidarios, los miembros más integristas del régimen, no cejaron ni un solo día hasta el momento de la boda. Franco permanecía aparentemente al margen de esta conspiración y de los preparativos de la boda; su declive físico era muy acentuado, tenía las manos tan temblorosas que no podía ni siquiera sujetar un vaso para beber Mirinda, su refresco favorito, y se tiraba el líquido encima. Se quedaba muchas veces con la boca abierta y su mujer le tenía que llamar la atención en innumerables ocasiones:

—Francisco, cierra la boca, que parece que estás papando moscas.

Afortunadamente, en aquel clima tenebroso, junto a Juan Carlos y Sofía cerraron filas frente el enemigo común el inteligente López Rodó, miembro de la Obra, y Pedro Sainz Rodríguez, y hasta su propio padre depuso por unos meses sus armas y su guerra particular para ayudarles. Juanito comentaría en aquella época a su mujer con tristeza:

—Papá no sabía que Alfonso tenía tantos partidarios, pero nosotros sí.

Y aquel «nosotros» era para Sofía el más dulce de los bálsamos.

Todo era motivo de discusión. Enterado don Alfonso de que Antonio Oriol, el ministro de Justicia, era el que se negaba a que tuviera el título de príncipe de Borbón, se presentó en su despacho y fue recibido por el secretario técnico del ministerio, Marcelino Cabanas, a quien dijo con tono firme, a pesar de su vocecita atiplada tan parecida a la del Caudillo, que la renuncia de su padre al trono español no era válida, y añadió con malevolencia:

—Quizás a la larga pida la revocación de mi primo como sucesor del Caudillo, porque considero que mi apoyo al príncipe Juan Carlos está siendo muy mal recompensado.

Aunque estas ingenuas amenazas no tenían ninguna base legal, nadie se atrevió a llamarle la atención a Alfonso, cuyo envanecimiento alcanzó cotas tan altas que hasta creyó que podía cambiar el orden sucesorio de la Corona española.

También la altivez de Carmencita subía de día en día; al final se negó a ir de tiendas y eran los modistos los que acudían a su casa para que eligiera. Decía:

—Me duele la cabeza.

Y era el mejor especialista de Madrid el que se desplazaba a su domicilio de Hermanos Bécquer para recetarle, simplemente, unas aspirinas.

Todo el que era alguien en España en aquellos momentos esperaba ser invitado a la boda; se movieron influencias, se falsificaron invitaciones, decían que el hermano de la reina Fabiola de Bélgica, Jaime de Mora, estaba detrás de esta operación.

El mismo Jaime me confesó:

—Se sospechaba… y era cierto.

Se acabaron los chaqués y los trajes de ceremonia en todas las sastrerías de Madrid. Las casas de costura contrataron personal extra para poder trabajar durante veinticuatro horas seguidas con el fin de terminar todos los encargos. Incluso los modistos más importantes de España en aquellos momentos, Balenciaga y Pertegaz, casi llegaron a las manos.

Los dos llevaban años vistiendo a las mujeres de la familia Franco, y como le comentó Pertegaz a la autora de este libro:

—Siempre me pagaban religiosamente, pero se quejaban porque Balenciaga les hacía rebaja.

No sabiendo por cuál de los dos modistos optar para que le hiciera el traje de novia a la niña, por fin, como solución de compromiso, se decidió que el traje lo hicieran al alimón. Como me explicó después Pertegaz:

—Yo me negué, ¿qué era eso de hacer un traje de boda a medias? —Para añadir con cierto desprecio—: Luego el traje de novia no me gustó demasiado, con todas esas flores de lis bordadas…

Recordemos que Pertegaz, treinta y cuatro años después, realizaría el traje de boda de la futura reina de España, doña Letizia. También cabe señalar que aquel fue el último encargo que realizó Balenciaga, que murió poco después.

La redacción de las invitaciones de boda también constituyó un problema. Porque los Villaverde estaban empeñados en que Alfonso figurara como alteza real y como príncipe, a pesar de que sabían que su futuro yerno no tenía derecho a ninguno de los dos títulos por haber renunciado su padre a esos honores para él y sus descendientes. Pero el clan de El Pardo hizo caso omiso, y en las invitaciones, no solamente aparecía como alteza real Alfonso, sino también su padre y Emanuela. Toda la invitación era un despropósito, pero en el clima de euforia que recorría a la familia, a nadie le habría extrañado que la pareja se hubiera casado también bajo palio y luego hubieran montado en una nave espacial para ir de viaje de novios a las estrellas.

Don Jaime también incordiaba lo suyo desde París. Se empeñó en otorgarle el Toisón de Oro a Franco. Dicha orden está considerada la más importante que puede conceder el rey de España y fue fundada en 1429 por Felipe el Hermoso —recordemos el impresionante retrato de Felipe II realizado por Alonso Sánchez Coello, que está en el museo de El Prado, en el que resalta sobre el justillo totalmente negro el oro del Toisón—. Al borde de la desesperación, Juanito le dijo a su mujer:

—¡Estoy a punto de tirar la toalla!

Sofía le contestó que ni pensarlo, que tenía que ir a ver a Laureano López Rodó a explicarle la situación:

—Mi tío no está capacitado para entregar el Toisón a nadie, ya que él no es el jefe de la Casa Real, título que corresponde a mi padre. Comprende, Laureano, que si Franco acepta el Toisón, estará reconociendo implícitamente que la renuncia de mi tío Jaime al trono de España no es válida, y así multiplica las posibilidades de Alfonso.

Hay varias versiones sobre esta historia del Toisón; yo me quedo con la de Bardavío, que no sé si es la verídica, pero sí la más hilarante.

Mediodía en El Pardo. Comida íntima, apenas quince personas, tan solo la familia. Llega don Jaime con una caja de madera debajo del brazo, la pone encima de la mesa, la abre, saca el collar y, con rapidez, sin dejarlo reaccionar, le cuelga del cuello a Franco la larga cadena con la condecoración. Franco, estupefacto, estuvo muchos minutos con el peculiar «cordero» colgado del cuello, que le llegaba casi a las rodillas dada su baja estatura, sin saber qué hacer, frente al plato humeante de sopa, sin que nadie pronunciara ni palabra. Entonces se oye la voz gutural, estentórea y entrecortada del infante gritando:

—¡Viva Franco, viva España!

Hasta que doña Carmen, práctica, le dice a su marido para sacarle del apuro:

—Paco, quítate la condecoración, no vaya a mancharse.

«En cuestiones domésticas, Franco siempre obedecía a su mujer como un tradicional burgués español», dice el periodista Joaquín Bardavío. «En aquella ocasión obedeció aliviado. Se había quitado literalmente un peso de encima».

Nunca se vio al Caudillo luciendo la condecoración en público, ni, por supuesto, en la boda de su nieta.

De estas intrigas, claro está, no nos enteramos los españoles, aunque curiosamente sí los franceses. En *Le Figaro*, el diario entonces de mayor tirada, apareció un artículo del periodista Philipe Nourry en el que hablaba de la inquietud de Juan Carlos y Sofía porque «el matrimonio de su primo hermano don Alfonso de Borbón Dampierre con María del Carmen no es una simple página de revista del corazón. Bullen, por lo menos en el espíritu de muchos, las cartas de un juego que se creían definitivamente repartidas». Y el periodista advertía a los príncipes de España: «... es lógica su preocupación [...]. ¿Quién puede en la España de hoy basar su porvenir en certezas absolutas?».

Sofía no se cansaba de repetírselo a Juanito para darle seguridad:

—Tu nombramiento ha sido refrendado por las Cortes.

Pero ella también se sentía insegura. Como todos los españoles, era testigo del declive físico del Caudillo y sabía que «el clan de El Pardo» quería ver a Alfonso y a Carmencita sentados en el trono.

El día en que llegó don Jaime a Madrid lo fueron a buscar Alfonso y Carmencita, pero también Sofía y Juanito, aunque nadie se lo había pedido. Sofía se perdió entre el cortejo y no aparece en ninguna foto, pero heroicamente Juanito consiguió driblar a varios partidarios de Alfonso que intentaban apartarlo y se colocó al lado del infante.

Nadie le dirigió la palabra; su primo era el protagonista y le molestaba que Juanito le hiciera sombra.

Da pena ver esas fotos. Alfonso camina seguro de sí mismo, cogiendo del brazo a la nieta del dictador, una de las mujeres más guapas de la sociedad española, ambos con la arrogancia y la insolencia de los ganadores. Juanito sonríe nerviosamente y apresura el paso para no quedarse atrás.

De Sofía, como decía entonces un popular cómico de la radio, «nunca más se supo».

Don Jaime parecía no saber muy bien dónde se encontraba, pero cuando se dirigieron al Palacio Real, se puso a llorar y le dijo a su hijo que diera media vuelta, que no quería ver el que fue su hogar. Se alojó en casa de Blanca Romanones, donde le esperaba una periodista de la revista *Lecturas*, que le preguntó, incisiva:

—Me acaban de contar que desde el avión le puso un telegrama a Franco, ¿qué le decía?

El infante se mostró confundido y le enseñó a la periodista su cámara. Alfonso vocalizó lentamente:

—Papá, ¿qué has puesto en el telegrama?

Pero don Jaime se salió por la tangente:

—Ahora solo puedo decir ¡viva España, viva España!

Don Jaime se sentó en un sofá y encendió un cigarrillo negro. Alfonso dejó su whisky sobre «una preciosa mesa de mármol», mientras Gonzalo «come queso manchego».

De pronto el infante saltó sorprendiendo a sus hijos y a la periodista:

—¡Soy soldado raso!

—Papá, ¡cómo!, ¿soldado raso? —preguntó muy despacio y gesticulando mucho Alfonso.

—Tú eres teniente, pero yo soy solo soldado raso, de artillería, y estoy muy orgulloso de serlo.

La periodista se apresuró a sacar papel y bolígrafo y preguntó con mucha retranca:

—¿No ha fallado ningún tiro importante?

—No, soy hombre de cañonazos.

—¿Cuándo conoció a su futura nuera?

—Hace dos semanas

Protestó de nuevo Alfonso:

—Pero, papá, te la presenté hace un mes, en Lausana, ¿no te acuerdas?

—Don Jaime, ¿qué le parece María del Carmen?

—Es adorable, sencilla, simpática y humana. Está a la altura de mi hijo. Es muy cariñosa, pero el que tiene que estar contento eres tú, Alfonso.

La entrevista terminó con don Jaime explicando que seguía teniendo hábitos españoles: «Soy buen cocinero, hago paella, gazpacho y tortilla de patatas, duermo cada día la siesta, bailo el pasodoble, fumo tabaco negro y me gusta el vino tinto». Y la periodista añade que «me besa la mano y me ofrece una flor», de lo que deduce que «es un caballero». Carlota, sin embargo, que había accedido a regañadientes a quedarse en París, era un ectoplasma que en España no existía para nadie.

Carmen, mientras, en otra habitación de la casa exhibía su buen humor comentando a los periodistas:

—Me lo paso muy bien con mi futuro suegro, jugamos al mus juntos.

Cuándo jugaban, no lo aclaró, y teniendo en cuenta que él acababa de llegar, resultaba una afirmación bastante peregrina.

Y también dijo:

—Alfonso es maravilloso, ¡si no lo digo, me da un ladrillazo!

La noche antes de la boda, la nietísima celebró su despedida de soltera en el restaurante Jockey con sus íntimas amigas Marta Oswald, Chata López Sáez, Pilar Lladó, Margarita Fierro y Patricia Giménez Arnau, hermana de Jimmy, que años más tarde se casaría con Merry, hermana de Carmencita.

Los camareros advirtieron que las amigas ya la llamaban alteza y princesa y le hacían una reverencia antes de besarla.

Carmen no hacía más que repetir:

—Es un sueño, soy muy feliz.

Lo que era un sueño para ella, era una pesadilla para Juan Carlos y Sofía.

Llegó el día de la boda; había más de dos mil invitados, que debieron acomodarse en los distintos salones, pasillos, despachos, habitaciones, «se tuvieron que cubrir de cortinas dos patios interiores para colocar las mesas y los bufets que no cabían en el palacio, es el día de mi vida que más me gustó Carmen», cuenta Alfonso en sus *Memorias* con su habitual estilo rebuscado. Los invitados de honor fueron los príncipes de Mónaco, el hijo del dictador de Paraguay Stroessner y la hija del presidente Thomas de Portugal, el príncipe Bertil de Suecia con su sobrina Cristina, Imelda Marcos, la mujer del dictador filipino, y la Begum madre. Entre los invitados populares, Perico Chicote, Julio Iglesias, con capa española, y su mujer, la incombustible Isabel Preysler, vestida de rojo, quienes contaban:

—Hemos venido porque somos muy amigos de Carmencita, que ha visto cantar a Julio varias veces.

Luciana Wolf:

—Soy amiga de los marqueses de Villaverde.

Los deportistas Manolo Santana y Paquito Ochoa, el torero Victoriano Roger Valencia, Carmen Sevilla y Augusto Algueró. Y Lola Flores sola:

—Porque Antonio está de luto.

También acudieron una treintena de franceses legitimistas, para quienes don Jaime y su hijo eran los reyes de Francia en el exilio. Alfonso, al finalizar la ceremonia oficiada por el obispo Tarancón, les dirigió unas palabras de agradecimiento.

La cena consistió en consomé, timbal de langostinos y silla de ternera. Los invitados de menos rango vieron la ceremonia por televisión en circuito interno, y no se les dio cena. Pilar Jaraiz Franco, la sobrina del Caudillo, a la que se consideró invitada de segunda, tuvo que contentarse con unos canapés resecos y con ver la ceremonia por televisión. Así me resumió la fiesta:

—Una boda totalmente fuera de lugar, todo aquel boato en aquella época.

No se publicó la lista de regalos, pero se dijo que Fierro, uno de los banqueros de Franco, le había regalado a Carmencita un brillante tasado en diez millones de pesetas de la época. Los marqueses le regalaron la corona de brillantes, perlas y esmeraldas que lució y que, según se dijo, años más tarde fue robada de su casa de París. La abuela, un piso en la calle San Francisco de Sales, y Franco, un millón de pesetas, «de su sueldo de general», según precisaban las revistas. Cuando un periodista avispado le preguntó a Carmencita qué regalo le había gustado más, ella contestó:

—Unos saleros que me ha regalado no sé quién.

Franco fue el padrino. A pesar de que en sus discursos continuaba diciendo: «Aquí me tenéis, con la misma firmeza de años atrás, el tiempo que Dios quiera pueda seguir sirviendo los destinos de mi patria…», se le veía depresivo y silencioso; el escándalo Matesa, en el que estaban implicadas personalidades del Opus Dei, mayoritario entonces en su gobierno, y el escándalo Reace, en el que estaba metido su hermano Nicolás, lo habían convertido en un ser patético, de ojos llorosos y con las manos presas de un temblor incontrolable. Apenas hablaba, mientras su mujer, vestida por Pertegaz de verde loro, se mostraba cada día más locuaz, sobre todo desde que suponía que su nieta iba a ser reina y que por tanto los Franco iban a gozar de privilegios para toda la eternidad e incluso un poco más.

Sofía llevaba un vestido muy parecido al que lució en el bautizo de Felipe, del mismo color malva, y también se había prendido en la solapa el broche Actinia que le había regalado el matrimonio Franco por su boda en Atenas, ¡le parecía que habían pasado siglos desde aquel día! Tenía la sensación de que en esos años, diez, había estado atravesando un desierto interminable, hundiendo los pies en la arena, arrastrándose, y que después de una duna había otra y después otra y que todavía no se habían terminado.

La acompañaban sus tres hijos, los tres con abrigos azules con doble botonadura dorada. Eran su escudo contra las miradas hostiles. Cuando quería evitarlas, se inclinaba sobre ellos, le arreglaba un mechón que se le escapaba de la cinta del pelo a Elena, le abotonaba el abrigo a Cristina, y aprovechaba para depositar un beso fugaz, que nadie advertía, en la mejilla de su hijo.

Cuando se incorporaba, ¡ellos eran su fuerza!, podían enviarle legiones romanas, que Sofía les haría frente como las amazonas a las que cantó Virgilio.

La madrina, al fin, fue Emanuela de Dampierre, vestida de beis, con un vestido cerrado hasta el cuello y «muy española, con mantilla y peineta». En esta ocasión la trataron con gran deferencia, dado el futuro esplendoroso que le esperaba a su hijo, lo que le llevó a comentar con malignidad:

—Por supuesto que los entonces príncipes de España, Juan Carlos y Sofía, estuvieron presentes, aunque no podía decirse que la expresión de sus rostros contagiara alegría... comprendo que en ciertos círculos el enlace produjera más nerviosismo que el que ya había... yo misma llegué a considerar la posibilidad de que Franco se volviera atrás en la decisión que ya había tomado en cuanto a su sucesor... ¡fuimos muchos los que pensamos en esa posibilidad!.

Carlota, la segunda mujer de Jaime, y Sozzani, un agente de bolsa con el que Emanuela se había casado y del que ya vivía separada, no estaban, nadie los nombró, fue como si no existieran.

Emanuela no le dirigió la palabra a su exmarido, al que pusieron en un reclinatorio aparte. En el momento de posar para las fotografías, en el salón Goya hubo momentos de tensión, ya que Emanuela y Jaime no querían estar el uno al lado del otro. Don Jaime se echó encima todas las condecoraciones, medallas, bandas, lazos, collares, cintas francesas, españolas y de países desconocidos que pudo encontrar, y su hijo Gonzalo, al que el día anterior había nombrado duque de Aquitania, le servía de intérprete ante los invitados, que pronto se cansaron de darle conversación. Al final, don Jaime y el nuevo duque de Aquitania optaron por el whisky con admirable dedicación.

La marquesa de Villaverde llevaba un traje de Balenciaga de color rojo y fabulosas joyas; pero el ser más feliz de la boda y seguramente del mundo entero fue el marqués de Villaverde, que deslumbró con su traje de caballero profeso del Santo Sepulcro, el mismo que llevó el día de su propia boda, aunque en esta ocasión se había visto obligado a añadir una capa, también blanca, para disimular algunas redondeces que la edad había puesto en su figura. El único inconveniente de su vistoso uniforme era que no hubiera sido oportuno colocarse el casco emplumado en la cabeza, y lo tuvo que llevar bajo el brazo durante toda la ceremonia, lo que le obligó a realizar difíciles ejercicios de equilibrio para mantener al mismo tiempo la copa y el canapé durante el aperitivo.

El Caudillo pudo estar tranquilo. Esa noche su yerno no bailó ritmos pop ni yeyés, quizás imbuido de la gravedad de su cargo, caballero del Santo Sepulcro, y de la importancia de su futuro: rey-padre.

Carmen contó más tarde, con esa ingenua sinceridad que muchos confunden con simpleza:

—La boda y todo eso lo prepararon entre Alfonso y mi padre, a mí entonces lo único que me importaba era aprender a bailar flamenco con una hija de Manolo Caracol.

El marqués no cabía en sí de gozo, viendo como los presentes, militares de alto rango incluidos y grandes de España, excepto el duque del Infantado, que se negó a acudir, ignoraban a los Juanitos y le hacían unas reverencias a su hija que barrían el suelo. Una invitada amiga mía me contó que fue advertida de que:

—Al saludar, debes semiarrodillarte, como en la iglesia cuando pasas delante del Sagrario, y le has de tratar de alteza.

Mi amiga, que conocía a Carmen desde hacía muchos años, tuvo que hacer casi tres horas de cola para poder saludarla, hizo la reverencia preceptiva, que Carmen aceptó con perfecta naturalidad, para decirle luego al oído:

—¿Sabes qué es lo que más ilusión me hace de casarme con Alfonso? ¡Que ya podré llevar tacones!

Hicieron el viaje de novios a las islas Vírgenes, concretamente a Beck Kay, donde un amigo de los Villaverde, el multimillonario Vilard, les dejó su casa, y hasta allí los persiguieron los fotógrafos, quienes sacaron a María del Carmen «con un atrevido biquini».

Más tarde, Alfonso contaría:

—Fueron los días más felices de nuestro matrimonio.

Aunque Carmen reconoció:

—Desde el primer día, la convivencia fue un fracaso.

Y también:

—Nuestra vida sexual desde el principio fue un puro vegetar… casi inexistente.

¿Es de mal gusto recordar aquí el comentario de Marujita Díaz explicando lo soso que Alfonso era en la cama?

Cuando regresaron al aeropuerto de Madrid, bronceados y llenos de regalos, estaba esperándolos la Señora, que dio una pequeña pero inesperada carrerilla para hincarse a los pies de su nieta y besarle la mano.

Al cabo de un mes, regresaron a Suecia. A Alfonso la felicidad de su mujer en realidad no le preocupaba. Siguió rastreando los agravios reales o imaginarios que se le infligían.

Tenían prisa por volver a Madrid a ocupar el lugar de preeminencia que les correspondía, ¿para qué diablos, si no, se habían casado?

Sofía y Juanito, en Madrid, se mantuvieron en una calma tensa. Se habían vuelto a quedar completamente solos, porque don Juan había vuelto a hacer unas declaraciones incendiarias contra Franco y este le había prohibido definitivamente la entrada en España.

La boda de Margot, entonces, se presentaba como otro frente abierto para Juanito y Sofía, ¡como si no hubieran tenido bastantes en España! Una boda que, al principio, no fue bien vista por los monárquicos, que sospechaban de la limpieza de los sentimientos del doctor Zurita:

—Cuando Margarita quiso casarse con Carlos Zurita, Juan no lo permitió, pero al final terminó dando su bendición. ¿Por qué Zurita se casó con ella? ¡No lo sé! Hubiera podido casarse con cualquier chica buena y mona... porque es un hombre que se hace querer —comenta la malvada Emanuela acerca de este enlace.

Balansó, sin embargo, explica que Zurita aprendió el método braille para cartearse con su novia y que los dos estaban conmovedoramente enamorados.

La ceremonia de la boda desde el principio estuvo llena de dificultades. Zurita, sin consultar con su futuro suegro, le pidió a Cristóbal Villaverde, médico como él, que fuera su testigo. Cuando don Juan se enteró, montó en cólera:

—Vaya trallazo, Carlos, ¡invitar a nuestro mayor enemigo! Ya estás rectificando.

Lo que debió de pasar Carlos Zurita explicándole al yerno del Caudillo de España que no solamente lo apeaba de testigo, sino que además ni siquiera lo invitaba a la boda, da buena medida del amor que debía sentir por Margot.

Hubo otro damnificado: cuando Alfonso vio que en la invitación se le había hurtado el tratamiento de alteza real y únicamente se le llamaba duque de Cádiz, que es el título que Franco al final tuvo a bien otorgarle, se negó a acudir, escribiéndole al conde de Barcelona una carta durísima que su secretario hizo pública. Gonzalo también se vio obligado a escribir una carta, pero él aceptó la invitación, ¡vamos, hombre!, ¡como para borrarse de una fiesta con lo escaso que estaba de invitaciones!

La pequeña iglesia de San Juan de Estoril era como una olla en ebullición. Juan y Juanito no se dirigían la palabra, y hubo momentos tan tensos que incluso estuvieron a punto de llegar a las manos. A Juanito y a Sofía los sentaron en lugares muy secundarios, y se retiraron muy pronto, pero aún tuvieron que oír algunos gritos de:

—Viva Juan III.

Aprovechando que Alfonso y Carmencita seguían en Suecia, López Rodó aconsejó a los príncipes que neutralizaran el peligro yendo más a menudo a El Pardo, y que Sofía intentara que doña Carmen la volviera a invitar a sus meriendas «azules», como las llamaban los Juanitos cuando estaban solos.

Doña Carmen la convidó de mala gana. Sofía notó a las invitadas reticentes, aunque fingió no darse cuenta, excusándose en su mal dominio del español. Se miraban entre ellas con astucia, y las palabras «príncipe» y «princesa», refiriéndose a Carmencita y a Alfonso, no se les caían de la boca:

—La princesa debe estar pasándolo mal en Suecia con tanto frío.

—El príncipe está indignado con el gobierno sueco, ese tal Olof Palme, ¡se permite recoger dinero en la calle para los rojos españoles!

La de Nieto Antúnez refunfuñó:

—Como si les hiciera falta… ya tienen el oro de Moscú.

Después pasaron a los asuntos «de casa»:

—¡Es que no se salva ni la radio, he tenido que prohibir al servicio que escuche *Simplemente María* por lo inmoral que es!

Pura Huétor, que presumía de linajuda, comentaba con desprecio:

—Yo eso no sé qué es, porque mi marido dice que escuchar la radio es de pobres.

La de Carrero protestaba:

—Tuve que llamar el otro día al director general de televisión, porque en un programa de historia solo se hablaba de los republicanos.

—¡Bah! ¡Republicanos, los llaman ahora! ¡Rojos, rojos, siempre serán rojos!

Y todas coreaban:

—¡No hemos hecho una guerra para que cualquier liberalote nos robe la victoria!

A pesar de la presencia de Sofía, ya estaban lanzadas, y allí iba todo en una vomitona incontenible. Los ministros miembros del Opus Dei, según ellas, en realidad «son unos masonazos», los que no son del Opus son «comunistas emboscados», como les había contado el duque de Cádiz, que poseía abundantes carpetas con informaciones sobre todos ellos.

—Se niegan a levantar el brazo para saludar.

Y echaban lumbre por los ojos cuando miraban a Sofía, como si ella fuera la culpable de la ola de indecencia que estaba invadiendo el país. Al final la princesa no lo soportó más, puso la excusa de los niños, se despidió con educación y se fue.

Nada más salir Sofía, se juntaron las cuatro cabezas en un aquelarre tragicómico para comentar que don Juan era un «borracho» y un «libertino», que don Juan Carlos «es tonto», aunque una arguyó con voz pesarosa:

—Pero mujeriego como el padre no, ¿verdad?

La otra soltó una risotada:

—¡Porque es tonto!

Y todas concluyeron que Sofía:

—Es ambiciosa como su madre.

Sofía no volvió nunca más.

También les dijo López Rodó que «utilicen a sus encantadores hijos» llevándolos a El Pardo, haciendo que estos llamen «abuelo» a Franco, viviendo más tiempo en verano junto a ellos, restringiendo las semanas que habían empezado a pasar en Mallorca, en el hotel Victoria. Así, ese mes de agosto volvieron al pazo de Meirás, una costumbre que habían iniciado en el año 1969, y se estuvieron un par de semanas más de lo habitual. Sofía, explicó luego, estaba contenta porque creía que así vería una imagen más humana e íntima del Caudillo. Pero ocurrió que Franco no abrió la boca en todos los días que estuvieron allí, y fueron los nietos y, sobre todo, los hijos, los marqueses de Villaverde, los que llevaron la voz cantante.

Por la noche Sofía pedía a sus hijos que besaran al Caudillo:

—Buenas noches, abu.

Y le hacía una seña a Juanito para intentar quedarse a solas con Franco y la Señora, pero después de rezar el rosario, que Juanito y Sofía seguían con la cabeza baja y expresión de profunda devoción, cenaban el consabido caldo gallego y una pescadilla triste, sin intercambiar palabra. A veces Franco se lanzaba a contar alguna hazaña deportiva:

—Era un atún —trabajosamente abría las palmas de las manos pero los brazos no le daban para demostrar el tamaño descomunal de la pieza y acababa diciendo— de aquí a la ventana… trescientos cincuenta kilos… récord europeo, ría de Sada…

Pero la Señora ya no tenía la paciencia de antes, y además, ya no le hacía falta ser amable con la pareja:

—Francisco, eso ya lo habías contado.

El Caudillo volvía a caer en un pesado silencio y pasaban a un cuartito con el techo artesonado, adornado con cuadros del propio Franco, cerámicas de Sargadelos y una inmensa cabeza de un ciervo que el Caudillo había «fusilado» personalmente en la sierra de Cazorla, donde iba a cazar todos los meses de octubre, ¡a Sofía le parecía que el ciervo la miraba con profundo reproche con sus ojos de cristal!

Siete años después, ya muerto Franco, este escenario será pasto de las llamas y esta cabeza de ciervo será uno de los pocos objetos que se salvarán.

Ponían el aparato de televisión y ya no se podía hablar, porque hacían *Crónicas de un pueblo* y había que escuchar con unción religiosa. Luego, a dormir.

Pero lo normal era que los Villaverde aparecieran guapos, bronceados, oliendo a perfume y a loción solar, ella con sandalias de tacón y vestidos camiseros de seda y él con fulares y chaquetas marineras con escudo en el bolsillo y botones dorados, a decirles:

—Veníos, hemos quedado con los Coca y con el tío Pepe en el Club Náutico, no podéis fallarnos, ¡hemos reservado mesa para ocho!

El tío Pepe Sanchís era un mago de las finanzas, el artífice de la inmensa fortuna de los Martínez-Bordiú, cifrada en cien mil millones de pesetas del año 1977.

—Todo era sacarnos del pazo; terminábamos haciendo vida con los Villaverde… A mí me produjo una gran decepción;

si no hubieran estado ellos [habríamos hecho más vida con Franco]... Planes continuos, navegar, cenar, tomar el aperitivo, jugar al tenis, charlar en el jardín... y nosotros no íbamos al pazo para divertirnos. Además, nosotros no nos divertíamos con ellos.

Sofía sospechaba —y nosotros también— que los Villaverde lo que querían era alejarlos de Franco para que no pudieran influir en él y para que tampoco les cogiera todavía más cariño, ¡estaban cultivando las posibilidades de su hija y de su yerno!

Los príncipes regresaron a Madrid extenuados y con la estúpida sensación de haber perdido un tiempo precioso.

Pero Alfonso ya se había cansado de jugar a embajador, él creía que estaba llamando a más altos destinos.

Fue un mal embajador. En la época en que España se ponía en entredicho en todo el mundo, ¡todavía se sentenciaba a muerte y las cárceles estaban llenas!, fue demasiado beligerante, llegó a escribir tantas cartas a los periódicos suecos que un día recibió un talón por correo acompañado de una nota en la que se decía: «Ocupa usted tal cantidad de espacio que el Sindicato de Periodistas nos obliga a que le paguemos unos honorarios».

Carmen se aburría a morir en la austera Suecia, tan democrática que los reyes iban en bicicleta por la calle. Ya había tenido un hijo, pero ni eso le servía para entretenerse. Ladinamente, Alfonso le dijo al Caudillo:

—Volvemos a España, porque aquí hay pornografía hasta en los escaparates de las tiendas y no me gusta que mi hijo crezca en este ambiente.

Así que regresaron y, mientras les terminaban el piso de San Francisco de Sales que les había regalado doña Carmen, se fueron a vivir a El Pardo. Muchos ya daban como seguro que Alfonso sería el sucesor. Fue entonces cuando en un cóctel que dieron nada más llegar, el marqués de Villaverde le dijo a un camarero:

—Sírvale un whisky al príncipe.

El camarero se apresuró a ponérselo a don Juan Carlos, que ya levantaba la mano para protestar:

—No, no, que yo he pedido una limonada.

El marqués lo miró con desprecio y después se regodeó con una sonrisa envenenada y, señalando a su yerno, le dijo al camarero, cortante como los bisturís que utilizaba para abrir el tórax de los pobres pacientes que no tenían dinero para irse a una clínica privada:

—¡He dicho al príncipe!

Franco podía estar alelado, pero en ese momento sacó su autoridad de general y con una voz suave que daba escalofríos, le dijo al camarero:

—El príncipe ya está servido, ahora atienda usted al duque.

Pero a Carmen toda la situación pronto le empezó a producir un aburrimiento insoportable. Al principio le había hecho ilusión la novedad; le preguntaba a la niñera de su hijo:

—¿Ha tomado ya el señor su biberón?

Y aceptaba sin rubor las reverencias que le hacían las ancianas amigas de su abuela sin levantarse de su asiento con forma de trono.

Pero pronto empezó a añorar su vida de soltera, las amigas de su edad. Se cansaba de escuchar a su marido, obsesionado con los agravios que le inferían el *ABC*, su tío, su primo y el mundo entero, ¡como si todo eso le importara a ella!, ¡solo tenía veintitrés años!

Alfonso, que creía que cuando llegara a Madrid le iban a dar un ministerio por lo menos, vio como no le ofrecieron nada. Únicamente la embajada de Buenos Aires, que él rechazó, exigiendo la de Roma.

La designación de embajadores correspondía al ministro de Asuntos Exteriores que había sucedido a Castiella, Gregorio López Bravo, miembro del Opus y partidario de Juan Carlos, quien le dijo:

—Lo siento, la de Roma es para un miembro de la carrera diplomática.

A regañadientes, aceptó entonces la de Buenos Aires. López Bravo se asombró:

—¿La de Buenos Aires? Ya no está vacante, se acaba de asignar.

Mano sobre mano. Todo el día. Censurando a la frívola de su mujer, que se iba de compras con Isabel Preysler, «la manzana agusanada que pudre todo el cesto», como la definió en sus *Memorias*, y denunciando el nido de rojos en que se había convertido el gobierno de la nación.

Doña Carmen le daba la razón y se retorcía las manos:

—¡No sé qué hace mi marido! ¡No me hace caso! ¡Lo tienen dominado!

Tuvieron otro hijo, Luis Alfonso, que Carmencita depositó en manos de la niñera, la Seño, y cuando Alfonso le dijo que quería tener más, se echó a reír:

—¿Otro? ¡Estás loco!

Empezó a rehuirle, no lo soportaba. Cuando estaba con él, el aburrimiento mortal, el sopor insoportable, le clavaba sus garras en los hombros, como un animal mitológico, haciéndola sentir pesada, sin fuerzas.

Al final, el único interlocutor que le quedó a Alfonso fue el médico de su excelencia, Vicente Gil, con el que echaba interminables parrafadas que el doctor apuntaba cuidadosamente después de comentar con socarronería:

—¡Me ha dicho que tengo que llamarlo príncipe! ¡Pues bueno! ¡A mí el único que me importa es el Caudillo!

El monólogo de Alfonso da buena cuenta de su carácter:

—Cada día veo más negro el horizonte de España. Hace ya más de ocho meses denuncié la ocupación de cargos de responsabilidad por personas con antecedentes comunistas y no he conseguido nada…

Muy mal se debía sentir Alfonso, con todo su clasismo a cuestas, cuando le pedía al médico que le explicara todo esto al Caudillo, porque a él ya no lo recibía si no era con Carmencita y los niños, y entonces todo se iba en:

—*Oliñas veñen, oliñas veñen.*

El terrible dictador daba palmas delante de sus bisnietos, lo que, dado su Parkinson, cada vez más avanzado, le costaba bastante.

Y también, recuperando los acentos cantarines de su propia infancia en el Ferrol:

*Por o rio baixo va*
*una troita de pe,*
*corre que te corre vai.*

Pero se negaba a hablar de política.

Gil le llevaba sus recados. Aunque luego le explicaba:

—Ya le he referido todo eso al generalísimo, lo del horizonte negro y las personas con antecedentes comunistas, pero no contesta…

Aquí debe volver a hablar la biógrafa. Franco, debido a las presiones de su familia, quizás llegara a dudar de la lealtad de Juan

Carlos, pero no he encontrado ni una sola prueba, por muchas averiguaciones que he realizado en archivos, libros y conversaciones o declaraciones del dictador, por muchos expertos a los que he consultado, de que en algún momento pensase en volverse atrás en su decisión de que le sucediera este. Un político puede volverse atrás en sus decisiones, ¡un militar, nunca!

Creo que en ningún momento, ni siquiera cuando se casó con su nieta, llegó a tomarse en serio la opción de Alfonso de Borbón Dampierre, y si la esgrimió en alguna ocasión, fue para chantajear a Juan Carlos y de paso fastidiar a su padre.

¡Era gallego!

Y poco a poco, la imagen de Juan Carlos empezó a mejorar. Al decidido e incondicional apoyo de *ABC*, se sumó entonces incluso el del diario *Pueblo*. La plana mayor del periódico, con su director Emilio Romero al frente, lo visitaron y charlaron con él durante dos horas. Sofía no estuvo delante. Únicamente, en el momento de las despedidas, salió con las infantas y el príncipe, dando una imagen de familia sencilla y unida. La seguía, como siempre, su simpático lasa tibetano *Laia*.

Se comprende lo que se apoyaba Juan Carlos en su mujer en esos años, por la anécdota que contó Emilio Romero. El príncipe le estuvo preguntando diversas cuestiones de tipo dinástico, como si en caso de fallecer siendo ya rey, podría ser Sofía regente durante la minoría de edad del príncipe Felipe.

—Es que la princesa vale mucho.

Emilio Romero le contestó que no, porque la ley de sucesión preveía que el regente fuera varón (aquí el demonio de la duda y el miedo volvieron a apoderarse del príncipe de España; temía que si él faltaba, se nombrara automáticamente rey a Alfonso Cádiz, y ¡era tan fácil tener un accidente!).

Días después *Pueblo* dedicó una foto al acto con el siguiente pie:

«La conversación duró largo rato y hubiéramos deseado grabarla. El príncipe estuvo con nosotros afectuoso, abierto, interrogativo y la "vanguardia" de *Pueblo* estuvo a gusto, locuaz, incisiva y sincera».

Y resumía: «Es un príncipe para todos y al servicio de todos...».

¡Qué diferencia estos elogios de la imagen de príncipe aniñado e infantil que daba *Pueblo* años antes! ¡Pero si ahora hasta se le llamaba «el príncipe sabio»!

La televisión española también se puso a favor de los príncipes de España. A su frente estaba Adolfo Suárez, un político joven y ambicioso que veía muy claro que su futuro estaba unido al del príncipe Juan Carlos. Rescató del archivo de televisión imágenes familiares de los príncipes, escenas simpáticas de sus viajes, mostrando grupos de personas aplaudiendo con cariño, Sofía llevando el timón de un pequeño barco de vela, también esquiando en el Valle de Arán con un anorak pasado de moda, todo muy lejos de la parafernalia de las plazas de Oriente, el *Azor* y los desfiles de la Victoria.

Los periódicos contaban que Sofía «cada día acompaña a las infantas y al príncipe Felipe a su colegio, el Rosales, llevando ella misma el volante de su Simca 1000», y empezaron a correr anécdotas sobre su sencillez y su cercanía. Como cuando su hijo volvió muy triste a casa porque no lo habían invitado a una fiesta de cumpleaños, y ella llamó personalmente a la madre del condiscípulo de Felipe para preguntarle si le importaba que lo llevara, a lo que la madre contestó:

—Por Dios, pero si es que no me atrevía a invitarlos, ¡no me imaginaba que fueran tan sencillos!

Como no podía ser menos, Felipe también era muy sencillo, «un niño más, cada día sale a merendar con sus amigos a un bar del pueblo», decían las revistas. Lo que no contaban era que, cuando eso ocurría, su escolta habitual, que era de cuatro policías, tenía que doblarse, y que al final el jefe de seguridad solicitó hablar con el director. Se limitó a preguntarle:

—¿Sabe usted cuánto dinero nos cuesta a todos los españoles que su alteza salga a merendar como un niño más?

A partir de entonces, lo hizo en el colegio.

Otra. Todos los niños presumían de sus fincas, sus jardines, el chalé del abuelo en Marbella, sus caballos. Cuando le preguntaban a Felipe, contestaba compungido:

—Yo no tengo nada de eso… bueno, desde la ventana de mi habitación se ven dos árboles.

No faltaba la consabida anécdota de que el guarda del colegio se había acercado a un coche mal aparcado diciendo:

—Circule.

—Perdón —contestó el príncipe de España—, pero tengo permiso del director para estar aquí.

Juan Carlos y Sofía daban una imagen moderna de la monarquía, muy distinta de la de los miembros de la *jet set* que tenían Alfonso y Carmen, por un lado, y la rigidez «carpetovetónica», como se decía entonces, del matrimonio Franco. Y también, y quizás esto era lo más triste, de la imagen que se había encargado el régimen de fabricar para don Juan, que se lamentaba con desesperación:

—A mi hijo lo han puesto en el trono los franquistas. A mí no me han dejado ya más que ser el rey de los rojos. ¡Hay que joderse! ¡Tampoco es eso! ¡Rey de los rojos!

Juanito empezó a tener una actividad frenética y, casi siempre, ya sin Sofía, ¡en la machista España no se comprendía muy bien eso de que los dos miembros de la pareja estuvieran al mismo nivel!

Además se le indicó al príncipe que no le favorecían los rumores de que él era tonto y Sofía la lista.

Se lo contó a su mujer con paciencia:

—Las reuniones son solo de hombres, no se sienten cómodos en presencia de una mujer. ¡Lo siento, chica! Luego te lo explicaré todo.

Y así lo hacía.

Al principio.

Poco a poco fue prescindiendo de su compañía, y, lo peor de todo, fue acostumbrándose.

Se amplió la zona de despacho y La Zarzuela se abrió a nuevos elementos, sus antiguos amigos Miguel Primo de Rivera y Jaime Carvajal, José Joaquín Puig de la Bellacasa y Niki Franco y Pascual de Pobill, el hijo de Nicolás, el hermano del Caudillo, con el que había compartido los favores de María Gabriela, que también había sido novia de Alfonso. Incluso elementos filosocialistas como Fernando Morán y Luis Solana, que acudía a La Zarzuela con casco de motorista para no ser reconocido. Torcuato Fernández Miranda, su asesor, elaboró un plan para conseguir una transición pacífica desde el franquismo a la democracia cuando llegara el momento, cuyo resumen podría ser «ir de la ley a la ley». Nadie en el equipo juancarlista, evidentemente, pretendía continuar con los dichosos Principios Fundamentales del Movimiento, pero dado que don Juan Carlos no había tenido más remedio que jurarlos para ser designado sucesor, la única forma de no quedar como un perjuro era abolirlos «yendo de la ley a la ley».

Aunque todo este plan, llamado «Lolita», era materia reservada, no dejaba de advertirse que algo se movía en el entorno de La Zarzuela. La inquietud y el temor cundían en las filas «alfonsinas».

Faltaba muy poco, pero ahora todos los pasos eran importantes y no podía cometerse ningún error.

Federica.

Federica, más que un error, era un estorbo. Es cierto que ya no tenía intención de adquirir una propiedad en España, pero venía a menudo a Madrid, ¡al fin y al cabo, las visitas todavía no le habían sido prohibidas! Pero no se podía dar pie a que se dijera que lo hacía para aconsejar a su hija, y menos a su yerno, ¡más valía que se la alejara definitivamente de Zarzuela, y si podía ser, del país también!

Federica no necesitó que nadie se lo dijese, porque ya lo sabía, se había hecho experta en desaires y desconfianzas. Acababa de recibir el golpe más fuerte de su vida, ¡uno más! ¡Todos eran los golpes más fuertes de su vida! La monarquía había sido definitivamente abolida en Grecia mediante un referéndum; volvió a ser una república como en el fondo no había dejado de serlo nunca, no en vano allí nació la democracia.

La habían borrado de un plumazo. La habían rechazado, a ella y a los suyos. Tino nunca sería rey. Los griegos se habían lanzado a la calle arrastrando sus retratos, habían quemado fotos suyas en las plazas de los pueblos, ¡suyas! ¡No de Palo ni de Tino! ¡De Federica!

¡Si hasta se decía que aquellos niños que salvó de las garras de los comunistas durante la guerra civil fueron luego vendidos como perrillos de lujo a ricos norteamericanos! ¡Salían aquellos niños, ahora hombres con gorras de béisbol, zapatillas de deporte, pantalones vaqueros, pero con un perfil inequívocamente griego, llamándola secuestradora y cosas peores! ¡Hasta Pedro, su sobrino, el hijo de la tía María, el hermano de Eugenia, había surgido de las sombras para señalarla con su dedo acusador y llamarla sátrapa! Incluso en alguna entrevista insinuaba que Federica, la reina, le había hecho proposiciones deshonestas.

En televisión había visto primeros planos de mujeres gritándole: «*Tanatos*», poniendo el pulgar hacia abajo.

Muerte. Sí, eso quisiera ella, morir, navegar en la barca de Caronte hacia el Hades. ¡Que los espíritus de los difuntos vinieran a buscarla, como hicieron con Ulises, a arrancarla de este mundo para unirse a Palo, el joven príncipe que la enamoró en Florencia!

Pero todavía no era la hora. ¿Cuánto falta, Palo? ¿Cuánto falta?

Federica se pasaba mucho tiempo sin salir de su habitación. Llamaba por teléfono. Escribía cartas. Al final le pidió a su hija que se reuniera con ella. Sofía entró en su cuarto casi de puntillas; en un rincón se quemaba una varilla de incienso y en el casette sonaba la guitarra de diez cuerdas de Ravi Shankar.

Federica le dijo sin ambages:

—Estoy cansada, Sofía. Tengo agotamiento moral. ¡No entiendo el mundo! Pero no estoy preparada para morir y tu padre no quiere llevarme todavía.

Sofía la cogió de las manos. No quería llorar, no sabía cómo consolarla:

—Mamá, qué quieres decir… No vas a morirte, te necesitamos, Tino, yo, Irene…

Federica sonrió:

—No, hija, no nos engañemos. Tino está en Londres, tiene que ganarse la vida, como lo hizo vuestro padre. —Con un resto de su antiguo humor, se echó a reír—. Esperemos que no tenga que emplearse de mecánico de una compañía de aviación, ¡pobres aviones! ¡Como para no subir a ninguno nunca más! Tú no solamente no me necesitas...

Sofía iba a protestar con los ojos llenos de lágrimas, esa mujer que no lloraba nunca, a la que los españoles no hemos visto llorar prácticamente jamás, pero Freddy la cogió por los hombros y los sacudió con suavidad:

—No, Sofi, yo ya te he dado todo lo que podía darte... además, me temo que, por lo visto, no debo haber sido muy buena reina... quizás no soy un buen ejemplo... quizás ni siquiera he sido una buena madre. Tienes más sentido común que yo. —Con una sonrisa pícara se inclinó hacia ella y le clavó el dedo en el pecho—. No te preocupes, solo yo sé que aquí dentro late un corazón tan apasionado y loco como el mío, ¡que no lo sepa nadie, hija mía, te lo romperían! ¡Es mejor que piensen que eres fría e invulnerable! ¡Te creerán fuerte y te respetarán!

Se apartó de ella casi con brusquedad. Sofía le preguntó:

—Pero, mamá, ¿qué vas a hacer?, ¿dónde vas a ir...?

—Bueno, ya no tengo patria, ni ningún país al que volver... Mi patria es el lugar que me va a instruir y mi país es el corazón de mi maestro...

Fue a un cajón, sacó un mapa que extendió sobre la cama, y le indicó un punto:

—Mira, Sofía, aquí está Madrás, en el sur de la India, ahí hay una persona muy sabia, el profesor Mahadevin, que me ha admitido como alumna.

—Mamá, ¿tú a la universidad?

Federica se echó a reír:

—No, hija, da clases en un piso muy modesto... yo viviré en un ashram y espero llegar a aprender la centésima parte de las cosas que ignoro sobre mí misma... no me llevo nada, ropa, joyas, quédatelo tú, guárdalo para las niñas o repártelo... pero sí me llevo a Irene, ella no me necesita tampoco, pero yo sí la necesito a ella, ¡soy así de egoísta!

Sofía estaba desconcertada. No sabía qué decirle:

—Pero te veré, ¿volverás?

—Claro, no me voy a... ¿cómo se llama eso que tenéis aquí en España tan horrible?, ¿un convento de clausura? Vendremos a veros a vosotros y a los niños, ¡será una fiesta!

Se quedaron la una frente a la otra sin saber muy bien qué hacer. Sofía era más alta que su madre. Freddy tuvo que ponerse de puntillas para besarla en la frente. Y aún le dijo:

—Soy incorregible, me voy a ir dándote un último consejo... no, dos.

—Sí, mamá.

—Estudia tú también, Sofía. Tienes fama de mujer inteligente y culta en España, los dioses sabrán por qué, ¡no los defraudes! Y... tú... Juanito... Juanito y tú... Verás, el amor tan ardiente duele y quema... Juanito...

—¿Sí? ¿Juanito? —preguntó anhelante Sofía.

Pero Federica agitó la mano y dio media vuelta, empezó a recoger las cosas que tenía sueltas por la habitación, un fular de seda, un abanico, la funda de sus gafas, el libro de meditación, no quería que su hija la viera emocionada:

—Déjalo, nada, ¡lo que tenga que pasar, pasará, y de lo otro, para qué preocuparse!

Y así fue como Sofía decidió ir a la universidad.

Mondéjar le aconsejó matricularse en un curso de humanidades que se daba los sábados en la Complutense con todo tipo de asignaturas, filosofía, literatura, historia, política, sociología... con muchos profesores de izquierdas o de formación marxista y junto a cien alumnos más con los que debía hablar, compartir apuntes, hacer trabajos... En casa, por las tardes, se ponía al lado de sus hijos, los cuatro hacían sus deberes en la misma mesa, cada uno bajo un flexo. Llegaba Juanito de sus comidas en Mayte Commodore o de sus reuniones en Nuevo Club oliendo a tabaco, a coñac, a aromas nuevos, lleno de ideas nuevas, afónico por haber hablado tanto, con los ojos rojos, y se encontraba a su mujer con la cabeza inclinada sobre un libro, subrayando una frase, buscando una palabra que no entendía en el diccionario, repitiendo conceptos en voz alta para intentar comprenderlos. Juanito hacía mucho ruido, Sofía levantaba la vista y le pedía con la mano:

—Cinco minutos, por favor.

Su marido se sentaba impaciente en un sillón, cogía un periódico, lo tiraba al suelo, cruzaba una pierna encima de la otra balanceando el pie. Pero, cuando pasaban los cinco minutos, Sofía enfundaba la pluma, cerraba el libro y se disponía a escucharlo, él ya no estaba y solo llegaba su voz desde un teléfono lejano soltando unas carcajadas nuevas con una voz nueva que ella no conocía.

Después ya no pasaba a verla.

Si ella protestaba, le contestaba con impaciencia:

—Sofi, no te enfades... hasta ahora lo hemos hecho todo juntos, ¡no puedes quejarte! ¡Además, tú tienes tu universidad y los niños!

Una compañera de clase contó más tarde:

—La princesa era muy callada, parecía tímida, nunca interrumpía ni preguntaba, aunque a veces, al final de la clase, se quedaba para hablar con el profesor y pedirle alguna aclaración, pero aguardaba su turno como una más. No faltó nunca, ¡ni el día que mataron a Carrero Blanco!

El 20 de diciembre del año 1973, ETA hizo saltar por los aires el Dogde Dart del presidente Carrero Blanco, que murió en el acto, junto a su chófer.

Franco no pudo asistir al funeral; estaba atontado, ido. Repetía:

—Han sido los masones.

La pérdida del hombre que había sido su mano derecha lo dejó envejecido y desorientado. El príncipe de España hubo de asumir la presidencia del desfile mortuorio.

Le prepararon un coche blindado. Antes de salir de casa, se demoró un momento en el vestíbulo, dándole unas caladas compulsivas a su pitillo. Un cigarrillo, otro. Sofía no hacía más que mirarlo, sin pronunciar palabra. El coche ronroneaba afuera con el chófer al volante.

Al final, con expresión desesperadamente decidida, Juanito tiró el último cigarrillo sobre la hierba, se irguió, se colocó bien el cuello de la guerrera y dijo con tono impersonal:

—Voy a ir caminando, solo, detrás.

Sofía únicamente asintió, sin palabras. Y también sin sorprenderse. Sabía que lo haría. Era lo adecuado. Su padre lo hubiera hecho.

Mondéjar se opuso firmemente:

—Pueden mataros, alteza.

Con la colilla de otro cigarrillo colgándole del labio, el príncipe se puso frente a Sofía, muy derecho:

—¿Llevo bien la chaqueta, Sofi?

—Sí, espera, tira hacia abajo esa punta.

Ahora era Armada el que protestaba:

—Imposible, señor, no hay seguridad que pueda protegeros... puede mataros ETA... o los otros, debéis ir en el coche blindado.

—Sofi, yo creo que sería mejor que me pusiera la gorra, ¿qué te parece?

Mientras Mondéjar, Armada, Fernández Miranda, todos se afanaban a su alrededor, hablaban por micrófono, daban órdenes, miraban sus relojes, Sofía tranquilamente le colocó la gorra en la cabeza, Juanito se ajustó la visera, Sofía le dijo:

—Quítatela a ver.

Se quedó pensando, con la naricilla arrugada, y al final le dijo:

—Mejor llévala debajo del brazo.

Un oficial sin aliento llegó con un chaleco antibalas:

—Póngaselo, alteza, debajo de la guerrera.

Sin dejar de mirar a Sofía, Juanito lo apartó con una sonrisa. Tampoco quería el chaleco antibalas.

—No fumes más, camina con pasos largos. Papá decía que en los desfiles se debía caminar siempre despacio cuando se es alto.

Sofía le cepilló con la mano en la manga una mancha inexistente, volvió a recolocarle el cuello, le peinó por detrás, gestos que habitualmente no hubiera hecho jamás, cuidados que normalmente Juanito se hubiera sacudido de encima piafando como un caballo encabritado.

Pero ahora se sometía, dócil, a los gestos de su mujer. Sabía que era la forma que tenía ella de decirle te quiero, que no te maten, estoy orgullosa de ti, te quiero, si te matan, me moriré, te quiero.

Él necesitaba oírlo, aunque fuera dicho únicamente con el lenguaje del corazón. Quizás, ni antes, ni después, han estado ni estarán tan unidos como en esos momentos. Era el fulgor del sol antes del ocaso.

Nunca más.

Juan Carlos, vistiendo el uniforme de contraalmirante, bajo un frío estremecedor, siguió a pie por las calles de Madrid el furgón mortuorio del vicepresidente del Gobierno. Caminó él solo a la cabeza de la silenciosa procesión que seguía a la cureña que transportaba al féretro, seguido por las miradas de cien mil madrileños que se lanzaron a la calle y que no profirieron ni un grito, sobrecogidos por aquel acto de valor extraordinario, un hombre caminando solo en aquellos momentos en que había armas, odio, violencia y ganas de matar y tal vez de morir. Detrás de cada esquina de Madrid había una bala que llevaba su nombre.

Cualquier barbaridad contra aquella figura que caminaba sola parecía posible. Y lo que más impresionaba es que todos se dieron cuenta de que tenía miedo. La nuez de su garganta subía y bajaba, había momentos en que parecía encogerse como si estuviera esperando el disparo fatal, ¡se necesitaba mucho valor para hacer lo que hizo teniendo tanto miedo!

Vilallonga le preguntó más tarde al rey:

—¿Quién os pidió presidir el entierro del almirante?

—Nadie. Las gentes encargadas de mi seguridad no estaban de acuerdo.

—¿Erais consciente de que aquel día constituíais un blanco perfecto para un tirador?

—Nunca pienso en ese tipo de cosas.

Naturalmente, esta afirmación era mentira, ¿cómo puede confesar un rey que algún día tuvo miedo? La reina, que habló[4] también de esa jornada, contó la verdad:

—Era como aquello de «solo ante el peligro». No sabíamos si los que habían asesinado a Carrero querrían llevarse a alguien más por delante. Él, que no es fumador, ese día se fumó ¡sesenta pitillos!

A la misma hora, Franco estaba merendando en El Pardo con su mujer y el capitán ultraconservador Urcelay. Cuando oyó el sonido de la salva de veintiún cañonazos que acompañó el entierro, se echó a llorar.

Destrozado, se dejó convencer por su mujer y por Urcelay de que nombrara presidente al ministro de la Gobernación, un ultra recalcitrante, reconocido antidemócrata, Carlos Arias Navarro.

Doña Carmen, que se había puesto amarilla por un ataque de bilis que hasta Vicente Gil advirtió que era «por los nervios», le conminó:

—Si no lo nombras a él, Paco, nos van a matar a todos. ¡Quiero dormir tranquila!

Durante tres días doña Carmen se afanó, con la ayuda de Nieto Antúnez, Vicente Gil y Rodríguez de Valcárcel, de la vieja guardia de posguerra, para convencer a su marido mediante súplicas y amenazas, hasta que Franco cedió. Luis María Anson contó más tarde que «Arias era la garantía de su familia para el futuro». Doña Carmen se fotografió con el nuevo vicepresidente con gran exhibición de dentadura. ¡Había ganado su candidato!

No se entiende muy bien que, cuando Sofía habla de la mujer de Franco, siempre diga:

—No se metía en política… Franco no le consultaba… Ella solo estaba a sus meriendas de señoras mayores…

¡Por Dios, si expertos como Anson, Preston, Hugh Thomas cuentan lo que antecede! ¿Cómo una persona inteligente, perspicaz y que encima vivió los acontecimientos en primera línea, puede soltar tamaño disparate?

El príncipe decretó en privado que la designación de Arias era un «desastre sin paliativos». Sofía, que estaba remodelando las habitaciones de los príncipes en el primer piso, le volvió a comentar al arquitecto:

—No sé si seguiremos aquí cuando se terminen.

Y don Juan reflexionaba con amargura en Estoril:

—«Esos» primero me han jodido a mí y ahora están jodiendo a mi hijo.

Arias parecía darles la razón a los agoreros. Empezó destituyendo a todos los ministros aperturistas e hizo un gabinete formado casi exclusivamente por gente del búnker, gabinete que sometió al beneplácito de Alfonso de Borbón y no de don Juan Carlos, como hubiera sido lo adecuado. Sin darse cuenta de que se trataba del último aliento de vida de un cadáver político, la camarilla de El Pardo se frotaba las manos y le impidió al príncipe de España prácticamente todo contacto directo con Franco:

—Está cazando.

O:

—Está durmiendo la siesta.

O:

—Con muchas visitas.

Arias únicamente se dirigió a Sofía y a Juan Carlos para reconvenirles:

—No es conveniente que sus altezas se distraigan con el esquí o las vacaciones... Sería mejor que se quedaran en Zarzuela.

Juanito, malhumorado, le comentó a su mujer:

—Llevamos diez años encerrados aquí... No se dan cuenta de que nosotros somos jóvenes y no unos viejos como ellos...

El marqués de Villaverde no ocultaba su complacencia y le decía a su entorno:

—De momento tenemos cinco años más de gobierno leal a nosotros, y luego… ya veremos.

En una cacería a la que acudió con su yerno Alfonso de Borbón, ambos se congratularon delante de los otros asistentes de lo «falangista» que había quedado el gobierno después de la muerte de Carrero y repitieron lo mismo que dijo Franco en su mensaje de fin de año y que nadie entendió:

—No hay mal que por bien no venga.

Pero el nombramiento de Arias tampoco iba a representar al fin una merma en las posibilidades de Juan Carlos, ¡las agujas del reloj no pueden girar en dirección contraria! Todos los intentos de volver al pasado fueron inútiles; la coyuntura internacional no propiciaba las dictaduras y la mentalidad de los españoles también había cambiado. Los dos únicos ministros aperturistas trabajaron incansablemente a favor de Juan Carlos. Pío Cabanillas (Información y Turismo) convenció a Arias de que «solo se reforma lo que se quiere conservar», inspirándose quizás sin saberlo en la divisa del príncipe de Lampedusa, «que todo cambie para que nada sea diferente».

Así pues, el primer texto que Arias leyó en las Cortes fue sorprendentemente progresista, y daba más atribuciones a Juan Carlos, contemplaba una especie de ley de asociaciones e inauguraba lo que se conoció como espíritu del 12 de febrero. Antonio Carro (ministro de Presidencia), por su parte, introdujo a muchos miembros de grupos católicos progresistas, conocidos como los «tácitos», en las subsecretarías de los ministerios, de tanta influencia. Ya ni el mismo Franco era consciente de ello, pues estaba muy disminuido de facultades y mascullaba improperios contra las conspiraciones judeomasónicas:

—Los españoles solo nos identificamos con Isabel la Católica y con el espíritu del 18 de julio regado con la sangre de nuestros muertos.

En realidad, como dijo él mismo en su día, todo estaba atado y bien atado.

Ahora era Alfonso el que se hundía. ¡Tanto esfuerzo para nada! ¡Lo perseguía la fatalidad y se levantaba por las mañanas preguntándose para qué había nacido!

Si él hubiera tenido tan solo una pequeñísima parte de la «baraka» que los marroquíes le adjudicaban a su primo se habría comido el mundo. Pero había nacido con mala estrella. Al final había sido él el que había vuelto a la casilla de salida.

No, peor. Porque ahora estaba sin trabajo, sin dinero y con dos hijos y una mujer por mantener. A la desesperada, aceptó un cargo menor, presidente del Instituto de Cultura Hispánica. Era un cargo honorífico, aunque él intentaría dotarlo de solemnidad y empaque, un buen envoltorio para el vacío más absoluto.

Los «alfonsinos» poco a poco se irán pasando a las filas juancarlistas. Su mismo suegro, el marqués de Villaverde, dejó de hacer los habituales brindis con los que cerraba todos sus banquetes:

—¡Por los reyes de España, Alfonso y Carmen!

Y pidió ser recibido en Zarzuela. Quería estar humilde, pero, sin poderlo remediar, le salió la vena chulesca:

—Alteza, no preste atención a los cantos de sirena que tratan de desunir a las dos familias. Nosotros no queremos más que el arraigo de la monarquía y su bien [el del príncipe de España], estamos embarcados en el mismo barco y si hiciera agua por algún lado, todos nos hundiríamos.

Juan Carlos fingió no darse cuenta de la amenaza que ocultaba el comentario y lo abrazó, pero Sofía se limitó a tenderle fríamente la mano.

Lo que no habían podido conseguir las democracias europeas, el bolchevismo internacional, los masones, la conspiración judeomasónica, o los masones y los judíos por separado y cada uno por su cuenta, lo consiguió el frío airecillo de Guadarrama.

Fue el 1 de octubre de 1975. Cientos de miles de personas abarrotaban la plaza de Oriente al grito de «ETA al paredón», «No necesitamos a Europa», «No somos muchos, pero somos machos», «Muertos de la Cruzada. ¡Presentes!» y un impensable «España unida, jamás será vencida», supongo que sin saber que tal eslogan había sido creado por el Chile de Allende para luchar contra la dictadura militar.

Hacía apenas dos semanas que se había fusilado a cinco jóvenes militantes antifranquistas. Todos habían preferido ser pasados por las armas antes que el garrote vil. Ángel Otaegui Echevarría fue ejecutado de una ráfaga de disparos por voluntarios de la policía armada en el patio de la prisión de Villalón, en Burgos. Tuvo que pasar sus últimas horas en absoluta soledad, su abogado estaba enfermo y a su madre solo le permitieron visitarlo diez minutos. A Juan Paredes Manot, Txiki, de veintiún años, lo mató de once disparos justos un pelotón de la guardia civil, en un descampado al lado del cementerio de Collserola en Barcelona. Su hermano y sus abogados, Marc Palmés y Magda Oranich, lo oyeron cantar aun en el suelo, hasta que el teniente que mandaba el pelotón le dio el tiro de gracia.

Aún hoy Magda Oranich lleva una fotografía de Txiki en su billetero.

José Humberto Baena, de veintitrés años, José Luis Sánchez Bravo, de veinte años, y Ramón García Sáenz, de veintisiete, fueron fusilados en el campo de tiro de El Palancar, en Hoyo de Manzanares, al lado de Madrid. José Oneto escribió que, cuando los periodistas oyeron los disparos, «nos recorrió un intenso y largo escalofrío, algunos de nosotros, con lágrimas en los ojos, musitamos un "¡cabrones!"».

En Europa arreciaron las protestas por esas penas de muerte ejecutadas por Franco. Desde Estocolmo a Lisboa, de Londres a Roma, en un aspa emocionante de dolor y solidaridad, cientos de miles de manifestantes salieron a la calle, hicieron guardia con velas delante de las embajadas españolas, en Lisboa llegaron a incendiarla, gritaron, guardaron silencio, algunos rezaron, otros cantaron viejos himnos revolucionarios y enarbolaron pancartas en las que salían los nombres de aquellos cinco muchachos muertos cuando apenas empezaban a pisar el sendero de la vida.

En la madrileña plaza de Oriente, en el balcón del Palacio Real, escuchando los gritos de «no queremos apertura, queremos mano dura», estaban Sofía y Juan Carlos, que llevaban tanto tiempo tratando de ofrecer una imagen moderna y liberal de España y veían como todo su esfuerzo se estaba haciendo añicos.

Fue ese quizás el momento más duro de su largo camino hacia la Corona. Cuando salieron al balcón, fueron saludados con gritos de «¡príncipes, príncipes!», que se supone que debieron causarles una impresión tan fuerte que se mantuvieron todo el acto cabizbajos y recelosos, como si no quisieran llamar la atención.

Comentándolo Juan Carlos después, dijo de esos días:

—Nunca supuse que se podía sufrir tanto.

Franco les había pedido personalmente que estuvieran en el balcón, junto a él y a doña Carmen. Tenían que apoyar con su presencia aquel espectáculo digno de la Alemania nazi dirigido por un contemporáneo de Hitler. Un Franco con dificultades para respirar y guantes blancos, para tapar posiblemente el vendaje de su mano. Primero dio las gracias por esa «Viril manifestación», y después empezó a disparatar dando rienda suelta a su creciente paranoia, atribuyendo los problemas de España a:

—Una conspiración masónico-izquierdista de la clase política, en contubernio con la subversión terrorista y comunista en lo social…

Para terminar reconociendo que el pueblo español «no es un pueblo muerto» (gran ovación) y que «ser español ha vuelto a ser algo en el mundo». Un discurso de cuatro minutos y medio y se despidió de la multitud, que lo vitoreaba gritando:

—¡Franco, Franco, Franco!

Y también cantando:

—*Cara al sol con la camisa nueva*…

La plaza brazo en alto y él también, como si el calendario de la historia hubiera retrocedido cuarenta años. Franco lloraba con grandes suspiros, gemía y las lágrimas le caían por detrás de las gafas oscuras. Iba vestido con uniforme de capitán general y medallas; su figura parecía haber mermado, se le veía diminuto. Detrás de él, el príncipe de España iba también con uniforme. Pálido, ojeroso, con gesto crispado, paseaba por la multitud una mirada entre inquieta y triste. Fue el único en el balcón que no levantó el brazo con el saludo fascista.

Sofía estaba al lado de doña Carmen; nadie cuestionaba la incongruencia de esa presencia femenina en ese acto tan «viril».

Conocemos la opinión de Sofía acerca de aquellas muertes, claro está que hay que tener en cuenta que se dio[5] en diferido:

—Aunque ley en mano había pena de muerte, a mí me parecía horrible, inhumano, me repugnaba… —Y aquí proporcionaba una información novedosa—: Mi marido trató de interceder para que no los fusilaran.

Hablo con Magda Oranich, treinta y siete años después de aquellos sucesos, de los que ella fue protagonista y testigo privilegiado, ya que, junto a todos los defensores de los muchachos fusilados, abanderó las protestas en todo el país y llevó a cabo las peticiones de clemencia que se cursaron a grandes personalidades del momento:

—Los colegios de abogados de toda España estuvimos en asamblea permanente durante semanas… Recabamos apoyos hasta en el infierno, ¡y en el cielo! Todos se movieron, el papa estuvo hasta el último momento intentando parar aquella barbarie y sé que hubo monárquicos partidarios de don Juan que también hicieron campaña y participaron en manifestaciones antifranquistas en distintos puntos de Europa.

—Magda, ¿tenéis constancia de la postura de los príncipes de España?

—Nunca se nos ocurrió acudir a ellos, piensa que entonces se les tenía por unas marionetas de Franco, siempre a su lado y de su cuerda… Nadie pensó que podían oponerse a esas penas de muerte… Nosotros dábamos por supuesto que las apoyaban…

—Posteriormente, y dado que tú tienes cierta relación con la reina, ¿te consta si era así en realidad?

Magda, una mujer comprometida, honesta y valiente, que continúa en activo abanderando todas las causas perdidas que sacuden el mundo, se toma su tiempo para contestar:

—Para todos ha sido una sorpresa que luego el rey saliera tan demócrata y liberal, ¡una maravillosa sorpresa! Y quizás sí que en su fuero interno se oponía... Yo, personalmente, estoy convencida de que la reina ha estado siempre en contra de la pena de muerte, ¡una persona que ama tanto a los animales como ella es un ser sensible que no puede estar al lado de un horror semejante! En las conversaciones que he tenido con ella siempre se me ha mostrado como una persona bondadosa, de gran corazón, una humanista con un gran sentido de la solidaridad y también de la compasión. Pero tengo que reconocer que entonces, en esos momentos terribles en que se estaban jugando vidas, ¡y se perdieron!, ¡hace tan solo cuatro días como quien dice!, no recibimos ningún apoyo por parte de los príncipes de España. ¡Ni a nosotros, ni a nadie, se nos ocurrió recabarlo!

Escucho estas palabras de Magda mientras contemplamos una foto de Sofía aquel primero de octubre de 1975. En el balcón sobre la plaza de Oriente, al lado de los Arias y todos los miembros ultra del gobierno, está muy seria, no esboza ni una sonrisa. Doña Carmen no se separa de su lado, tan juntas que a veces Sofía parece que en realidad la sostiene. Doña Carmen sí que exhibe una sonrisa orgullosa y satisfecha.

Cuando terminó el acto y antes de que se dispersase la gente, Franco se volvió hacia Juan Carlos y con evidente torpeza le dio un abrazo. Fue la única vez que se vio contacto físico entre los dos hombres, que habitualmente se limitaban a estrecharse la mano. Desconcertado, el príncipe palmeó la espalda del dictador, que se estremecía espasmódicamente.

Ese día la muerte para Franco bajaba del Guadarrama a lomos del frío viento otoñal. Moriría un mes y veinte días después.

Primero pareció un simple enfriamiento. Pero, de repente, todo se precipitó. Empezaron las hemorragias gástricas, los dolores agudos y las oscuras maniobras de Villaverde. Toda la familia Martínez-Bordiú dejó el piso de Hermanos Bécquer y se trasladó de nuevo a El Pardo, para estar cerca del Caudillo. Dos veces al día el padre Bulart celebraba misa en el oratorio. A Franco lo habían instalado en un precario hospital de campaña en el mismo palacio; las gasas ensangrentadas se acumulaban en un cubo en un rincón y frente a la cama del dictador, un catre de soldado, se sucedía un continuo goteo de visitas. Los nietos no paraban de salir y entrar en la habitación.

El día 30 de octubre por fin se hizo el trasvase de poderes a Juan Carlos, quien solo los aceptó cuando le comentaron que el estado del Caudillo era irreversible. La situación internacional era gravísima, ya que, en Marruecos, Hassan II había convocado una peregrinación, la llamada «marcha verde», a la que acudieron más de trescientas mil personas, para protestar por el dominio español en el Sahara.

En Zarzuela, Juan Carlos miró mudamente a Sofía. No le preguntó nada, y ella, que había estudiado el asunto cuidadosamente y estaba al corriente de la situación tanto como él, le dijo categórica:

—Juanito, debes ir allí con tus hombres, mamá siempre se lo decía a mi padre, el lugar de un militar está con sus tropas.

Como en el funeral de Carrero Blanco, a pesar de la oposición de sus asesores, corrió al Sahara a ponerse al lado del pequeño grupo de militares que estaban al frente de la colonia española, explicándoles que no podían disparar contra una multitud formada por mujeres y por niños:

—No os preocupéis, vamos a negociar una retirada perfectamente honorable.

Y es cierto, gracias a su intervención «la marcha verde» se retiró pacíficamente. Juan Carlos y Hassan II hablaron por teléfono «de hermano a hermano» y después la espinosa cuestión de la independencia se dejó en manos de los diplomáticos.

Sofía estaba satisfecha. Había sido su primera decisión autónoma en una materia internacional importante y lo habían hecho bien. Aunque lo que había decidido el tema había sido la capacidad de seducción de Juanito y su habilidad en las distancias cortas, quien había tomado la iniciativa había sido ella. Un buen equipo.

Mientras, Franco agonizaba de una forma tan dolorosa que solo se le oía musitar:

—Qué duro es morir.

A su regreso de El Aaiun, Juan Carlos y Sofía fueron a verle a menudo, según detallaba el periodista Yale, «con un Mercedes conducido personalmente por el príncipe», por la carretera interior que une La Zarzuela con El Pardo. La última vez que Franco pudo hablar, hizo un esfuerzo sobrehumano y, cogiendo las manos de Juan Carlos con una fuerza inusitada en un cuerpo tan consumido, le dijo:

—Alteza, prometedme que pase lo que pase mantendréis siempre la unidad de España.

El equipo médico, formado por veintidós profesionales comandados por el marqués de Villaverde, decidió trasladarlo a la clínica La Paz. La intención del marqués era alargar la vida de su suegro por lo menos hasta después del 26 de noviembre, en que expiraba el mandato del presidente de las Cortes, Rodríguez de Valcárcel. Si Franco sobrevivía a esa fecha, la renovación era cosa segura, y el rey, con un ultra como Rodríguez de Valcárcel, hubiera tenido las manos atadas. Aun sin Franco, hubiera habido franquismo seis años más. Y también, como dice Vilallonga, «en el fondo de sí mismo el marqués todavía abrigaba la esperanza de ver a Franco volverse atrás en su decisión primera y nombrar sucesor a título de rey a don Alfonso de Borbón Dampierre, lo que haría de su hija Carmen la futura reina de España».

Finalmente, la marquesa de Villaverde, Nenuca para su padre, que estaba destrozada y no había dormido más de dos horas seguidas desde hacía un mes y medio, le plantó cara a su marido y le ordenó:

—Basta, Cristóbal, papá quiere descansar.

El jefe del equipo, el doctor Vital Aza, contó después:

—En las últimas cuarenta y ocho horas tiramos la toalla. Era una situación terminal. En el monitor se veía el electrocardiograma que se fue deteriorando hasta que se paró, se murió. Yo estaba solo y mandé llamar al doctor Martínez-Bordiú, que estaba descansando en una habitación cercana. Cuando llegó, le dije, Cristóbal, esto se acabó.

Es Yale el que habla ahora: «Las últimas cuarenta y ocho horas, ni un solo periodista abandonó su lugar de trabajo. En Madrid nadie dormía, un infernal nerviosismo se había adueñado de la noche, la tensión era absolutamente demencial, delirante. Se sabe que al filo de la medianoche se encuentran en La Paz los marqueses de Villaverde y sus hijos mayores… el frío era intenso. Televisión despedía su programación y la sirena de una ambulancia puso una nota estridente en la ya inquieta primera hora del día, un millar de personas estaban concentradas delante de la escalinata principal de La Paz».

La gloria de la primicia periodista hay que achacársela a la agencia Europa Press, que solo por unos segundos se adelantó a Pyresa con el siguiente y dramático flash: «Franco ha muerto, Franco ha muerto, Franco ha muerto».

Durante todos esos días de angustia, Nenuca no se separó de su bolso. Dentro estaba el testamento que le había dictado su padre en los primeros días de su enfermedad: «Si muero, lo das a conocer, y si no pasa nada, pues lo tiramos», y que ella misma había tecleado en una vieja Olivetti con pulso torpe, recordando las lecciones de mecanografía que le había impartido su única maestra, una monja teresiana, en sus primeros días en El Pardo.

Sofía, con larga memoria para los agravios, pero también para los apoyos, no ha olvidado nunca el favor extraordinario que les hizo la marquesa de Villaverde, y por ese motivo sus palabras, cuando habla de ella, siempre son de cariño y emoción:

—Carmen lo escribió a máquina y lo guardó por encargo de su padre. Podía no haberlo sacado, pero es una mujer muy noble y muy inteligente. Y no solo no estorbó, sino que facilitó las cosas. El título de duquesa de Franco que le concedió el rey se lo tiene más que ganado.

Juan Carlos, por su parte, también tuvo un recuerdo afectuoso para la hija del Caudillo:

—Nadie sabía que existía el testamento, nadie le obligó a mostrarlo... se portó como una señora.

En ese testamento, que Arias leyó en televisión horas después de la muerte de Franco con voz temblorosa, se conminaba al pueblo español a apoyar al rey don Juan Carlos de Borbón de la misma forma que había apoyado a Franco. Las palabras «don Juan Carlos de Borbón» habían sido añadidas a mano encima del texto original para que no hubiera ninguna duda de quién tenía que ser el rey de España.

A la pregunta de Vilallonga:

—¿Creísteis que Franco, bajo la presión de su entorno, hubiera podido en el último momento preferir a su nieto político, el duque de Cádiz, en lugar de a vuestra majestad?

Don Juan Carlos contestó con algo de sequedad, olvidadas todas las angustias, incertidumbres y menosprecios que sufrió, con esa falta de memoria que dota de grandeza a los seres humanos, ese olvido selectivo que permite construir el futuro con limpieza, sin rencores ni afán de venganza:

—No, nunca lo creí. Franco nunca se volvía atrás en sus decisiones.

22 de noviembre de 1975, doce y media de la mañana, sábado madrileño frío y despejado en el palacio de las Cortes de la Carrera de San Jerónimo.

Es el día de la proclamación.

Rostros ancianos y lívidos, militares con uniforme y medallas, obispos, bigotillos, gafas oscuras, expresiones severas. Expectación. Y también miedo. La muerte de Franco, todavía insepulto a los dos días de su fallecimiento, pesa sobre la reunión como la descomunal losa de granito que está esperándole en el Valle de los Caídos. En medio del hemiciclo, cinco personas, dos adultos y tres niños, parecen aferrarse unos a otros como náufragos en plena tormenta. Es un grupo familiar completo; el rey no ha querido estar solo, la institución monárquica son el rey, la reina y los hijos, todos a la misma altura. Por fin, en esta nueva España, los «prisioneros» de Zarzuela, los «rehenes», los «peleles», después de trece años de travesía por el desierto, se levantan y empiezan a caminar.

Sofía hace algo impensable, que despierta voces críticas entre las damas del búnker: no va de luto; para que los españoles vean que los tiempos están cambiando, lleva un vestido rosa fucsia, un gesto probablemente estudiado desde hacía tiempo; es su forma de romper con el pasado. Eso sí, ha tenido la precaución de hacerse a toda prisa un abrigo de terciopelo negro, largo hasta los pies, para cubrirse y asistir a la capilla ardiente en el palacio de Oriente, donde está lo que queda del hombre que gobernó a España durante cuarenta años, una figurita patética de apenas metro y medio dentro de un enorme féretro.

Las nuevas modistas de Sofía, las hermanas Molinero, habían llevado un corte de traje a Zarzuela con patronaje de Valentino y durante la noche habían cosido el abrigo, ayudadas por Sofía y por Irene, que había regresado a España apresuradamente desde la India. De ahí las ojeras que lucía Sofía, que no había podido pegar ojo en toda la noche.

Las infantas Elena y Cristina visten trajes de terciopelo verde con cinturones verde claro de seda y cintas negras en la cabeza. El príncipe Felipe lleva traje y corbata negra. Los tres guardan una compostura perfecta durante toda la ceremonia.

Juan Carlos, en uniforme caqui de capitán general, está pálido y ojeroso; su mirada no descansa, y tan pronto recorre los largos bancos en los que sabe tiene tantos enemigos —los rumores de que se prepara un atentado contra su persona son constantes—, como mira hacia arriba, al palco central, justo encima del reloj que marcará la hora histórica. Allí dos infantas de España se inclinan hacia el hemiciclo, siguen con tanta atención la ceremonia que parece por momentos que vayan a caerse por la barandilla. Pilar y Margot oyen atentamente el discurso del joven rey; con frialdad y semblante imperturbable escuchan los inevitables elogios de su hermano a Franco: «Su recuerdo será siempre para mí una exigencia de comportamiento» (cuarenta segundos de aplausos). Y también la mención al padre ausente, que está viendo la ceremonia por televisión en París: «El cumplimento del deber está por encima de cualquier circunstancia, como me enseñó mi padre desde la infancia» (ocho segundos de aplausos por parte de media docena de procuradores), con voz casi exhausta; pero esta evocación no las conmueve, solo ellas saben que hace tiempo que padre e hijo no se hablan. Solo ellas comprenden los días terribles, la sensación de traición y fracaso que siente Juan de Borbón, el hijo del último rey de España.

Ambas están al tanto, en esta hora suprema, de que su padre ya no será nunca rey, porque el agua no puede remontar río arriba, y no pueden dejar de ver a Juanito como un usurpador. Como lo ven todavía algunos viejos monárquicos partidarios de su padre. Uno me lo dijo muy claro:

—¡Ojalá don Juan hubiera reinado aunque fuera diez minutos para que la cadena no se rompiese y dar legitimidad a esta monarquía!

En los años que han convivido los tres hermanos en Madrid apenas se han visto fuera de algunas ceremonias estrictamente familiares. Como me dijo alguien que las conoció muy bien en aquella época:

—Las infantas fueron muy duras con su hermano.

Juanito las disculpa, porque, al fin y al cabo, se trata de ser fieles a su padre, pero Sofía no las perdonará jamás.

Durante la hora larga que dura la entronización, Sofía recuerda la misma ceremonia que vivió con sus padres, treinta y dos años atrás, en el Palacio Real de Atenas. Entonces ella era una niña, como sus hijas, y era su padre el que iba a ser ungido rey.

Su madre no ha venido. Aunque nadie la ha invitado, ha llamado diciendo:

—No me insistáis, no voy, no quiero que digan que me meto en todo y que os quiero robar protagonismo.

Federica no está en el edificio, pero sí en el recuerdo de su hija, ¡la risa de Federica! ¡Sus manos expresivas! ¡Sus ojos centelleantes! Las voces de los muertos, la tía María, su abuela Victoria Luisa de Prusia, la hija del káiser, su tío el rey Jorge, el general Smuts llenan el silencio hostil que los rodea, basilisa, *agapi mou, in touta Niké*... Y sobre todas las voces, la de su padre, el buen rey Pablo, susurrándole al oído en el idioma de la infancia:

—Με τις υγείες σας.

Dios te bendiga, basilisa, corderito, pequeña refugiada, extranjera, las bombas caen, pero no tengas miedo, *in touta Niké*, Dios está contigo.

Solo hay una persona en este lugar, en este país, que puede comprenderla. Sofía levanta la vista. Arriba está su hermano. El rostro serio de su hermano, pálido, ¡él es rey también, también fue entronizado y pronunció discursos y firmó leyes! ¿Total para qué? Todo se ha disuelto como una raya en el agua. Por un instante se miran fija y tiernamente como si estuvieran solos, a Sofía le gustaría llegar con su mano al rostro de Tino, acariciar sus ojos cansados; Tino los cierra como si ya sintiera la caricia leve y, sin poder evitarlo, se echa a llorar.

Ha llegado la hora del cambio. En el plano físico, el escudo, los himnos, las banderas, en el plano político, nada más y nada menos que el sistema. Y en el plano íntimo se va rompiendo hoja a hoja el maldito decálogo de Armada: vida personal impecable, que la princesa y los hijos sean la principal preocupación, que no haya una vida más allá del matrimonio o del trabajo...

Porque, cuando todo terminó, Juan Carlos y Sofía empezaron a escribir una nueva página en la historia de España. Y también en el libro de su vida conyugal.

Pero todavía falta lo más duro.

Al día siguiente, 23 de noviembre, a la una y media del mediodía, el entierro. El féretro, que pesa ciento cincuenta y cinco kilos y es de caoba revestido de plomo, cubierto con la bandera española y con la espada y la vaina de general, llega al Valle de los Caídos sobre un armón del ejército desde la plaza de Oriente, donde ha tenido lugar una misa de *corpore insepulto*. Detrás, de pie, en coche descubierto, su majestad el rey de España, que acaba de recibir una buena noticia. Su padre, después de ver la ceremonia por televisión en el sencillo comedor de sus amigos Charo Treviño y José Luis López-Schümmer, se puso de pie y levantó su copa de champán brindando:

—Por España.

Aunque, fiel a sí mismo, mirando el líquido al trasluz y chasqueando la lengua, comentó:

—A mí el champán siempre me ha parecido una bebida de putas.

Y, de acuerdo con sus consejeros, ha emitido un comunicado desde París en el que dice confiar en su hijo para realizar el cambio democrático en España, le ha enviado un telegrama —«rezo por ti para que Dios te ilumine»— y en privado le ha manifestado que le va a apoyar:

—Juanito, con toda la fuerza de mi legitimidad histórica.

A Juan Carlos una vez más en esos días se le han saltado las lágrimas, pero esta vez de alivio. Claro que también ha conocido la reacción de Carrillo, el secretario general del Partido Comunista, ante la muerte de Franco:

—Juan Carlos es una marioneta... sin ninguna dignidad, un simplón, será rey como máximo unos meses, ¡Juanito el Breve!

Pero no le preocupa. Se ríe incluso. Ha empezado a hacer uso de ese don con el que lo ha obsequiado el dedo caprichoso de Dios, el de la seducción, y después de conquistar a Hassan piensa ir a por el viejo líder comunista.

Y acertó. Poco después de conocerlo, Carrillo exigió que se suprimiera esta frase de la entrevista que se iba a publicar en un libro. Él también había cambiado de idea.

En la basílica y sus alrededores hay setenta mil personas que han venido a despedir al Caudillo. Casi todos pertenecen al búnker y se oyen muy pocos:

—¡Viva el rey!

La multitud grita sin cesar: «¡Franco, Franco, Franco!», y también: «¡Arriba España!», «¡Presentes!». Se oyen algunos gritos aislados: «¡Abajo los Borbones!». Y se entona, cómo no, el *Cara al sol*.

La sepultura espera al Caudillo desde hace dieciséis años, detrás del altar mayor presidido por el Cristo de Beovide, policromado por Zuloaga, construido con un tronco de enebro que había cortado personalmente el mismo Franco. Fue allí donde el Caudillo había indicado al arquitecto el día de la inauguración, en 1959.

—Méndez, yo aquí.

Con lo que queda demostrado que, contra lo que afirma mucha gente en la actualidad, Franco sí quiso ser enterrado en la basílica del Valle de los Caídos y sí expresó ese deseo en numerosas ocasiones.

Suena al órgano el himno nacional, mientras Juan Carlos, de uniforme, con banda negra en el brazo, ojeroso, pálido y solemne, ocupa un sillón al lado del evangelio. Da una imagen tremenda de juventud y de soledad. A su alrededor, obispos, miembros de la casa civil y militar. Muchos trajes militares, sotanas, medallas, condecoraciones, expresiones severas, ceñudas, resentidas o tristes. Augusto Pinochet, el dictador chileno, lleva el uniforme más vistoso. Todos son personas de edad.

El féretro llega a hombros del marqués de Villaverde, colocado en primer lugar, sus nietos Francis y José Cristóbal, su nieto político Alfonso de Borbón, y representantes del Ejército, la Armada y la Fuerza Aérea. La familia tenía un lugar reservado junto al cardenal Tarancón, pero prefieren quedarse de pie, junto a la fosa que espera los restos del Caudillo. Todos, incluso el «príncipe» Alfonso, que desde la muerte de Franco ya no disfruta de ningún trato especial en el plano protocolario.

Durante la larguísima ceremonia, se mantienen agrupados, como dándose calor los unos a los otros. La expresión de sus rostros es triste, pero al mismo tiempo se les ve desconcertados, atenazados por las dudas respecto a su futuro. Miran a su alrededor con aprensión y miedo. Ya no son la primera familia del país, no se hacen ilusiones acerca del amor que les puedan tener los españoles, y a pesar de las seguridades que les da Juan Carlos, piensan que quizás sea preferible alejarse de España. Se barajan varios destinos. Filipinas y Miami son los más probables.

Pedro Macías retransmite con un susurro sobrecogedor la ceremonia por Televisión Española. Los Franco, al borde de la fosa en la que va a ser enterrado el Caudillo, se tambalean, y alguno parece que vaya a caerse. La tensión es tremenda. Del fondo del templo surge una voz:

—¡No al rey!

La familia, con los ojos fijos en el suelo, como si no hubieran oído nada, finge rezar.

Juan Carlos, desafiante, sigue mirando al frente.

Un destello de satisfacción se vislumbra en los ojitos maliciosos de Carlos Arias Navarro, el presidente del Gobierno. Se lo va a poner muy difícil al nuevo rey. Vamos, si se lo va a poner difícil.

Sofía se ha quedado en Zarzuela, necesita retomar, aunque sea momentáneamente, el pulso cotidiano de su vida, estar con sus hijos, pasarles los deberes, firmar sus notas —la profesora de los niños comentará que ese día firmó once boletines con un enérgico «Sofía, reina»—, incluso, en un momento dado, cuando sus hijos ya están cenando, se sienta para escuchar en silencio *La Pasión según San Mateo*, de la que el rey Pablo dijo mientras agonizaba:

—Nunca se ha escrito una música más grande.

Le pide fuerzas a su padre.

Y en lugar de pensar en su futuro de reina, por el que tanto ha luchado, por el que tantos sinsabores ha debido padecer y muchos de ellos causados por la familia Franco, no puede apartarlos de su pensamiento;

Luego lo contaría:

—Pensaba en los Franco, ¡para ellos todo iba a ser diferente! Tenían que salir del palacio de El Pardo, tenían que perder su estatus de ser la familia más importante y más poderosa de España, tenían que dejar de mandar. Por fuerza les sería costoso; yo me ponía más en su piel que en la mía... y me propuse tener con ellos las máximas atenciones y darles todas las facilidades del mundo que estuvieran en mi mano.

Generosas palabras también las de ella, con toda la grandeza de una reina. Lo había aprendido de su madre:

—No pienses en los agravios... solo refiérete al pasado para agradecer y perdonar...

Generosidad que corrobora el rey:

—Los Franco sabían, porque yo se lo había repetido hasta la saciedad, que mi primera preocupación cuando estuviera a la cabeza del Estado sería impedir por cualquier medio que se hiciera un memorial de agravios cometidos por el régimen franquista…

No hay ninguna mención a su primo, Alfonso de Borbón. Había jugado demasiado fuerte y los reyes se limitaron a borrarlo de sus vidas. Automáticamente, también quedó borrado de la Historia de España. A partir de entonces solo brillaría en las revistas del corazón.

Los últimos compases de *La Pasión según San Mateo* se extinguen al mismo tiempo que cae la noche sobre Zarzuela.

Sofía se repite en ese primer momento de soledad que Franco ha muerto y con él un periodo de su vida.

Duro y apasionante. En esta travesía azarosa ha consumido su juventud, pero, como Ulises, ha llegado por fin a su Ítaca. Tal vez, en el umbral de su nueva vida como reina, recuerda también el poema de su compatriota Constantino Cavafis:

*Has disfrutado de tu largo viaje,*
*ha estado lleno de peripecias, peligros y experiencias*
*y muchos días de verano.*
*No esperes que Ítaca te enriquezca,*
*quizás no tiene otra cosa que ofrecerte*
*mas que este hermoso viaje.*

Se encienden las luces de toda la casa; un grito:

—Sofi, Sofi.

Entra Juanito atropellándose, se agacha cerca de su mujer y le dice con un fondo de temor en sus pupilas, ¡suya es ya la responsabilidad, ya no caben excusas, nadie a quien echar la culpa!

—La gente quiere cambio… no podemos defraudarles, Sofi. ¡Tenemos que hacerlo bien!

Sofía le coge las manos con entusiasmo, atrapa sus ojos con sus ojos para darle fuerzas, y con su tono de voz alto y bronco, con la sonrisa deslumbrante de Calypso frente a Ulises, le dice:

—Juanito, ¡va a salirnos bien! ¡En España está todo por ganar y hay más ilusión que miedo!

## *Capítulo 10*

—Elena, vamos a dar una sorpresa a papá, que está cazando. —Una Sofía alegre y desenfadada se volvió hacia la nueva gobernanta, Mercedes Soriano—. Mercedes, por favor, prepare a las infantas y al príncipe.

El rostro de Elena se iluminó, porque tenía doce años y su ídolo era su padre. Cristina, sin embargo, refunfuñó:

—Yo no sé por qué papá tiene que ir a cazar… no me gusta… pobres animalitos.

Sofía razonaba con ella:

—A mí tampoco me gusta, Cristina, ya lo sabes, pero el pobre papá va para relajarse y descansar…

Era cierto; en el mes y medio que llevaban «de reyes», los días de Juanito parecían tener cincuenta horas en lugar de veinticuatro. Desmontar pieza a pieza el régimen franquista, que había tardado cuarenta años en forjarse, era un trabajo ímprobo que necesitaba todo su esfuerzo, y el nuevo rey mantenía una actividad frenética. Arias, «el desastre sin paliativos», se agarraba a su cargo y era un lastre muy pesado para «ir de la ley vieja a ley nueva», según el argumento de la transición política ideado por el consejero de Juan Carlos, Torcuato Fernández Miranda.

Ya apenas quedaba nada de aquella España de sacristía y tente-tieso. Doña Carmen había dejado El Pardo entre lágrimas, mientras una pequeña orquesta tocaba el himno nacional y un grupito de personas gritaba:

—¡Viva Franco, muera el rey!

Claro que ella no tenía nada que reprocharles a los Juanitos. Le habían concedido el título de Señora de Meirás y le habían prometido:

—Tranquila, nada de venganzas.

De todas formas, cuando la familia Franco hablaba en la intimidad, sospechaban que era Sofía la que había impedido que El Pardo se convirtiera en un museo del franquismo, como era su deseo, y era contra ella contra la que se dirigían todas las invectivas.

Quizás tenían razón. La reina era la que había sufrido las humillaciones más sutiles, y carecía de la mala memoria para los agravios típica de los Borbones, que ella achacaba a la volubilidad y falta de carácter de los latinos.

Pasado el primer momento de emoción, cuando dijo que su recuerdo compasivo había sido hacia la familia Franco, se impuso la dura realidad. ¿Cómo olvidar el desplante de Villaverde el día en que nació la infanta Cristina? ¿Y lo del whisky al príncipe? Sofía es constante en sus afectos, pero también en sus rencores.

Alfonso de Borbón, la espada de Damocles sobre Juanito durante tantos años, abandonado de todos languidecía como una planta sin riego. Su matrimonio,[1] también:

—La muerte del Caudillo tuvo repercusiones en nuestra historia personal. El clima moral se degradaba, los valores familiares se desintegraban, el matrimonio empezaba a estar pasado de moda, todo exaltaba las parejas en situación irregular, las aventuras sentimentales y las situaciones escabrosas.

Quizás no estaba pensando únicamente en sí mismo cuando hablaba de esta manera en sus *Memorias*.

En medio de movimientos telúricos propios de un alumbramiento conflictivo, huelgas, manifestaciones, detenciones, atentados de uno y otro signo, el rey tardará ocho meses en sentirse lo suficientemente fuerte como para pedirle a Arias la dimisión. Son demasiadas preocupaciones para sus hombros, y como ya no necesitaba ni temía a su primo, se limitó a apartarlo de su camino. Sin rencores.

Quizás él hubiera podido llegar a sentir misericordia por Alfonso. Pero Sofía no le había dejado, con unas palabras tajantes:

—No se lo merece; él no lo haría por ti.

Como en el fondo Juanito sabía que tenía razón, simplemente le comunicó al servicio:

—Cuando telefonee don Alfonso de Borbón Dampierre, no me pasen las llamadas.

Don Juan refunfuñaba en Estoril y todo le parecía mal. Villa Giralda tenía ya el aspecto vacío y destartalado de las casonas en las que no vive nadie. Sus primeras Navidades como padre de rey habían sido muy solitarias, nadie le había invitado a ir a España, las relaciones con Juanito estaban muy mal y, a pesar del comunicado emitido desde París, no podía dejar de verlo como un suplantador. Sofía no hacía nada para suavizar el trato entre padre e hijo. Por Navidad, Sofía prefirió invitar a Zarzuela a su hermano, su cuñada y sus sobrinos, también a su hermana Irene, y después se los había llevado a todos a pasar el fin de año al Valle de Arán. Cogieron una planta entera del hotel Montarto.

¿Y dónde estaba el código de Armada, ese en el que se le exigía al príncipe el cuidado de la familia ante todo? Tan pesado para Juanito como la losa que guardaba la sepultura del Caudillo, dormía en el rincón más oscuro del cajón más remoto de Zarzuela, aunque es de suponer que Sofía de vez en cuando lo exhumaba y lo leía con nostalgia.

Como me dijo un amigo del rey de aquellos tiempos:

—De repente don Juan Carlos se dio cuenta de que él también era Borbón en «todos» los sentidos.

Curiosamente, en esa nueva etapa de sus vidas, mientras las actividades de Juanito se multiplicaban vertiginosamente, las de Sofía disminuyeron. Se lo reprochaba a su marido:

—Ya no te veo nunca.

Nervioso, agitado, pero aun así con la misma llama juvenil y desafiante en los ojos de aquel chico que en Corfú se enfrentaba a la terrible Federica y conseguía vencerla, le contestaba:

—Sofi, hombre, no me vengas con esas... Tienes demasiada categoría para hacer estos comentarios. Y además, por si no lo recuerdas, tengo que reinar en un país al borde de la guerra civil...

Sofía se callaba avergonzada, ¡es verdad! ¡Cómo podía molestarlo con estas cicaterías!

Suspiraba. ¡Al final habían conseguido ser reyes! Lo habían logrado. Su lucha sin desmayo, sin deserciones pero también sin piedad, que les había llevado a levantarse frente a sus padres y el mundo entero, a disimular, a callarse, a mentir incluso, había tenido su recompensa.

Sofía no entendía por qué entonces estaba tan triste.

Como en una depresión posparto, ella, que nunca las había tenido, se sentía vacía y desalentada. Espiaba a su marido. Lo observaba a hurtadillas cuando hablaba por teléfono. Se había dejado patillas, ahora venía de Barcelona a peinarle el peluquero Iranzo. Llegaba con sus gafas modernas, su cerrado acento catalán, con su maletín y los instrumentos que solo utilizaba con el rey, y se encerraba con él en una habitación. Al cabo de un par de horas resurgía un nuevo Juanito.

Hasta parecía tener más pelo. A veces Sofía sospechaba que llevaba un postizo, pero nunca se había atrevido a preguntárselo.

Iranzo también era el responsable del nuevo dibujo de sus cejas. La muerte de Franco había servido también para estas cosas nimias: ya no se consideraba afeminado que los hombres se quitaran esos pelillos del entrecejo más dignos de una España rural y con boina que del nuevo país que el reinado de Juan Carlos I estaba a punto de alumbrar.

Los trajes de funcionario modesto que llevaba como príncipe de España —ese título, otro pecio del franquismo que se había ido para no volver nunca— habían sido sustituidos por las chaquetas ajustadas al cuerpo como un guante que le hacían en Collado o en Jaime Gallo. Sofía fingía leer una revista y lo veía en escorzo, aguantando el auricular entre el hombro y la barbilla para apuntar alguna cosa en un papel en equilibrio sobre el respaldo de una butaca. Colgaba el teléfono e iba hacia ella para contarle algún cotilleo, pero otra vez volvía a sonar, lo cogía y ahora todo era con un tono más grave de lo normal y alguna risa falsa:

—Sí, no, claro, exactamente, tú lo has dicho.

Sofía entrecerraba los ojos para distinguirlo mejor. Cuando hablaba, metía el dedo pulgar en la parte posterior de su cinturón de cocodrilo, se apoyaba en una pierna u otra; cuando reía, arrugaba la nariz como un cachorrillo y enseñaba los caninos en una mueca un poco feroz; a veces se pasaba la mano por la frente, el nacimiento del pelo, los dedos abiertos, la muñeca ceñida por el reloj de acero.

Esa mano que a ella le gustaría coger y pasársela por la cara.

Sí, en el dedo meñique seguía llevando el camafeo que le regaló Federica.

Estaba delgado, pero tenía buen color; a pesar de sus muchas obligaciones, procuraba dejarse el domingo libre y se acercaba al campo para participar en alguna montería.

Pero ese día era sábado y no domingo. Sábado, 10 de enero.

Juanito lo había razonado así:

—Han adelantado la cacería por mí, pues saben que el domingo tenemos la recepción al cuerpo diplomático.

El viernes había pedido que le dejaran la maleta preparada, pues había que salir temprano. Y contestó impaciente a la pregunta que una orgullosa Sofía no le haría nunca:

—Es una partida de hombres… ninguna mujer, te aburrirías… además, a ti no te gusta la caza, ¿no?

Era verdad. Ella se quedaría en Zarzuela. Contestó:

—Claro, claro, vete, yo tengo mucho trabajo.

Mucho trabajo era preparar sus clases en la Complutense de los sábados; ahora, como tarea, habían de asistir a diversos cultos de distintas religiones, el sábado le tocaba ir a una iglesia adventista y el otro sábado a una sinagoga. Trabajo era organizar el cumpleaños de Felipe. Treinta niños, ocho años, el 30 de enero, y la comunión en mayo. Mucho trabajo era buscar un colegio nuevo para Elena, no se adaptaba al Rosales, con un nivel demasiado exigente para sus capacidades, y Laura le había recomendado el Santa María del Camino, más familiar y relajado, solo de niñas, ¡a las alumnas les enseñaban a cocinar, a coser y cuidar niños! Misa diaria y tareas sociales conformaban un ideario no muy distinto del que preconizaba Pilar Primo de Rivera, que había conseguido que los falangistas, que la obedecían como un solo hombre, se mantuvieran en calma y no entorpecieran la labor del nuevo rey. Las meriendas en El Pardo habían dado su fruto.

Y una Sofía agradecida lo reconocerá después:

—Pilar hizo mucho por nosotros.

¡No tenía a nadie a quien contarle sus cuitas! Solo su madre. Las cartas volaban diariamente a Madrás, con la recomendación de que fueran destruidas de inmediato. Cartas llenas de preguntas, de incertidumbres, de dudas... Es de suponer la respuesta de Federica, ya de vuelta de tantas cosas:

—Hija, disfruta. ¡Tienes todo aquello por lo que has luchado! Relájate... Piensa en lo que daría tu hermano por estar como tú... Busca tu área de actuación, está todo por hacer... Vuela alto, yo no te he educado para que prestes atención a cosas menores que te degradan...

Juanito durante la semana se levantaba temprano y se encerraba en su despacho. Por la noche, entraba tarde en la habitación, tirando cosas, tropezando con los muebles. Sofía oía sus imprecaciones, se incorporaba con sus castos camisones largos hasta los pies y cerrados hasta el cuello (el detalle trascendió no me atrevo a decir cómo) y le preguntaba fingiendo que la había despertado:

—Juanito, ¿pasa algo?

Y el rey contestaba sentándose en la cama y quitándose los zapatos con un suspiro de alivio:

—¡He estado reunido siete horas con Torcuato...! Hemos estado cargándonos levemente los Principios Nacionales del Movimiento, a ver por dónde les podemos meter mano. ¿Te parece poca cosa?

Olía a tabaco, un poco a colonia, a licor fuerte, a cuero y a otra cosa más indefinible. ¿Cigarrillos perfumados, un algo femenino?

—¿Había mujeres?

—Bueno, ha venido Adolfo Suárez, ya sabes que como director de Televisión Española se portó muy bien, y su secretaria, Carmen Díez de Rivera.

Sofía se extrañó:

—¿Conoces el nombre de una secretaria?

Pero ya Juanito se impacientaba:

—Joder, no es una secretaria normal, es la hija de la marquesa de Llanzol… secretaria política, yo qué sé.

Pero Sofía prosiguió, implacable:

—¿Es guapa?

Y como sí lo era, ¡y mucho!, Juanito contestó con malos modos:

—No me he fijado. ¡No me fijo en esas cosas!

La reina por dentro debió de pensar: «¡Y yo que me lo creo!».

Lo peor fue que un día masculló sin mirarla:

—Sofi, me parece que lo mejor sería que durmiera en otra habitación… mientras la situación esté así de difícil, con estos horarios… luego ya se normalizará todo. Voy a decir que me arreglen la de tu madre.

Pero a Sofi esto le aterraba. Y protestó:

—No, Juanito, si no me molestas… haz el ruido que quieras, si tampoco dormía.

Es verdad, ella tampoco dormía, se quedaba largo rato despierta mirando el techo de su habitación mientras se repetía la clase que había tenido el sábado. Llegaba hasta el final y volvía a empezar: «El principio básico del capitalismo, el lucro a corto plazo, no ha variado en absoluto desde que Marx escribió su teoría económica». Repasaba los nombres de todos los escoltas, los cuatro de cada uno de los príncipes, los ocho de Juanito y los ocho suyos, pensaba en que a Felipe le tendrían que poner aparatos en los dientes como los que llevó ella en Salem. ¿Sufriría mucho? ¿Qué podríamos hacer las madres para evitarles a los hijos el dolor y las penas? ¿No hay un camino, una fórmula?

Felipe, dando formalmente la mano, como el rey. Felipe, con corbata y traje de Collado porque quería vestir como papá. Felipe, que a veces gastaba bromas pesadas a personas que no podían pegarle un bofetón, es decir, todas, y no se daba cuenta del daño que causaba. Se negaba a pedir perdón, se cruzaba de brazos y todo era por parte del agraviado:

—Déjelo, lo ha hecho sin mala intención, es igual.

Lo que no evitaba que en casa comentaran lo consentido y mal educado que estaba el principito.

Naturalmente, en las biografías sobre Felipe, alguna muy buena, solo se comenta su sencillez, su dulzura, lo bondadoso que era, listo, responsable, buen compañero, dócil, trabajador, disciplinado... ¿Quién osaría decir otra cosa del que va a ser rey de España? Pero Peñafiel, por ejemplo, lo consideraba «consentido, mimado, de mal talante». Balansó, por su parte, opinaba que «de su primer colegio, tan elitista, surgieron sus amigos que de mayor seguirían siendo sus compañeros de holganza». Más adelante daremos algunos ejemplos, pocos, que abundan en esta opinión.

Sofía no tenía complejo en manifestar:

—¡Estoy enamorada de mi hijo!

Pero admitía que Felipe no tenía el encanto de su padre. Aunque ella aquí juntaba las manos y le decía a la Panagia:

—¡Dios te bendiga!

Este pensamiento le hacía sentirse algo desleal hacia su marido, porque en lugar de preocuparla la llenaba de alegría.

Presentía que este legendario encanto la iba a hacer muy desgraciada.

Y otra vez volvía a mirar la esfera fosforescente del reloj, la una, las dos, las tres... A las cuatro y cuarto entraba Juanito:

—¡Joder!, ya habéis vuelto a cambiar los muebles...

Toda la ropa iba al suelo, pateaba los pantalones para sacárselos, hasta que se daba cuenta de que, si antes no se quitaba los zapatos, las perneras no salían. Con un bostezo monumental se metía en la cama y a los dos minutos se oían sus ronquidos subiendo hasta el techo.

Sofía, vigilante y alerta, intentaba adormecerse con el tictac del reloj, y cuando una luz sucia empezaba a colarse por las persianas, se daba cuenta de que empezaba otro día y no quería que empezara.

Por todas estas razones, ese frío sábado de enero se había despertado con una determinación que había puesto alas en sus pies, ¡no podía ser que su matrimonio se resintiese de sus nuevas obligaciones! ¡Tenían que hacerlo todo en equipo, como antes!

No hacía más que seguir el consejo de su madre:

—Tú siempre a su lado.

Mandó llamar a Gaudencio:

—Vamos a ir a la finca donde su majestad está cazando... no diga nada al servicio.

Se puso una falda de franela; no podía acostumbrarse a los pantalones, consideraba que tenía las caderas demasiado anchas, aunque su cintura apenas le había aumentado un par de centímetros. Por encima una capa que se había comprado en Londres en la última visita que le había hecho a Tino, que ahora estaba intentando demostrar que el referéndum realizado en Grecia era ilegal, pues no había podido defender su candidatura. Hasta Federica le decía a Sofía con cierta condescendencia piadosa:

—No tiene posibilidades… pero no se lo digamos, necesita luchar para sentirse vivo. Admitir su derrota sería como si empezara a morirse, y solo tiene treinta y siete años…

Tino, que era el único que continuaba llamándole, con cierta ternura burlona que les llenaba a ambos los ojos de lágrimas: «Basilisa…».

Y ella contestaba compadeciéndose un poco de ellos mismos: «Diádoco…».

El Audi 100 devoraba silenciosamente la autopista en dirección a Toledo. Pasado Aranjuez tuvieron que desviarse por una carretera comarcal llena de baches, pero aun así los pasajeros iban cómodamente sentados, sin apenas sobresaltos. Elena, Cristina y Felipe tenían las puntas de las narices rojas y se las frotaban con sus guantes de franela. Felipe iba leyendo *Tintín en el País del Unicornio*, Elena llevaba colgada del cuello la cámara de fotos que le habían traído los reyes, los de Oriente. Iba señalando:

—Mira, mami, nieve.

Cristina estaba haciendo un dibujo. Sin levantar la vista explicó:

—Es para papá.

Papá le disparaba a un ciervo y al animal le salían alas y se iba volando al cielo, desde donde caían unas gotas de sangre muy roja.

Papá iba con corona.

Sofía los miró con orgullo. Eso nadie se lo podía quitar. Era su obra. Su contribución a esta España que ahora estaba por fin entrando en el siglo XX.

¡Lo contento que se iba a poner Juanito cuando los viera llegar!

Repasó los trajes de las niñas. Juanito muchas veces se impacientaba:

—Pero ¿no las puedes poner un poco más...?, no sé, ¿modernas? ¡Parecen niñas del siglo pasado!

A ella le parecía que iban muy bien, con sus chaquetones azules y sus faldas plisadas.

El austero paisaje de la estepa castellana quemado por el invierno, los pueblos silenciosos que atravesaban con las pobres enseñas de bares y panaderías, las puertas de madera por donde salía alguna anciana con mantilla negra y un misal entre las manos, le daban escalofríos. Se ajustó la capa al cuello. A ella que le dieran pinos, mar azul, olor a salitre; ayer, sin ir más lejos, abrió al azar un armario cualquiera y se encontró unas toallas de playa que se habían traído innecesariamente de Marivent, el palacio que el gobierno balear les había regalado en Mallorca.

Antes de ponerse a reñir al servicio y sin que nadie la viera, había hundido la cara en la tela áspera y rígida, donde se había refugiado el untuoso olor a verano.

—Ya veréis qué sorpresa se va a llevar papá. ¿Qué hora es, Gaudencio?

—Las once, majestad.

—Niños, los cazadores a estas horas estarán descansando. ¿Cómo se llama eso que hacen a media mañana, Gaudencio?

—El taco, majestad.

—Desayunan en la casa y ya veréis la cara que se le pone a papá.

La finca estaba apenas a hora y media de Madrid.

Una hora y media separaba a Sofía de su Monte Calvario.

Hubiera sido tan fácil no ir. ¿Por qué Palo no sujetó a su hija? ¿Por qué los dioses no enviaron una tormenta que inundara las carreteras? ¿Por qué no se hundió el mundo?

Creo que este suceso, quizás el más importante de la vida matrimonial de Sofía y Juan Carlos,[2] ya que marcó un antes y un después en sus relaciones de pareja, merece ser investigado rigurosamente. Yo le he aplicado los métodos que aprendí en mis años de reportera en *Interviú* y he podido trazar una cronología de los hechos y también la versión, no sé si más verídica, pero sí la más verosímil.

Cuando llegaron frente a la casa-palacio, Sofía se sorprendió. Las ventanas estaban cerradas, las persianas echadas. Ningún coche a la vista, tan solo un viejo Jeep. Gaudencio se apresuró a decir:

—Señora, no hay nadie, deben estar cazando todavía... ¿Regresamos? ¡Quizás su majestad ha vuelto a Madrid!

Sofía paseó la vista por la fachada de la casa, algo destartalada, todo daba sensación de silencio y abandono.

—Sí, Gaudencio, lástima... —titubeó, los niños se impacientaban, con los rostros pegados al cristal—. Vámonos, aún podemos llegar a casa a la hora de comer.

Con un suspiro de alivio, el conductor empezó a dar marcha atrás, cuando Felipe se puso a gritar:

—Mira, mami, es *Moro*. ¡*Moro*!

El enorme mastín del rey, el negro *Moro*, avanzaba pesadamente hacia ellos moviendo la cola. Sofía le dijo a Gaudencio:

—¡Pare! ¡Sí está el rey!

Abrió la puerta y les dijo a los niños:

—Vamos.

Rectificó:

—No, mejor esperad.

Pero no le hicieron caso. *Moro* se sentaba sobre sus patas traseras y les daba lametones. Felipe, tan alto como él, se abrazaba a su cuello y el perrazo intentaba desasirse queriendo agasajar a la vez a los tres hijos de su amo.

Todo esto, que normalmente hubiera hecho sonreír a Sofía, ahora le tenía sin cuidado.

Cristina le gritó:

—Mami, el dibujo.

La puerta de la casona se abría, vacilante. Cuando ella ya iba a empujarla con impaciencia, salió el dueño, cerrándola detrás de sí. Se puso firme delante de la reina, abotonándose su chaqueta loden:

—Pe… pero… majestad, señora, ¿cómo habéis venido? Quiero decir, ¿hace frío en Madrid?

La expresión de Sofía era terrible:

—Pero ¿y la cacería?

Carraspeos; el hombre no sabía qué contestar:

—Sí, quiero decir, no…

El grande de España temblaba, muy pequeño, sin saber qué decir. Tuvo que apartarse a un lado para que su reina no lo arrollase. Sofía entró en el enorme vestíbulo en penumbra y empezó a mirarlo todo.

—El rey, dónde está el rey.

Un color se le iba y otro le venía al aristócrata, cuyos antepasados habían participado en las Cruzadas y combatido en mil guerras en las que habían conseguido títulos y medallas.

Pero ninguna batalla tan dura como esta. Sabía, además, que esto significaba su fin social, fuese cual fuese el resultado:

—¿El rey? No está…

—¿No ha venido?

—Sí… pero está en el monte, cazando. —Casi se oían sus meninges crujir por el esfuerzo desmesurado de buscar excusas a una situación inexcusable—. Un montero se hirió y hubo que auxiliarlo… su majestad lo llevó a… no se encontraba muy bien… creo que la perdigonada fue en el culo…

El hombre hablaba a tontas y a locas sin saber ni lo que decía.

Pero Sofía ya había visto, en un descansillo de la escalera, a uno de seguridad del rey que fumaba un cigarrillo… Ahora sí que apartó de un empujón al dueño de la casa y subió ágilmente el tramo sin que nadie pudiera impedírselo. Los escoltas balbucearon:

—¡Majestad!

Uno atinó a golpear la puerta. Sofía, con el corazón latiendo tan fuerte como el campanario de la Almudena, dio un manotazo y la hoja se abrió lentamente. Detrás de ella el dueño de la casa y los policías vieron lo mismo… Dos personas de pie, una falda escocesa que estaba donde no tenía que estar, dos rostros muy juntos, dos bocas que se abrieron al unísono, un grito, dos gritos, quizás tres.

Fueron tan solo segundos. Sofía voló más que corrió al coche, se lanzó al fondo del asiento con el corazón en carne viva sin contestar las preguntas alarmadas de sus hijos y durante el camino de vuelta los campos agostados, yermos, exhaustos después del largo invierno le parecieron el paisaje exacto para su tumba.

La sepultura donde enterró sus ilusiones.

Un ramillete simbólico de flores tronchadas que iba lanzando por la ventanilla:

—Mi matrimonio, mi confianza, la inocencia, Juanito, Juanito, Juanito.

Antes de llegar a Madrid, el sol se ocultó. Qué nube más negra.

Felipe le dijo:

—Mira, mami, se ha hecho de noche.

Sí, anochecía, y no solo en el cielo.

Una situación muy parecida, por eso la incluyo en este lugar del libro, se dio casi veinte años después. Quizás ocurrió muchas más veces, pero yo tengo constancia, por la persona implicada, de esta en concreto, que, afortunadamente para el rey, no tuvo el mismo final que la narrada anteriormente.

El rey estaba también con una amistad particular en Granada. El entonces alcalde, Gabriel Díaz Berbel, al que todo el mundo en Granada llamaba Kikín, recibió una llamada desde Madrid:

—La reina está yendo hacia ahí para reunirse con el rey. Ahora debe estar a la altura de Despeñaperros.

Díaz Berbel corrió a avisar a su majestad, que se alojaba en un hotelito en Loja, La Bobadilla, dotado de lujosas *suites* con extrema privacidad. No lo encontró en su habitación. Pánico, el coche de la reina se acercaba a Granada por una carretera, la C-92, flanqueada de patéticos y premonitorios cipreses, Kikín buscaba al rey hasta debajo de las piedras. Al final, cuando el coche de doña Sofía atravesaba la ciudad camino de Loja, lo vio sentado tranquilamente en el comedor privado tomando una copa, como contaba la poeta granadina Elena Martín Vivaldi: «Sus manos cortaban la flor de la impaciencia».

Kikín solo pudo lanzarse hacia él para decirle:

—Majestad… su majestad… su majestad está llegando, la otra majestad, quiero decir.

Don Juan Carlos preguntó algo alarmado:

—¿Qué quieres decir?

—¡La reina!

Rápidamente, la dama se esfumó, y el rey pasó al bar a esperar con una Coca-Cola compartida con Kikín a que llegara su mujer mientras veía la televisión. Cuando entró, fingió disimular un bostezo y exclamó: «¡Tú por aquí, Sofi! ¡Vaya sorpresa más cojonuda!», mientras le guiñaba un ojo al apurado Kikín, no repuesto del susto.

La de la cacería de Toledo fue la primera.

Todas las infidelidades duelen, pero la primera más.

Cuando Sofía llegó a Zarzuela todo lo veía extraño. No era su casa, no era su país, no era su marido.

¿A quién recurrir? ¿Quién iba a entenderla? ¡Nadie! ¿Sus cuñadas, que tan acostumbradas estaban a los extravíos conyugales de los hombres de su familia, empezando por su abuelo y terminando por su padre, y que todo lo disculpaban? ¡Cómo iban a ponerse a su lado, eran casi unas extrañas! ¿Enfrentarse ellas a su propio hermano, que además era el rey?

¿Su suegra, que llevaba más de cuarenta años aguantando las infidelidades de su marido? Ya podía oír el consejo que le daría:

—Aguanta con resignación, como he hecho yo.

Lo reconocía Victoria Eugenia:

—Los españoles son malos maridos…

¿Sus amigas? Qué amigas, ella no tenía amigas…

Su hermana Irene era una virginal soltera que no podía entender nada. Su prima Tatiana estaba en París, enfrentada a su tío y sus primos por problemas hereditarios. Pero también podía adivinar cuál sería su consejo, no en vano era la nieta de la princesa María Bonaparte, una de las primeras feministas europeas:

—Déjalo, abandona a Juanito, Sofía, ninguna mujer tiene que aguantar eso.

Claro, se dijo amargamente Sofía, ella era una señora particular y encima millonaria.

Sofía, ¿qué tenía? ¿Qué futuro la esperaba si dejaba a Juanito? ¿Incorporarse al circuito de las exaltezas de medio pelo que paseaban su aburrimiento por las salas de ruleta de la Costa Azul, junto al exrey Faruk de Egipto y la exemperatriz Soraya de Irán, cobrando para dar lustre a las fiestas de los nuevos ricos?

¿Meterse en un convento?

Solo había una persona en el mundo que pudiera entenderla.

Su madre. Federica.

Se quería ir, entonces, esa noche, al día siguiente lo más tarde. Laura buscó billetes, combinaciones, la India estaba tan lejos…

Ella exigía:

—Pues que me pongan un avión particular.

Sofía no pegó ojo en toda la noche. No dejaba entrar a Juanito en la habitación, no quería verlo, ni a Mondéjar, ni a nadie, solo hablaría con Federica.

Quería hacerle daño, a su marido. Dijo lo que más podía fastidiarle:

—Me llevo a los príncipes.

—Pero, majestad… el colegio…

—Me los llevo, haced lo que queráis…

Avisaron al colegio, claro:

—La reina Federica está enferma y se desplazan las infantas y el príncipe para verla.

Alguien preguntó:

—La prensa. ¿Qué decimos a la prensa? Se extrañarán de este viaje repentino de toda la familia…

¿La prensa? Sofía pensaba que era el menor de sus problemas.

Rota de dolor, de rabia, masculló:

—Decid que me he ido, que me separo, que no pienso volver...

Suavemente, Mondéjar le recordó:

—Majestad, sin querer entrar en sus problemas personales, le recuerdo que mañana tiene dos actos en los cuales no se puede excusar su ausencia.

Quedaba apurar el cáliz. El domingo había la recepción al cuerpo diplomático en el Palacio Real, que entonces todavía se llamaba «de Oriente». Sofía sabía que tenía que estar allí.

¿Una mujer que no haya sido educada en esta disciplina heroica desde la cuna tendría el valor de tragarse sus lágrimas y aguantar a pie firme después del trago terrible que acababa de deglutir? ¿Se sentiría todavía, más allá de sus sentimientos personales, responsable ante su pueblo y ante la institución?

Vamos a afinar más. ¿Hubiera hecho doña Letizia lo mismo?

La gente piensa que no. Que cogería a sus hijas y abandonaría al príncipe. Yo he hablado con una destacada psicóloga malagueña, por edad muy próxima a Letizia, y me ha dicho:

—Letizia es ambiciosa, por eso ha llegado donde ha llegado. Ella aguantaría exactamente lo mismo que la reina, no por sentido del deber, sino por ambición, ¡después de haber llegado hasta aquí no lo va a abandonar todo por un simple desliz!

Probablemente doña Sofía echó mano de la técnica que le había enseñado su madre, convertirse en espectadora de su propia vida, distanciarse consiguiendo así un dominio total sobre sus emociones.

Ella misma explicó esa técnica y se disculpó:

—Por eso se me pone a veces la cara tan inexpresiva... parezco fría...

Entonces se colocó por primera vez «la máscara» que ya iba a utilizar durante todo su largo reinado, hasta nuestros días. Como en la Comedia dell'Arte bastaba ponerse un antifaz para convertirse en Pierrot o en Colombina, Sofía se puso la careta de reina profesional. ¡Cuarenta años usándola! ¡Es la misma que saca en la actualidad, después de que los diarios y libros aireen públicamente las aventuras de su marido, incluso después de que una agencia de publicidad utilice la efigie de don Juan Carlos como ejemplo de marido infiel en grandes carteles situados en la Gran Vía madrileña!

Con los años, debajo de la pintura brillante que dibuja una sonrisa mayestática y una mirada inexpresiva que no se posa en ningún sitio en concreto, empieza a aparecer el cartón desnudo y humilde. Pero aun así, como en el mástil de los barcos desarbolados por las tormentas y el enemigo continuaba flameando con orgullo una bandera hecha jirones, así el rostro de Sofía continúa siendo un ejemplo de dignidad y de un autodominio tan brutal que parece inhumano.

En ese domingo de enero de 1976, con el corazón destrozado y un vestido de gasa blanco largo hasta los pies, presidió la recepción al cuerpo diplomático. Y por la tarde tuvo que ir al partido de máxima rivalidad, entre el Real Madrid y el Atlético de Madrid, también con Juanito y, además, con el príncipe Felipe. Las cámaras captaron las miradas acongojadas del rey a su mujer. Ella reía. Mañana se iría, sabía que Juanito estaba asustado porque notaba el aliento de Franco en su nuca. ¡Y el decálogo de Armada! ¡El peso de todos los españoles en un país en el que todavía no existía el divorcio y las separaciones estaban muy mal vistas!

Juanito no se daba cabezazos contra la barandilla del palco porque era demasiado alto, pero ganas no debían faltarle.

La reina reía, yo creo que sinceramente. Estaba contenta del miedo de su marido, se sentía poderosa. En su fuero interno debía decir la palabra que se pronunciaba en Zarzuela mucho más de lo que imaginamos:

—J…te.

La prensa, sorprendida por este viaje inesperado, daba cuenta en una nota escueta en el *ABC*, que entonces dirigía Juan Luis Cebrián: «Su majestad la reina, acompañada de sus hijos… llegó el lunes mañana al aeropuerto de Heathrow, donde la esperaban sus hermanos los reyes de Grecia. Comió con ellos antes de proseguir su viaje a Nueva Delhi para visitar a su madre de forma estrictamente privada, ya que se encuentra enferma».

*La Vanguardia*, de forma más explícita, evidenció lo anómalo de este viaje: «Hasta Londres se desplazó en un avión especial de Aviación Civil… Después volaron en un avión de la British Airways.Un portavoz de la citada compañía explicó: "Es un viaje privado sin fecha de regreso"».También contaba que los escoltas fueron obligados a dejar sus armas, ya que «al ser un viaje improvisado no dio tiempo a que se tramitasen los permisos».

Diez días estuvieron fuera. Solo Felipe[3] hablaría de aquel viaje:

—Había muchos mosquitos, solo salíamos de noche… olía mal…

Los teléfonos de Zarzuela echaban humo, el rey estaba reunido permanentemente con su primer presidente de Gobierno,Adolfo Suárez, que había sustituido a aquel desastre sin paliativos llamado Carlos Arias Navarro. Con Suárez, un hombre de su generación, tenía la suficiente confianza y sintonía para contarle la verdad, Mondéjar la adivinaba y lo censuraba sin decir palabra. ¡Juanito no podía mirarlo, porque le parecía estar viendo a Armada, Franco, su padre y el brazo incorrupto de Santa Teresa de Jesús en una misma persona!

He hablado de aquel tiempo con un íntimo amigo del rey. Es difícil transcribir sus palabras sin herir sensibilidades, pero estoy segura de que muchas personas, si supieran lo que me contó, entenderían a la reina, por supuesto, pero quizás también a Juan Carlos.

Solo diré un par de frases.

Yo pregunté:

—¿Una, dos?

El hombre juntó los dedos de la mano haciendo racimo y me contestó:

—¡Así! Después de la muerte de Franco. ¡Así! ¡Se le ofrecían! ¡Todas!

—Fue cuando estuvo con…

Se rio, sardónico:

—¿Una? ¿Solo una? ¡Mil quinientas!

También su íntimo amigo Manuel Bouza, para justificar esta actitud de don Juan Carlos, comentó que un rey «está mucho más expuesto que cualquiera de nosotros a asedios y propuestas». Y además:

—Lo tenía muy fácil, la corona impresiona con su brillo.

Asimismo reconocía que «la simple insinuación de este tema de su relación amistosa con mujeres turbaba a doña Sofía».[4]

Se intentaron maniobras desesperadas para disimular el cariz de ese viaje en una época en la que la presión periodística sobre la familia real era mucho menor que ahora. ¡Ay, ahora, lo que hubiera escrito Peñafiel!

Pero precisamente por ser Peñafiel el único periodista de aquella época que sigue en activo, conocemos una de las tretas con la que trataron de ocultar la realidad de que la reina se había peleado con su marido. El ayudante del rey, José Joaquín Puig de la Bellacasa, le pidió a Jaime que acudiera a la India a hacerle a Sofía unas fotos con su madre, un montaje, como se diría ahora, un paripé para demostrar que se trataba de una simple visita familiar. La reina, incapaz de fingir o de mentir, le hizo llegar a Peñafiel este mensaje indignado:

—¡Ni pensarlo!

Al cabo de diez días regresó. Dos semanas más tarde ya estaba en Cataluña iniciando una visita oficial de cinco días. El rey, nada más poner los pies en el aeropuerto, se ganó el cariño de los catalanes diciendo:

—*Què tal parlo en català? Quan me'n vagi encara el parlaré millor.*

Un hombre vestido con mono de obrero, el mejor golpe publicitario digno de una campaña millonaria diseñada por un mago de la publicidad aunque en esta ocasión fue un gesto espontáneo, se destacó entre la multitud y le dijo:

—Juan Carlos, me gustaría darte la mano.

El rey detuvo la comitiva y le alargó su mano al hombre con un rotundo:

—¡Aquí la tienes!

Llovía y Juanito se negó a ponerse debajo del paraguas, que cedió a la mujer del alcalde. Todos comentaban:

—Qué campechano, qué sencillo, ¡se nota que es un caballero!

Para la reina, sin embargo, no había piropos. Vestida de oscuro, muy delgada, con fuertes ojeras que incluso se atribuyeron en algún momento a un nuevo embarazo, no intercambió palabra con su marido, que, sin embargo, se desvivía para obsequiarla. De su mano pendía, como única nota de color, una rosa roja que le había regalado Bibis Salisachs, la mujer de Samaranch.

Sí se dijo que la reina no se había atrevido a expresarse en catalán «puesto que no lo dominaba». Como de pasada, se mencionaba que la española Fabiola, reina de los belgas, sabía mantener una conversación en flamenco, valón y alemán.

Se alojaron en el palacete Albéniz, donde esta periodista pudo ver un tiempo después, en uno de mis primeros trabajos para la *Hoja del Lunes* que dirigía Carmen Alcalde, los dormitorios reales: dos habitaciones separadas por un saloncito, un despacho y dos cuartos de baño.

El *anxeneta*, el niño que corona las torres humanas o *castells*, les entregó su pañuelo, un gesto habitual en este tipo de espectáculo. Sofía pareció no verlo, el rey se apresuró a cogerlo, lo besó y se lo guardó en el bolsillo. La plaza de Tarragona se vino abajo con los aplausos.

Fueron a la basílica de Montserrat, y el rey se acercó y besó a la Moreneta. Los niños de la Escolanía cantaban el *Virolai* con sus voces limpias e ingenuas:

> *Rosa d'abril,*
> *morena de la serra,*
> *de Montserrat*
> *estel...*

El periodista José María Bayona, asombrado, contó luego:

—Su majestad debe ser muy religioso, porque se emocionó... Se tuvo que retirar un momento para recuperarse...

Su majestad no debía tener la conciencia muy limpia.

Por la noche fueron al Liceo a ver la ópera de Wagner *Los maestros cantores de Núremberg*. La reina, que todavía no se atrevía a llevar corona e iba con la cabeza descubierta, se abstrajo y siguió la música con los ojos cerrados. Al rey también se le cerraban los ojos, pero de aburrimiento. Los españoles, tan poco formados en música que consideramos el súmmun del arte *La del Soto del Parral*, comentamos con satisfacción:

—¡No le gusta la música complicada! ¡A él que le den rancheras!

No sabemos qué argumentos se utilizaron para vencer la fuerte resistencia de Sofía y conseguir que regresara a España a ejercer su *metier*, como lo llamaba doña Victoria Eugenia. Yo aventuro este diálogo entre madre e hija, después de que Federica le recordara que el futuro del príncipe Felipe estaba en juego si no deponía su actitud:

—¿Qué vas a hacer si te separas y renuncias al trono? ¡Mírame a mí! ¿Te gustaría pasar por lo que yo he pasado, vivir como estoy viviendo?

La soledad orgullosa que prefiere el retiro en un piso modesto, el anonimato de un país en el que nadie la conoce, a sufrir los desprecios de los que fueron sus iguales.

¡También podemos deducir las promesas de Juanito!

Porque Juanito también sabía que su futuro, su arraigo en el país del que era rey y en el que quería seguir siéndolo hasta el fin de sus días, estaba ligado al de Sofía.

Lo que sí es cierto es que a partir de entonces hubo separación de lechos. Durmieron en habitaciones separadas, incluso en pisos distintos, un dormitorio en la primera planta, el otro en la segunda y, según me cuentan, no volvieron a reanudar jamás su relación conyugal.

La persona que me lo dijo, cuyo nombre solo he revelado a las editoras de este libro, es digna de toda confianza. Y me lo aseguró.

Nunca más.

Quizás sí que fueron mil quinientas, pero hay dos nombres propios que han salido ya en varios libros biográficos, desde *La soledad del rey*, de Pepe García Abad, hasta *El precio de la libertad*, de Jesús Cacho, pasando por los trabajos de Fernando Rueda, Marcos Torío, Preston e, incluso, Pilar Urbano. Dos nombres propios que se han repetido hasta la saciedad, dos relaciones que empezaron en aquellos años.

Sí, también una de las dos Palomas que hubo en su vida (la cantante pertenece a la primera década de reinado, la modelo a la segunda), una actriz de destape de impresionantes ojos verdes, una actriz jovencita, aunque es difícil delimitar lo que hay de verdad o lo que es leyenda urbana en esas relaciones, obviamente nunca confirmadas ni por el rey ni por sus *partenaires*. Entre las pocas aristócratas, un par de amigas de juventud, otra de nuevo cuño, y otra más que iba contando por Madrid que estaba esperando un hijo suyo.

El rey bromeaba con sus amigos:[5]

—Hay que ir con cuidado con estas chicas metidas a artistas.

Las fijas se renovaban cada cinco años, aproximadamente, las eventuales cada día.

Cuando yo pregunté a propósito de la última, de la que todos dicen que será la definitiva y de la que hablaré más adelante:

—¿Está enamorado de ella?

Me contestaron con toda seriedad:

—Lo está, y mucho, ¡pero este verano ya no lo estará! ¡Se enamorará de otra!

De lo que se deduce que uno no se retira nunca de estas devociones.

No en vano hace muy poco le declaró al amigo tantas veces citado Manuel Bouza, como contaba este en su libro *El rey y yo*:

—Yo, problemas de próstata, ¡nada!

Y el amigo, que no sé si continuará siéndolo después de escribir tantas intimidades acerca de don Juan Carlos, remata con admiración:

—«Todo» le funciona bien, «en todo».

Lo curioso, lo digno de estudio, es que tales historias que van más allá del rumor, ya que han sido contempladas en biografías sesudas y muy gruesas que se venden tranquilamente en nuestras librerías, no hayan afectado a la figura pública del rey, que, a pesar de este comportamiento desleal hacia su mujer y del considerable sufrimiento que le ha causado, sigue siendo mucho más popular que ella. En este país es un punto a favor tener éxito con las mujeres.

Y Juan Carlos, que conoce a los españoles como si los hubiera parido y además es un profesional de la seducción, lo sabe. Hay una anécdota inédita, que revelo por primera vez y que espero no me traiga consecuencias, ni a mí ni a la persona que me la contó. En una ocasión un ilustre escritor y periodista monárquico alertaba a su majestad sobre una posible campaña en su contra por parte de ciertos medios, achacándole comportamientos escandalosos. Don Juan Carlos le escuchaba con paciencia franciscana, hasta que al final explotó:

—Ah, ¿y qué van a decir en mi contra?

Apurado, el escritor le dijo:

—Pues, señor, no sé exactamente…

Socarrón, el rey se puso a reír:

—Dirán que tengo novias, ¿no? ¿Eso quieres decir?

El otro, ya corrido, contestó:

—Pues sí, señor, seguramente.

Don Juan Carlos se puso a cortar tranquilamente la punta de su Cohiba con un cortapuros mientras se encogía de hombros:

—¡Pues que digan que tengo novias! Las tengo, ¿no? ¡Pues a mí qué más me da! ¡Al menos eso sería cierto!

O sea, majestad, con todos los respetos, ¡no caben reclamaciones! ¡Usted dijo que no le importaba!

En junio la pareja real viajó a Estados Unidos en visita oficial para inaugurar una muestra sobre Goya en el Museo Metropolitano y solicitar el apoyo del presidente Ford a la entrada de España en la OTAN. El momento cumbre de la estancia fue una cena benéfica organizada por la Cámara de Comercio Hispano-Norteamericana a base de langosta, filetes de buey y endivias, en el Waldorf Astoria; cada cubierto costaba quinientos dólares. Antes, por primera y creo que por última vez, Sofía se sometió a una rueda de prensa con una docena de mujeres periodistas, quienes debían de creer que España era un lugar primitivo donde las reinas comían de una marmita puesta en medio del poblado, ya que le preguntaron a Sofía con delicadeza:

—¿No se sentirá incómoda en esta cena tan elegante?

Sofía, algo amostazada, contestó con un rotundo:

—Pues claro que no.

Una, queriendo borrar la mala impresión, intentó halagarla:

—Pero a usted no le gustan las frivolidades.

—Ah, eso no —se apresuró a admitir Sofía—. Yo voy a ir, y ya está.

Después le preguntaron cuál era el papel de una reina, y ahí pareció echar mano de las enseñanzas de Pilar Primo de Rivera, porque contestó:

—El mismo que el de cualquier mujer, ayudar a su marido.

Aunque luego, quizás recordando que estaba en la cuna de la igualdad de sexos, completó con un:

—Sin perder su independencia, claro está.

Cuando indagaron sobre si se peleaba con su marido, Sofía sonrió amargamente. Y al cabo de un par de segundos, optó por la diplomacia:

—¿Qué mujer no se pelea con su marido?

Luego le preguntaron por los hijos, pensando quizás que aquí íbamos a correazos detrás de ellos (y algo de razón tenían):

—¿Les pega mucho?

La reina se apresuró a negarlo:

—No. Felipe es abierto y simpático, son dóciles...

Pero tampoco quería dar la impresión de que si no fueran dóciles les pegaría, e intentó aclararlo:

—No estoy a favor de los castigos físicos, hay otras maneras de educar.

Las periodistas se miraron entre ellas asombradas de que una representante de la bárbara España pudiera parecer civilizada. E intentaron aclarar el enigma...

—Claro que usted es griega...

A lo que la reina contestó secamente:

—Mi país es ahora España.

Aunque en España se ensalzó esta respuesta con un rotundo «olé», su brusquedad sorprendió a las periodistas estadounidenses.

Al mismo tiempo que los reyes, se había desplazado a Estados Unidos un avión con miembros de la aristocracia española para asistir a la fiesta del Waldorf. Las periodistas le preguntaron:

—Ese avión lleno de personas de la *jetset*. ¿Son amigos suyos?

Y la reina volvió a responder algo molesta:

—No sé quiénes son, han venido por su cuenta.

Lo que debió de sentar como un tiro a aquellas «personas de la *jetset*», en su mayoría viejos monárquicos de Estoril, que habían hecho el esfuerzo de ir a arropar a sus reyes (bueno, y de paso a divertirse un poco). ¡Un punto más en el memorial de agravios de Sofía!

Cuando se le pidió que definiera al rey, no lo dudó:

—Sincero y abierto.

El *New York Post* no hizo ninguna reseña de esta entrevista, aunque sí contó que Sofía no le había parecido orgullosa a los norteamericanos, que tenía sentido del humor y que en España nunca había dicho algo considerado poco correcto. También que bajo su sencilla apariencia ocultaba una «inteligencia impresionante».

Aunque la entrevista que antecede no se publicó en ningún periódico importante estadounidense, sí lo hizo en los mexicanos. Recordemos que México no mantenía relaciones diplomáticas con España todavía. En *El Universal* apareció una reseña contando que la reina hablaba muy bien el inglés pero era algo seca, también señalaba que «los jóvenes monarcas no son más que una continuación del régimen autoritario de Franco», aunque reconocía que «podían ser un puente hacia la democracia». También valoraba muy positivamente que se hubiera dejado de lado las dichosas alusiones a la Madre Patria tan caras a Franco para cambiarlas por el concepto «naciones hermanas». Un columnista del *Heraldo* precisaba que «Juan Carlos ha entendido que ya somos mayorcitos para tener mamasita».

Ese verano fue el primero que pasaron en Mallorca como reyes, el primero de los muchos que vivirían allí y que llegan hasta nuestros días. El palacio de Marivent estaba siendo redecorado para alojarlos; la reina había intentado llevar allí su gusto particular, tan impersonal y sencillo que hacía sonreír con suficiencia a los decoradores profesionales. Sofás incómodos y muebles de patrimonio. Para el porche encargó unas sillas de plástico apilables,[6] y cuando se le apuntó que rompían la nobleza de la piedra y el cuidado con que se estaba haciendo la restauración, se limitó a decir:

—Me han dicho que aquí el agua es muy calcárea y quedan manchas blancas cuando se mojan con la manguera.

Se le sugirieron muebles de mimbre, y la reina aceptó con un suspiro:

—Si no son muy caros...

En medio del salón instaló, sin ningún complejo, un futbolín para que jugaran sus hijos, y en el porche, al lado de los sillones de mimbre, una mesa de pimpón.

A Sofía se la veía siempre paseando con sus hijas, una de cada mano. Las llevaba a comprar las típicas abarcas mallorquinas a Jaime III, la calle comercial de Palma, donde también está El Corte Inglés, donde compraban protectores solares, camisetas y pantalones cortos. Por la mañana las llevaba a sus clases de vela de Calanova, las iba a recoger, salía ella también en el barco, el primer *Fortuna* que les había regalado el rey Fahd de Arabia. Se ponía en la proa, con las piernas estiradas delante, cogida a los obenques con esas manos que se parecían tanto a las de su padre; el aire marino la llenaba de energía, el mar era el mismo en el que había transcurrido su infancia.

Reflexionaría quizás sobre lo sola que estaba y como, a pesar de no tener todavía cuarenta años, empezaba a añorar el pasado.

En Mallorca, como en Madrid, Sofía no consiguía hacerse con un grupo de amigas, aunque tampoco lo intentaba, a pesar del ambiente distendido que prevalece durante las vacaciones y a pesar también de que muchas personas de su entorno juvenil ahora veraneaban en las islas. Claro que se trataba más bien de amigos de Juanito, que reanudaba su relación con él con gran alboroto y ruido de besos y palmoteos en la espalda. ¡Los años de silencio al lado de Franco estaban tan sepultados como él! ¡Ya se había callado lo suficiente!

A un militar que fue a visitarlo, le dijo:

—Todo puede pasar en el futuro, ¡excepto que Franco resucite!

Estaba el príncipe Zourab Tchokotua, por ejemplo, que había ido con Juanito al colegio de pequeño. Nadie ponía la mano en el fuego por la autenticidad de su título, pero era guapo, simpático y estaba casado con Marieta Salas, de la alta aristocracia mallorquina. Se convirtió en el amigo imprescindible de Juanito, siempre dispuesto a servirle; le buscaba mesa en los restaurantes de moda, le presentaba a las personas más interesantes, a los hombres más ricos, a las mujeres más guapas. Le organizaba cenas en Puerto Portals de hombres solos, salidas en barco particulares, partidas de cartas en grandes casas mallorquinas en las que el servicio se retiraba a medianoche... Como es natural, Sofía le cogió una tremenda ojeriza.

También Manuel de Prado y Colón de Carvajal, diplomático entonces presidente de Iberia, considerado uno de sus mejores amigos, si no el mejor, veraneaba en Mallorca. A pesar de sus apellidos rimbombantes, Prado no es noble, ni siquiera es español, nació en Chile. Es todo lo contrario que Zourab: discreto, callado, le gusta pasar desapercibido, se relaciona poco y, además, es un gran experto en temas financieros. El hombre ideal, vamos, para convertirse en administrador de don Juan Carlos, aunque al principio no hubiera mucho que administrar.

También estaba en Mallorca una conocida aristócrata internacional con su marido. ¡Cómo olvidarse de su alegre sensualidad cuando, siendo adolescente, alborotaba las noches mediterráneas del *Agamemnon*! Seguía siendo bellísima, encandilaba con sus profundos ojos verdes en contraste con su piel muy bronceada, era artista, algo *hippy*, ¡«la princesa rebelde», la llamaban las revistas! Hacía esculturas, pintaba, y con sus aretes dorados en las orejas, sus camisas escotadas de hilo, sus faldas amplias, se asemejaba a una buhonera de lujo.

Ella y su marido eran aficionados a la vela también, y a veces, pocas, hacían excursiones junto al *Fortuna*, echaban el ancla en la isla de Cabrera y se bañaban mientras la tripulación les preparaba un aperitivo en cubierta.

También María Gabriela, la novia de juventud de Juanito, empezó a pasar los veranos en Ibiza, ya separada de Robert de Balkany. Me cuenta un conocido suyo que es un clásico del verano que el rey se aproxime privadamente hasta la isla en uno de sus helicópteros para pasar una tarde con Ella. Solo, sin la reina.

La reina no consiguió penetrar nunca en el círculo mallorquín de los amigos de su marido. Había una raya entre ella y los demás. Cuando Juan Carlos estaba en el Club Náutico hablando con sus compañeros de regatas, bromeando con los periodistas, y llegaba Sofía, si el rey la oteaba de lejos, no tiene inconveniente en levantar la reunión al grito de:

—Vámonos, que llega la reina.

Pero a veces la veía cuando ya casi estaba encima de ellos. Con la «máscara» de su sonrisa, sus faldas tobilleras, sus alpargatas, su cinta en el pelo, Sofía se acercaba pesadamente al grupo.

El ambiente se volvía rígido, formal, los hombres, en bermudas y zapatos náuticos, empezaban a arrastrar los pies y a pretextar tareas urgentes a bordo del barco, las mujeres hacían una apresurada reverencia, aunque no se atrevían a irse y se quedaban, achicharrándose bajo un sol de justicia. Si Sofía arriesgaba una tímida broma con su estremecedor acento prusiano para distender el ambiente: «Hoy parece que no hay nada que hacer, ¿no?», los concurrentes se ofendían, cuando si este comentario lo hubiera hecho el rey, se habrían muerto de la risa.

María Gabriela, en los versos que le dedicó cuando eran novios, decía de Juanito «es bueno sin esfuerzo». Y es cierto, sin esforzarse le cae bien a todo el mundo. La reina, sin embargo, que se esfuerza muchísimo, no acaba de gustar.

Ya había dos bandos enfrentados, el de la reina y el del rey. Eran dos bandos muy desiguales, porque en uno estaban todos y en el otro nadie.

La mencionada aristócrata *hippy* era la más indiscreta.[7] Tiene la sangre tan azul como Sofía y su padre hubiera podido ser rey de Francia, si no hubieran guillotinado a sus antepasados, claro está. No le importaba comentar que Sofía es demasiado sosa, que se las da de «sabihonda» y que Juanito se aburría a morir con ella. Aunque creo que no se ha publicado nunca, es bastante conocida la anécdota que contaba siempre sobre la forma en que Sofía guardaba las «joyas de la corona» de su marido:

—Le han tenido que poner una tanda de inyecciones, y cuando el médico ha llegado a la habitación de Juanito, ¿sabéis con lo que se ha encontrado?

Y cuando ya el oyente aguzaba sus orejas negando, sonriente, con la cabeza, su interlocutora le hacía acercarse con una sonrisa cómplice:

—A Juanito de espaldas sobre la cama, cubierto con una sábana, en la que la reina había recortado un cuadradito justamente en el… allí donde debía pinchar.

Todos reían la anécdota, que se supone le había sido contada por el propio Juanito. La princesa proseguía burlona:

—¡Figuraos! ¡Juanito, al que todas estas cosas le importan un bledo! ¡Pero si toma el sol desnudo en su barco!

Unas fotos tomando el sol desnudo en su barco precisamente, realizadas por el fotoperiodista Antonio Montero, causarían algún revuelo unos años después. Aunque una pacata Casa Real anunció que si el rey tomaba el sol de esta guisa era por consejo médico, don Juan Carlos se lo tomó con buen humor y no dejó nunca de practicar esta costumbre, aunque, eso sí, con más discreción.

La aclaración ridícula e innecesaria de la Casa Real fue hecha, según se dijo en su momento, por indicación de Sofía.

La lenguaraz dama también comentaba lo introvertidos que le parecían las infantas y el príncipe Felipe:

—Son muy poco simpáticos, no tienen tema de conversación con los mayores ni consideración con las personas… son huidizos y poco sociables.

Y explicaba que sus propios hijos —entonces tenía cinco, dos años después daría a luz a otra niña— lo primero que hacían por las mañanas era su propia cama, y que si alguno de ellos daba una mala respuesta al servicio, se ganaban un bofetón. Además se les obligaba a dar conversación a los ancianos de la familia y, sobre todo, a que aprendieran a escuchar a la gente mayor.

También contaba que en Marivent la pareja real tenía dormitorios separados.

Traigo aquí estos comentarios, que nunca han sido publicados aunque muchas personas los conocen, porque es una de las pocas voces disonantes en el coro de alabanzas a los hijos de los reyes de España. Persiste en la familia real una tradición de halagos al poder muy difícil de erradicar; conocemos de los príncipes solo lo que quieren que conozcamos.

Algunas de las pocas personas leales a la reina, sin embargo, creen que estas opiniones malévolas pueden deberse, en el fondo, a algo de envidia. En el lugar de Sofía, podría haber estado ella.

Ser duquesa está bien, pero ser reina es mejor.

¿Se enteraba Sofía de estos comentarios de la íntima amiga de su marido sobre ella? Vivía muy aislada, no tenía apenas contacto con españoles de confianza y, además, ¿alguien se hubiera atrevido a referírselos? Laot hablaba de su mirada helada, que petrifica al que ha cometido alguna indiscreción o había pretendido sobrepasarse. Como me comentó en su día Balansó:

—Los reyes son muy sencillos con el pueblo, ¡pero con sus iguales no admiten ni una incorrección! Yo he visto como por la calle le pedían a la reina «Sofía, déjame hacerme una foto contigo», y ella posaba tan tranquila, ¡pero si un grande de España la trata con familiaridad, es capaz de mirar a través suyo como si no existiese, como si fuera transparente! ¡Te aseguro que sobrecoge!

Claro que Sofía quería demostrar a su marido que ella también tenía su círculo de confianza, e invitó a su prima Tatiana Radziwill, a su marido, el doctor Jean Fruchaud, y a sus hijos, Fabiola y Alexis, de la edad de Felipe, que a partir de entonces se convertirían en asiduos de Marivent.

Se colocaron, como es natural, en el bando de la reina. Tatiana está junto a ella desde que nacieron, y Sofía no tiene secretos para su prima y amiga, que es discreta, serena y tiene una vida familiar tan apacible que es la envidia de todos. Injustamente, los amigos de Juanito, para denigrarlos, los tachaban de gorrones y de muertos de hambre, y por extensión así empezaron a insinuarlo también los periodistas. Nada más lejos de la realidad, ya que la madre de Tatiana, Eugenia, había heredado la mitad de la fortuna de su madre, María Bonaparte, y tenía incluso un fabuloso palacio a las afueras de París. Si Tatiana iba a Marivent es simplemente porque Sofía se lo había pedido y sabía que la necesitaba. La quiere mucho, como denotan[8] estos comentarios:

—La reina ama la verdad, la sinceridad... Es la persona más honesta que conozco. Se toma su trabajo muy en serio; para ella no hay enfermedades, ni mal de altura, es impresionante su fuerza de voluntad y su sentido del deber.

Tatiana, sin embargo, y quizás porque sabía los secretos más inconfesables de Sofía, no simpatizaba con el rey, aunque los dos son tan educados que lo disimulaban. Alta y muy seria, sin ninguna concesión ni a la moda ni a la frivolidad, ¡ni siquiera se tiñe las canas!, tiene una presencia apabullante. El fotógrafo Oriol Maspons me contó que una tarde salía en Barcelona de El Corte Inglés y tropezó con ella en plena Diagonal:

—No sabía quién era, iba sola, pero por su forma de caminar, de mirar a la gente y de levantar la cabeza me di cuenta de que era una personalidad.

Mi amigo se dirigió a ella y le dijo:

—Me llamo Oriol Maspons, perdona, sé que eres alguien, pero no sé quién exactamente.

Ella lo miró con altivez y le contestó:

—¡Soy Tatiana de Grecia!

Al rey tampoco le caía bien su cuñada Irene, y le molestaba que se hubiera convertido en huésped permanente de Sofía. La pobre Irene, que con la edad se había vuelto gris como un ratoncito, parecía que había empezado una amistad especial con el director general de música, Jesús Aguirre, un exjesuita con una fama peculiar y bastante ambicioso. Juanito se vio obligado a intervenir y le dijo a Aguirre:

—Tú, a mi cuñada, déjala en paz.

Como en el caso de Gonzalo de Borbón, Irene no se atrevió a protestar y se resignó a su soltería, que ya preveía irreversible.

Aguirre, meses después, se casaría con Cayetana Alba.

También llegó a Marivent Federica para arropar a Sofía. Llevaba con ella a sus nietos, los hijos de Constantino y Ana María, que todavía no se atrevían a ir a Mallorca. No empezarían hasta el año siguiente y ya no se moverían hasta la actualidad. Cuando van, ponen el pabellón de Grecia en el mástil del jardín de Marivent. Don Juan, siempre a bordo de su modesto *Giralda* dando vueltas interminables a la isla como el judío errante, miraba con melancolía la casa de su hijo, y decía con un suspiro:

—Están los griegos.

Él todavía era persona non grata. No quería causarle problemas a Juanito y se limitaba a comer con ellos en el mes de agosto, el día del cumpleaños de Pilar, que también se había comprado una pequeña propiedad en Mallorca.

Llegó Federica. ¡Y nadie aludió a su supuesta enfermedad, tan grave que había obligado a su hija a viajar improvisadamente a la India! Al contrario, Federica rebosaba salud y energía, había perdido algo de agresividad y amargura y se mostraba alegre, sin esa retranca que la hacía temible.

¡Si incluso había ocasiones en las que la que fue reina de los griegos se metía en la cocina para prepararles unos espaguetis a sus nietos! No lo hacía muy bien, pero sus comentarios atrevidos y muy poco correctos escandalizaban a los niños y los hacían morirse de risa.

Es curioso constatar que aun en vacaciones no se apeaba el protocolo que imperaba en el seno de la familia real. En una circular se advertía que el tratamiento correcto para dirigirse a los reyes era o bien señor/señora, o vuestra majestad, nunca su majestad, que solo se podía decir en su ausencia. Lo mismo con el alteza de las infantas. Al príncipe de Asturias, en concreto, los hombres debían saludarlo dándole la mano e inclinando la cabeza, las mujeres, sin quitar los ojos de los de su alteza, debían retrasar la pierna izquierda y hacer una genuflexión.

Ocho años. En esa época Felipe tenía ocho años, aunque lo cierto es que a las infantas y al príncipe no se les aplicaron estas medidas hasta varios años después. Se lo contó Laura Hurtado de Mendoza a Apezarena:

—Al principio, cuando les llamábamos alteza rezongaban, alteza, alteza, y si les hacíamos reverencias, ellos las hacían exageradas, hasta los pies. También nos costó que los amigos les modificaran el tratamiento.

En la intimidad de la familia también las mejores atenciones iban para el príncipe de Asturias, al que su abuela ordenaba que sirvieran el primero. Como dijo la infanta doña Pilar rememorando sus años de niñez junto a Juanito:

—Es una lata tener un hermanito que, encima de ser el pequeño, todo el mundo le hace mucho más caso que a ti porque va a ser rey.

También la reina confesó sus sentimientos acerca de Tino, el diádoco:

—Los típicos celillos.

Allí, como en Zarzuela, lo primero que había hecho Sofía fue habilitar un apartamento para su madre y para Irene. A Sofía le emocionaba ver como sus hijos querían a su abuela y también como «el sargento prusiano» se echaba por el suelo para jugar con los niños, reptaba por el césped del jardín, corría con los perros y en todo el palacio se oían sus carcajadas y su castellano que casi nadie entendía.

Por la noche miraba con ellos las estrellas con un telescopio que les había llevado de regalo, ponían una tienda de campaña en el jardín y dormían allí, escuchando los pájaros nocturnos y el coro de ranas de los estanques.

A veces se dirigía a un periodista en lo que ella creía un perfecto español:

—Mallorca es muy bonito.

Y el colega le contestaba educadamente:

—Perdone, pero no hablo alemán.

El 7 de agosto posaron en la célebre escalinata de Marivent por primera vez. Las infantas no se separan de su padre y el príncipe de su madre. Elena y Cristina son obedientes y siguen las indicaciones de los reyes y de los periodistas, entonces muy pocos, que acuden a Marivent, mientras Felipe está con la cabeza baja, se le ve molesto y aburrido, de pronto se levanta, se va y es su padre el que tiene que llamarle:

—Felipe, ven, esto todavía no se ha terminado.

De ese día yo me quedo con una fotografía significativa. El rey se deja abrazar por sus hijas, que lo miran con auténtica adoración; él se ríe de sus comentarios, el perro *Baloo* a sus pies. Un poco apartada, Sofía abraza a Felipe, quien, mimoso, apoya la cabeza en el hombro de su madre. Las miradas de Juanito y Sofía no coinciden en ningún momento. Felipe tampoco mira jamás a su padre, y no se suelta del brazo de su *mumy* (así la llama).

Entonces el rey estaba muy atractivo, delgado, con unos insólitos pantalones rojos que se pusieron de moda y que a partir de entonces llevaron todos los señores «bien» en verano. Marcaba tendencia, como dirían los expertos, con mocasines sin calcetines, camisas oscuras, sin afeitar y el pelo ondulado, pero con gomina. Sus pupilas se veían muy claras en el rostro bronceado; a veces tensaba la mandíbula y se le instalaba un latido en una esquina, también a veces sabía poner los ojos líquidos y suaves, tenía las pestañas largas y rizadas, y su mirada podía ser muy turbadora. Era un hombre en la plenitud de su virilidad, que con una palmetada en la mejilla, un apretón en el brazo, amagando un puñetazo cariñoso, conquistaba a hombres y mujeres, ¡nadie se le resistía! ¡Si hasta decían que Ceaucescu, el tirano rumano, babeaba por el rey de España!

A veces, cuando tenía mucha confianza, aprovechaba esos abrazos para atraer a su interlocutor a su oreja buena y deslizarle alguna indiscreción. A Kikín, por ejemplo, el alcalde de Granada que más tarde fue senador y al que, por tanto, vio frecuentemente, le pegaba un abrazo y aprovechaba para decirle en voz baja:

—¡Mi salvador! ¡De menudo trago me salvaste!

En otras ocasiones, no le importaba decírselo en voz alta delante de otras personas, incluso perfectos desconocidos.

—Es mi salvador, él ya sabe por qué.

Kikín se asombraba de la audacia de su majestad.

Otra de sus armas de seducción era la memoria legendaria de los Borbones, y no solamente para miembros de la nobleza, sino para un simple camarero:

—Tú eres Martínez y estabas en Horcher el año pasado, ¿cómo está tu mujer?

La reina, sin embargo, ¡ay, la reina!, todavía no había cogido la pauta indumentaria de los nuevos tiempos. Faldas anchas a la rodilla, pantalones que bailaban alrededor de sus piernas, empezaba a echar mano de los blusones largos de los que tanto suele abusar y de los colgantes de aspecto vulgar con piedras de colores.

¿Por qué ningún peluquero le ha aconsejado en estos años a Sofía un nuevo peinado?

He intentado averiguarlo, y la respuesta siempre es la misma:

—Su majestad no quiere cambios. —Y después, un batallón de respuestas vagas—: Las tiaras… el mismo perfil en todas las monedas… la reina de Inglaterra también siempre se peina igual…

Su primer peluquero, Isaac Blanco, intentó darle un aire más desenfadado y juvenil a su pelo y se quejó de que lo hicieran entrar por la puerta de servicio de Zarzuela.

Sofía sonrió. No le dijeron nada.

Sencillamente, no lo volvieron a llamar. Su sucesor, Fausto Sacristán, ya no se atrevió a aconsejar cambios.

La misma Sofía reconoce que tiene la cabeza grande. ¿Por qué magnificarla entonces con un peinado tan hueco, cuando una melena lisa hasta los hombros estilizaría su rostro? Tiene el cuello muy esbelto, es cierto, pero este detalle deja de ser bonito cuando el largo cuello está coronado por un peinado tan redondeado y voluminoso. En Mallorca se limitaba a ponerse una cinta ancha que todavía remarcaba más la rotundidad de su mandíbula.

Parecía que considerara que prestar atención a esas cuestiones rebajaba su papel como reina. Que quizás era inversamente proporcional a su papel como esposa.

Aunque en Mallorca ella también «marcaba tendencia». Puso de moda las abarcas, esas sandalias con suela de neumático que empezaron llevando los *hippies*, y también las alpargatas, relanzando ese calzado de cáñamo típico de los payeses de la zona. Hoy en día la marca Castañer, por ejemplo, se ha convertido en un imperio gracias al empuje que le dieron la reina y las infantas. Que, por cierto, acuden todos los veranos a adquirir sus *espardenyes* y sus abarcas a Jaime III, pagando siempre religiosamente.

Aunque el primer verano la reina se limitaba a chasquear los dedos y entraba otra persona en la tienda para abonar el importe.

En cuanto al tema de la memoria, a Sofía le molesta que únicamente se refieran a don Juan Carlos. Ella y la mayoría de las personas reales la tienen también, ya que no se debe a una cuestión genética, sino a puro y simple adiestramiento. Tanto ella como Juanito habían hecho desde pequeños ejercicios para recordar nombres y rostros, era parte de su trabajo. Sofía también se dirige a los periodistas y les dice:

—Tú eres Marta, antes estabas en *Informaciones* y ahora estás en *Diario 16*.

Pero las reacciones no son las mismas como con Juanito. Un poco asustados ante lo que ellos interpretan como una expresión severa, los periodistas contestan:

—Sí —pensando que algo habrán hecho mal y que ahora llegaba la reprimenda—. Desde hace tres meses.

Muchas veces la misma reina aclara:

—No, que muy bien, que te felicito por el cambio.

Tengo un amigo periodista que pertenece al entorno balear que me dice:

—¡La reina, cuando te da la mano, te riñe!

Cuando le pido que me lo aclare, me explica:

—Bueno, te da indicaciones, te la tira abajo porque se la has dado demasiado alta, o te sube ella sola su mano a tu boca para que la beses, pero si depositas los labios en la mano, te la aparta rápidamente... Y lo que más te impresiona es que su rostro no cambia, nadie se entera, pero tú estás ahí, recibiendo la bronca *in ocultis* y pasándolo fatal...

Otro, habitual de las recepciones reales en Madrid, me cuenta:

—Era tremendo cuando estaba la poetisa Gloria Fuertes... Cuando los veía aparecer, les pegaba, no besos, sino lametones, les dejaba las mejillas pringosas, se les colgaba del brazo, y como son tan educados, no podían ni limpiarse, y allí iban los dos con las babas colgando...

Lamentablemente, y aun ella sin quererlo, la presencia de la reina siempre enfría un poco el ambiente. El rey lo sabe y cuando está departiendo con un grupo de amigos en una recepción y la ve aparecer, dice en voz baja:

—Uf, me voy, que viene la reina.

Y a veces también:

—Rompan filas.

Como el rey está algo duro de oído, a veces levanta la voz, y como sus interlocutores nunca están seguros de si la reina lo ha escuchado, quieren reírse para halagar al rey pero sin que les vea la reina, y eso obliga a unas contorsiones faciales dignas de esos mimos que ya únicamente vemos en los semáforos de las grandes ciudades y que nos dan tanto miedo.

En una de esas recepciones la reina tuvo uno de los pocos rasgos de humor que le conocemos públicamente.[9] Era el día de Corpus Christi, en un acto en el convento de las Huelgas Reales. Juan Carlos se aburría y quería irse, pero Sofía se quedó rezagada hablando con un grupo de religiosas. Envió al amigo obsequioso a buscarla, y este le dijo discretamente:

—Señora, dice el rey que si pensáis meteros a monja de clausura…

A lo que ella contestó:

—Dile que no sería malo que se metiese él.

En 1977 se legalizó el Partido Comunista y se celebraron elecciones generales, que ganó la UCD de Adolfo Suárez, con el que el rey siguió teniendo muy buena relación, aunque le molestaba un poco la creciente popularidad del político abulense. ¡Después de Franco, Juanito no iba a consentir que nadie le hiciera sombra! Al año siguiente, los españoles votamos una nueva constitución, que salió adelante con el 87,79 por ciento de los votos, y sin que ningún Fraga Iribarne tuviera que hacer magia con las urnas, como pasaba en aquellos lejanos tiempos de los referéndums franquistas.

El 2 de noviembre Sofía cumplió cuarenta años. Hacía cuarenta años que nació la basilisa, sobre una mesa del palacio de Psychico. Llegó al mundo ante los ojos extasiados de sus padres, Palo y la prinzessin Freddy, casi tan niña esta como lo son sus hijas ahora. A Sofía le gusta mirarse las manos: son las de su padre, dedos largos, uñas cortas, las venas cada vez más marcadas, los nudillos cada vez más abultados. Se sentía algo melancólica en esta fecha. Sí, era reina, lo había conseguido, la pequeña Sofía, entre los centenares de miembros de su familia dispersados por Europa, había sido la única que había conseguido un trono, pero…

El rey, que tenía mucho que hacerse perdonar, le dio una sorpresa. Una fiesta en casa de su hermana Pilar, en su chalé de Somosaguas. Juanito le dijo:

—Pilar nos ha invitado a cenar en su casa.

Sofía aceptó a regañadientes, ¡no le apetecía! Cuando llegaron allí, se abrieron las puertas del salón y gritaron:

—¡Sorpresa! ¡Felicidades!

Eran un centenar de parientes. La primera a la que vio fue a la tía Catalina, la fiel compañera del exilio, con los mismos ojos de Palo, que la abrazó emocionada y le señaló a Sheila McNair, en un discreto segundo plano:

—¡Nursi! ¡Nursi!

Nursi era el refugio, el puerto más seguro y, por un momento, entre sus brazos, olvidó que se había convertido en reina y, lo peor de todo, en una mujer. La mantuvo cogida por el hombro y fue saludando a todos los invitados, los hermanos de Freddy, su tío Christian, que se apiadó de ella en la boda de Ernesto y Ortroud y la sacó a bailar a pesar de su vestido de organza demasiado pequeño y sus dientes salidos. Estaba con su mujer, Mireille, que le dijo a Sofía:

—Soy la única no alemana de la familia aparte de tu marido…

Pero una chica alta y muy resuelta la interrumpió:

—Yo tampoco soy alemana.

Sofía dudó:

—Tú…

—¡Chantal, la novia de tu primo Ernesto!

Ernesto, guapo, alto, rubio, con su mujer formaban una pareja sofisticada que tomaba cócteles y fumaba con boquilla. Chantal le contó a Sofía:

—Tu marido lleva meses contactando con todos nosotros… No podíamos contarte nada so pena de decapitación…

Sofía estaba sorprendida, toda la noche se le fue en:

—Entonces tú, ¿vives en Inglaterra y te has casado con una alemana?

Y el interfecto se explayaba sobre la larga genealogía de su mujer, que estaba emparentada al parecer con todos los nobles del imperio austrohúngaro sin dejarse ni uno, mientras un chico joven esperaba para besar a su prima, que lo reconoció enseguida:

—Hola, Welfo, ¿has traído también a tío Jorge?

Los hermanos de Freddy se habían reproducido largamente, y todo se convirtió en un concierto de erres y carcajadas en tres tiempos, mientras Pilar, a pesar de ser la anfitriona, y la otra hermana de Juanito, Margot, se mantenían un poco al margen, porque las conversaciones eran en alemán y se sentían excluidas.

Los invitados advirtieron que en ningún momento Sofía le dio las gracias a Juanito, y todos creyeron que, enemiga de toda efusión, se contenía para hacerlo en privado. ¡Ellos eran prusianos y se congratulaban de que su prima no se hubiera contaminado con la exuberancia latina, venga besos y toqueteos más dignos de una película de Hollywood que de nobles de sangre tan azul como la suya!

Solo Tatiana sabía la verdad.

Realmente Juanito tenía mucho que hacerse perdonar, porque ese año había estrechado su relación con una elegante decoradora mallorquina.

Un par de semanas después la pareja real fue de visita oficial a Perú, con un grupito de periodistas entre los que estaban Iñaki Gabilondo, Jaime Peñafiel y J. J. Benítez, entonces reportero de *La Gaceta del Norte*. Le doy voz a uno de ellos:

—La reina apenas se hablaba con el rey, se hizo muy amiga de Juan José Benítez, que le hablaba de ovnis y de cuerpos astrales, a ella le interesaban mucho estos temas, decía que su padre había sido un iniciado —el colega aventuraba una opinión—. Yo creo que Juan José se enamoró un poco de ella, hasta le compuso un soneto que nos leyó por la noche en el hotel. Muy bonito.

La reina y el después popular escritor de ciencia ficción visitaron juntos las ruinas de Nazca y mantenían largas charlas en las que él la instruía sobre la huella de los incas en las civilizaciones posteriores:

—No puedo olvidar la atención que ponía doña Sofía, ¡el rey se reía de todo aquello!

Cuando regresaron a España, el grupo de periodistas, a sugerencia de Benítez, decidió hacerle un obsequio a la reina:

—Adquirimos en Perú una piedra presuntamente enviada por los incas desde algún planeta, un ovni, vamos, con unos garabatos que nos habíamos convencido de que eran mensajes a la humanidad.

Pidieron audiencia. Emocionada por ser ella por una vez la protagonista, la reina los recibió en la puerta de Zarzuela, a ellos y a la piedra que pesaba tres mil kilos y que llevaban en un remolque.

—La instalaron en la piscina, donde sigue en la actualidad. Doña Sofía estaba encantada, todo eran exclamaciones de «muchas gracias, qué interesante, así que decís que pone aquí, ah, sí, yo también lo veo».

Y Benítez le hizo una traducción del astral o inca al español.

De pronto llegó el rey. Desenvuelto, estrechando manos, repartiendo abrazos aquí y allí, preguntándole a uno por su caída de caballo, al otro por su mujer. La reina mientras aguardó a que su marido terminara su brillante función teatral con una sonrisa tímida, y al final le dijo:

—Mira, Juanito... un regalo para mí... la piedra... las inscripciones...

El rey se acercó, miró aquellas señales que podían ser letras, pero también cualquier otra cosa, y guiñándoles un ojo a los periodistas, les dijo:

—Ah. ¿Ahí sabes lo que pone, Sofi?

La reina levantó la mirada con un centelleo ilusionado:

—¿Qué?

—¡Beba Coca-Cola, Sofi! ¡Beba Coca-Cola!

La sonrisa de la reina se borró de golpe, como una persiana que se cierra, y todos se sintieron un poco ridículos.

Ninguno de los periodistas que estaban allí sabía entonces nada de la decoradora balear, por supuesto. Diez años menor que Sofía, divorciada, íntima amiga de Marieta Salas y Zourab Tchokotua. Se ha escrito mucho sobre esta relación, pero ella nunca ha hecho ningún comentario, aunque tampoco lo ha negado. Sí cabe decir que en esos primeros años, creyendo que se trataba tan solo de una aventura pasajera, la sociedad mallorquina miró para otro lado mientras la pareja se veía en diversos lugares públicos de la isla. También la rodearon de un cinturón sanitario, y evitaban invitarla, sobre todo si había peligro de que coincidiese con la reina.

Es una mujer atractiva, aunque no vistosa, es elegante más que espectacular, es discreta, tiene una mirada intensa y romántica, una sonrisa prometedora, es interesante y muy femenina. Es el prototipo de mujer que le gusta a Juanito: Julia, Corinne, Berta, todas son así, excepto... la vedette.

Otra relación que se iniciará ese año.

Esta en Madrid.

A la artista se la presentará precisamente su presidente de Gobierno, Adolfo Suárez. Era una actriz de destape de belleza impactante, muy sexy, con las piernas largas, una voz sensual, una simpatía desgarrada, y un descaro lleno de picardía. Si la decoradora era un vino Ribera del Duero, el Único de Vega Sicilia —concentrado, generoso y elegante, madurado en barrica de roble, reposado, aterciopelado, denso, que se queda largo rato en el paladar y cuyo sabor recordamos durante mucho tiempo—, la artista era un vino de aguja «petillante», chispeante, embriagador, que te hace perder la cabeza y cuando te recuperas no recuerdas muy bien lo que has hecho, pero sientes los músculos doloridos, una vaga sonrisa que permanece haciendo equilibrios en la comisura de los labios y el cuerpo feliz.

Cuando estaba escribiendo este capítulo del libro, me puse en contacto con la vedette para que me contara su versión de los hechos y con educación declinó hacer comentarios. Sí me comentó con la voz emocionada:

—Al contrario de lo que piensa la gente, esta historia me ha perjudicado mucho; tanto profesional como personalmente he tenido que pagar un peaje muy alto.

Sofía cumplía con sus compromisos oficiales con admirable dedicación. E incluso iba más allá de lo que le marcaban sus ayudantes o el nuevo jefe de la Casa que había sustituido a Mondéjar, Sabino Fernández Campo. Mientras presidían la solemne constitución del Consejo General del Poder Judicial, Suárez se acercó al oído de los reyes y les dijo con voz grave:

—Ha habido un atentado de ETA en una escuela del País Vasco, en Ortuella.

Sofía no lo dudó. Como tampoco lo hizo cuando quiso visitar a los damnificados por las inundaciones del Vallés. Como cuando fue a auxiliar a las víctimas del terremoto de las islas Jónicas. En unos años en que ETA cometía decenas de atentados al año, en los que la vida de ella, de su marido y de sus hijos corría peligro constante, se fue de la sala de actos, se quitó la peineta y la mantilla y pidió con urgencia:

—Un coche, yo me voy allí.

Suárez no sabía que hacer; el mismo Juanito le pidió:

—Déjalo, Sofi, es peligroso; se te agradece, pero es mejor no complicar las cosas…

No lo escuchó. Como no lo hizo él a los asesores que intentaron prohibirle que siguiera a pie y a cuerpo descubierto el féretro de Carrero Blanco, el presidente asesinado. Ni a los que desaconsejaron el viaje a Marruecos en los días de «la marcha verde».

Sofía lo aprendió cuando era niña, cuando Freddy se la llevaba con ella al último confín de Grecia.

Los reyes están para esto.

¿Era un impulso de madre ir a consolar a aquellas otras madres que habían perdido a sus hijos? ¿Era una estrategia que, junto a su sangre azul, corría inevitablemente por sus venas, que sus diecisiete antepasados reyes habían incorporado a su código genético?

No escuchó. Mandó preparar un maletín. Sin hacer caso a nadie, dos horas después estaba en los hospitales de Bilbao donde habían ido a parar los niños malheridos, y bajó al tanatorio, y se abrazó a aquellas madres, cincuenta, que lo habían perdido todo, porque para una madre sus hijos lo son todo. Allí la informaron de que no había sido un atentado terrorista, sino una explosión de gas propano originada en las cocinas del colegio.

Pero el acto de valor estaba cumplido.

A la salida del hospital, algunas personas la aplaudieron espontáneamente. En el País Vasco.

Una mujer se adelantó; los policías llegaron tarde para detenerla. Asentada sobre sus gruesas piernas de campesina, se paró frente a la reina, la miró fijamente a los ojos y le dijo:

—*Esquerrikasko*.

Fue quizás la primera vez que la presencia de la reina, en solitario, se agradeció de forma sincera, y ahí sí que Sofía mostró una sonrisa leve, pero clara y emocionada.

Quizás no es simpática, no tiene y nunca tendrá el encanto de su marido. Pero es auténtica y su trabajo lo hace bien.

El episodio, en solitario, no se volvería a repetir. Salieron voces airadas del entorno de Zarzuela, achacándole afán de protagonismo, demagogia y riesgo innecesario.

Y es que en el firmamento de Zarzuela solo hay sitio para una estrella.

La vida particular de Sofía, sin embargo, era tan rutinaria que las fotos que se le hacían apenas encontraban comprador. Posando con su madre en la puerta de la nueva casa de la Pleta de Baqueira; en el Valle de Arán, con las infantas, ya adolescentes; en el teatro o en una exposición en Palma; con Irene en el Teatro Real. Mismo peinado, mismo estilo de ropa; su rostro no parecía sentir el paso del tiempo; su sonrisa perenne mantenía sus mejillas sin flacideces; sus ojos se entrecerraban. En persona es más atractiva que en fotografía, porque sus gestos son vivaces y juveniles; sorprende lo rápido que camina, la estrechez de su cintura.

*Sotto voce* se criticaba lo consentido que tenía a Felipe. El que fue su primer ayudante, José Antonio Alcina, comentaría más tarde que cuando Felipe entró en la «edad del pavo»:

—Se quedaba dormido por las mañanas, siempre llegaba tarde al colegio... se descentraba, le tuvieron que poner profesores particulares...

También contaría lo difícil que era para él corregirle, ya que era un simple comandante de una familia sin pedigrí aristocrático:

—Yo debía mantener una actitud de respeto, no decir ni una palabra más alta que la otra...

Y también:

—Tenía que actuar con suavidad y paciencia...

De lo que se deduce que el tan cacareado «que sea un alumno más» distaba bastante de la realidad. Alcina,[10] no atreviéndose a ir más allá en la educación del que iba a ser su rey, concluía:

—Cuando no había más remedio, había que acudir a don Juan Carlos.

No nombraba a la reina, quizás porque Alcina sabía que Sofía era incapaz de ser severa con su hijo, al que estaba tan unida, en el que veía todos los dones de la tierra y que la compensaba de todos sus sinsabores.

—¡Estoy enamorada de mi hijo!

Felipe en el colegio únicamente destacaba en gimnasia e inglés, lo que es natural, ya que es su idioma vehicular, pero sus padres decían, soñadores:

—Tendrá una preparación de primer nivel.

Televisión Española le dedicó al heredero una película propagandística, en la que el príncipe y su padre hacían *footing* por los jardines de La Zarzuela. Felipe echaba a correr y dejaba atrás a su padre. Federico Jiménez Losantos escribió un artículo en *Diario 16*, que hoy resulta premonitorio, en el que fingía horrorizarse: «¡Conspiración contra la monarquía de don Juan Carlos! ¡El príncipe echa a correr dejando a su padre atrás y solo!».

Las imágenes iban acompañadas de una pequeña entrevista que despertó muchas burlas. A la pregunta:

—¿Qué significa para usted ser príncipe de Asturias?

Aquel príncipe, del que sus padres decían que iba a ser el mejor preparado de Europa, contestaba sencillamente:

—No sé.

La Navidad de 1979 Sofía aceptó ir a Villa Giralda.

Se lo había pedido Juanito. A su padre se le había detectado un cáncer maligno, de laringe. El viejo capitán había doblado el petate, por utilizar un símil marinero, y la atroz enfermedad lo atacaba, sabiéndolo ya vulnerable. Había abdicado en su hijo en una ceremonia pobretona que nadie entendió porque nadie se lo explicó.

Emanuela comentó burlona:

—¿No era un rey legal Juanito? ¿Es que acaso Juan era el rey?

El único que estaba emocionado era don Juan. Felipe iba con jersey, y se le notaba aburrido, Cristina ni siquiera había ido, nadie había creído necesario hacerla viajar desde Londres, donde estaba realizando un curso de inglés. Doña María tenía una expresión abatida, llena de amargura.

A Sofía le parecía todo un paripé destinado a contentar al padre de Juanito, que, como un niño pequeño, no se resignaba a pasar por la historia de España como un simple exiliado, y se lo dijo sinceramente a su marido:

—Veo esta ceremonia innecesaria, crea confusión. Que lo haga por carta.

Juan se enteró de este comentario de su nuera, un agravio más que se añadió al principal: Sofía estaba en el trono en lugar de ellos.

Pero Sofía no creía deberle nada a su suegro. Consideraba que no solamente no los había ayudado en su largo y tortuoso camino hacia la Corona, sino que había hecho lo posible para ponerles palos en las ruedas.

La visita a Estoril fue dura para Sofía. No se sentía querida por sus suegros.

En Villa Giralda, Juan se quejaba de que su larga vida de sacrificio por España no le había sido recompensada:

—Soy invisible, solo tengo rango de subsecretario; en una cena oficial me pondrían en la peor mesa… Mejor haría muriéndome…

Se sentía ofendido también porque nadie le había dicho todavía que fuera a vivir a España. Los españoles no tenían un buen recuerdo de Juan de Borbón, ¡ya se había encargado Franco durante cuarenta años de ensuciarlo y difamarlo! Fernández Miranda le había aconsejado al rey que todavía no exhibiera a su padre, ¡eran momentos tan delicados!

Juan no estaba lejos de la muerte, y la veía ya como un descanso. Y Sofía advirtió miradas de reproche tanto en sus suegros como en sus cuñadas.

Juanito recuperó el rostro abatido que tenía mientras estaba en el centro de la tormenta creada por su padre y Franco. Cuando exclamaba:

—¡No sabía que se podía sufrir tanto!

Sofía se puso físicamente enferma, y ella, que era capaz de asistir a un acto institucional con cuarenta grados de fiebre, se encerró en su habitación y ya no salió hasta el día en que regresaron a España.

En enero llevaron los restos de Alfonso XIII al Panteón de los Reyes de El Escorial. La ceremonia fue larga, hacía mucho frío... alguna duquesa había llevado una petaca de coñac y se puso los guantes en los pies... También a Sofía le pareció otro capricho que Juanito quiso concederle a su padre para compensarlo por su derrota. Lo único que contaba en esta nueva España era el presente, Juanito, ella y sus hijos.

Al día siguiente, Juan y María se fueron a Nueva York, a él lo iban a operar en el Memorial Hospital. Después de la intervención, que duró siete horas, para seguir el tratamiento de quimioterapia, cogieron un pequeño apartamento en el hotel Mayfair, donde María le hacía las comidas en una cocinita americana. El matrimonio se mantenía mucho más unido de lo que lo había estado en cincuenta años. Ella le llamaba:

—Almirante.

Y cuando salía de la habitación, su marido le suplicaba con mimo:

—No tardes.

Quizás Sofía se dijera que a esos Borbones solo los rendía la enfermedad. ¿Qué enrevesados pensamientos pasarían por su mente?

La conversación entre ellos fue fluida. Quizás ayudó el hecho de que a Juan se le había prohibido hablar.

Y entonces comenzaron los años de luto. Sofía estaba entrando en un periodo de su biografía, por el que desgraciadamente todos hemos pasado o tenemos que pasar, en que empezaban a desaparecer los que la habían precedido en el camino de la vida. Y lo iban haciendo casi todos a la vez.

Una vez finalizado ese periodo, y después de una tregua, a la que le toca morirse es a una misma.

En diciembre de 1980, el día 14, fue su abuela, la altiva hija del káiser, Victoria Luisa de Prusia, la que rindió tributo a la muerte en Hannover. Tenía ochenta y ocho años y el invierno anterior todavía esquiaba.

Sofía, con la infanta Elena, fue a los funerales y acompañó a quien fue princesa de Prusia, princesa de Alemania y duquesa de Brunswik a su última morada, el imponente mausoleo del cementerio de Herrenhauser Garten en el que yacen todos los Hohenzollern y Hannover que han fallecido. Allí Sofía no era la reina de España, sino una de las múltiples nietas de la última hija del último emperador alemán, Guillermo II.

La severa ceremonia se desarrolló con la grandiosa pompa de la Gran Alemania con la que soñaba el káiser, con representaciones de todas las tierras del antiguo imperio, Baden-Wurtenberg, Brandeburgo, Hesse, Pomerania, Sajonia, Renania o Schleswig-Holstein, de donde proviene su linaje. Precisamente para que dejara un testimonio de su vida única, Freddy había convencido a su madre para que escribiera sus memorias:

—Mamá, yo también lo he hecho, para que mis hijos y mis nietos me conozcan.

Freddy se rio del título que había escogido su madre, ¡la retrataba tan bien! *Memorias de una hija del emperador.*

—Es honrado y carente de imaginación, como ella.

Pero su risa se le cortaba en seco cuando pensaba en todos los años perdidos en peleas inútiles cuyos motivos ni siquiera recordaba:

—Ahora me arrepiento de haber estado tanto tiempo separada de ella.

No iba a estar tanto tiempo. Le faltaban dos meses para morirse ella también y reunirse con Victoria Luisa, las dos almas rebeldes, dignas hijas de su siglo, unidas como jamás lo habían estado en este mundo.

# *Capítulo 11*

Sofía, huérfana ya para siempre, vestida de luto, de negro de pies a cabeza. Sentada en una butaca de orejeras con tapizado de flores, leía en su habitación el último libro de J. J. Benítez, *Incidente en Manises*, que el periodista le había enviado con una cariñosa dedicatoria aludiendo a los días mágicos que habían pasado juntos en Nazca.

Era el 23 de febrero de 1981. En realidad, más que leer, lo que hacía era pasear la vista una y otra vez por el mismo párrafo, «salía por detrás de las montañas y se dividía en varios fragmentos», sin comprender el significado, sin importarle lo que le pasaba al avión, a sus asustados —según Benítez— pasajeros, al ovni, al Ministerio de Defensa y al mundo entero.

La yorkshire *Sancha* se había levantado lentamente de su cojín y primero la había mirado con la cabeza ladeada, interrogativa y con una pata en el aire, después, de un salto, se había subido a su regazo dando varias vueltas sobre sí misma hasta encontrar la postura perfecta. Sofía le acariciaba el pelo sedoso tratando de buscar consuelo en los gestos cotidianos, el latido del mínimo corazón bajo su mano, los huesecillos de la cabeza, los ojos pequeños y negros como las canicas con las que todavía jugaba Felipe aunque ya había alcanzado la provecta edad de doce años.

No dejaba de pensar en los días horribles por los que acababa de transitar. ¡No había podido mirar el rostro de su madre muerta, deformado por la operación de párpados! Pudorosamente, los embalsamadores lo habían cubierto con un velo. Solo había podido besar sus manos cerúleas, que ya no eran sus manos, acariciar el ataúd donde a Federica la mantuvieron en el salón de Zarzuela durante seis interminables días. La caja oscura, de severa caoba con herrajes de plata, contrastaba con la decoración liviana del palacio.

La reina griega al final lo había logrado. Vivir en España.

Este pensamiento hizo sonreír a Sofía, pero enseguida se entristeció al recordar su lucha solitaria para conseguir lo único que su madre le había pedido:

—Enterradme al lado de vuestro padre. En Tatoi.

Nadie entendía el empeño de Sofía:

—Que descanse aquí, en España, majestad. ¿No comprendéis que el gobierno griego se opone a la entrada de vuestro hermano o cualquier miembro de la familia real en su territorio? ¡Es una complicación innecesaria que enturbiará las relaciones de España con Grecia, una relación que nada tiene que ver con estos asuntos familiares!

Pero era un tema en el que Sofía no pensaba ceder. Los españoles, que solo la habían visto serena y sonriente, no hubieran reconocido a esa mujer ceñuda y furiosa que se golpeaba con el puño de una mano la palma de la otra y repetía sordamente:

—Mamá tiene que estar en Tatoi. Si es necesario, me la llevaré a escondidas y la enterraré con mis propias manos.

Todavía entonces, once días después, se ahogaba de ira cuando recordaba aquellos días atroces, desde que cogió el helicóptero en el Valle de Arán para ir a Madrid sin saber si su madre estaba viva o muerta.

Juanito no la había acompañado.

La había dejado sola. Como siempre. Una vez más.

Se le endurecieron los rasgos. Ella, que fumaba tan poco, sacó un cigarrillo de un paquete arrugado y más que fumárselo lo trituró a pesar de las miradas de reproche de *Sancha*, que amagó incluso algún falso estornudo de tísica. ¡Desde que llegó a Madrid hasta que pudo sacar a su madre, pasaron seis días! Fueron seis jornadas de agonía, en las que el primer ministro griego, Karamanlis, se negaba a que la que fue su reina volviera a la tierra en la que quiso ser enterrada.

En Tatoi. Al lado de la tumba de su padre. Tantas veces había leído sus palabras, que su madre reprodujo en sus *Memorias*: «Descansaremos bajo el cielo de Tatoi, que los cervatillos pasen por encima de nosotros y que broten flores silvestres en nuestras tumbas por primavera…».

Irene acudió presurosa desde la India. Estaba aturdida por el *jetlag* y por el golpe, parecía no darse cuenta de que su madre se había ido para siempre. Tino, que llegó desde Londres, sufría tanto como ellas, pero su hermana advertía un poso de orgullo en el fondo de su voz mientras afirmaba:

—No quieren que vayamos porque nos temen… saben que tenemos partidarios…

Sofía asentía, satisfecha.

Para otros será insensibilidad. Para ellos, la institución monárquica está por encima de todo, hasta de sus sentimientos filiales, ¡que se lo expliquen, si no, a don Juan!

Al final Juanito consiguió convencer al gobierno griego, utilizando la astucia y el poder de convicción que había adiestrado, pulido y al que había sacado brillo durante los diecisiete años que vivió a la sombra de su padre y de Franco, «¡los dos viejos!», como los describía en la intimidad. Quería, tal vez, que su mujer olvidara la dureza de aquel viaje solitario desde el Valle de Arán, cuando no había querido acompañarla.

Pero ¿cómo olvidar las aspas del helicóptero repitiendo una y otra vez: «*Mamá einay nekros, antío, mamá*», mamá está muerta, adiós, mamá, *auf wiedersehen, mutti!* ¡Aunque viviera mil años, aunque Juanito se arrastrara de rodillas por los caminillos de grava de Zarzuela subiendo y bajando los escalones picudos como guillotinas, Sofía no conseguiría borrarlo de su mente!

Juan Carlos negoció solo, sin la ayuda de nadie, porque Adolfo Suárez, el presidente de Gobierno que él había nombrado para sustituir a Arias, acababa de dimitir, y el nuevo, José Calvo Sotelo, todavía no había tomado posesión de su cargo.

Claro que el permiso de Karamanlis tenía más de castigo que de victoria: «La república, que en el fondo es humanitaria, dejará que la exfamilia real pise territorio griego desde que salga el sol hasta el ocaso». El edicto tenía ecos homéricos, ¡dicen que cada griego lleva un poeta dentro!

Sofía, al estar casada, tuvo que envolverse en velos negros, como manda la tradición de los funerales ortodoxos. Era un bulto informe, muy parecido a las mujeres con burka que vemos por nuestras calles; sus hijas la miraban con curiosidad, Felipe con algo de miedo. Solo después, en las fotos, el flash desvelaba unos rasgos desmoronados como esas masas de hielo deshechas por las altas temperaturas. Ese ritual antiguo, esa forma de vestirse, tan extraña a nuestros ojos, recordaron a los españoles que nuestra reina era una extranjera que ni siquiera había aprendido a hablar español por mucho que llevara veinte años viviendo aquí. Ninguna amiga estuvo a su lado, no se la vio llorando frente a ningún Cristo sangrante y tenebroso clavado en una cruz, ningún sacerdote la acompañaba.

Caían copos de nieve. Cuando Constantino pisó territorio griego, se arrodilló y besó el suelo de su patria después de catorce años de exilio.

Los cuatro hermanos de Federica, Ernesto Augusto, Jorge Guillermo, Christian y Enrique, marcialmente erguidos a pesar de los años y la derrota de gran parte de sus ideales, recordaban quizás la primera vez que pisaron suelo griego, acompañando a la prinzessin de veinte años que iniciaba una vida singular y que ahora había sido la primera de los hermanos en irse.

—Soy una bárbara del norte que ha venido a Grecia para civilizarse.

Un poco más atrás, con velos negros que las cubrían de la cabeza a los pies, las dos hermanas vivas de Pablo, Helena de Rumanía, reina también, como Federica, como Sofía, ¡en su casa, en Florencia, se habían conocido Palo y Freddy! ¿Cómo no recordar la gracia inigualable de aquella gitanilla de ojos brillantes, cómo no entristecerse por su vida errante, por el desasosiego de su existencia? Una tenue sonrisa se dibujaba en los labios de Helena al recordar los días brillantes del *Agamemnon*, cuando Palo la abrazaba y le decía:

—Aquí estamos, Helena, ¡los cuatro hermanos juntos!

¡Todo, entonces, era verano!

Y Freddy les hacía una foto con una cámara más grande que ella.

Y la otra hermana sobreviviente, Catalina, la fiel compañera del exilio, sollozando al recordar esa vida excesiva y desperdiciada: los hoyuelos de sus mejillas, su risa en la sala del hospital, sus canciones para que sus hijos no oyeran los bombardeos, corriendo por los viejos aeródromos de Sudáfrica con un largo pañuelo al cuello para subir a una avioneta que debía llevarla a los brazos de Pablo.

Catalina susurra:

—*Adelfi*.

Hermana. Adiós, hermana.

—*Antío, adelfi*.

Sin que Sofía lo advirtiera, silenciosamente, se les fueron uniendo príncipes y reyes de viejas monarquías europeas, rindiendo homenaje a la que en vida tuvo tan pocos. Sin pronunciar palabra, tiraban flores, hojas de laurel y romero sobre la tumba de piedra. Juliana de Holanda, Alberto de Lieja, María Astrid de Luxemburgo, Enrique de Dinamarca, el duque de Edimburgo, los antiguos reyes de Portugal, los de Italia, los príncipes de Liechtenstein se inclinaron ante aquella reina exagerada y contradictoria, llena de matices, dotada solo para lo grande. De pie, al lado de la tumba de su madre, rodeada de sus pares, Sofía creía escuchar el coro de *La Orestíada* frente a la tumba de Agamenón: «Honor a nuestro hermano… ¡Ya le es posible ver la luz! ¡Ya se le han quitado sus fuertes cadenas!».

La prinzessin Freddy, la criatura silvestre de los poemas irlandeses, se reunía al fin con el gran amor de su vida, y esta vez para siempre.

Ese día, 12 de febrero de 1981, todos los «soy española», «España es mi país», la peineta, la mantilla, el traje de faralaes con el que se vistió Sofía en una feria de Sevilla, incluso alguna corrida de toros a la que se había visto forzada a acudir, se evaporaron, desaparecieron. En las imágenes veíamos una mujer griega, tan griega como Irene Papas o el Partenón, llorando en una ceremonia griega, en el paisaje que cantó Píndaro: «Ardoroso y quemado, bueno para Minerva, malo para los humanos».

Aquella extranjera era consciente de que, antes de ponerse el sol, habría de colocarse el disfraz de su oficio, ¡reina de España! Pero entretanto, que la dejasen llorar junto a los suyos, en la tierra húmeda rebosante de líquenes, con el ruido espectral de unos truenos lejanos y un sofocante olor a cirios y a rosas pasadas.

De forma confusa, en Madrid, sus asesores percibieron como la reina, dejándose llevar por sus sentimientos íntimos, se había alejado de sus súbditos. Paradójicamente, fue como si el velo le hubiera quitado la máscara, y hubiéramos visto al fin quién era en realidad Sofía.

Apenas se distribuyeron imágenes de ese día, nadie explicó en qué consistía la ceremonia; en realidad se dio a entender que había sido una despedida católica. ¡Hasta muerta, Federica era incómoda!

*Sancha* levantó la cabeza porque Sofía había dejado de acariciarla. La miró con mudo reproche. Sacó la lengüita, y le dejó sobre el dorso de la mano una huella húmeda y afectuosa. Esta señal de cariño quizás fuera la única que había tenido esos días.

Había pasado solo semana y media. Lo peor de todo, para Sofía, no había sido la dureza del gobierno griego, lo peor de todo no había sido sentirse tan distinta de sus súbditos, lo peor de todo era saber que, a partir de ahora, tendría que enfrentarse al mundo en soledad absoluta, empezar una nueva vida sin Federica.

Oyó voces y carreras apresuradas por los pasillos. *Sancha* saltó al suelo y se escondió bajo la cama. Sofía se secó las lágrimas con rabia. Apagó el cigarrillo. Al final fue la doncella, Maribel, la que entró y le dijo, asustada:

—¡Señora, hay tiros en el Congreso!

Se puso en pie, con la mano intentó hacer desaparecer el humo, como cuando estaba en el colegio y la sorprendían fumando:

—¡Tiros en el Congreso! Avisen a la princesa Irene, que está bañándose en la piscina cubierta, y al príncipe. ¿El rey dónde está?

—En la pista de squash, con don Miguel Arias y con don Ignacio Caro... Ya ha sido avisado.

—Nos reuniremos en su despacho, Maribel.

Quería cambiarse de ropa, a Federica no le gustaba que fuera de negro, se lo había prohibido.

¿El futuro sin su madre?

¿Eso creía?

Los fantasmas viven entre nosotros, Pablo lo sabía, Federica también.

Sofía notó una ligera presión en el hombro. No le dio miedo. No se sorprendió. Le contestó sosegadamente:

—Sí, mamá, ya sé que estás ahí, gracias. Intentaré ser digna hija tuya.

A partir de aquí empiezan las doce horas quizás más estudiadas de la historia de España. Multitud de libros, artículos, tesis de doctorado, documentales de televisión, películas se han hecho sobre estas doce horas, por no hablar de las tertulias y entrevistas radiofónicas mantenidas a propósito de este tema. Escritores de izquierdas, derechas, de extrema izquierda o extrema derecha, golpistas implicados, militares, demócratas, tontos, listos, instruidos e ignorantes, canallas y personas honradas, todos han dado su versión de los hechos. Y lo más curioso es que ninguna concuerda.

Nadie se detiene demasiado en el papel de la reina esa noche. Yo voy a enfrentar los dos relatos que me parecen más fiables y que aportan más información sobre ella. El de Pilar Urbano, cómo no, en la única biografía autorizada de la reina, en la que es la misma Sofía la que habla de su propio papel en aquella noche que estuvo a punto de ser la de los cuchillos largos, y las notas manuscritas del íntimo amigo del rey, Manuel Prado y Colón de Carvajal, que pasó la noche junto a su majestad, y que fueron publicadas póstumamente por Jesús Cacho en el periódico digital que entonces dirigía, *El Confidencial*, en el treinta aniversario del golpe.

No coinciden.

La reina, en el libro de Urbano, cuenta: «Vimos directamente el rey y yo los tiros en el Congreso y la actuación de Gutiérrez Mellado, y los diputados escondiéndose detrás de los asientos…». Prado, por su parte, relata: «El rey vio la grabación de la entrada de Tejero en el Congreso, lo de Gutiérrez Mellado, etcétera, en una grabación que llevó a medianoche el equipo que debía grabar su propio mensaje a la nación».

Y aquí da, para mí, una información crucial y muy poco comentada:

—Mandó que se destruyeran las cintas por el daño que se iba a hacer al país, pero le dijeron que ya las habían pasado en televisión y que estaban circulando por todo el mundo.

Otra discrepancia: «Nosotros [la reina y el resto de la familia] no estuvimos en el momento en que el rey grabó su mensaje, no lo vimos en directo, lo vimos también por televisión, como el resto de los españoles». Prado, sin embargo, dice: «Mientras se grababa el discurso, la reina lo miraba sentada en un sillón». También llama la atención que Urbano diera a entender que este discurso lo había escrito el rey, cuando Prado deja muy claro que lo escribieron entre él y Mondéjar. Asimismo, mientras la reina dice que fue Mondéjar quien llamó a televisión para que enviaran un equipo (Picatoste y Erquicia), Prado dice que fue él personalmente quien los avisó.

Según la reina, Constantino fue un gran apoyo, llamó varias veces desde Londres para consolarlos, habló con el rey y le dio su punto de vista. El mismo Tino le explicó a Pilar Urbano que habló varias veces con su cuñado y que no le aconsejó, pero sí le contó su experiencia, por si le podía servir para esa noche tan parecida a la suya.

Según Prado, el rey le dijo, aludiendo a Constantino:

—Quítamelo de encima.

Y también:

—Pienso hacer lo contrario justamente de lo que hizo él.

También llamó don Juan (relato de Prado), que sí habló con su hijo. Estaba en el cine en Lisboa. La reina no menciona esta llamada en el libro de Urbano.

El rey no habló con Armada, según la reina. Según Prado, sí, y a continuación, exasperado, tiró el aparato al suelo.

También lo tiró después de hablar con Milans del Bosch, que estaba sembrando el pánico en Valencia con sus acorazados:

—Saca los tanques de la calle, llévalos a las cocheras y deja de joderme.

Lo contó Prado; Sofía no.

Irene dijo que su hermana estaba serena, tranquila y que fue el alma de Zarzuela, «callada, observando al rey yendo y viniendo, dueña de sus nervios». Urbano, prácticamente, opina que el golpe se paró gracias a ella, ya que su nombre fue un talismán para los militares.

Prado, por el contrario, nos cuenta que:

—La reina estaba inquieta, había vivido el golpe de los coroneles en Tatoi, en directo.

Déjenme introducir aquí una tercera voz, la de Sabino Fernández Campo, que relató esa noche aciaga en sus memorias. Da, para mí, la justa medida de la actitud de nuestra reina, un personaje mucho más humano de lo que sus exegetas nos quieren endosar.

Después de escribir su libro *La reina*, me contaron que Pilar Urbano decía con cierta arrogancia:

—¡A esta reina la he inventado yo!

Para empezar, el relato de Sabino rompe esa imagen del rey y la reina luchando codo con codo para restablecer en nuestro país la normalidad democrática:

—La reina y las hermanas del rey —cuenta Sabino— estuvieron toda la noche en la «saleta azul». A veces venía la reina y daba una idea, pero lo que proponía estaba totalmente fuera de lugar… porque no sabía lo que estaba pasando…

Una Sofía «callada y dueña de sus nervios», según Irene, que propuso, por ejemplo:

—¡Dile al rey que le dé orden a Tejero de que se vaya!

A lo que contestó Sabino:

—Señora, ya lo hemos hecho, pero no quiere.

O también aquella reina «mesurada y tranquila», según Pilar Urbano, que, según Sabino:

—Otra vez vino a decirnos que asaltásemos el Congreso.

Con lo que se hubiera provocado una matanza, dando pie a otra guerra civil, y los españoles quizás estaríamos todavía en la actualidad matándonos los unos a los otros.

Sabino trata de disculpar aquellas insensateces con el mismo argumento que Prado:

—La reina tenía el recuerdo del golpe de los coroneles en Grecia que ella vivió en directo.

Los lectores, que han compartido en este libro la vida de Sofía y conocen todas las vicisitudes de su existencia que yo he tenido la oportunidad de anotar y ustedes la amabilidad de leer, saben que la reina había ido a visitar a su madre a Tatoi, había abierto la puerta del palacio y había visto al mensajero del miedo: un oficial con los tanques de los coroneles golpistas apuntándola. Por eso, cuando después del discurso de su marido en televisión quedó muy claro para todo el mundo, incluso para los militares implicados, que el rey no apoyaba el golpe, fue el momento en que la familia real empezó a tener miedo:

—Cuando todos se fueron a dormir tranquilamente fue cuando nuestra vida empezó a correr peligro.

A mí me parece muy natural que la reina, temiendo por ella, por su marido y por sus hijos, con miedo a un futuro que por desgracia podía prever demasiado bien, no se mantuviese frívolamente tranquila, como una cariátide insensible y estúpida, sino que fuese presa de pánico, siendo capaz de cualquier despropósito.

Otra vez, como en el caso del juramento de su padre y de su marido como reyes, tenía que vivir la historia dos veces.

Eso rompe el equilibrio del ser más templado.

Al amanecer oyeron un ruido bronco de motores y turbinas. Irene y Sofía se miraron aterradas y la reina dijo:

—¡La Brunete!

Era el servicio de coches de línea que emprendía la ruta habitual de todas las mañanas.

Las dos hermanas, en pleno ataque de nervios, sacaron la tensión terrible de aquellas horas de angustia con unas carcajadas incontenibles que les hicieron doblar el cuerpo y apretarse el estómago de risa.

Prado también lo contó, pero referido al rey y a él mismo. Y no eran autobuses, sino grúas de una obra.

Hacía frío, el rey se tuvo que poner una cazadora de aviador encima del traje militar con el que había sustituido el chándal que llevaba por la tarde. El despacho y el salón estaban llenos de humo y en un momento dado la reina había dicho:

—Voy a pedir que preparen algo de cena para todos.

«Todos» eran las hermanas del rey, según unos, en el despacho, se dice incluso que Pilar lloró. Según otros, no pasaron del saloncito. «Todos» eran Mondéjar, Sabino, Valenzuela, Manolo Prado, los dos compañeros de squash, Miguel Arias y Nachi Caro... Urbano dice: «La reina mandó preparar unos bocadillos».

Pero Prado precisa que la reina, fiel a su paladar austero y sobrio, sirvió huevos revueltos, que vienen a ser, en gastronomía, un equivalente a las sillas de plástico en el porche de Marivent.

La interminable noche de piedra pómez se disolvió en un día gris color guerrera militar, los vencejos revoloteando, los huesos doloridos, las camisas por fuera de los pantalones, los dedos amarillos y las voces roncas. Noche de angustia y nicotina, la definió Prado. La reina, que no gusta de palabras solemnes y huye de la lírica y de los vocablos emotivos, se limita a decir:

—Nosotros confiábamos en los militares, y el 23-F fue un chasco tremendo.

Pilar Urbano, hay una pregunta que tengo ganas de hacerte desde que he empezado esta biografía, ¿la reina habla así, como lo hace en tu libro? ¿Dice chasco tremendo, bollo, es un mico, me chifla, estoy de morros, me va la marcha, mangonear, ni fu ni fa, follón, despendolada, patidifusa, vaya pelma, se quedó frito, hala, vaya fardo, es un calvario, es una gozada, qué rabia, echao palante, tiritona, tembleque, tararííí, chimpún? Voy a decir lo que creo.

Me parece imposible que utilice este vocabulario, moderno, propio de jóvenes, pero no de jóvenes como sus hijos, sino de la joven que seguramente fuiste tú, Pilar Urbano. Estas palabras pienso que corresponden al léxico de tu juventud (no sé cuál es tu edad, pero seguro que mi juventud fue distinta de la tuya), ¿estoy en lo cierto? Y como no puedo pensar que vuestro trato haya sido tan asiduo durante muchos años como para que le hayas contagiado tu vocabulario, deduzco que le has atribuido tu forma de hablar para darle más colorido al asunto. No te estoy criticando. ¡Estoy segura de que has sido totalmente fiel a lo que ella ha querido decir! ¡Sabemos que es un recurso narrativo lícito, siempre que uno respete el sentido de la frase!

Le he consultado a un habitual de Zarzuela cómo se expresa la reina. Se ha echado a reír:

—¿Relamida?, ¿cursi? Aunque sigue costándole mucho hablar en español, tiene el vocabulario de un viejo marinero, un tanto cuartelero, que es el que ha aprendido de su marido y de la familia del rey, que son los únicos españoles a los que trata con cierta asiduidad, aparte del servicio.

—Cuando la escuchamos, parece cortante.

—Sí, tiene cierta brusquedad, me supongo que de origen prusiano, aunque las infantas también la tienen. ¿Giros modernos? No me la imagino, la verdad, aunque yo no estoy con ella veinticuatro horas diarias, claro está. Y, oye, eso de que entre el rey y ella hablan en inglés, ¡yo no lo he visto nunca! El rey a ella siempre le habla en español, ¡los idiomas no son su fuerte! Ella sí le contesta en inglés. Si inicia la conversación ella, también lo hace en inglés, y con sus hijos también... Con sus hermanos y su prima Tatiana habla en griego o alemán... Aunque en aquella familia tampoco son de grandes parrafadas... Nadie la escucha demasiado.

El amigo añade:

—¡Claro que desde la llegada de Letizia, el inglés se ha acabado en aquella casa! ¡La única que habla ahora es ella! ¡Y en un castellano muy clarito, que se entiende muy bien!

Francamente, yo, como modesta biógrafa de nuestra reina, hubiera preferido, para certificar su paso por el 23-F, una sentencia digna de figurar en nuestros libros de historia, algo con más enjundia que eso de «¡un chasco tremendo!». También declaró:

—¡No hubo miedo, ni nervios, nadie necesitó tila ni media pastilla para dormir!

En la puerta de Zarzuela, por donde se colaba la luz no solamente de un nuevo día, sino de una nueva era, el rey le dio un abrazo a su intendente y le dijo con ternura:

—Descansa, chiquitín.

Y, recordando que había muerto su abuela tan solo una semana antes, el príncipe Felipe exclamó, según la reina y Pilar Urbano:

—Jo, vaya mes.

Según Prado:

—Joder, vaya mes.

Porque todos sabemos que a Felipe se le obligó a estar en pie toda la noche, según la reina muy atento a lo que pasaba, según Prado jugando al escondite con un amigo imaginario.

Como decía la tía María Bonaparte cuando compartía con la reina su azaroso exilio:

—Hay que vivir la historia y no leerla en los libros.

Juan Carlos pensó que a su hijo le haría bien aprender cómo se hacía de rey. Prado terminó sus notas, escritas en varios cuadernos, con una observación algo cínica, pero para mí muy acertada: «Aquella noche se consolidó de verdad la monarquía de don Juan Carlos, ¡el príncipe Felipe, para lograr lo mismo, necesitará también su 23-F!».

Es cierto que a partir de ese día Juan Carlos recibió el espaldarazo definitivo de la clase política y de todos los españoles. Carrillo, el secretario general de los comunistas españoles, se lo dijo claramente:

—Majestad, gracias por habernos salvado la vida.

Su actitud heroica el 23-F lo convirtió en un dios, y a los dioses no se les piden cuentas de sus actos, no se les juzga, no se les critica. Pueden actuar con perfecta impunidad, porque nadie osará ponerlos en evidencia. ¿Pasar por desagradecido, por mal español, por un nostálgico del régimen de Franco? Todos rindieron armas, las lanzaron al mar ignoto, y la mala memoria, la complacencia, la ceguera, el mirar para otro lado, se apoderaron de comunistas y periodistas, centristas y militares.

Todo le estaba permitido. Él lo sabía.

Y la reina, desgraciadamente, también.

Otra consecuencia tuvo este 23-F para Sofía. Por mucho que se nos diga que ella confiaba en el buen talante y en el cariño de los españoles, esa jornada de incertidumbre y peligro, en la que sus vidas y la pervivencia de la monarquía estuvieron en juego durante unas horas, tuvo para ella un efecto devastador. Le dio medida de la precariedad de ese puesto. Como decía con alegre desenfado Alfonso XIII:

—Si no lo hago bien, me botan.

Lo mismo repetía Juan Carlos, con mayor motivo:

—Si no lo hacemos bien, los españoles nos botarán… el sueldo hay que ganárselo cada día.

¿No llamaban a su madre los griegos *mitera*, no le besaban la punta del vestido, no se lanzaban a su paso para que les bendijese? ¡Y la echaron! ¡Le quitaron sus casas, su dinero, sus joyas y la arrojaron a un mundo hostil en el que ella y sus hijos tuvieron prácticamente que mendigar de sus parientes más afortunados para seguir viviendo!

¡Todos los tronos son provisionales, se tambalean, pueden acabar cayendo!

José García Abad explica en su imprescindible libro *La soledad del rey* que después del 23-F el rey se sintió fuerte para labrarse una fortunita para paliar las penurias de su pasado, haciendo suya la frase de Escarlata O'Hara en *Lo que el viento se llevó*: «Juro no volver a pasar hambre». El rey no quiso reproducir a su alrededor la corte de aristócratas que rodeaban a su abuelo o a su padre en el exilio, pero no pudo evitar que una camarilla de aventureros y aprovechados se movieran en su entorno, que quizás lo enriquecieron a él, pero sobre todo se enriquecieron a ellos mismos, «la corte de los negocios», según unos, las «amistades peligrosas», según otros.

Y aquí García Abad introduce un comentario que me sorprende: «Las penurias sufridas también por la familia real griega en el exilio han generado una actitud similar en la reina. Ante los riesgos del oficio, la pareja real (en este tema) ha permanecido unida, consciente de que en aquella trepidante transición podía pasar cualquier cosa».

¿La reina, que no lleva joyas importantes aparte de las de patrimonio, que no usa pieles, que repite trajes, que se resistía a poner sillas de mimbre en Marivent porque eran caras? ¿La reina, que copia los vestidos de Valentino, cuyos regalos a sus hijas o sobrinas que acaban de tener un hijo son modestas cestas de Body Shop? Una reina que le manifestaba a Pilar Urbano con repugnancia:

—¡Dinero, dinero, dinero! Para conseguir cosas materiales, coches, casas, barcos de recreo, bienestar, pasarlo bien, divertirse a tope, ¡cuando al hombre se le mete aquí la maldita obsesión del dinero, malo, muy malo!

¿Esta reina también intentando labrarse una fortunita «por si acaso»?

*La soledad del rey* fue escrito hace ocho años. En el momento de redactar este último capítulo de mi libro, me pongo en contacto con García Abad para preguntarle si sigue manteniendo aquella opinión o si fue un juicio apresurado del que ahora se arrepiente.

Pepe está a bordo de un barco, en Cerdeña, y a través del teléfono se oye viento y oleaje, aun así su respuesta es clara y diáfana:

—Me reafirmo completamente en esta idea, que me fue comunicada por una persona del más alto nivel cuyo nombre no puedo revelar, muy enterada de los negocios reales y de la vida familiar de los reyes. La reina tenía una auténtica fijación con el golpe de Estado que había expulsado a su hermano de Grecia, y después del 23-F temió que pudiese pasar lo mismo en España. De Grecia se tuvieron que ir con lo puesto, sus hermanos, su madre, su cuñada y sus sobrinos tuvieron que vivir muchos años pensionados por el rey de España. Ella quizás temía que le pudiera pasar lo mismo.

Intento protestar:

—La reina es austera.

—Sin duda, pero sentía una gran inseguridad por su futuro, algo completamente humano y más en un país sin tradición monárquica como el nuestro, ¡que ya ha echado a varios reyes, no lo olvides!

—¿Te ratificas entonces en que la reina era sabedora de las operaciones financieras del rey en negocios opacos de sus amigos? —le pregunto con cierta desilusión.

—Sí, y además te diré que incluso en ocasiones era la reina la que animaba al rey en este camino.

¡Siempre me quedará el recurso de pensar que el interlocutor de García Abad intentaba salvar el papel del rey incluso a costa del de su esposa!

Aunque sí es cierto que la larga sombra que proyecta la expulsión de su hermano de Grecia sigue obsesionando a Sofía. Cuando, tres años después del 23-F y del entierro de Federica en Tatoi, Karamanlis visitó oficialmente España, una visita cuidada diplomáticamente hasta en el más pequeño gesto, todos resaltaron el gran hieratismo de doña Sofía, que no disimuló su desprecio a un presidente elegido libremente por las urnas al que ella culpaba de la caída de su hermano.

Aquí no funcionó la máscara, ni siquiera la más mínima educación. No sonrió ni una sola vez, e incluso, cuando el presidente griego le intentó comentar algún aspecto del reinado de sus padres, lo reprendió:

—Señor presidente, soy la reina de España, no me hable usted de asuntos internos de su país.

¿Cómo no acordarse de la respuesta de Federica al embajador ruso Vichinsky en una recepción oficial, cuando este le preguntó por el origen de sus aparatosas joyas?:

—Eran de los Romanov, ¡esos a los que ustedes asesinaron!

Don Juan Carlos ese día desplegó todos sus recursos, sonrisas, palmadas, chistes, caídas de ojos, para tratar de paliar le frialdad que la actitud de la reina había provocado en la reunión.

En el libro de Pilar Urbano la reina se despacha a gusto criticando incluso la validez de un referéndum convocado por un gobierno democrático. Al día siguiente de la publicación del libro, en el periódico más importante de Atenas, el editorial decía algo por este estilo: «Si la reina de España tiene esta opinión sobre un gobierno legítimamente constituido, que se olvide de venir de visita a Grecia. Nosotros tampoco la queremos».

Eso no fue óbice para que el rey le encargase a Julio Feo, la mano derecha de su tercer presidente de Gobierno, el socialista Felipe González, con el que tan buena conexión llegó a tener, la recuperación de los bienes de la familia de la reina en Grecia. No lo intentó en nombre de Sofía, sino de Tino e Irene. Sofía prefirió que su parte aumentara la de ellos, por sus hermanos es capaz de los mayores sacrificios, es la mayor y la más afortunada y entiende que su madre los ha puesto bajo su tutela. Julio Feo realizó varios viajes a Londres para entrevistarse con Constantino, del que dijo expresivamente:

—Uf... estas reuniones costaban... estaba rodeado de una camarilla... Todos eran más papistas que el papa...

Después de complicadas negociaciones y de una carta que escribió el rey de su puño y letra a Karamanlis, se consiguió la devolución de algunos palacios, como Mon Repos, en Corfú, donde Sofi y Juanito triscaron en la época de su noviazgo, bebieron vino blanco y se pelearon entre ellos, con don Juan, con Freddy y con el *sursum corda*, o Tatoi, aunque Tino más tarde lo donó al gobierno, no así los bosques que lo rodeaban ni la finca Polidendri, en el centro del país. También les adjudicaron el contenido de las casas y una fuerte indemnización para los dos hermanos. Doce millones de euros para Tino, novecientos mil para Irene, y la tía Catalina, la única hermana viva de Palo, recibiría también trescientos mil euros. Irene unió su dinero al millón de euros que le tocó en la lotería de Navidad para invertirlos en su ONG «Un mundo en armonía», olvidados ya sus deseos de encontrar marido y formar una familia. Su última relación, ya cuarentona, con el embajador alemán Guido Brunner, también terminó a sugerencia de Juanito.

Irene comentaba con convicción:

—Únicamente me siento sola cuando estoy con personas con las que no tengo nada en común, conmigo misma me divierto. Ahora solo quiero ser útil a los demás.

De todas formas, según se contó, la princesa cometió la ingenuidad de enviar vacas a la India para que sirvieran de alimento a los niños huérfanos, y como allí la vaca es un animal sagrado, no pudieron emplearse para su fin primigenio. Las tremendas vacas de raza frisona de la princesa Irene caminan hoy por las calles de Bombay consideradas como animales sagrados, lo cual es bueno para su autoestima, pero no les depara trato de favor, ya que están tan famélicas y esqueléticas como el resto de sus congéneres, a pesar de lo aristocrático de su origen.

Alguien con más imaginación que yo podría encontrar una metáfora en la aventura de Irene y sus vacas.

Es curioso que nadie se haya interesado por el papel de las infantas Elena y Cristina en la noche del 23-F. Elena ese año iba a cumplir su mayoría de edad, dieciocho años, y Cristina tenía dieciséis.

No se sabe dónde estaban, nadie las mencionó, nadie les dio importancia ni pensó que ellas también deberían aprender qué es ser rey. Según contaba Juan Balansó,[1] Elena y Cristina estaban siendo educadas como señoritas particulares, cuando eran la segunda y tercera persona llamadas constitucionalmente para suceder en el trono a su padre. Los publicistas de La Zarzuela insistían en explicar que el príncipe Felipe iba a ser el príncipe mejor preparado de Europa y del mundo entero, ¿por qué se había descuidado la formación de sus hermanas, que, en caso de fallecimiento del heredero, podrían sentarse en el trono de España?

¿No había sido Juan el heredero de Alfonso XIII, aunque era el cuarto hermano de la familia?

Ambas eran altas y rubias, muy poco españolas en su aspecto, aunque esta apreciación se obviaba siempre y se prefería hacerles pasar por el mal trago de compararlas a la fea reina María Luisa en el cuadro de Goya *La familia de Carlos IV*. Ambas tenían también durante su adolescencia algunos kilos de más, y su madre las arreglaba como princesas griegas... de hace veinte años. Juan Carlos protestaba:

—Sofi, ¡no las vamos a casar nunca a estas chicas vestidas así!

Las veía llegar con aprensión a las recepciones con sus bolsitos en la mano y los trajes de Sofía hechos por las hermanas Molinero, faldas amplias de terciopelo, cuerpos de rígido glasé con mangas tres cuartos, colores morados o granates. A la reina le quedaban muy bien, pero aquellas muchachas que estaban en la flor de la vida parecían viejos cortinones de teatro. El rey se lamentaba;

—Sofi, ¿no podrían ir un poco más...? ¿Actuales?

Las peinaba la misma peluquera que a su madre, también con el pelo por los hombros, hueco o un moño bajo. Sus expresiones eran tan serias que resultaban algo adustas.

La reina se reía con desprecio de las preguntas de su marido:

—¿Qué quieres? ¿Que vayan con minifalda como tus... tus...?

El rey se iba sin querer discutir.

Las infantas no caían mal. Tampoco bien. No eran mediáticas. Las escasas noticias que aparecían sobre ellas, la fiesta de la Banderita, una representación teatral benéfica, con un ramito de flores entre las manos, saludando sin sonreír, rememoraban aquellos reportajes propagandísticos con Nenuca, la hija de Franco, de protagonista, en la interminable posguerra española. Nenuca prefería entregar a los niños tuberculosos sus regalos de cumpleaños y decía también:

—Les he dicho a mis padres que prefería dar de comer a los ancianos del asilo antes que celebrar una fiesta frívola con mis amigos en mi casa.

Porque los viejos eran menesterosos, pero no tuberculosos, por aquello del contagio.

En la intimidad, claro, era otra cosa. Elena se parecía a su padre, «campechana», le encantaba ir a su aire, provocaba a los escoltas para hacer carreras de coches, y le horrorizaba la posibilidad de que a su hermano le pasase algo o renunciase a la corona:

—¡Me muero si tengo que ser reina!

En su nuevo colegio, el más clásico Virgen del Camino, repitió curso a pesar de que contaba con el refuerzo de varios profesores particulares. Al mismo tiempo tenía dos ayudantes, y fue entonces cuando empezó a montar a caballo e inició sus primeros escarceos amorosos con otros jinetes. El olor a heno de las cuadras, la camaradería y la fuerte sensualidad del ambiente hípico es el mejor caldo de cultivo para pasiones tan difíciles de domar como el más salvaje de los caballos.

También Cristina se cambió al Virgen del Camino, donde pronto alcanzó a su hermana, sin esfuerzo. Sin profesores particulares ni ayudantes, iba superando los cursos sin que nadie le hiciera mucho caso. Elena necesitó atención especial, incluso la ayuda de una psicóloga, argentina por más señas, a cuya consulta la acompañaba Sabino, pero no es ni muchísimo menos retrasada mental, como se ha comentado muchas veces. No hubiera podido matricularse en Magisterio en el Escuni, la escuela de profesorado con un fuerte componente católico, aunque no del Opus Dei, a pesar del ascendiente que había alcanzado Laura Hurtado de Mendoza cerca de la reina, no así en el rey, muy reacio a todo lo que no fuera el catolicismo puro, duro y tradicional. Ni el Opus, ni Legionarios, ni sectas milagreras, ni ritos exóticos gozan de sus simpatías, tampoco el catolicismo fanático. Me contó mi amigo Julio Ayesa que en una ocasión en que estaba cenando con la pareja real y con Pitita Ridruejo, esta le iba explicando a la reina:

—¡En El Escorial! ¡Se aparece la Virgen! ¡Una luz intensísima, una paz!

Y la reina asentía entusiasmada, y ya empezaba a preguntar cuándo era y si ella podría ir y si a ella también se le aparecería la Virgen, cuando el rey, que estaba en el otro lado de la mesa desgranando nerviosamente un panecillo y escuchando aquella exaltación de la devoción más preconciliar, al final no pudo contenerse y se puso a gritar con la mano extendida señalando a Pitita:

—¡Tú, calla! ¿Pero quieres no llenarle la cabeza a esta con esas tonterías? ¡Que se lo cree todo!

La reina debió acordarse de la piedra de Nazca y sus «beba Coca-Cola» y humilló la cabeza, llena de vergüenza.

No volvió a hablar en toda la noche.

El paso por el Escuni convirtió a Elena en la más católica de la familia. Intentaba ir a diario a misa y comulgaba todos los domingos. Yo la he visto en la iglesia de Viella, en el Valle de Arán, y también junto a su hermana en San Odón, en Barcelona.

A su tutora en la escuela de profesores, Dolores María Álvarez, le daba mucha rabia que hablaran de la princesa como si fuera discapacitada, y así se lo contó a la periodista Carmen Duerto, que ha escrito la primera biografía sobre Elena:

—Es absolutamente falso que sea retrasada, aunque Magisterio es una carrera sencilla para la que lo más importante es la vocación y ella la tenía.

Por lo bajo se comentaba la sangre caliente de Elena, no olvidemos que su más remoto antepasado, el primer Borbón, había manifestado:

—¡Me quema el sexo!

Se hablaba de relaciones con sus escoltas, a los que tenían que elegir menos atractivos y jóvenes, y se decía que más de una vez se la habían tenido que llevar de una fiesta... No se daban nombres, no se decía el lugar, y en una época en la que internet todavía no estaba inventado, muchos tenemos la impresión de que eran infundios de una camarilla quejosa precisamente por eso, por no formar parte de la camarilla real.

Cristina se decantó por la sociología en la Universidad Autónoma de Madrid.

La reina no dejaba de afirmar, en las escasas ocasiones en que pronunciaba unas palabras:

—Mi principal ocupación es la educación de mis hijos.

Pero lo cierto es que esta máxima parecía únicamente aplicarse a su hijo, porque las hijas eran tan buenas, tan dóciles, tan discretas, y la prensa también era tan buena, tan dócil y estaba tan callada, que daba la impresión de que las infantas se educaban solas.

Cuando el rey posaba en las fotografías con su hijo no tenía la misma actitud que cuando posaba con sus hijas. Las cogía por los hombros en las pistas de Baqueira, llevaban idénticas gafas Vuarnet, idénticos anoraks Descente. Las mismas risas, arrugando la nariz y enseñando los caninos. Todos los esquiadores de aquellos años recuerdan los gritos de don Juan Carlos:

—¡Elena! ¡Cristina! ¡Una carrera! ¡Al Mirador!

Y la voz gutural de la reina puntualizando a los monitores en la pista de Beret:

—Su alteza el príncipe flojea un poco en el eslalon.

A medida que el príncipe de Asturias iba creciendo, de ciertos ambientes llegaron voces disonantes con la educación que estaba recibiendo; se decía que la buena voluntad de la reina, que al fin y al cabo es extranjera, no era suficiente para formar a un futuro rey de España, y que se debía crear un consejo asesor.

Sofía se indignó. ¿Dudar de su capacidad?

Y, además, si le quitaban esa responsabilidad, ¿qué le quedaba?

También podemos pensar que ella no quería que se formase un «nuevo Juanito». Para Sofía su modelo de hombre era el rey Pablo de Grecia y no su marido. Con deleite contaba:

—Felipe me recuerda mucho a mi padre…

Juan Carlos dejaba en manos de su mujer esta responsabilidad. Como decía, ¡bastante trabajo tenía él siendo el cabeza de estado de un estado con tan poca cabeza!

En España se había instalado un bipartidismo más o menos estable. Felipe González, presidente del Gobierno durante doce años, diseñó un nuevo protocolo para la familia real y dio el máximo protagonismo a la figura del rey, cuyas apariciones públicas, viajes por el extranjero, audiencias y ceremonias de representación se multiplicaron hasta el infinito.

El rey y Felipe González llegaron a hacerse «casi» amigos. Con ningún otro presidente ha tenido el rey mayor sintonía, y se dice que don Juan Carlos confiaba en él hasta en los temas más íntimos y delicados. Julián García Vargas, ministro de Defensa,[2] una figura clave entre el gobierno y el monarca, decía entonces:

—Con quien va mejor la monarquía es con los republicanos; nosotros no nos metemos en intrigas cortesanas ni nos interesan los cotilleos de todo ese mundo de aristócratas.

También el entonces ministro Enrique Mújica comentaba:

—La Corona es valiosa (para nosotros los socialistas) mientras sirva, y hasta ahora nos ha demostrado que sirve, entonces, ¿para qué cojones queremos la república?

Pero no todo era trabajo. La decoradora mallorquina se desplazaba con frecuencia desde Mallorca a Madrid y también a Baqueira, adonde iba a recogerla un coche oficial. Su amistad íntima con el rey ya había sido aceptada por todo el mundo y quizás había dejado de tener el encanto de las relaciones clandestinas. Pero era una situación cómoda para don Juan Carlos, quien le tenía un gran cariño. A ciertas cacerías iba casi siempre con ella, intercambiando chóferes, haciendo rutas distintas para guardar las apariencias, y tampoco compartían habitación, pero los anfitriones se cuidaban de que sus cuartos estuvieran contiguos.

Desde luego, la reina no volvió a presentarse nunca más improvisadamente. Si alguna vez había esa posibilidad, se enlentecían los controles y la seguridad, y cuando su majestad llegaba a la finca, la mallorquina había desaparecido. Bouza decía de ella con admiración:

—Siempre tuvo un exquisito cuidado en no indisponer al rey contra la reina…

También:

—Era muy discreta… se interesaba por la familia real, nunca presumió [de su relación con el rey].

Pero hubo otra relación que sí resultó una complicación para Juan Carlos. Otra mujer que no se iba a resignar fácilmente a ser apartada de su vida. O quizás es que, simplemente, estaba enamorada.[3]

Como dice la Biblia, ¡líbreme el cielo de la furia de la mujer despechada!

El rey llegó tranquilamente un día a casa de la vedette anteriormente mencionada, en 1984, y le dijo:

—Lo nuestro se ha terminado.

Su intención era acabar bien. Según cuenta su indiscreto amigo Bouza:

—El rey nunca riñe con amigas con las que ha tenido alguna relación… Se lleva bien con todas, incluso algunas pocas veces las llama…

Pero esta vez no iba a ser así.

Según escribe Fernando Rueda en *Las alcantarillas del poder*, después de que la actriz y el rey rompieran, durante años él y otros periodistas estuvieron recibiendo filtraciones de que el CESID estaba pagando una cantidad mensual a esa mujer a cuenta de los fondos reservados. Años antes de que su relación con el rey se rompiera, ella había acudido a La Tienda del Espía de Madrid para que dispusieran cámaras en su habitación con el fin de grabar a la persona que se encontraba en la cama con ella. García Abad dice en su libro *La soledad del rey* que «le pudo costar muy cara al monarca y desde luego no nos resultó barato a los españoles silenciar las supuestas indiscreciones del rey».

Muchos compañeros míos en los que confío con los ojos cerrados me han dicho que han visto fotos familiares de la dama en cuestión en el jardín de su casa comiendo una paella con el rey. Esas fotos, al parecer, contaba que las había tomado su hijo.

En mayo de 1996 José María Aznar ganó las elecciones y lo primero que hizo fue anular los cargos misteriosos que se estaban pagando a cuenta del erario público. El 25 de mayo de 1997, la artista denunció que habían entrado en su casa y habían robado documentación personal «que atañe a personas importantes de este país». La actriz afirmaba que este material lo conocían Mario Conde, el periodista Antonio Herrero y Manuel Prado. El diario *El Mundo* publicó esa información el 27 de junio de 1997, un día después de que Antonio Herrero lo difundiera en su programa de la cadena COPE.

Sofía se enteró, esta vez al tiempo que todos los españoles, por la radio y la prensa escrita de los problemas de esta popular artista y no le costó leer entre líneas. Pero ese día tenía un compromiso oficial y ni se le pasó por la cabeza no acudir.

Aunque llevaba tiempo blindándose contra el dolor, sufría, ¡diablos, si sufría!

Seguramente solo se atrevió a comentárselo a Sabino.

Cuando sus amigos le preguntaban confidencialmente a Sabino si la reina conocía las actividades de su marido con detalle, este contestaba:

—No sabe si son muchas o una pero muy viajada.

El rey sabía que su fiel consejero era el depositario de las penas de la reina, el único, aparte de sus hermanos y su prima, y no se lo perdonaría nunca. En cuanto pudo, lo apeó del cargo en el que había servido con toda lealtad.

Es el 25 aniversario del Zoo de Madrid. Hay una foto enternecedora de ese día. Una funcionaria le pone a Sofía un cachorro de schnauzer en los brazos. La reina lo abraza con dulzura, cierra los ojos, acerca su rostro, enflaquecido y pálido, a esa bola de pelo suave en la que apenas se distingue una nariz, negra, el brillo de unos ojos vivaces.

El mundo se hace pequeño, de tan solo dos. Fuera acechan vampiresas que rompen matrimonios y hombres que engañan a sus mujeres. Todavía abrazándolo, la reina pregunta tímidamente:

—¿Puedo llevármelo a casa?

No quiso que nadie lo cogiera. Ese día la reina llegó a su casa concentrándose en esa vida nueva que llevaba entre las manos para no volverse loca.

Creo que no debe extrañarnos que la reina aceptara con benevolencia que Elena y Cristina se casaran fuera de las normas reales. Esta decisión las iba a separar del trono, pero podría hacerlas más felices de lo que había sido ella.

¡Cómo querer que sus hijas se prestaran a un matrimonio de conveniencia! ¡Para sufrir como bestias!

¿Cómo era lo de don Juan?

—Los miembros de las familias reales somos sementales de buena raza, y nuestra principal obligación es perpetuar la especie, procreando una y otra vez, pero sin cambiar de vaca como los toros bravos…

En la elección de los maridos se demostró que tanto Elena como Cristina se habían educado como chicas normales, por eso escogieron con naturalidad muchachos plebeyos para casarse, una posibilidad que una princesa real educada conforme a su rango, como lo fue Sofía, ni siquiera hubiera contemplado.

Elena se decantó por Jaime Marichalar, un empleado de banca perteneciente a la pequeña nobleza castellana, muy escaso de caudales. Cristina optó por su parte por un jugador de balonmano, y al parecer su ejemplo ha fructificado entre sus colegas, ya que una nieta de la sacrosanta reina de Inglaterra se acaba de casar con un jugador de rugby con el físico de un descargador de muelle, ¡le falta incluso algún diente en la parte frontal!

A ambos los despachó pronto con una definición letal el fino analista monárquico Juan Balansó, cuya ausencia lamento a diario, no solamente por el aspecto personal, como sabe su prima, de quien soy buena amiga, sino por los interesantes libros que nos ha hurtado la muerte. Balansó llamaba a Marichalar y a Urdangarín «bisutería fina».

El rey, cuando se casaron las infantas, dijo:

—A mí me es igual que sean tontos o listos, guapos o feos, lo único que pretendo es que quieran mucho a mis hijas y las hagan felices…

En el caso de Cristina, parece ser que lo ha conseguido, porque ella es la típica hermana a la que todo le sale bien: su trabajo de responsabilidad, solidario y con un buen sueldo, en la obra social de Telefónica, sus hijos, los cinco sanos y altos, el guapo marido, que está teniendo serios problemas legales por sus negocios, su matrimonio que, a pesar de los rumores, sigue viento en popa a toda vela, por utilizar la comparación que más pueda agradar a nuestra infanta… Cuando posan en las fotos, parecen la familia de Julio Iglesias o la familia Trapp, solo les falta cantar.

Elena, sin embargo, ha elegido el camino difícil. O es al revés. Su matrimonio con Marichalar, a pesar de haber tenido dos hijos, pronto deviene en desilusión: se convierte en una de las mujeres más elegantes de Europa, pero qué importa eso cuando por dentro eres tremendamente infeliz. La prensa empieza a decir que la pareja piensa separarse. El 22 de diciembre de 2001 Marichalar sufre un ataque cerebral mientras está haciendo ejercicio en la bicicleta estática de su gimnasio.

A partir de aquí empiezan para la infanta tres años terribles que la convierten en otra mujer. La enfermedad la ata a su marido con cadenas irrompibles; el carácter de Marichalar se vuelve irascible, desconfiado, agresivo, su cerebro está afectado y es capaz de decir las mayores barbaridades sin darse cuenta.

Elena cambia y saca lo mejor de ella misma. Se crece en la dificultad. Se va a vivir con él a Nueva York para ayudarle en su recuperación en el hospital Monte Sinaí con Valentín Fuster y están un año alojados en el hotel Intercontinental a un precio módico que le «arregla» Paz, la directora, que es española.

Sus hijos van a una guardería que los jesuitas tienen en Manhattan. A través de la hípica entabla relación con la alta aristocracia de Nueva York, desde los Hearst a los Rockefeller, y un buen amigo le busca casa en los Hamptons para que pase el verano. Elena es fuerte, valiente, hace de apagafuegos en los desmanes de su marido, pero está siempre en tensión, sin relajarse nunca, y su físico lo revela. Delgada, rostro arrugado, expresión crispada, malos modos con la prensa, hombros rígidos que seguramente provocan fuertes dolores de cervicales.

No puede bajar la guardia ni un momento, Marichalar le dice con acritud a una chica Hearst:

—Llevas un traje feísimo.

Y la infanta se apresura a quitar hierro al grosero comentario de Jaime:

—Y estás guapísima y elegantísima con él.

No tienen dinero. Sofía le ruega a la íntima amiga de su hija, Rita Allendesalazar, que la cuide, y esta, dando pruebas de ese espíritu de sacrificio que tienen los monárquicos cuando se trata de obedecer a su rey, deja a su marido y sus hijos para estar al lado de la infanta, pagándose ella sus propios gastos.

Hoy, Rita es la que está enferma, y es la infanta la que no se mueve de su lado.

Sofía va a visitarla, ve como su hija está saliendo adelante a pesar de las dificultades, y se emociona. Pensaba invitar a toda la familia al elegante Cote Basque, pero Elena le dice:

—Mamá, los niños preferirán que vayamos a comer a un burguer.

Allí puede verse cómo aquella adolescente siempre de malhumor, regordeta y poco agraciada, llama la atención por su delgadez sofisticada y por su porte elegante. El sufrimiento ha llenado su rostro de aristas, pero su mirada se ha dulcificado.

Un español que vive en Nueva York se acerca a la reina espontáneamente y le dice:

—La infanta está dejando muy alto el pabellón de España, ¡se nota la educación que le ha dado vuestra majestad!

Cuando llegan al aeropuerto, se quedan una frente a la otra, madre e hija. Ninguna de las dos es efusiva; los años de soledad conyugal han matado a aquella Sofía afectuosa que buscaba a escondidas las caricias de sus hijos.

Pero ahora se abrazan largamente, y Elena le dice:

—No te preocupes, *mummy*, saldré adelante.

Y Sofía, mientras sube al avión, puede concederse un halago:

—Pues tan mal no debo haberlo hecho cuando he tenido una hija como Elena.

Cuando los duques de Lugo regresan a Madrid, Elena está embarazada, pero pierde a su hijo.

Ya no hay vuelta atrás.

A una sigue otra, y otra y otra, españolas y extranjeras, nobles o plebeyas, como las cuentas de un collar «¡mil quinientas!», como me dijo en broma un amigo del rey.

¡Hasta Lady Di! Según cuenta Kitty Kelley en su libro sobre los Windsor, durante las visitas de Lady Di a Mallorca, en 1986 y 1987, el rey quiso «ligar» con ella, y al parecer intentó algún avance «táctil» con la excusa de juguetear con el viejo pastor alemán *Archy*. Así se lo comentó Lady Di a su ayudante, Ken Wharfe, con esa encantadora (y falsa) timidez que se ganó el corazón de los ingleses:

—Parece absurdo, pero sé que le gusto al rey.

En dicho libro también se cuenta que, para pagar a un chantajista que pretendía publicar unas fotos de Lady Di en el gimnasio, se le entregó un cheque de cuarenta y cinco mil dólares procedentes de una cuenta corriente española, por lo cual deduce la escritora que fue Juan Carlos el que le envió ese dinero. Déjenme que me ría de esta suposición tan absurda y que aventure otra hipótesis: creo que el remitente español de este dinero fue la revista *¡Hola!* y que a cambio Lady Di accedió a dar una entrevista a la citada publicación.

Sofía, perdida ya toda esperanza, se había construido una vida al margen de su marido. Su proyecto común, el mantenimiento de la institución, garantía de su propia supervivencia como reyes, los mantenía unidos unas horas a la semana, pero la intimidad de su habitación cerrada nadie la violaba. Los españoles nos acostumbramos a verlos como una pareja distante, hasta el punto de que nos asombramos de que la reina llorara junto a su marido en el entierro de don Juan, el 1 de abril de 1993, o en el de doña María, el 5 de enero de 2000.

Lo que sería normal en cualquier matrimonio, en ellos sorprendía por insólito.

La reina viajaba mucho a Londres para ver a su hermano, se decía incluso que se había comprado allí un apartamento, muy cerca del hotel Claridge. Allí es donde dicen que empezó a realizarse sus primeros retoques estéticos, a base de infiltraciones en el rostro. Sonriente, atendiendo a sus compromisos sin ponerse nunca enferma, asistía a todos aquellos actos que su agenda le marcaba. Cumplía, pero sin imaginación. El único de la familia que sabe comunicar es el rey. El resto de los españoles no sabemos cómo son ni el príncipe, ni las infantas. Ni siquiera la reina. No conocemos ni el tono de voz que tienen.

A la reina, además, no se le permitía pronunciar discursos ni hablar delante de un micrófono para que los españoles no advirtiéramos lo mal que hablaba el castellano.

Por supuesto que tampoco conocía otras lenguas del Estado, ni catalán, ni euskera, ni gallego. Ella, que es tan políglota que dice entre risas:

—Podría ganarme la vida como traductora.

A pesar de dar tan poco motivo para la murmuración, la maledicencia se cebaba también en la reina. En cualquier reunión de periodistas, te contaban lo último del rey: una señora bien de Barcelona, la excompañera de un importante editor, tal actriz, una presentadora de televisión… y alguien, el más enterado, bajaba la voz y te decía:

—Y la reina…

Y sacudía la mano arriba y abajo para indicarte la magnitud de sus amantes. Un arquitecto del entorno de *El País*, un profesor universitario, incluso el violonchelista ruso Mstislav Rostropovich, expulsado de su patria durante diecisiete años, que tocaba en la calle la *Suite número 2* de Bach mientras los berlineses derribaban piedra a piedra el muro que durante cuatro décadas había dividido en dos su ciudad.

Decían que la reina compartía con él su apartamento de Londres. El hecho de que Rostropovitch estuviera casado con la soprano Galina Vishnevskaya desde hacía sesenta años no arredraba al promotor de la idea:

—¡Qué importa! ¡La reina también está casada!

Poco antes de morir, el músico comentaba en una entrevista:

—Pude sobrevivir en el exilio gracias a la ayuda de los reyes de España.

Yo voy a dar el nombre concreto de una persona a la que se relacionaba íntimamente con nuestra reina: Enrique de la Mata Gorostizaga.

Era presidente de la Cruz Roja Internacional y había sido ministro con Suárez. Era un hombre alto, muy varonil, con unos ojos verdosos rodeados de unas pestañas rizadas y negrísimas que te magnetizaban. Una buena persona.

Era amigo mío. Él y su elegante mujer, Ángeles, tenían una casa en Marbella que sus siete hijos llenaban de risas y conversaciones. Un hogar feliz.

Mientras comíamos en Horcher un lenguado que nos miraba de perfil, se lo pregunté:

—Enrique, me han dicho que te entiendes con la reina…

Lo negó vehementemente:

—Por Dios, vaya infundio, ¡como viajamos tanto juntos por el tema de la Cruz Roja! ¿Y eso se va corriendo por Madrid? Menos mal que la reina nunca cae en esas pequeñas mezquindades, nadie se atreve a contarle nada, porque ella de un plumazo se carga al mensajero con toda la razón… Mi mujer se reirá cuando se lo cuente…

Proseguimos la comida, ya hablando de otros temas. La conversación volvió a recaer en la reina, con la que Enrique había tenido una reunión esa misma mañana. Con la copa de coñac entre las manos, le dije distendidamente:

—La reina es guapa.

Él se animó:

—Guapísima, ¿verdad?

—Lástima el peinado…

Y aquí vino uno de esos momentos que se me han quedado grabados en la mente, que no he contado a nadie y cuyo significado no acabo de desentrañar. Me dijo vehemente:

—¿Eh, que sí? ¡Yo se lo he dicho muchas veces! Que así —y hundió sus dedos en mi pelo, apartándome el flequillo y echándomelo hacia atrás— estaría mucho más guapa.

Me callé, carraspeamos los dos, se arregló el nudo de la corbata e hizo una firma en el aire al camarero pidiendo la nota.

Fue así, lo juro.

De lo demás debo decir que, por mucho que he investigado al respecto, no he encontrado ni una prueba, por pequeña que sea, ni un indicio, incluso sin confirmar, de que la reina pagara la actitud del rey con la misma moneda. Ni por despecho, ni por venganza, ni para darle celos, ni por amor, ni por soledad.

Pero sus enemigos no se dejan convencer y arguyen que en su caso su integridad no tiene valor, ya que le achacan lo mismo que los cortesanos de Alfonso XIII decían de doña Victoria Eugenia para quitar mérito a su acrisolada virtud:

—¡Es fría!

La reina no podía ignorar las turbulencias que empezaban a sacudir el barco de la monarquía, hasta ahora sustentado casi exclusivamente en los réditos ganados en el 23-F y en la simpatía del rey. Tras décadas de reinado juancarlista, «la bula real» se estaba terminando y el pacto de silencio entre los periodistas y la monarquía empezaba a llegar a su fin.

Seguía habiendo muchos «pelotas palaciegos», como los llamaba Pablo Sebastián, sin embargo empezaban a oírse ciertas críticas al príncipe Felipe, pero, según cuenta Carmen Rigalt, «con la boca pequeña para no ser tachados de antipatrióticos».

En los funerales por víctimas de terrorismo o accidentes, por ejemplo. García Abad contaba que:

—... Los reyes se acercan a los familiares de las víctimas con palabras de aliento y muestras de emoción... El príncipe también está presente, pero como un palo, sin recibir ni muestras de simpatía ni atención por parte del público.

Y concluía que el príncipe no tenía la culpa de parecerse más a su madre que a su padre.

Jaime Peñafiel opinaba sin ambages que la reina había convertido a su hijo en un «niño caprichudo, malcriado, mimado y hasta déspota».[4] Su cometido, decían, era simplemente «esperar», pero, como mientras tanto tenía que entretenerse, se rodeaba, él también, de «amistades peligrosas», se criticaba que su grupo de amigos fueran solo aristócratas, personajes de revistas del corazón, «vividores, algunos fachas y no pocos impresentables», decía el mismo Apezarena, rompiendo el tono amable y conciliador que tiene toda su biografía sobre el príncipe Felipe. «¡Una endogamia de amigos pijos!», concluía Manuel Vicent.

Su paso por las academias militares recibió el nombre en las revistas satíricas de «mascarada de milicia» y se resaltó que en dos años consiguiera lo que a otros les costaba seis. Salió con su título de teniente en los tres ejércitos, y durante la guerra del Golfo aquel valiente oficial declaró que «en solidaridad con esta crítica situación he decidido suspender mis entrenamientos de vela para una regata», lo que causó estupor por su frivolidad. Cuando se le concedió la Medalla de Oro de la universidad, donde había estudiado un híbrido a su medida de Derecho y Económicas, un grupo de estudiantes dio a conocer un comunicado en el que protestaban amargamente por esta medida: «… es la primera vez que se concede esta medalla a un estudiante… debería primar el esfuerzo personal y las labores académicas y no la política». También hubo bromas cuando un reportaje de *¡Hola!* presentó al príncipe, reluciente como un pincel, recorriendo ¡un kilometro! del camino de Santiago. Rafael Torres escribió un artículo en *El Mundo* que tituló: «Lo ridículo».

En su primer viaje oficial a París, tuvo una conversación con un senador de la oposición en la que se permitió criticar a su partido. La prensa francesa mostró su disgusto y la Casa Real emitió un comunicado en el que explicaba que se trataba de una conversación privada, lo que asombró a los periodistas galos, que no sabían que el príncipe y el senador estuvieran en la Cámara francesa en plan «cuchipandi» («*un aperó avec des amies*»).

Y no fueron solo los periodistas republicanos los que protestaron, Alfonso Ussía, hijo del intendente de don Juan, escribió en el ultramonárquico *ABC* (29 de agosto de 2003) de Luis María Anson que «… lo que tanto ha costado establecer —cuarenta años de exilio y un reinado admirable— no puede estar sometido al secuestro permanente que del heredero de la corona ejercen sus amigos y su insaciable cortecilla de advenedizos y mamporreros», y hasta un monárquico genético, como José Luis de Vilallonga, escribió en *La Vanguardia*: «¿Por qué el príncipe no se entera por sí mismo, en las visitas que hace a las comunidades autónomas, de la realidad del país en lugar de ver solo a autoridades y periodistas locales? ¿Por qué no habla con sindicalistas, intelectuales, jóvenes que trabajan para las ONGs, amas de casa y parados?».

Cuando se le preguntó a Felipe cómo se mantenía al día, contestó:

—Escucho bastante la radio.

Y no fue solamente la prensa la que empezó a desacralizar a los reyes. La justicia se cebó de forma sonrojante en la mayoría de los amigos de Juan Carlos. Zourab Tchokotua, Francisco Sitges, Javier de la Rosa, Alberto Cortina, Alberto Alcocer, Mario Conde y hasta el mismo Manuel Prado ingresaron en prisión, aunque lo cierto es que todos eludieron implicar al rey en sus negocios. Mi fuente confidencial, que contestó limpia y sinceramente a todas las preguntas que le formulé, y que aparece y desaparece a lo largo de las páginas de este libro, aunque me pidió que su nombre no figurase en él, me explica en referencia a este tema:

—Lo trato desde que éramos pequeños y te puedo decir que el rey es muy buena persona, una de las mejores que conozco. Tiene un corazón de oro y también las debilidades humanas que todos sabemos, ¡le gustan con locura las mujeres! Pero es de una buena fe increíble, y se fía de todo el mundo... Lo enredan... Es el mejor de la familia...

Pero su crédito público se estaba agotando y los periodistas empezaban a levantar el velo sobre su vida privada.

Aunque nadie pensaba en la principal víctima de la actitud del rey: su mujer, Sofía. Que tuvo que soportar que su situación íntima fuera conocida no tan solo por su familia, sino por todos los españoles. ¿Cómo se tuvo que sentir la reina cuando, en junio de 1992, se publicó que su marido se había ausentado del país para acompañar a la decoradora mallorquina en una cura antidepresiva que estaba recibiendo en una clínica suiza?

Al rey poco le importaban ya los comentarios.

La noticia salió primero en la prensa extranjera y después en *El Mundo*.

Don Juan Carlos regresó a España, despachó con el presidente del Gobierno, Felipe González, y corrió de nuevo al lado de la mujer antes mencionada, con una dedicación ejemplar. Una gran prueba de amor para su amante. Pero una gran bofetada pública a la reina, una muestra de desprecio a quien tanto le había ayudado en su arduo camino hacia el trono, una crueldad innecesaria hacia su mujer, que hasta ese momento había sufrido, con enorme decoro, en el más absoluto silencio el apartamiento de su marido.

Mientras Juan Carlos le sostenía la mano a la mallorquina en su habitación hospitalaria, su hermana Pilar celebraba el setenta y nueve cumpleaños de su padre con una gran fiesta en su casa de Puerta de Hierro. Todos sabían que probablemente se trataría del último del viejo perdedor de esta monarquía, que, en efecto, moriría ocho meses después.

El príncipe Felipe, quizás estimulado por el ejemplo de su padre, dijo que tampoco iba a ir; prefería pasar ese día con su novia de entonces, Isabel Sartorius.

«Sus» dos hombres, como Sofía los nombraba en los raros momentos de ternura que se permitía, eran los únicos de la familia que no irían al cumpleaños del «almirante».

Laura Hurtado de Mendoza le preguntó a la reina:

—¿Vuestra majestad acudirá a la fiesta de su cuñada?

—Claro que sí, Laura.

Laura titubeó, y al final se atrevió:

—¿Sola?

—¡Sola!

Sofía se arregló en silencio en su habitación. Gaudencio cerró la puerta del coche con suavidad, como no queriendo molestarla, y fingió no oír los sollozos, los suspiros, los puños que golpeaban los asientos de piel. Llevaba a su reina, pero también a una mujer dolorida, furiosa, desesperada. Un animal magullado, con heridas antiguas y otras recientes. Ninguna había cicatrizado.

Aparcó en el garaje de la casa de Pilar. El chófer desplegó un periódico y fingió leer. La reina, entretanto, en el asiento posterior, sacó un espejito y se recompuso el maquillaje, el peinado, se colocó bien el chal. Después, golpeó el cristal que la separaba del conductor:

—Ya estoy lista, Gaudencio.

El hombre bajó, se descubrió y abrió la puerta, y entonces descendió Sofía y entró en el salón lleno de luces y de gente, Peñafiel dijo que «borrada ya la tremenda tristeza, con su dignidad y su prestancia características».

El rey no se molestaba en disimular. ¿Para qué? Contaba con la complicidad de casi todos los periodistas, pero, aunque no hubiera sido así, no importaba, ¡a los españoles no les preocupaba que su rey fuera un mujeriego! En una cena en el Club Náutico de Palma se acercó a la mesa en la que estaba comiendo la discreta decoradora con el matrimonio Vilallonga y se tomó con ellos una copa de whisky.

Sí. La reina también estaba en la cena. Sí, la reina se aguantó y sonrió y se quedó a los brindis, y hasta se despidió de su marido diciéndole adiós con la mano.

Una española, elevada a los altares sociales merced a su matrimonio, alardeaba en Palma de su relación (parece que solo duró una noche) íntima con el rey y daba algunos detalles privados sobre la reina. Doña Sofía incluso debió compartir con ella algún acto social, aunque se la criticaba porque no había estado muy simpática con la dama en cuestión.

La voz popular decía:

—¡La reina es demasiado orgullosa!

Los años se van echando encima. Como todas las mujeres enamoradas a las que sus maridos son infieles, Sofía hace recuento de cada merma que nota en Juanito y acecha, como cuando de pequeña esperaba la llegada de Papá Noel en Alejandría, que llegue La Vejez con su carga abrumadora de arrugas, achaques, canas, impotencia. Piensa que cuando el dios se rompa en mil pedazos, ella estará allí para recogerlos y pegarlos.

Pero no hay manera, el rey cada día está más pimpante. Un día es el tono de su pelo el que cambia y otro día aparece con una sonrisa nueva. Su mujer, que sabe que no se embellece para ella, opina:

—Juanito, me gustabas más antes, tenías más personalidad...

Sofía enternece este comentario, las grandes celosas nos reconocemos en estos detalles.

El rey se encoge de hombros como cada vez que su mujer habla.

Juan Carlos empieza a hacerse tratamientos *antiaging* (antiedad) en Barcelona, inyecciones de vitaminas, mesoterapia en el rostro, probablemente alguna operación de párpados... Entabla una profunda amistad con la familia propietaria de la Clínica Planas. El doctor Planas se convierte en uno de sus confidentes. Muchas veces ambos departen, puro en mano, con una copa de whisky, sobre sus problemas familiares. El doctor es una de las primeras personas que se entera de que la infanta Elena se va a separar de su marido:

El rey comenta:

—Yo le aconsejo que no se separe… la vida de una mujer separada es difícil…

El doctor Planas, cuyo hijo se ha divorciado y vuelto a casar con una parienta del pintor Cuixart a la que el rey quiere mucho, le comenta quizás que todo el mundo tiene derecho a su pequeña parcela de felicidad, aunque sea en una segunda vuelta.

El rey le contesta:

—Yo le he pedido a la infanta que no se separe hasta que se case Felipe.

El médico se asombra:

—Ah, pero ¿el príncipe tiene novia?

El rey asiente sin palabras, mientras mira el extremo de su puro.

El ilustre doctor insinúa:

—¿Eva? ¿Isabel?

El rey se lleva las manos a la cabeza, cómicamente:

—No, hombre, ¡no me hables de Eva! ¡Lo que nos hizo sufrir! ¿Sabes que le mandé a Felipe a los cuatro presidentes de Gobierno que ha tenido España, cuatro, a que hablaran con él? ¡Y el cabronazo pudo con todos!

Los dos ríen. Don Juan Carlos cruza las piernas y le da un sorbo a su copa. Rememora:

—Los cuatro intentaron que renunciara a esta chica, ¿y sabes cuál fue el único que le aconsejó que siguiera a su corazón, por encima de sus deberes como heredero?

El doctor Planas aventura:

—¿Aznar?

—No, ¡ese es el que estuvo más duro! Fue… ¡Felipe González! ¡Me falló el andaluz!

Callan los dos. La clínica está en una zona tranquila de Barcelona, se oye piar a los pájaros y el sonido monótono de los cortacéspedes. El doctor, que sabe que le gusta a don Juan Carlos hablar, continúa preguntándole:

—¿Es española la prometida del príncipe?

—Sí, española, ¡asturiana! ¡Se va a armar una gorda cuando se sepa quién es! Nos la ha pasado por las narices y no hemos tenido más remedio que aguantarnos. ¡Nos dijo que, si no, lo dejaba todo y se iba con ella!

—¿Y la reina qué opina?

Juan Carlos hace un gesto de desesperación:

—La reina lo ha consentido toda la vida, por eso este niñato ha hecho lo que le ha dado la gana... La reina lo que quiere es que sea —y aquí pone un tono de voz melifluo— feliz.

Se calla. Pero al minuto, sin que el médico le diga nada, prosigue:

—Se puso a su lado desde el principio... ¡Pero si hasta defendió la opción Eva Sannum! Sé que en todos mis enfrentamientos con mi hijo se va a poner al lado del príncipe...

Luego rezonga:[5]

—Se va a cargar él solito la monarquía.

El rey está furioso. Primero con él mismo, aunque no lo confesará nunca. Se dice que en el momento de redactar la Constitución, cuando se llegó a ese célebre párrafo en que se reconocía la sucesión del rey únicamente por vía masculina, no fueron los «padres de la Constitución» los que insistieron en negar el acceso al trono de las mujeres, ya que eran personas progresistas, partidarias de la igualdad entre sexos, como lo demostraron en otros temas de nuestra Carta Magna. Según me cuentan de forma confidencial, fue el propio rey el que dijo:

—Que se haga así, porque la infanta Elena no está en condiciones de reinar.

Pero, sobre todo, el rey está furioso con su hijo, pero ya no se atreve a decirle nada. En su último enfrentamiento, Felipe le ha plantado cara valientemente delante de su madre:

—Tú no eres la persona adecuada para darme consejos matrimoniales... tú no puedes servirme de ejemplo...

Juan Carlos se deja el pelo largo, toma rayos UVA, se viste de forma más juvenil, muchas veces lleva pullover y *fular* en lugar de corbata. La reina está acostumbrada a detectar, desde su silencio, todas las vicisitudes de la vida sentimental de su marido. Sabe cuándo se enamora, cuándo es el cazador y cuándo el cazado. Y cuándo está harto. Entonces remolonea por el palacio, juega en el jardín con los mastines que Tino le ha regalado, *Atlas* y *Ajax*, se va a acostar pronto y a veces pone ojos de cordero degollado.

Hasta que empieza otra vez.

El día en que lo ve con una pulsera de cuero alrededor de la muñeca, sospecha que ahora debe de ser muy joven. Y sí, es verdad, Julia solo tiene veinticinco años.

Se la nombra con frecuencia en la radio y en la prensa escrita. No se dice quién es, pero las risitas de los periodistas dejan muy claro por qué ha venido a vivir a Madrid una atractiva alemana que estuvo como traductora en la Eurocopa del año 2004 que se celebró en Portugal. Juan Carlos estuvo en Lisboa, solo, varios días.

Delante de los periodistas, en las recepciones de Zarzuela, sigue echando mano de su viejo encanto, es capaz de entretener a un corrillo de concurrentes[6] con sus chistes, de un machista subido:

—Una mujer llega a su casa con ropa nueva y su marido le pregunta que dónde la ha conseguido, y ella contesta ¡en el bingo! A la semana llega con un abrigo de pieles carísimo y le dice al marido de nuevo ¡en el bingo! Después con joyas y otra vez ¡en el bingo! Al final, un día, la mujer se desnuda, se mete en la bañera y el marido asoma la cabeza por la puerta y le dice: ¡ten cuidado, no se te vaya a mojar el cartón!

¿Ustedes se han reído? Pues los del corrillo se tronchaban.

Pero el armazón para aguantar la monarquía cada vez es más débil y frágil. Las nuevas generaciones ya no recuerdan el 23-F, las infantas siguen siendo unas grandes desconocidas, perdido ya todo el glamour con sus matrimonios desiguales, y no interesan demasiado... El príncipe Felipe iba camino de convertirse en un solterón y está claro que no ha heredado el don de gentes de su padre.

El pequeño «partido» de la reina gana adeptos. Ella siempre está ahí, igual a sí misma. Sin halagar a las masas con demagogias baratas, sangre azul hasta el último átomo de sus venas, prestigiando al país en cada uno de sus viajes.

Aunque ella se sienta como un cascarón vacío y deba decirse con amargura:

—Ya no soy nada más que reina.

¡La reina!

También puede ser que tenga sus momentos de orgullo:

—Al menos esto lo he hecho bien —y pregunte mirando al cielo—, ¿no te parece, mamá?

¿Quién puede desbancarla? ¡Nadie! Desde luego ni una Eva Sannum, ni una Isabel Sartorius, ni una Gigi Howard, ni...

Ni una periodista de familia humilde y divorciada.

Letizia.

Quizás, al contrario de lo que muchos imaginamos, la primera reacción de Sofía al enterarse de quién es la mujer que su hijo ha escogido como reina fuera de humana satisfacción, ¿una señorita particular y encima divorciada, sentada en su trono?

¡Nadie llegará a lo que ella!

Sí, Letizia será reina, pero no «otra» Sofía. En las comparaciones, Sofía siempre saldrá ganando.

Como en el caso del 23-F del que hablábamos en otra página de este libro, el noviazgo del príncipe y la periodista ha hecho correr los consabidos y obsoletos ríos de tinta (habrá que modernizar el tópico), a pesar de la estricta censura que la Casa Real ha aplicado, sin fisuras, desde el primer momento, ¡en este tema no se iban a permitir frivolidades, ni bromas fuera de lugar, ni indiscreciones de ningún tipo!

Da vergüenza ajena leer las primeras informaciones que aparecieron sobre este noviazgo: en muchos lugares se obvia el estado civil de Letizia, se cuenta que su matrimonio ha sido anulado, que mide un metro setenta y cinco centímetros, se la define como la mejor periodista de su generación y se la hace pertenecer a una «saga de periodistas», comparando las modestas carreras del padre y la abuela con las de los Luca de Tena o los Godó, cuyas familias han creado y mantenido *La Vanguardia* y *ABC* a lo largo de siglo y medio.

Se confiscaron las cámaras de los fotógrafos que hacían guardia en su casa o en las de sus familiares, se habló con sus amigos y parientes impidiéndoles difundir información sobre la chica, se prohibió que el acontecimiento saliera en los programas rosas, dándole realce tan solo en los telediarios. También se secuestraron los expedientes médicos de Letizia, los ginecológicos, sus certificados académicos, su partida de matrimonio anterior, su sentencia de divorcio…

El CESID estuvo investigando durante seis meses todos los recovecos de la vida de Letizia Ortiz para no encontrarse ninguna sorpresa, para poder destruir aquello que pudiera hacerle daño o neutralizar lo irremediable… Su economía, sus amigos, sus costumbres, su relación con el alcohol y las drogas, todo fue investigado personalmente por altos mandos del CESID (ahora ya CNI) de máxima confianza e integridad. Había que identificar hasta la más pequeña de sus debilidades y solucionarla en secreto antes de que Letizia se convirtiera en un personaje público.[7]

Aunque nunca ha llegado a confirmarse, se dijo que el bufete de abogados Uría redactó un contrato leonino con cláusulas concretas que contemplaban todas las posibilidades, desde hijos hasta divorcios, muertes y segundas y terceras bodas.

También se dijo que los directores de los principales periódicos españoles establecieron un pacto de autocensura para no interferir en este enlace. Si es cierto, fue una precaución inútil. Ussía ya lo confesó con cierto desánimo en un artículo de *La Razón*: «No voy a escribir de la boda del príncipe de Asturias, es cosa hecha y sancionada por el rey. Presentarse como más monárquico que el propio rey es acción de cortesanía cretina».

Se apuntaló convenientemente el estatus profesional de la periodista Letizia Ortiz: de la CNN, un modesto canal codificado, pasó a TVE, cubrió los sucesos más impactantes de ese año, Irak, la catástrofe del *Prestige* en Galicia, el atentado de las Torres Gemelas, y se le dio la presentación del telediario más importante, así, cuando se anunció el compromiso, no era una oscura periodista, muy mona y lista, eso sí (aunque no muy simpática), sino una de las profesionales más importantes del país, que renunciaba a «un futuro brillante para casarse con el heredero de la Corona» (así nos vendieron en muchos periódicos la boda ¡y nosotros nos lo creímos!).

Sí, tenía novio cuando conoció al príncipe, pero esta circunstancia también quedó opacada por la brillantez del compromiso real. En verdad, nunca se nos explicó claramente ni cómo, ni dónde, ni cuándo se habían conocido el príncipe y la periodista.

Aunque ninguno de los implicados se pronunció al respecto, trascendió la versión más «correcta» y con más estatus: en casa de Pedro Erquicia, en una reunión con lo más granado del periodismo español.

Yo quiero aportar aquí nuevos datos que están en mi poder, de los que se deducen situaciones distintas. Es cierto que Letizia llevaba separada de su marido, Alonso Guerrero, dos años. Lo conoció todavía con calcetines en el instituto Ramiro de Maeztu, donde él era profesor. Aquella relación entre una alumna-niña y su profesor-adulto, que ha inspirado entre otros un libro inmortal, *Lolita*, causó en el colegio considerable revuelo, y muchos condiscípulos de Letizia recuerdan los chismes, los ojos llorosos de la chica, el aire disgustado de Alonso. Era una historia llena de matices románticos para apasionar a unos adolescentes con sus hormonas revueltas y la imaginación desbordada. Fueron momentos muy tensos, se trataba además de una menor, y fue un calvario para los padres. Hay quien dice que las tensiones de aquellos días derivaron en un divorcio entre Jesús y Paloma, hasta entonces un matrimonio unido y muy feliz.

También eran entonces republicanos y de izquierdas.

Cuando Letizia cumplió su mayoría de edad, dejó la casa paterna para irse a vivir con Alonso; después se casaron.

Al fin, este matrimonio entre Letizia y Guerrero apenas duró un año. Después Letizia, que llevaba emparejada desde que era prácticamente una niña, tuvo unos años de alegre independencia. Por último, se ennovió bastante formalmente con David Tejera, su compañero en las tareas informativas de la

CNN. Tejera nunca ha hablado de aquella relación. Hace pocos meses un equipo de Telecinco que estaba realizando un documental sobre la princesa de Asturias lo llamó por teléfono y le pidió su colaboración en el programa.

Su respuesta fue sorprendente:

—El día en que decidáis hacer un programa sin tapujos, contando la verdad y no dando versiones edulcoradas, contad conmigo.

La versión oficiosa nos ha explicado, pues, que el príncipe y Letizia se conocieron en casa de Pedro Erquicia en el verano del año 2001. Yo tengo que decir que, según mi investigación, probablemente este hecho no sea cierto.

En esa época Letizia no estaba saliendo con David Tejera. Ignoro si se habían peleado definitivamente o si se habían tomado un descanso para planear mejor su futuro. Porque en esos meses Letizia estaba saliendo con otra persona. Joven, atractivo, audaz, «famoso», muy bien relacionado, amigo del príncipe Felipe, el tipo de hombre que más podía gustar a una ambiciosa Letizia: el aventurero Kitín Muñoz.

Entonces de treinta y un años, nacido en Sidi Ifni, hijo de militar, este navegante, trotamundos y científico se ha dedicado desde niño a emprender travesías románticas e imposibles; sus proyectos intentan reproducir las formas de navegación primitivas, explorar nuevos territorios y estudiar el comportamiento de los aborígenes desde un prisma humanitario y ecologista. Es embajador honorario de la Unesco.

Es un personaje inclasificable, con su barco *Mata Rangi*, realizado con fibra de totora, intenta cruzar el Atlántico. Lleva una bandera española donada por el propio rey.

Nunca, hasta este momento, ha trascendido esta relación. Kitín, que disfrutó de una larga soltería llena de chicas guapas y conocidas, siempre ha guardado el más hermético de los silencios y, naturalmente, Letizia nunca ha contado nada en absoluto, aunque en esa época los dos estaban solteros y fue un noviazgo en libertad.

La relación duró dos meses. Hasta que Kitín conoció a la encantadora princesa búlgara Kalina y se enamoró perdidamente de ella.

Y aquí, digo yo, ¿no sería posible que Kitín, para romper de una forma caballerosa con Letizia, se la presentara al príncipe? ¿Podría ser que, inteligente y perspicaz como es, se diera cuenta de que el príncipe y Letizia estaban hechos el uno para el otro?

¡El príncipe heredero, cuyo papel empezaba a ser cuestionado, pues no había podido ni siquiera crear una familia propia como era su obligación, y la chica ambiciosa, lista, valiente y perfeccionista capaz de todo para lograr sus objetivos!

A Kitín, persona dotada de gran psicología, según todos los que lo conocen, la jugada le salió bien. Pudo retirarse galantemente, dejando a Letizia en brazos de Felipe, y casarse con Kalina, conformando una de las uniones más sólidas y felices de nuestro panorama social.

Un Felipe que todavía estaba saliendo con Eva Sannum, una relación que simultanearía con su amistad con Letizia, hasta que al final se decidió por esta. Cuando se reunió en Zarzuela con los periodistas que cubren la información de Casa Real para informarles de que había roto con la noruega, seguramente ya habría decidido casarse con Letizia.

¿Podría ser que las cosas hubieran ocurrido así?

Podría ser.

Me temo que nunca lo sabremos con seguridad. Letizia, a despecho de su antigua profesión, ya no habla nunca con la prensa; a diferencia de sus homólogos europeos, ni ella ni el príncipe han concedido jamás ninguna entrevista fuera de los estereotipados «la princesa y yo estamos muy contentos de visitar...».

Y Kitín tampoco hablará.

No sabemos si el matrimonio ha resultado satisfactorio para Letizia y para Felipe, tanto como imaginaban cuando se casaron. Desde luego, cada uno sabía muy bien cómo era el otro, pues estuvieron conviviendo bastante tiempo antes de anunciar su compromiso y también después, hasta el día de la boda, que se celebró el 22 de mayo de 2004. Recordemos que se conocieron en el año 2001. Tres años. Hay una anécdota poco conocida acerca de este periodo de intimidad, lo que antes se llamaban «relaciones prematrimoniales». Ante los hechos consumados:

—O Letizia o lo dejo todo.

El rey tuvo que apretar los dientes y resignarse. Llamó a sus amigos para que recibieran a la novia de su hijo con el fin de que fuera acostumbrándose a tratar con un tipo de personas que hasta entonces no formaban parte de su círculo. En una de estas ocasiones fue cuando Letizia dijo, muy finamente, en el momento de colocarse la servilleta sobre las rodillas:

—Que aproveche.

Uno de los amigos a los que recurrió el rey fue Juan Abelló, quien invitó a los novios a una cacería en su finca Las Navas, en Toledo. A su llegada, Letizia vio que les habían preparado habitaciones separadas y le dijo al príncipe en un tono airado que todos oyeron perfectamente:

—Yo me voy. ¿Qué se han creído estos?

Ana Gamazo lo había dispuesto así. Cuando alguno de sus cuatro hijos iba con su pareja, tampoco dormían en la misma habitación. Era una norma de la casa que ella, que había recibido una educación alemana, no pensaba romper ni siquiera por el príncipe de Asturias.

Se les advirtió, como a todos los cazadores:

—Los hombres abajo a las ocho, las mujeres a las diez.

Al día siguiente, cuando los anfitriones se levantaron, Felipe y Letizia se habían ido, a las seis de la mañana, dejando una nota en la que se disculpaban por un compromiso imprevisto familiar.

¿Está contenta Letizia con su vida? ¿Añora el pasado? Yo tengo aquí un testimonio de primera mano, que corresponde a una recepción celebrada poco antes de dar este libro a la imprenta. Después de un pesado besamanos que se alargó varias horas al lado de sus cuñadas, con las que no intercambió palabra, Letizia presentaba un aspecto cansado y melancólico. Un pariente del rey se inclinó ante ella y le dijo en un impulso:

—Dime en qué puedo ayudarte, pídeme todo lo que necesites.

Letizia paseó sus ojos angustiados por el salón repleto de medallas y chaqués y suplicó:

—Pues tráeme un coche para salir huyendo de todo esto.

Después soltó una risita, pero el invitado se fue con el corazón encogido.

El huracán Letizia ha dinamitado la imagen que hasta hace poco teníamos de la monarquía y de la familia real. Don Juan Carlos se lo comentaba a un gran amigo suyo en Barcelona, en cuya casa solía alojarse hasta hace poco tiempo:

—¿A ti qué te parece Letizia? ¡Es que en mi familia no la quiere nadie! Las infantas no la pueden ni ver, nos ha dividido a todos, ha acaparado al príncipe, ¡lo ha apartado hasta de su madre! ¡Mi casa es un desastre!

Mi fuente confidencial, una persona que conoce la vida «dentro» de Zarzuela, se somete amablemente a mis preguntas. Acaban de salir unas fotos de la familia real al completo en la que es evidente el rostro disgustado de la princesa de Asturias. Mi comunicante ríe:

—Sí, ya me ha contado el rey que está molesta porque quiere que se cree la Casa del Príncipe, con el mismo organigrama de la Casa del Rey, ¡pero no hay presupuesto! Y el rey me dice, oye, que tampoco me voy a morir pasado mañana, ¡que solo tengo setenta y tres años!

—¿Qué ambiente hay en Zarzuela?

—Ahora es Letizia la que monopoliza la conversación en las reuniones íntimas. Habla sin parar, es muy machacona con los temas, nadie le contesta, pero a ella le da igual; el rey a veces me mira por detrás suyo riéndose y se encoge de hombros... Al contrario de lo que cree la gente, él se lo toma con humor, como si la cosa no fuera con él...

—Quizás piensa que ya lo ha dado todo, que trabajen los otros...

El amigo del rey me mira con asombro y se echa a reír:

—Eso ¡ni de coña! El rey se morirá con las botas puestas, le gusta demasiado el poder, mover los hilos, que lo llamen los presidentes de Gobierno y los banqueros... ¡Se estuvo preparando tanto tiempo para ello! Ahora, lo que pase después...

—¿Qué relación tiene con su hijo?

—El príncipe siempre ha sido más de la madre, pero ahora está distante respecto a los dos, cosa que duele mucho a la reina, que tiene locura y ceguera con él. Doña Sofía ha polarizado en su hijo todos sus afectos. El rey llama a la pareja «los de la casita de la pradera...». Una vez, al principio del matrimonio de su hijo, me comentó: «¿Te has dado cuenta de lo que mueve "esa" las manos? Voy a decir que le pongan un bolso o algo, para que no esté todo el día cogiéndose de Felipe o con las manos en plan molinillo...».

El amigo, que es del «partido» del rey, también reconoce que:

—La reina siempre está al lado de su hijo, es incondicional suya, ¡si vieras cómo le brillan los ojos cuando lo mira o cuando él habla! Desde el día en que él le dijo que se quería casar con Letizia, ella le ha apoyado a muerte enfrentándose incluso al rey, porque para ella todo lo que haga su hijo está bien, para ella es el ser más perfecto sobre la tierra.

—¿Y es así?

—El príncipe de momento tiene poca personalidad, no ha tenido que pasar ni el cinco por ciento de las luchas y amarguras de su padre para estar donde está, ¡no le han protestado ninguna letra! Estará muy preparado, rodeado de consejeros áulicos, pero de la vida no sabe nada... ¡No es Borbón, es Hannover! La reina está ciega con él, y si tiene que apoyar a Letizia, lo hará hasta el fin...

—¿Es cierto que Letizia ha enfrentado al príncipe con toda su familia?

—Es prepotente, le falta «fineza» para conducir las situaciones, no conoce cómo funciona el sistema monárquico ni el mundo de la aristocracia, que, mal que bien, es el que apoya a la institución... No admite consejos, le encanta llevar la contraria a todo el mundo, es muy peleona, lo que en un matrimonio particular puede estar muy bien, pero no en una futura reina de España con tanto que aprender.

—Entonces ha dividido a la familia.

—Más o menos. El rey nunca ha entendido esa boda, y solo transigió porque era esa boda o nada. Jamás podrá aceptar a

Letizia, ni perdonará a su hijo, porque don Juan Carlos va más allá del cariño filial, tiene una visión de Estado impresionante. La reina no, ¡es más madre que reina! ¡Es pasión lo que tiene con su hijo!

—Letizia le estará entonces agradecida.

—Yo diría que la trata con cierta condescendencia... La reina al principio intentaba aconsejar a su nuera, pero con tan poco éxito que ya ha desistido. La he oído comentar alguna vez que tiene que avisar con tiempo para poder ver a sus nietas, las hijas de Letizia... A ella no le gusta que vaya a verlas cuando no está delante... Las niñas están mucho con la familia de ella, la abuela, la madre, las hijas de sus hermanas, pero a la familia de Felipe la ve muy poco, aunque viven en el mismo recinto. El rey no va jamás a «la casita de la pradera». ¡Creo que no la ha visitado nunca!

—Las infantas Elena y Cristina, ¿están unidas a sus padres?

—Al rey, mucho. El rey las admira, las tiene en consideración, le hacen gracia sus nietos, se divierte con ellas. Me ha comentado alguna vez que las dos están deseando servir a España, pero que es muy difícil, porque o entran en conflicto con las embajadas, o con los ministerios, o con funcionarios que tienen que justificar su sueldo, ya sabes, ese tipo de cominerías, y que es una pena desaprovechar su potencial.

Mi confidente me dice con tristeza:

—Lo cierto es que cada uno va por su lado. A la postre no han sabido «crear» familia y yo sé que para el rey eso es una decepción tremenda.

—¿Y culpa a la reina?

—A mí no me lo ha dicho, pero quizás.

Letizia podríamos decir que ha plebeyizado a la familia real, incluso a la «gran profesional» entroncada con milenios de realeza que, según ironiza García Abad, cree que es reina por naturaleza de forma permanente, ya que, cuando la Parca se nos lleve a todos, ella seguirá siendo reina.

Remedando al poeta, «polvo será, mas polvo coronado». Como la misma Sofía le dijo a Pilar Urbano:

—Aun destronada, en el exilio, o viuda, yo seguiré siendo reina.

Pues a esta reina, a esta superreina, a esta reina de todas las reinas, Letizia también la ha cambiado. No solamente le ha contagiado su afición por los retoques estéticos, sino que ha conseguido que le preste más atención a ella que a sus propias hijas, a Elena y a Cristina. A los ojos de un observador superficial, y en las escasas ocasiones en las que están juntas, parecen llevarse muy bien. La reina es el único miembro de la familia que habla con Letizia, le presta atención; en el libro de Urbano se deshace en elogios sobre su nuera cuando a sus hijas apenas las nombra.

La actitud de Letizia respecto a la reina ha cambiado en estos siete años de matrimonio. La deferencia servicial del principio se ha trocado en cierto tono displicente, diría que hasta protector y compasivo, lo que molesta bastante al rey, quien comenta en la intimidad:

—No hay nada que hacer, no quiere aprender, cree que lo sabe todo.

Letizia, a sus cuñadas, no se molesta en prestarles atención, y al rey lo mismo. Acapara a Felipe con maniobras estratégicas muy bien estudiadas y consigue que su marido dé la espalda a su familia y se ocupe tan solo de ella y de sus hijas. Casi nunca se ve tampoco al príncipe hablando con su madre, lo que debe doler a esta profundamente.

Letizia juega sus cartas: sabe que ella y Felipe son el futuro y que en la España de nuestros hijos solo contarán ellos.

A medida que ha ganado influencia sobre su marido, considera que ya no tiene que hacerse la simpática con su familia política y no se molesta en disimular sus sonrisas de desdén, la indiferencia hacia sus sobrinos, la desgana con la que se coloca al lado del rey para posar en las fotografías, su aburrimiento en los escasos días de vacaciones que pasa en Mallorca. Además, evita que sus hijas estén en contacto con sus abuelos o sus primos por parte de padre.

En su descargo hay que decir que con las sobrinas de su sangre, tanto la hija de su desgraciada hermana Erika, como la niña de Telma, es cariñosísima, generosa y muy protectora.

También hay que decir que sus cuñadas y su suegro tampoco se lo han puesto fácil a Letizia.

¿No nos recuerda esta actitud de Letizia la misma de Sofía en idénticas circunstancias?

Don Juan culpaba a Sofía de su marginación de la vida activa española, de la misma forma que Juan Carlos culpa a Letizia del apartamiento familiar de su hijo. La supervivencia de la monarquía necesita que los relevos se produzcan con la precisión y contundencia con la que los buenos verdugos sajaban el cuello de sus víctimas: de forma rápida, segura y, a poder ser, sin sangre.

Marginada por su marido, preterida por sus hijas, que siempre preferirán el encanto fácil de su padre y su poder de seducción, sin nadie más en quien confiar sobre la tierra, la reina ha volcado todo su amor, inmenso, profundo, indestructible, en su hijo:

—¡Estoy enamorada de él! —dice con apasionamiento.

¡Él no puede fallarle!

Quiere que sea rey por encima de todo. Quizás sueña con estar a su lado y aconsejarle, los dos solos, en el futuro. Cuando

Tino fue rey, su madre se mantuvo junto a él, ayudándole. Fue cuando Freddy dijo:

—Este papel nadie puede quitármelo, ¿quién puede ayudarlo mejor que yo, que también he sido reina?

Y si Sofía tiene que halagar a Letizia, lo hará sin ningún remordimiento.

¿No estuvo halagando al Caudillo durante trece años, desde aquella primera carta que le escribió para darle las gracias por sus regalos de boda, hasta su última comparecencia en el balcón de la plaza de Oriente, con la sangre, fresca aún, de los últimos fusilados regando la tierra?

¡Halagar a Letizia, al lado de aquello, es fácil!

Y si con ello consigue fastidiar un poco a su marido, pues también lo entendemos.

¡Y si la reina tiene que «vulgarizarse», también lo hará! O, al menos, lo intenta. Lleva a sus nietos, algunos bastante maleducados, de excursión envuelta en una gran toalla al estilo de cualquier veraneante de Benidorm. Señala con el dedo a todo pasto, le ríe las gracias al nieto pesado que le da patadas a otros niños, y va a los bautizos reales con su camarita de fotos colgando del cuello, metiéndose casi en la pila de Santo Domingo de Silos que pesa quinientos kilos, ¡como la piedra de Nazca que le regalaron Peñafiel y compañía y que sigue, inamovible, al lado de la piscina, con sus garabatos indescifrables!

Se pone la misma ropa informe y poco atractiva de las señoras de mediana edad que quieren estar cómodas y no elegantes, y lleva multitud de collares, amuletos, piedras de Mauritania, ojos de tigre, huevos de Pascua colgados del cuello o de las muñecas hasta parecer una excéntrica señora inglesa aficionada al ocultismo.

Porque Sofía no sabe exactamente cómo popularizarse, no lo lleva en su código genético, le resulta imposible. Me recuerda la película *The Queen*, cuando la reina Isabel de Inglaterra, para acercarse al pueblo como su nuera Lady Di, se pone a hablar con un muchacho en la calle, que huye despavorido. Cuando Sofía se entrevista otra vez con Pilar Urbano para que escriba un nuevo libro sobre ella, ya se ve a esta nueva Sofía. Dice, hablando de los abuelos de Letizia:

—¡Son una monada!

También cuenta que cuando conocieron a Letizia, «estaban nerviosos como flanes», que «se guasearon» de sus caras serias el día de la boda, exclama varios «nos quedamos muertos», «no es un plato de gusto», «a los niños, azotitos en el pompis», «es una repipi», para rematar: «¡Y yo con estos pelos!».

Muchos opinan que es una táctica equivocada, ¡que ver a las reinas descender a nuestro nivel es como encontrarnos un día a nuestra madre borracha!

Únicamente en las ceremonias en el Palacio Real resurge la Sofía de las grandes ocasiones, y entonces sí que nadie puede hacerle sombra. El rey se da cuenta, y a la hora de las fotos o el besamanos permanece pacientemente a su lado, formando un icono con una fuerza carismática que pocos superan en Europa. Pero en el momento del «rompan filas», desaparece y ya no hay manera de hacerles fotos juntos.

Es como si quisiera dejar muy claro que Sofía sigue siendo la reina, pero ya no su mujer.

Con la edad Sofía ha agudizado su aspecto griego. Le gusta hablar en griego y viaja con frecuencia para ver a Tatiana en París y a Tino en Londres. Cuando los tres están juntos, el tono alto de sus voces y sus risas guturales, sus amplias carcajadas, atemorizan un poco, pero nunca se ve a la reina tan feliz como en esos momentos.

Va a misa todos los domingos en Zarzuela (Letizia, no). Sin embargo, cada vez se la ve más a menudo en la iglesia ortodoxa de Madrid, donde reza con gran devoción. De vez en cuando también acude a la iglesia adventista, un culto que le interesa. También comparte con su hermana Irene, la tía Pecu (por peculiar), como la llaman sus hijos, su modo oriental de ver la vida.

Sigue creyendo que los muertos viven entre nosotros.

Cumple con sus obligaciones, pero sus actividades ya no despiertan emoción porque no hay ninguna concesión a los gustos del pueblo, lo que no se sabe si es bueno o malo. Da la impresión de que cuando abre su agenda, se ha depositado una fina capa de polvo sobre sus páginas, porque todo tiene cierto aire repetitivo y rutinario que apenas encuentra hueco en los medios de comunicación. Ya apenas se mencionan las causas de las que fue abanderada en el pasado, la lucha contra la droga, los microcréditos, la situación de la mujer en el Tercer Mundo, la ayuda a la obra de Teresa de Calcuta y, fuera de las fotos en las que aparece con sus nietos o Letizia, merece tan solo una atención cortés y un entusiasmo perfectamente descriptible.

La psicóloga María Jesús Álava, que ha participado en algunos seminarios que la reina organiza para ponerse al tanto de temas actuales, me da su opinión prestigiada por varios doctorados y una docena de libros escritos con enorme éxito:

—Se dedica profundamente a los temas de estudio, es capaz de leer varios libros a la vez y en distintos idiomas, es valiente en sus ideas, desde las primeras veces que la vi hasta ahora ha sufrido una gran evolución, de ser muy poco sociable e introvertida, se la ve más segura de sí misma, aunque sigue siendo muy tímida.

La abogada Magda Oranich, que por su dedicación política ha estado con ella a menudo en estos años, me dice:

—Estoy segura de que la causa que defendería la reina con más ahínco y más pasión sería la de los animales, pero alguien le debe haber aconsejado que no se implique… pero ella, que es muy valiente, cuando sabe que la están enfocando aprovecha para acariciar un perro, un burro, un gato, lo que tenga más a mano, sabiendo el valor de esa imagen. Recuerdo una vez, en una visita a Cuba. Pasó un gatito famélico y seguramente lleno de pulgas. La reina dejó a su séquito oficial y se agachó para acariciarlo… Esa fotografía dio la vuelta al mundo e incluso reclutó algún premio…

Magda me resume de forma castiza:

—Mira, unos cuernos pueden aguantarse; con la edad te das cuenta de que tampoco tienen tanta importancia, ¡pero que tu marido sea cazador y le gusten los toros! ¡Me imagino lo que eso debe representar para ella!

Un marido que se comporta habitualmente como si su mujer no existiese, haciendo caso omiso a los consejos de su amigo Bouza, su Pepito Grillo particular:

—Le aconsejo ser discreto por nuestras esposas, que están en una edad muy difícil, y que prodigue los gestos de cariño con la reina en público, cogiéndola cuando baje por las escalerillas del avión…

El rey, por supuesto, no le ha hecho ni caso a su amigo del alma. La pobre reina sí que un par de veces ha pretendido cogerse del brazo de su marido, más por él que por ella, pero es tal la violencia de la respuesta, que no ha vuelto a intentarlo, porque ha estado a punto de dar con la cara en el suelo. No solamente el rey aparta el brazo, sino que le recrimina con palabras airadas. En una ocasión, en un programa de televisión, hicieron descifrar a un lector de labios una conversación que al final no pudo emitirse por temor a la respuesta de la Casa Real.

Una Casa Real que mira con lupa todas las informaciones que aparecen sobre ella. El mismo Paolo Vasile, presidente de Telecinco, ha comentado:

—Ojalá la Casa Real fuera tan respetuosa con nuestro trabajo como lo es el gobierno.

Y Pedro J. Ramírez, director de *El Mundo*, ha tenido que protestar en alguna ocasión ante alguna queja:

—No tengo por costumbre inmiscuirme en el trabajo de mis periodistas.

Los que dedicamos nuestra vida a estos temas nos mantenemos siempre en un difícil equilibrio entre lo que se puede decir y lo que se debe decir para no defraudar la valentía de los editores que apuestan por nosotros, la confianza que nos muestran nuestros lectores y las consecuencias que nuestro trabajo, tan poco amable para muchos, puede tener en nuestro futuro profesional.

En este caso concreto del que hablaba más arriba, la interpretación que un lector de labios dio a las palabras de don Juan Carlos en un acto religioso, sí puedo decir que denotaban el hastío, el desgaste y el malestar que solo se da en los matrimonios que llevan largo tiempo juntos pero que están obligados a mantener el vínculo.

Esta situación cristalizó, a la vista de todo el mundo, cuando el rey fue operado de un nódulo benigno en el hospital Clínic de Barcelona.

Barcelona, un lugar en el que don Juan Carlos se siente muy cómodo. Por este deseo de privacidad, posiblemente, el rey escogió Barcelona para operarse y para pasar el postoperatorio. Yo volví a mis orígenes de reportera para cubrir este suceso micrófono en mano para Telecinco. Desde Madrid nos preguntaban:

—Pero ¿el rey está solo? ¿Cómo es que no va la reina?

Nosotros sabíamos perfectamente por qué no iba la reina, y por qué el rey quería recuperarse no en su casa, en Zarzuela, sino en el pequeño departamento que tiene en la clínica Planas, donde goza de una entrada particular y secreta.

Hay quien dice, incluso, que el propio rey es uno de los propietarios del centro hospitalario, junto a los médicos Planas.

Un clamor unánime e indignado se levantó en España:

—El rey se está operando, tal vez de un cáncer. ¿Y no está la reina?

Cuando la reina de España Victoria Eugenia, la mujer del infiel Alfonso XIII, tan infiel como su nieto, tan engañada ella como Sofía, no acudió a una celebración familiar dolorida por la última traición conyugal, la prensa se alzó en armas. Carretero, por otro nombre El Caballero Audaz, escribió: «¿Por qué no está allí la reina de España? ¡Falta la mujer, la esposa, la madre! ¡Mujeres de España todas iguales ante el corazón! La pescadera y la marquesa, la dama de corte y la obrera. ¡Así son las madres de España!». Carretero, que conocía perfectamente que esos días Alfonso XIII tenía nada más y nada menos que tres amantes distintas, además de frecuentar los prostíbulos romanos, terminaba sentenciando a la infeliz reina exiliada: «Las madres españolas ya no la dejarían entrar en España, ¡la han desalojado de su corazón!».

Sofía también estaba siendo desalojada del corazón de los españoles, que veían únicamente que al rey lo operaban de una lesión grave y que la reina no estaba a su lado.

Y otra vez los viejos anatemas:

—¡Es fría, es alemana! ¡No quiere a nadie! ¡No deja de ser extranjera! ¡Por su culpa el rey se morirá solo como un perro! ¡Tantos palacios y tanto barco para nada!

Nosotros sabíamos perfectamente por qué la reina no quería ir a Barcelona. Las razones se reducían a una y tenían nombre de mujer: Corinne. «La novia alemana del rey», según decía tranquilamente Raúl del Pozo en su columna de *El Mundo.*

Pese a saberlo también, la reina tuvo que echar mano de su «profesionalidad», ponerse la «máscara», coger un avión, presentarse en la clínica, estar unos minutos en la habitación y salir luego a «tranquilizar» a los españoles:

—El rey está bien... ha bromeado. Regreso a Madrid a cumplir con mis obligaciones.

Era sábado.

Fue el último gesto que hizo por su marido, aunque quizás todavía le quede mucho trabajo que hacer por el rey.

Inolvidable esa imagen suya tan igual a sí misma, en el peinado, el cuello esbelto surgiendo de su camisa estampada, la sonrisa impávida, los ojos vacíos, su rostro de reina que ya no se quita nunca, en las escaleras del Clínic. Completamente sola.

Le pedimos que se hiciera una foto con nosotros, los periodistas que estábamos apostados en la puerta, informando en directo desde hacía veinte horas. Su jefe de prensa se lo propuso y le señaló el sitio donde debía colocarse:

—Señora, aquí, por favor.

Yo estaba muy cerca de ella. Mientras mis compañeros iban ajustando objetivos y tomando posiciones, vi como cerraba un momento los ojos con un temblor de párpados y de pestañas rubias, y tomó el aspecto conmovedor y vulnerable de la chica joven que debió ser, tantos años antes, en Grecia, cuando la vida empezaba y el mundo parecía un lugar luminoso y limpio donde los maridos no engañaban a sus mujeres y las familias estaban unidas y eran felices.

Un ascensor subía al piso donde estaba su majestad. Con una sola persona.

Quizás la reina lo vio. Quizás todos lo sabían. Vislumbró compasión en algunos ojos.

Eso no, la basilisa que no lloraba cuando oía caer las bombas, la princesa que curaba con sus propias manos las heridas de los niños, la muchacha modesta que viajaba a las aldeas remotas a enterarse de cómo vivían los griegos, la princesa que visitaba a las madres que habían perdido a sus hijos en el Vallés o en Ortuella no podía provocar compasión. Nunca.

Su madre se lo había enseñado:

—Tú sí debes sentir compasión por las penas de tus hermanos en la tierra, pero nadie debe sentir compasión por ti. Pase lo que pase, recuerda nuestra divisa: nuestra fortaleza es el amor de nuestro pueblo.

Necesita creérselo.

Engalló la cabeza.

Quizás le pareció que la voz de su madre le soplaba al oído:

—Yo te he dicho siempre que vueles alto, *Η κόρη μου.*

—Sigo siendo tu hijita querida, mamá. *Mutti.*

—Nadie me ha querido como tú, ¿sabes?

—Para nadie he sido tan importante como para ti.

Cuadró los hombros, creció un par de centímetros, pareció asentir a algún comentario inaudible para nosotros. Después recobró su sonrisa y se sometió dócilmente a la luz de los flashes.

A continuación se fue al aeropuerto. Sola.

En la sala de autoridades se encerró largo rato en el cuarto de baño y, según me contó una azafata:

—Cuando salió vi que se había lavado la cara, tenía el pelo un poco mojado y los ojos brillantes.

Yo le comenté que quizás había llorado.

La azafata se asombró:

—¡Llorar, la reina! ¡Qué cosas tienes! ¿Por qué iba a llorar la reina?

Esa noche llamé a mi editora y le dije:

—Quiero escribir un libro sobre Sofía.

—¿Y cómo lo vas a llamar?

—¡La soledad de la reina!

# *Notas bibliográficas*

En la mayoría de las ocasiones, intercaladas en el texto, salen las citas textuales y sus autores, también el medio en el que han aparecido. Asimismo explico quiénes han sido mis fuentes orales cada vez que relato un suceso inédito, fruto de la investigación que he seguido para escribir este libro. Las fuentes que no he citado expresamente se detallan en las siguientes notas. También he contado con el testimonio de algunos informantes que, por diversos motivos, me han pedido que su nombre no apareciera en esta biografía. Mis editoras tienen constancia de sus nombres y de la absoluta fiabilidad y solvencia de las confidencias que me han realizado. Vaya para todos mi más profundo agradecimiento.

**Capítulo 1**

1. Apezarena, José, *El príncipe*, Plaza y Janés, Barcelona, 2000.
2. Peñafiel, Jaime, *Retrato de un matrimonio*, La Esfera de los Libros, Madrid, 2008.

3. Soriano, Manuel, *Sabino Fernández Campo. A la sombra del rey*, Temas de Hoy, Madrid, 1995.

## Capítulo 2

1. Diálogos extractados de Grecia, Federica de, *Memorias*, G. del Toro, Madrid, 1971.
2. Urbano, Pilar, *La reina*, Plaza y Janés, Barcelona, 1996.
3. Roger Peyrefitte, citado en José Luis Herrera, *Doña Sofía*, FIES, 1984.
4. *Butt Magazine* (revista editada en Holanda y publicada en inglés) y *Diarios* de Christopher Isherwood.
5. Grecia, Federica de, *op. cit.*
6. Bertin, Celia, *Marie Bonaparte, one life*, Yale University Press, New Haven, 1982.
7. Urbano, Pilar, *op. cit.*
8. Anson, Luis María, *ABC*, 2 de octubre de 1981.
9. Citado en José Luis Herrera, *op. cit.*
10. Urbano, Pilar, *op. cit.*

## Capítulo 3

1. Grecia, Federica de, *Memorias*, G. del Toro, Madrid, 1971.
2. Grecia, Federica de, *op. cit.*
3. Urbano, Pilar, *La reina*, Plaza y Janés, Barcelona, 1996.
4. Herrera, José Luis, *Doña Sofía*, FIES, Círculo de Lectores, Barcelona, 1984.
5. Parrotta, Ricardo, *Las mejores anécdotas del rey*, Planeta, Barcelona, 1982.

6. Urbano, Pilar, *op. cit.*
7. Herrera, José Luis, *op. cit.*
8. Urbano, Pilar, *op. cit.*
9. Herrera, José Luis, *op. cit.*
10. Vilallonga, José Luis, *La cruda y tierna verdad*, Plaza y Janés, Barcelona, 2000.

**Capítulo 4**

1. Reyes, Luis, *Tiempo*, 8 de julio de 2008.
2. Eyre, Pilar, *Secretos y mentiras de la familia real*, La Esfera de los Libros, Madrid, 2007.
3. Gurriarán, José Antonio, *El rey en Estoril*, Planeta, Barcelona, 2000.
4. Laot, Françoise, *Juan Carlos y Sofía*, Espasa Calpe, Madrid, 1987.
5. Urbano, Pilar, *La reina*, Plaza y Janés, Barcelona, 1996.
6. Herrera, José Luis, *Doña Sofía*, FIES, Círculo de Lectores, Barcelona, 1984.
7. Grecia, Federica de, *Memorias*, G. del Toro, Madrid, 1971.
8. Laot, Françoise, *op. cit.*
9. Balansó, Juan, *Los reales primos de Europa*, Planeta, Barcelona, 1992.

**Capítulo 5**

1. Robilant, Olghina de, *Reina de corazones*, Grijalbo, Barcelona, 1991.
2. Robilant, Olghina de, *op. cit.*

3. Robilant, Olghina de, *op. cit.*

4. Soriano, Manuel, *Sabino Fernández Campo. A la sombra del rey*, Temas de Hoy, Madrid, 1995.

5. Balansó, Juan, *Los reales primos de Europa*, Planeta, Barcelona, 1992.

6. Robilant, Olghina de, *op. cit.*

7. Urbano, Pilar, *La reina*, Plaza y Janés, Barcelona, 1996.

8. Grecia, Federica de, *Memorias*, G. del Toro, Madrid, 1971.

9. Dampierre, Emanuela de, *Memorias*, La Esfera de los Libros, Madrid, 2003.

10. Urbano, Pilar, *op. cit.*

11. González de Vega, Javier, *Yo, María de Borbón*, El País-Aguilar, Madrid, 1995.

12. Clogg, Richard, *A short History of Greece*, Cambridge University, Londres, 1979.

13. Laot, Françoise, *Juan Carlos y Sofía*, Espasa Calpe, Madrid, 1987.

14 Revista *Oggi*, 13 de septiembre de 1982.

15. Suárez, Eugenio, *Caso cerrado*, Oberón, Barcelona, 2005.

**Capítulo 6**

1. Sagrera, Ana de, *Ena y Bee, en defensa de una amistad*, Velecio Editores, Madrid, 2006.

2. Pemán, José María, *Mis encuentros con Franco,* Dopesa, Barcelona, 1976.

3. Palacios, Jesús, «Los informes secretos de Franco», *Tiempo*, 1990.

4. López Rodó, Laureano, *La larga marcha hacia la monarquía*, Noguer, Barcelona, 1977.

5. González Doria, Fernando, *Mis bodas reales*, Afrodisio Aguado, Madrid, 1962.

6. Preston, Paul, «Juan Carlos, el rey de un pueblo», *ABC*, 2003.

7. Evans, Peter, *«Ari». La vida de Onassis*, Planeta, Barcelona, 1987.

8. González de Vega, Javier, *Yo, María de Borbón*, El País-Aguilar, Madrid, 1995.

9. Palacios, Jesús, *op. cit.*

10 Garriga, Ramón, *La señora de El Pardo*, Planeta, Barcelona, 1979.

11. Franco Salgado Araújo, Francisco, *Mis conversaciones privadas con Franco*, Planeta, Barcelona, 1976.

12. Urbano, Pilar, *La reina*, Plaza y Janés, Barcelona, 1996.

13. Preston, Paul, *Franco, caudillo de España*, Grijalbo, Barcelona, 1993.

**Capítulo 7**

1. Garriga, Ramón, *La señora de El Pardo*, Planeta, Barcelona, 1979.

2. Herrera, José Luis, *Doña Sofía*, FIES, Círculo de Lectores, Barcelona, 1984.

3. Bardavío, Joaquín, *Las claves del rey*, Espasa Calpe, Madrid, 1995.

4. Eyre, Pilar, *Dos Borbones en la corte de Franco*, La Esfera de los Libros, Madrid, 1996.

5. Preston, Paul, «Juan Carlos, el rey de un pueblo», *ABC*, 2003.

6. Pemán, José María, *Mis almuerzos con gente importante*, Dopesa, Barcelona, 1970.

7. Urbano, Pilar, *La reina*, Plaza y Janés, Barcelona, 1996.
8. Laot, Françoise, *La reina*, Plaza y Janés, Barcelona, 1996.
9. Apezarena, José, *El príncipe*, Plaza y Janés, Barcelona, 2000.
10. *La Vanguardia*, 29 de diciembre de 1963.
11. Grecia, Federica de, *Memorias*, G. del Toro, Madrid, 1971.

**Capítulo 8**

1. Laot, Françoise, *Juan Carlos y Sofía*, Espasa Calpe, Barcelona, 1987.
2. Duerto, Carmen, *La infanta Elena*, La Esfera de los Libros, Madrid, 2010.
3. Bouza, Antonio, *El rey y yo*, La Esfera de los Libros, Madrid, 2007.
4. Apezarena, José, *El príncipe*, Plaza y Janés, Barcelona, 2000.
5. Gurriarán, José Antonio, *El rey en Estoril*, Planeta, Barcelona, 2000.
6. Gómez Santos, Marino, *La reina Victoria Eugenia de cerca,* Afrodisio Aguado, Madrid, 1969.
7. Urbano, Pilar, *La reina*, Plaza y Janés, Barcelona, 1996.
8. Bouza, Antonio, *op. cit.*
9. Garriga, Ramón, *La señora de El Pardo*, Planeta, Barcelona, 1970.
10. Borbón, Alfonso de, *Memorias*, Ediciones B, Barcelona, 1989.
11. Preston, Paul, «Juan Carlos, un rey para un pueblo», *ABC*, 2003.
12. Gil, Vicente, *Mis cuarenta años junto a Franco*, Planeta, Barcelona, 1981.

13. Revista *Lecturas*, 9 de mayo de 1969.
14. Bouza, Antonio, *op. cit.*
15. Armada, Alfonso, *Al servicio de la corona*, Planeta, Barcelona, 1983.
16. Bouza, Antonio, *op. cit.*
17. Urbano, Pilar, *op. cit.*
18. Uboldi, Raffaello, *Juan Carlos, King of Spain*, Mondadori, Barcelona, 1985.
19. Garriga, Ramón, *op. cit.*
20. Franco Salgado Araújo, Francisco, *Mis conversaciones privadas con Franco*, Planeta, Barcelona, 1976.

**Capítulo 9**

1. Esta rivalidad está tratada con detalle en mi libro *Dos Borbones en la corte de Franco*, La Esfera de los Libros, Madrid, 1996.
2. Preston, Paul, «Juan Carlos, un rey para un pueblo», *ABC*, 2003.
3. Celada, Eva, *Irene de Grecia, la princesa humilde*, Plaza y Janés, Barcelona, 2006.
4. Urbano, Pilar, *La reina*, Plaza y Janés, Barcelona, 1996.
5. Urbano, Pilar, *op. cit.*

**Capítulo 10**

1. Borbón, Alfonso de, *Memorias*, Ediciones B, Barcelona, 1989.
2. Peñafiel, Jaime, *Retrato de un matrimonio*, La Esfera de los Libros, Madrid, 2008.

3. Apezarena, José, *El príncipe*, Plaza y Janés, Barcelona, 2000.

4. Bouza, Antonio, *El rey y yo*, La Esfera de los Libros, Madrid, 2007.

5. Bouza, Antonio, *op. cit*.

6. Torío, Marcos, *Veranos en Mallorca*, La Esfera de los Libros, Madrid, 2010.

7. Esta conversación procede de dos fuentes distintas: un periodista habitual de Mallorca y su hijo.

8. Urbano, Pilar, *La reina*, Plaza y Janés, Barcelona, 1996.

9. Bouza, Antonio, *op. cit*.

10. Apezarena, José, *op. cit*.

## Capítulo 11

1. Balansó, Juan, *Los diamantes de la corona*, Plaza y Janés, Barcelona, 1998.

2. García Abad, José, *La soledad del rey*, La Esfera de los Libros, Madrid, 2004.

3. Este episodio está recogido en varios libros, sobre todo en Jesús Cacho, *El negocio de la libertad*, Temas de Hoy, Madrid, 1999.

4. Peñafiel, Jaime, *Retrato de un matrimonio*, La Esfera de los Libros, Madrid, 2008.

5. Balansó, Juan, *op. cit*.

6. Bouza, Antonio, *El rey y yo*, La Esfera de los Libros, Madrid, 2007.

7. Rueda, Fernando, *Las alcantarillas del poder*, La Esfera de los Libros, Madrid, 2011.

# Acerca de la autora

**Pilar Eyre** (Barcelona) estudió Filosofía y Letras y Ciencias de la Información. Ha ejercido el periodismo como columnista, entrevistadora y reportera en varios periódicos y revistas (*Hoja del Lunes, Mundo Diario, La Vanguardia, Interviú, El Periódico de Catalunya* y *El Mundo*, entre otros) y ha colaborado también en diversas emisoras de radio y televisión.

Es autora de varios libros, entre los que cabe destacar: *Dos Borbones en la corte de Franco, Secretos y mentiras de la familia real* y *Ricas, famosas y abandonadas* —publicados con gran éxito por esta editorial—, los ensayos *Vips: todos los secretos de los famosos, Mujeres, veinte años después* y *Cibersexo;* las novelas *Todo empezó en el Marbella Club* y *Callejón del olvido,* que se ha adaptado al teatro, y la biografía *Quico Sabaté, el último guerrillero,* que ha dado pie a una película y un documental.

Sus novelas históricas *Ena* y *Pasión imperial* (de la que actualmente se está preparando una serie de televisión) y las biografías *María la Brava* y *La soledad de la Reina* han sido todo un fenómeno editorial con más de 100.000 ejemplares vendidos de cada título.

# Acerca de la autora